玉树大地震救灾重建志

（卷六）集体·人物

《玉树大地震救灾重建志》编纂委员会　编

方志出版社
Publishing House of Local Records

图书在版编目（CIP）数据

玉树大地震救灾重建志．卷六，集体·人物 /《玉树大地震救灾重建志》编纂委员会编．—北京：方志出版社，2024.7

ISBN 978-7-5144-5219-8

Ⅰ．①玉… Ⅱ．①玉… Ⅲ．①地震灾害—重建—玉树县 Ⅳ．① D632.5

中国国家版本馆 CIP 数据核字（2023）第 228572 号

责任编辑：何明忠
责任校对：张玉霞
责任印制：梅中英
出 版 者：方志出版社
地　　址：北京市朝阳区潘家园东里 9 号（国家方志馆 4 层）
邮　　编：100021
网　　址：http://www.zgfzcb.cn
发　　行：方志出版社图书营销中心（010-67110500）
印　　刷：北京中科印刷有限公司
开　　本：889 毫米 ×1194 毫米　1/16
印　　张：28
字　　数：677 千字
版　　次：2024 年 7 月第 1 版
印　　次：2024 年 7 月第 1 次印刷
定　　价：300.00 元

玉树

2010.4.14　7:49

7.1级大地震

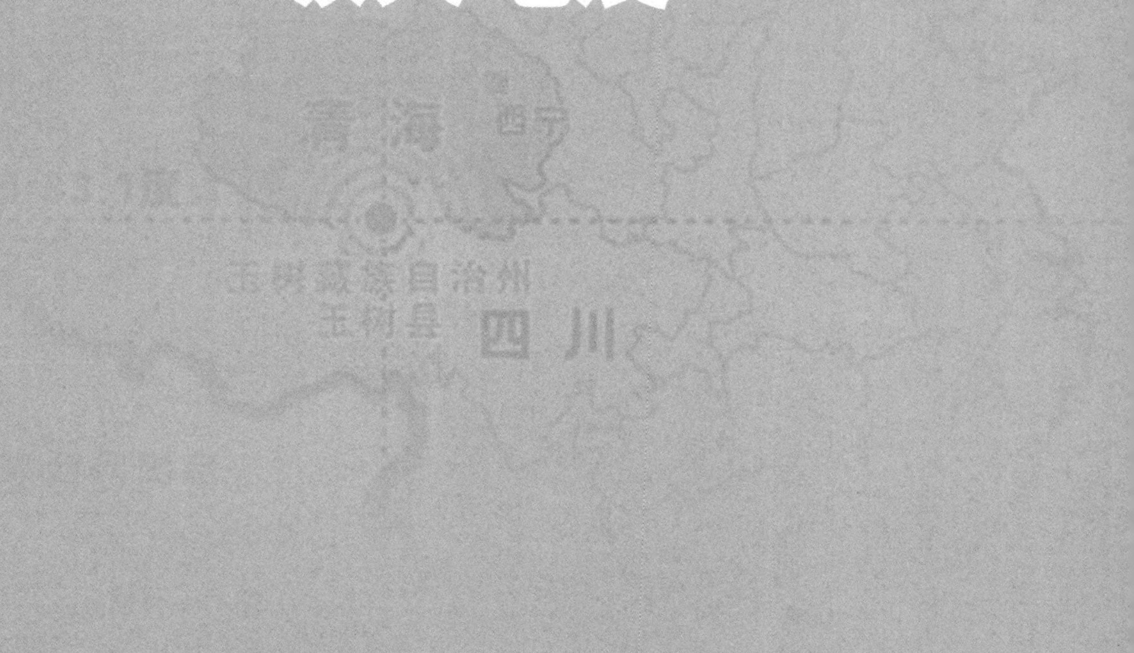

4月14日7时49分37.9秒 青海省玉树藏族自治州玉树县发生里氏7.1级强烈地震

总受灾面积约为35862平方千米，重灾区面积约8022平方千米，246842人受灾，2698人遇难，270人失踪。此次地震为当地有历史记录以来最强烈的地震

4月14日8时许 青海省消防总队玉树支队成立救援组、医疗救护组和县中队看守所增援组，当即开始紧急救援，成为第一支救援部队、第一个救出生命的部队、第一家开设集中安置点的部队

4月14日9时许 青海省委、省政府召开紧急会议，立即启动Ⅰ级应急响应，安排部署抗震救灾和应急处置工作

4月14日10时 卫生部启动自然灾害卫生应急Ⅰ级响应

4月14日上午 温家宝致电强卫，对青海省玉树抗震救灾工作做出重要指示

4月14日中午 受胡锦涛、温家宝委托，回良玉率领国务院有关部门和军队、武警部队负责人紧急赶赴灾区

4月14日11时30分 强卫主持召开十一届省委第92次常委会会议，部署抗震救灾工作

4月14日15时20分 省长骆惠宁一行乘坐专机抵达结古镇，开展现场指挥救援工作

4月14日19时40分 四川省救援队抵达玉树灾区，随即赶赴救援现场。

4月15日11时 甘肃省组织的应急救援队38人、带10辆救护车到达玉树灾区

4月15日17时15分 温家宝乘飞机抵达玉树考察灾情慰问各族干部群众，指导抗震救灾工作

4月15日下午 首架运送震区伤员的飞机抵达西宁机场，38名伤员随即被送往医院

4月17日 卫生部疾病预防控制局局长于竞进带领由25人组成的国家卫生防疫队抵达玉树地震灾区

4月17日 青海省红十字会在西宁市中心广场举行玉树“4·14”抗震救灾大型募捐活动

4月17日 玉树州孤儿学校学生率先复课

4月18日11时 胡锦涛乘专机抵达玉树灾区视察

《玉树大地震救灾重建志》编纂委员会

《玉树大地震救灾重建志》评审小组

《玉树大地震救灾重建志（卷六）集体·人物》编纂委员会

凡　例

一、《玉树大地震救灾重建志》（以下简称“全志”）编纂，以马克思列宁主义、毛泽东思想、邓小平理论、“三个代表”重要思想、科学发展观、习近平新时代中国特色社会主义思想为指导，坚持辩证唯物主义和历史唯物主义的立场、观点和方法，存真求实，全面、客观、系统地记述2010年4月14日发生在青海省玉树藏族自治州玉树县的里氏7.1级地震灾情灾害、抢险救灾、医疗防疫、社会赈灾和恢复重建的全过程，全景展示中共中央、国务院的坚强领导和青海省委、省政府及各族人民群众抗震救灾的奋斗历程，充分展示社会主义制度的优越性和中华民族强大的凝聚力、向心力，大力弘扬大爱同心、坚韧不拔、挑战极限、感恩奋进的玉树抗震救灾精神。

二、全志共分六卷，卷一为《大事记·附录》，卷二为《图志》，卷三为《灾情灾害志·抢险救灾志》，卷四为《医疗防疫志·社会赈灾志》，卷五为《灾后重建志》，卷六为《集体·人物》。

三、各卷记述时限，上限均为2010年4月14日，下限根据记述主体内容有所区别。卷一《大事记·附录》，卷二《图志》下限为2013年12月31日；卷三中的《灾情灾害志》下限为2010年6月20日，《抢险救灾志》下限为2010年8月31日；卷四《医疗防疫志·社会赈灾志》下限为2010年8月31日；卷五《灾后重建志》下限为2013年12月31日；卷六《集体·人物》下限为2014年1月。为保持记述内容的相对完整，对必要的背景内容、捐赠款物统计及与抗震救灾工作密切相关的原始文件、重大事件后续发展等方面，记述时限适当上溯、下延。

四、全志记述的地域范围，灾情灾害部分为玉树大地震的主要灾区，重点记述玉树藏族自治州1个极重灾区（结古镇）、4个重灾区（隆宝镇、仲达乡、安冲乡、巴塘乡）的情况；其他部分为事件相关地域。

五、全志采用述、记、志、传、图、表、录、索引等体裁，以志为主。内容记述，横分门类，纵述史实。篇目结构，除《大事记·附录》外，其余各卷原则上按篇、章、节编次，节下设目。各卷卷首设《编纂说明》。《凡例》中没有涉及但需要说明并作特殊处理的原则和内容，在各分卷《编纂说明》中分别予以说明。全志除《图志》集中编排图片外，其他各卷图片随文插录。图片不编号，表格以各分卷的篇为单位排序编号。所用地图均以国家测绘部门审定的为准。

六、全志采用现代语体文记述，除前言、概述、无题述外，坚持述而不论，寓观点于记述之中。

七、全志涉及国家法律、法规和有关部门规章的，以现行法律、法规和有关部门规章为准。数字用法、标点符号分别采用国家标准《出版物上数字用法》（GB T15835−2011）、《标点符号用法》（GB T15834−2011），计量单位采用国家技术监督局1993年12月发布的《量和单位》系列国家标准。行文规范，按照全志编纂委员会制定的《〈玉树大地震救灾重建志〉行文规范》执行。

八、全志资料来源为各级档案馆、图书馆和各种媒体及有关单位。统计数字采用省政府统一提供的公开发布的数据和统计局发布的数据。

九、编纂要点。《大事记·附录》居全志之首。《大事记》采用编年体，适当结合纪事本末体，依时间顺序按年、月、日记载玉树大地震救灾重建全过程中的大事、要事、新事、特事。《附录》按文体分类，主要辑存有关抗震救灾和灾后恢复重建的重要文献。

《图志》按专题分类，采用图片下附简要文字说明的形式，直观再现玉树大地震前后灾区面貌和抗震救灾、灾后重建全过程。

《灾情灾害志·抢险救灾志》《医疗防疫志·社会赈灾志》《灾后重建志》为全志的主体部分。其中，《灾情灾害志·抢险救灾志》主要记述玉树地震灾区地理概况、区域历史地震、玉树大地震造成的巨大破坏和次生灾害情况；中国共产党、人民政府、全国各族人民和海内外各方紧急救援玉树地震灾区情况。《医疗防疫志·社会赈灾志》主要记述灾区医疗救护、疫病防治、伤员康复、医疗卫生机构恢复重建等情况；全国各地、国际社会对玉树地震灾区的赈济及捐赠款物的管理发放情况及群众生活安置工作。《灾后重建志》主要记述灾害调查评估、恢复重建工作的组织实施及验收等情况。

《集体·人物》按人物传、人物简介、人物表分类，坚持“生不立传”的原则，以事系人。区分表彰层次，以相应形式记载为抗震救灾和恢复重建做出贡献并受到表彰的英雄集体和模范。

十、全志一般不采用注释，个别特殊需要加以说明的采取页下注或文内括注方式。

十一、鉴于玉树市于2013年11月1日正式挂牌成立，为尊重历史事实，全志对玉树县、玉树市不作统一处理，两称并存。

编纂说明

一、《玉树大地震救灾重建志（卷六）集体·人物》由青海省人力资源和社会保障厅牵头承编，主要参编单位有省玉树地震灾后重建工作领导小组办公室、省委宣传部、省军区、武警青海总队、省公安厅、玉树州政府、青海日报社、省广电局、省广播电视台。

二、主体内容共设抗震救灾英模，灾后重建先进集体、个人，先进党组织、优秀共产党员和党员领导干部3篇7章，卷首设概述，卷末附后记，主要收录玉树抗震救灾和灾后重建期间受到表彰的英雄（模范、先进）集体和模范（先进）个人的事迹。体例结构设篇、章、节3个层次；记述方式以简介为主，有的内容列表示之。

三、英烈人物记述以基本情况、事迹简介和获奖情况为序；英雄（模范、先进）集体记述以事迹简介、获奖情况为序；模范（先进）个人记述以基本情况、事迹简介和获奖情况为序。

四、英烈人物的事迹简介文字数量控制在500字以内，其他集体和个人的事迹简介文字数量控制在300字以内。

五、人物凡汉族不标注民族，凡男性不标注性别。抢险救灾、重建家园结束至本志定稿时，被依法处理的人物不再作事迹简介，只在相关表彰决定（名单）中保留其姓名和时任单位职务。

六、英雄（先进）集体的名称和英雄模范（个人）的职务以事情发生时的单位名称和职务为准。

七、同时受到中共中央、国务院、中央军委和中共青海省委、青海省人民政府、青海省军区表彰的集体、个人，在国家级表彰部分采用简介形式，在省级表彰部分采用列表形式。未受到集中表彰的模范（先进）个人，其事迹在《大事记·附录》卷或相应专志中记载。有个别模范（先进）个人的籍贯不详，未作记载；部分只记载至省（市、自治区）。

总目录

（卷一）大事记·附录

（卷二）图　志

（卷三）灾情灾害志·抢险救灾志

灾情灾害志

抢险救灾志

（卷四）医疗防疫志·社会赈灾志

医疗防疫志

社会赈灾志

（卷五）灾后重建志

（卷六）集体·人物

目　录

概　述

众志成城　抗震救灾

玉树大地震，给灾区人民生命财产和经济社会发展造成重大损失。在中共中央、国务院、中央军委的坚强领导下，全党全军全国各族人民众志成城，迅速开展了气势磅礴的抗震救灾斗争，最大程度搜救被困群众，最快速度转移救治受伤人员、安置受灾群众，最大限度降低灾害损失，最短时间开展灾后恢复重建，夺取了抗震救灾斗争的重大胜利。玉树大地震，是玉树地区有历史记录以来破坏最严重、涉及范围最广、人员伤亡最多、救灾难度最大的一次地震灾难。玉树地震灾区恢复重建，是一场艰苦卓绝的斗争，面临的困难之多、挑战之大世所罕见。针对玉树的特殊困难条件和灾后恢复重建的艰巨任务，灾区干部群众奋起自救，全国人民大力支援，坚决贯彻科学依法统一、有力有序有效的方针，抗震救灾、重建家园，谱写了感天动地的英雄篇章。

面对突如其来的地震灾害，中共中央一声号令，各级党委政府快速反应、果断决策、有力指挥，充分发挥了抗震救灾的领导核心作用。地震发生后，省委、省政府第一时间成立抗震救灾领导小组和指挥部，与玉树州指挥部实行省州一体、统一指挥。及时成立与国务院抗震救灾总指挥部各工作组对应的工作小组，密切与军队武警联合指挥部的配合。从省到州到县、从军队到地方、从一线到后方，整个指挥系统政令畅通、高效运转，为抗震救灾提供了坚强的组织领导保证。

面对突如其来的地震灾害，广大基层党组织坚强有力、迅速行动、一心为民，充分发挥了基层党组织的战斗堡垒作用。在地动山摇的危急关头，灾区基层党组织高举党的旗帜，自觉担当抗震救灾重任，组建各类“党员突击队”“党员救援队”“党员抢险队”，在震后的废墟上筑起了一个个坚强的战斗堡垒。广大基层党组织团结带领广大党员全力搜救被困群众、救治受伤人员、安排受灾群众生活、安置遇难人员家属、维护社会秩序，向世人展现了中国共产党的光辉形象，赢得了人民群众的高度赞誉。

面对突如其来的地震灾害，全省各级党员领导干部挺身而出、身先士卒，充分发挥了抗震救灾的模范带头作用。在玉树抗震救灾斗争中，哪里灾情最严重、受灾群众最集中、救灾困难最大，哪里就有各级党员领导干部的身影。许多党员干部舍小家、顾大家，强忍失去亲人的悲痛，用鲜血和生命书写了对党的无限忠诚，展示了新时期共产党人的光辉形象。在这场没有硝烟的战斗中，全省广大党员领导干部以自己关键时刻的突出表现，经受了考验，得到了锻炼。

面对突如其来的地震灾害，广大共产党员舍生忘死、无畏担当、勇往直前，充分发挥了共产党员的先锋模范作用。广大共产党员带头帮助身边的群众抗震救灾，积极宣传党的政策，积极做群众思想工作。许多党员强忍失去亲人的悲痛，以坚强的意志投身抗震救灾。在抗震救灾一线，93 名积极分子火线入党，涌现出了才哇、叶青、索南达杰、李海峰、布周才仁等一大批优秀共产党员，彰显了新时期共产党人的英雄本色。

面对突如其来的地震灾害，人民子弟兵和公安民警冲锋在前、勇挑重担，充分发挥了抗震救灾的中坚作用。以人民解放军指战员、武警部队官兵、民兵预备役和公安民警为主力的各救援力量，以最快的速度、最高的效率，充分发挥了抢险救灾的主力军作用、完成急难险重任务的突击队作用、安定民心的主心骨作用、凝聚民众力量的工作队和宣传队作用。人民军队以坚强意志挑战生理极限，以血肉之躯筑起钢铁长城，无愧为威武之师、文明之师、胜利之师。

面对突如其来的地震灾害，灾区各族人民不分民族、信仰、区域，充分发挥了抗震救灾的主体作用。地震发生后，各族群众不分彼此、互帮互助，生死相依、守望相助，第一时间迅速展开自救、互救，共同抗击地震灾害，为夺取抗震救灾胜利赢得了宝贵时间，发挥了重要作用。许多群众从瓦砾中爬出，来不及拍去身上的泥土，就立即投身搜救生命、抢救财产、转运伤员的斗争。危难之际，各族人民团结互助、奋起自救，共同谱写了众志成城、共克时艰的壮丽诗篇。

如果说抗震救灾的伟大胜利，充分展现了伟大的中国人民和中华民族无所畏惧的英雄气概、团结一致的强大力量、可歌可泣的伟大壮举，书写了抗震救灾史上新的壮丽篇章，那么在实际不到两年的有效施工期内，全面完成恢复重建的主要任务，则创造了世界灾后重建史上的又一次奇迹，谱写了人类与自然灾害抗争的又一曲英雄凯歌，铸就了伟大中华民族精神的又一座巍峨丰碑。

在灾后重建的岁月里，中共中央、国务院周密部署、科学决策，为灾后恢复重建注入了强大动力；青海、四川两省认真贯彻中央的决策部署，全力推进灾后恢复重建工作；灾区广大人民群众尤其是玉树人民不等不靠，自立自强，用自己的双手，奋力建设美好新家园；各援建地区和单位与灾区人民携手并肩、同甘共苦，为恢复重建立下了汗马功劳；人民解放军指战员、武警部队官兵、民兵预备役人员和公安民警坚决听从党的召唤，为恢复重建做出了重要贡献；社会各界积极参与，以多种方式为灾后恢复重建提供无私支援。

玉树灾区恢复重建的巨大成就，再一次彰显了中华民族同呼吸、共命运、心连心的优良传统和民族大团结的强大威力。恢复重建的三年，是灾区生活条件大变样的三年，是灾区经济社会大跨越的三年，是灾区基础设施大提升的三年，也是灾区自强不息精神大弘扬的三年。在艰苦卓绝的灾后重建历程中，涌现出一大批临危不惧、勇往直前、舍生忘死、感人至深的先进集体和先进个人，他们中的 18 人已经永久地长眠于三江源头的大地上……三年重建不仅重建了一个物质家园，也重建了一个精神家园。傲然耸立在地震废墟之上的，不仅仅是一栋栋建筑，还有无比的信心、非凡的勇气和磅礴的力量。

为大力弘扬万众一心、众志成城，不畏艰险、百折不挠，以人为本、尊重科学的伟大抗震救灾精神，激励广大干部群众团结一心夺取抗震救灾斗争的全面胜利，激励全党全军全国各族人民奋力推进改革开放和社会主义现代化建设事业，中共中央、国务院、中央军委决定，授予玉树州抗震救灾指挥部等 225 个集体“全国抗震救灾英雄集体”称号；授予王玉虎等 330 名个人“全国抗震救灾模范”称号，追授松尕等 4 人“全国抗震救灾模范”称号。中共青海省委、青海省人民政府、青海省军区做出决定，对抗震救灾中涌现出的 122 个“全省抗震救灾模范集体”、307 名“全省抗震救灾模范”（含 3 名英烈）、12 个“全省抗震救灾民族团结模范集体”

和 19 名“全省抗震救灾民族团结模范个人”进行表彰。人力资源社会保障部、国家发展和改革委员会、国务院国有资产监督管理委员会、解放军总政治部做出决定，对玉树地震灾后恢复重建中涌现出的 100 个先进集体和 150 名先进个人进行表彰。与此同时，全国各地各系统和参加玉树大地震救灾重建的单位也对参加玉树抗震救灾的先进集体和先进个人进行表彰。

榜样的力量是无穷的。这些受到表彰、被广泛赞颂的英烈人物、英雄（模范、先进）集体、模范（先进）个人是时代的楷模，为人们树立了学习的榜样。同时，在玉树大地震救灾重建中还涌现出了许多没有被评为先进、没有被授予荣誉称号的无名英雄、幕后英雄和典型人物，他们同样值得铭记和学习。

第一篇
抗震救灾英模

在抗震救灾阶段，中共中央、国务院、中央军委授予玉树州抗震救灾指挥部等225个集体“全国抗震救灾英雄集体”称号；授予王玉虎等330名个人“全国抗震救灾模范”称号；追授松尕、李德业、杜金玉、杨勇4人“全国抗震救灾模范”称号。其中，青海省有英雄集体68个、模范95人（不含军队系统）。

中共青海省委、青海省人民政府、青海省军区授予玉树州抗震救灾指挥部等122个集体“全省抗震救灾模范集体”称号，授予王玉虎等307名个人“全省抗震救灾模范”称号，授予平安县水务局等12个集体“全省抗震救灾民族团结模范集体”称号，授予马文忠等19名个人“全省抗震救灾民族团结模范个人”称号。

众志成城　抗震救灾

第一章　抗震救灾英烈

第一节　全国抗震救灾英烈

2010 年 8 月 18 日，中共中央、国务院、中央军委追授松尕、李德业、杜金玉、杨勇 4 名英烈“全国抗震救灾模范”称号。

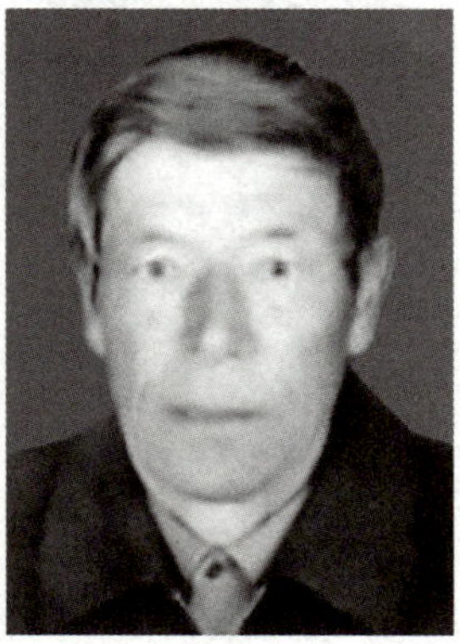

松尕（1943—2010.6.22） 青海省玉树县人，藏族，中共党员，玉树县巴塘乡岔来村党支部书记。

地震致使松尕的一根肋骨断裂，但他不顾伤痛，在震后不到半小时的时间内组织全村群众开展自救和他救。在他的精心组织下，仅地震当日就救出幸存者 32 人，转运伤员 50 余人。在发放救灾物资时，松尕严把物资发放登记和审核关，杜绝救灾物资的重发、滥发、冒领等现象，有效扩大和提高了物资发放的覆盖面和利用率。

转入灾后重建阶段后，松尕及时向乡党委、乡政府汇报受灾群众对灾后重建工作的意见和建议，同时动员群众做好废墟清理与危房拆迁工作。他带头拆除自己和亲属的房屋，并深入每家每户开展群众思想转化工作。在他的努力下，全村 180 多户群众的危房拆迁、清理废墟工作进展十分顺利。由于长时间、高强度、超负荷工作，加之自身的伤情较为严重，2010 年 6 月 22 日，松尕倒在救灾现场，不幸牺牲，享年 67 岁。

2010 年 8 月，中共青海省委、青海省人民政府、青海省军区追授松尕“全省抗震救灾模范”称号。当月，中共中央、国务院、中央军委追授松尕“全国抗震救灾模范”称号。

李德业（1953.9.4—2010.4.24） 青海省湟中县人，中共党员，青海省正平公路桥梁工程集团有限公司班长。

地震发生后，李德业主动申请到抢险一线，积极投身抢修玉树机场至结古镇被毁公路。从地震当日起，他和工友们每天连续工作18个小时以上，清理塌方碎石达6500立方米。为了保证抗震救援道路的畅通，李德业不顾夜间零下10多摄氏度的严寒和严重的高原反应，用手中的铁锹一点一点拓宽震后塌方便道。连续10天他没有离开过工地，始终坚持清理道路。4月18日，他已出现感冒迹象——头疼发烧，但他悄悄吃了点感冒药照常上工地干活。23日15时，李德业在清理道路的时候，没能抛出端起的一锹土便晕倒了。经项目部医务室抢救，病情得到控制。

2010年4月24日12时20分，李德业因劳累过度，病情突然恶化，经抢救无效不幸牺牲，终年57岁。

2010年4月，青海省人民政府追认李德业为革命烈士，中华全国总工会追授李德业“全国五一劳动奖章”。6月，中共青海省委追授李德业为“玉树抗震救灾优秀共产党员”。8月，中共青海省委、青海省人民政府、青海省军区追授李德业“全省抗震救灾模范”称号。当月，中共中央、国务院、中央军委追授李德业“全国抗震救灾模范”称号。

杜金玉（1967.7.16—2010.4.21） 青海省乐都县人，国家电网公司青海省电力公司火电工程公司送电工程处线路班班长。

地震发生后，杜金玉带领线路班积极参战抗震救灾工作。4月16日凌晨3时到达灾区。17日10时，他与全班队员对玉树机场35千伏线路实施查线作业。19时30分，他跟随抢修小组连夜赶赴禅古水电站附近的35千伏受损铁塔处开展加固抢修，并完成赛马场所有15个电力基坑任务。18日，他们班组完成11个线杆组立和放线工作，而杜金玉连续在塔上实施作业3个小时。19日早晨，他多次上杆连续作业直到17时，最终使高压线路具备带电条件。20日，机场46号、48号塔更换新塔任务全面完成。

4月20日，由于连续超负荷工作，杜金玉累倒了，被紧急送到附近医疗点抢救。21日凌晨4时，由于劳累过度诱发急性肺水肿，经抢救无效不幸牺牲，年仅43岁。

2010年4月，青海省人民政府追认杜金玉为革命烈士，中华全国总工会追授杜金玉“全国五一劳动奖章”。8月，中共青海省委、青海省人民政府、青海省军区追授杜金玉“全省抗震救灾模范”称号。当月，中共中央、国务院、中央军委追授杜金玉“全国抗震救灾模范”称号。

杨勇（1964.1.28—2010.5.14）四川省崇州市人，中共党员，四川省卫生厅应急办公室副主任。

地震发生后，杨勇先后两次奔赴玉树地震灾区，组织指挥四川省医疗卫生救援队开展卫生防疫工作。抗震救灾期间，他率领救援队深入结古镇等5个乡镇开展医疗巡诊，设立医疗救治点11个，先后救治各类伤病员8695人次。他十分关爱救援队员，先后安排40多名出现严重高原反应的队员返回四川，却不顾自己身患严重感冒随时有出现高原肺水肿的危险，坚持奋战在抗震救灾一线。

为保证玉树地震灾区卫生防疫工作顺利换防交接，杨勇在返回四川后不久再次赶赴灾区。5月14日20时许，当车辆行至四川省甘孜州德格县马尼干戈乡时遭遇车祸不幸牺牲，年仅46岁。

2010年7月，中共中央组织部追授杨勇为“抗震救灾优秀共产党员”。8月，中共中央、国务院、中央军委追授杨勇“全国抗震救灾模范”称号。

第二节　全省抗震救灾英烈

一、青海省表彰英烈人物

2010年8月11日，中共青海省委、青海省人民政府、青海省军区追授松尕、李德业、杜金玉、张建华、杨朝阳5名英烈“全省抗震救灾模范”称号①。当月，青海省人民政府追授黄福荣“青海玉树抗震救灾模范”称号。

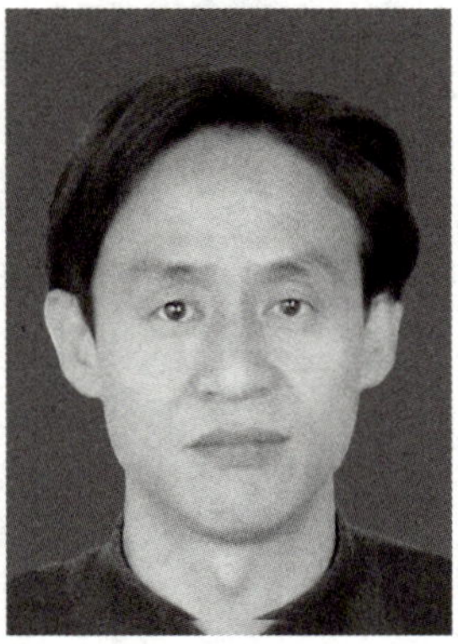

张建华（1969.9.21—2010.4.23）河北省人，青海兴华医院职工。

地震发生后，张建华顾不上74岁的老母亲和8岁的孩子，主动申请加入由青海兴华医院18人组成的抗震救灾医疗志愿服务小分队，毅然奔赴灾区。在历时8天的救援中，张建华所在医疗队开展志愿服务活动近185个小时，诊治及发放药品1000余人次，转运重伤员数十人，跟踪治疗近百人次。

张建华作为志愿队中负责后勤保障工作的人员，为保证所有医护人员能够吃好、睡好，每天最早起床，最晚休息，想尽一切办法做好后勤服务工作，得到医疗队队员的认可。同时，他还主动帮助灾区群众搭建帐篷，调试发电机，修理电器，为受灾群众手机充电等，竭尽全力帮助受灾群众，深

① 已在“全国抗震救灾英烈”中立传的个人不再重复记述。

受群众欢迎。

23日凌晨6时，服务队返程时租用一辆货车运载随队的生活物资和医疗器械等，张建华跟车返回西宁。14时左右，当行至果洛州玛多县（214国道370千米+630米处）花石峡至海南州兴海县温泉途中车辆失控翻车，张建华不幸牺牲，年仅41岁。

2010年4月，青海省人民政府追认张建华为革命烈士。8月，中共青海省委、青海省人民政府、青海省军区追授张建华“全省抗震救灾模范”称号。

杨朝阳（1972.9.10—2010.4.14） 陕西省乾县人，中共党员，青海省玉树县人民武装部后勤科科长。

4月14日凌晨5时40分左右，玉树发生第一次地震时，杨朝阳不顾余震危险，奋不顾身地抢救公共财产。7时49分，随着一阵地动山摇，第二次地震发生，人武部办公楼顷刻倒塌。8时30分，官兵们立即清理废墟，奋力寻找废墟中的杨朝阳。经过两个多小时的寻找，终于找到杨朝阳，但他已经永远离开了。而且，眼前的一幕令在场的人十分感动：他趴在发电机上，两只手紧紧地握着发电机的把手，用自己的血肉之躯护住了发电机，杨朝阳为玉树抗震救灾献出38岁的宝贵生命。

他不顾个人的生命安全，奋不顾身地抢救和保护发电机的行为，表现出一名军人牺牲奉献的高尚品质，以实际行动践行了当代革命军人的核心价值观。

杨朝阳入伍20年来，多次执行重大保障任务，荣立三等功1次。

2010年8月，中共青海省委、青海省人民政府、青海省军区追授杨朝阳“全省抗震救灾模范”称号。

黄福荣（1964.7.6—2010.4.14） 中国香港居民，爱心助困志愿者，生前在玉树孤儿院做义工。4月14日地震发生时，他已及时逃离受地震破坏的孤儿院，但当获知还有3名师生被困在倒塌的瓦砾堆中后，他奋不顾身，冒余震危险折返救人，不幸在余震中牺牲，年仅46岁。

早在2000年，黄福荣偶然在报纸上看到一位身患白血病的中国军人隋继国为了中华骨髓库的扩容而呼吁宣传捐献骨髓的事迹时，就被深深地打动了。从此，这个善良的香港人便正式走上爱心助困的道路。

2008年汶川特大地震发生之后，远在香港的黄福荣毅然奔赴灾区。尽管没有专业技能，但他在汶川灾区一线尽力帮助搬运救灾物资、清理倒塌房屋。

2010年4月1日，他从香港出发，于8日抵达玉树县。他此行希望能够为玉树慈行喜愿会的孤残孩子们添置一些生活、学习用品，最重要的是为他们修建一所像样的卫生厕所。此后至地震前，黄福荣一直在玉树孤儿院做义工。

2010年4月，香港特别行政区政府追授黄福荣金英勇勋章。8月，国务院决定追授黄福荣“抗震救灾舍己救人杰出义工”称号。当月，青海省人民政府追授黄福荣“青海玉树抗震救灾模范”称号。

二、同时受到全国、青海省级表彰英烈人物

松尕、李德业、杜金玉在受到全国表彰的同时被中共青海省委、青海省人民政府、青海省军区表彰并追授“全省抗震救灾模范”称号。

同时追授“全国抗震救灾模范”和“全省抗震救灾模范”的英烈人物一览表

表1-1

姓名	性别	民族	出生年月	政治面貌	籍贯	单位职务	备注
松　尕	男	藏族	1943	中共党员	青海玉树	玉树县巴塘乡岔来村党支部书记	全国抗震救灾模范 全省抗震救灾模范
李德业	男	汉族	1953.9	中共党员	青海湟中	青海省正平公路桥梁工程集团有限公司班长	全国抗震救灾模范 全省抗震救灾模范 玉树抗震救灾优秀共产党员 青海省人民政府追认革命烈士 全国五一劳动奖章获得者
杜金玉	男	汉族	1967.7	群众	青海乐都	国家电网公司青海省电力公司火电工程公司送电工程处线路班班长	全国抗震救灾模范 全省抗震救灾模范 青海省人民政府追认革命烈士 全国五一劳动奖章获得者

第二章　抗震救灾英雄（模范）集体

第一节　全国抗震救灾英雄集体

2010 年 8 月 18 日，中共中央、国务院、中央军委表彰 225 个全国抗震救灾英雄集体。

一、青海省全国抗震救灾英雄集体

（一）名单（68 个）

青海省共有 68 个集体受到中共中央、国务院、中央军委表彰，被授予“全国抗震救灾英雄集体”称号。

玉树州抗震救灾指挥部

中共青海省玉树州委组织部

中共青海省玉树州委统战部

玉树藏族自治州发展和改革委员会

玉树藏族自治州公安局

玉树藏族自治州司法局

玉树藏族自治州文化体育广播电视局电视新闻部

玉树藏族自治州职业技术学校

玉树藏族自治州人民医院

中共玉树县委员会

玉树县公安局

中共玉树县隆宝镇委员会

中共玉树县结古镇委员会
玉树县结古镇东风村党支部
玉树县结古镇扎西大同村党支部
玉树县结古寺民主管理委员会
中共称多县委员会
中共囊谦县委员会
中共杂多县昂赛乡委员会
治多县民政局
曲麻莱县人民政府办公室
西宁市民政局
西宁市第一人民医院
湟源县水务局玉树抗震救灾抢险队
西宁东关清真大寺民主管理委员会
互助土族自治县交通局
化隆回族自治县卫生局
海南藏族自治州人民医院
海北藏族自治州公安交通警察支队
海西蒙古族藏族自治州卫生局
天峻县支援玉树抗震救灾指挥部
黄南藏族自治州疾病预防控制保健中心
玛多县赴玉树抗震救援队
中共青海省委机要局
中共青海省委组织部组织处
青海日报社西海都市报社
青海电视台新闻中心
青海省无线电管理办公室
青海省工程咨询中心
青海省民族宗教事务委员会办公室
青海省救灾物资储备中心
青海省监狱管理局中心医院
青海省财政厅预算处
青海省地质环境监测总站
青海省环境监测中心站
青海省住房和城乡建设厅城乡规划处
青海省交通厅

青海省水利抗震救灾指挥部
青海省商务厅机关党委第五党支部
青海省人民医院
青海省康复医院
共青团青海省委员会宣传部
青海省青年志愿者协会
青海省残疾人联合会办公室
青海省红十字会
青海大学附属医院
青海省投资集团有限公司抗震救援队
西宁特殊钢集团有限责任公司救援队
青海盐湖工业集团股份有限公司赴玉树抗震救援队
西部矿业集团有限公司西海煤电有限责任公司矿山救护中队
青海省水利水电（集团）有限责任公司
青海省汽车运输集团有限公司玉树汽车站
青海煤业集团有限责任公司矿山救援队
青海省公路桥梁工程集团有限公司玉树地震抢险救援队
青海正平集团
西部机场集团青海机场有限公司
西部机场集团青海机场有限公司玉树机场分公司
四川省应急志愿服务总队

（二）事迹

玉树州抗震救灾指挥部　地震发生后，玉树州委、州政府及时成立玉树州抗震救灾指挥部，肩负起抗震救灾、重建家园的历史重任。指挥部认真贯彻执行中共中央、国务院和中共青海省委、青海省人民政府的决策部署，按照国务院和省政府抗震救灾指挥部的安排，迅速开展搜救生命、救治伤员、安置群众、抢修基础设施、恢复社会秩序等工作，并取得抗震救灾工作的重大胜利。

指挥部及时启动应急预案，第一时间将重灾区结古镇划分为 19 个片区，每个片区成立临时基层党组织，由州级领导牵头，明确责任，包村到户，开展拉网式的搜索营救，紧急调运 600 顶帐篷和折叠床等救灾物资，组建临时帐篷社区，快速转移安置受灾群众。成立 255 个帐篷社区（村）党支部和党小组，完成组织群众、安置受灾群众、恢复秩序、发展生产等大量繁重任务。震后 7 天内疏通了结古镇被毁道路，保障通信畅通、水电正常供应，群众急需日用品开始发售，银行、邮政等临时网点正常营业。及时果断解决一些影响社会稳定的苗头性问题，维持灾区社会治安秩序，为抗震救灾工作取得胜利做出重要贡献。

2010年8月，中共青海省委、青海省人民政府、青海省军区授予玉树州抗震救灾指挥部“全省抗震救灾模范集体”称号。当月，中共中央、国务院、中央军委授予玉树州抗震救灾指挥部“全国抗震救灾英雄集体”称号。

中共青海省玉树州委组织部　地震发生当日8时许，中共玉树州委组织部安排全体干部职工分赴医院、学校、电厂、水库等地察看灾情，将灾情及时报告州委、州政府，并迅速开展抢险救灾工作。

玉树州委组织部通过手机短信方式通知各县委组织部，紧急动员基层党组织和广大共产党员深入抗震救灾第一线开展抢险救灾，并于当日组建“党员突击队”“党员救援队”“党员冲锋队”“党员医疗队”“党员运输队”5支党员应急抢险救援队伍，高举党旗和国旗，赴重灾区甘达村开展抢险工作，救出幸存者135人，转运重伤员44名。帮助53户牧民群众抢救被埋物资，共抢出23袋青稞、4台冰箱、4000元现金和3万余元的存折。与民政等部门协调，先后接收分发捐助物资23车次，为村办小学解决8顶帐篷，确保该校在震后10日内复课。组建25个帐篷社区党支部，在废墟上搭建的帐篷、学校、医院全部升起党旗和国旗，为每名党员佩戴“共产党员”胸牌，并火线发展61名党员。

2010年8月，中共青海省委、青海省人民政府、青海省军区授予中共青海省玉树州委组织部“全省抗震救灾模范集体”称号。当月，中共中央、国务院、中央军委授予中共青海省玉树州委组织部“全国抗震救灾英雄集体”称号。

中共青海省玉树州委统战部　地震发生当日，中共玉树州委统战部及时将本部门工作人员分为抢险、救灾、后勤3个工作小组，在之后20多天的时间里，有序完成抢救人员、装卸车辆、分发物资等极其繁重的抗震救灾任务，有力保障了宗教界、工商界等人士有饭吃、有干净水喝、有临时住处，把中共中央、国务院及全国各族人民的大爱传递到受灾群众当中。

在抢险救灾阶段，组织11名干部职工深入街道、商铺、社区、乡镇和受灾群众临时安置点，通过电视、广播、新闻发布会等形式，扎实做好民族团结宣传工作，动员各界各族干部群众不分民族、不分地域、不分军民、不分僧俗、不分信仰，携手共同抗震救灾，谱写了一曲曲各民族团结奋进、合力抗震救灾的赞歌。转入安置重建阶段后，从领导到一般干部分寺包干，一个寺院一个寺院地做工作，一个僧人一个僧人地讲政策，保证87座受灾寺院灾后重建工作的顺利展开。

2010年8月，中共青海省委、青海省人民政府、青海省军区授予中共玉树州委统战部“全省抗震救灾模范集体”称号。当月，中共中央、国务院、中央军委授予中共玉树州委统战部“全国抗震救灾英雄集体”称号。

玉树藏族自治州发展和改革委员会　地震发生当日，玉树藏族自治州发展和改革委员会成立抗震救灾工作领导小组，设立综合协调、救灾、物资3个工作小组，组织全体干部职工深入玉树机场、省级粮食储备库、州级粮食储备库、三江源生态移民社区、州级重点项目建设点等调查基础设施、设备及储备粮食损毁情况。在掌握灾情的基础上，制订抗震救灾工作方案。一方面，积极协调交通、电力、机场等关系民生的关键部门，着力抢修道路、电力等基础设施；另一方面，按照"先救人后救灾、先疏导后规范"的原则全力投入抢险救灾工作中，全面完成本委机关办公楼和3栋住宅楼的拆迁清墟工作。派出5个工作队，深入重灾片区广泛宣传中央、省、州关于抗震救灾的有关政策，激励广大群众同地震灾难做斗争，确保抗震救灾工作的顺利进行。

2010年8月，中共青海省委、青海省人民政府、青海省军区授予玉树藏族自治州发展和改革委员会"全省抗震救灾模范集体"称号。当月，中共中央、国务院、中央军委授予玉树藏族自治州发展和改革委员会"全国抗震救灾英雄集体"称号。

玉树藏族自治州公安局 地震造成玉树藏族自治州公安局6名民警遇难，180余名民警受伤，100余名民警亲属遇难，320余名民警家的房屋倒塌。玉树州公安局机关办公用房倒塌，办公设备全部损毁，受灾惨烈，损失严重。面对灾情，玉树州公安局迅速组织动员民警，强忍着亲人遇难、集体个人财产蒙受巨大损失的悲痛，夜以继日奋战在抗震救灾第一线，开展一系列生命大救援行动。抗震救灾期间，搜救被困群众912人，清理遇难者遗体125具，救助受灾群众1.9万人，转移安置群众410户、2000余人。安全转移在押犯107人。在受灾群众安置点——扎西科组建治安联防点26个，设立10个治安检查点，检查车辆3.65万台，劝返僧尼6522人。

为保障救灾物资运输道路安全畅通，开展打击车匪路霸专项整治，检查车辆1300多辆。同时，加强对水、电、油、气和电信、广播电视、金融单位等11处重点要害部位和涉及民生的重要基础设施的治安保卫工作，有效维护社会稳定。

2010年8月，中共青海省委、青海省人民政府、青海省军区授予玉树藏族自治州公安局"全省抗震救灾模范集体"称号。当月，中共中央、国务院、中央军委授予玉树藏族自治州公安局"全国抗震救灾英雄集体"称号。

玉树藏族自治州司法局 地震发生后，玉树藏族自治州司法局成立司法行政系统抗震救灾工作领导小组，成立法制宣传、公证、法律服务、综合服务4个小组，组织23名干警和80多名律师、公证员、法制宣传员投入抗震救灾工作中。在短短几天时间里，先后搜救出幸存者55人，挖出遇难者遗体22具，转移伤员87人次。随着抢险救灾工作的推进，各类矛盾纠纷逐步显现，法律问题日益凸显，直接影响灾区稳定。为此，在省司法厅的指导帮助下，于4月18日恢复行政司法职能。抢险救灾期间，发放藏文、汉文《抗震救灾法律知识问答》《涉灾法律事务问答》等7种法制宣传材料近8万册；开展法制宣传活动100余次，教育面达到99%以上；接受受灾群众法律咨询600多起，起草协议书20余份、申请书30余份，接待受灾群众万余人次；解答灾区群众提出的农民工工资、赔偿、继承等18类法律问题。转入受灾群众安置阶段后，开展受灾群众登记、安置、发放补助资金和救灾物资25天，投入200人次。协助有关部门维护社会秩序15天，投入75人次。在清理废墟、危房拆迁中投入60人次，每人平均工作时间都在30天以上。

2010年8月，中共青海省委、青海省人民政府、青海省军区授予玉树藏族自治州司法局“全省抗震救灾模范集体”称号。当月，中共中央、国务院、中央军委授予玉树藏族自治州司法局“全国抗震救灾英雄集体”称号。

玉树藏族自治州文化体育广播电视局电视新闻部 在地震发生10多分钟后，玉树藏族自治州文化体育广播电视局电视新闻部迅速与中央电视台、青海卫视等媒体电话连线，及时向省内外报道灾情。当日16时许，将灾情视频画面传送至中央电视台和青海电视台，在当晚中央电视台《新闻联播》和《青海新闻联播》分别播出灾情和抗震救灾情况。

4月15日10时，电视新闻部干部职工抢通光缆传输系统，搭建因特网和光缆传输两路视频上传平台。从22日起，开播《玉树新闻》，开辟访谈节目《众志成城抗震救灾》、专题栏目《党旗凝聚的力量》《身边的感动》和《重建之路》等自办节目。抢险救灾期间，共播出新闻376条，向省内外媒体报送新闻100多条，制作播出专栏、专题等106条。配合全国采访媒体完成传送稿件、图片、视频等50多小时，稿件、图片近千条。

2010年8月，中共青海省委、青海省人民政府、青海省军区授予玉树藏族自治州文化体育广播电视局电视新闻部“全省抗震救灾模范集体”称号。当月，中共中央、国务院、中央军委授予玉树藏族自治州文化体育广播电视局电视新闻部“全国抗震救灾英雄集体”称号。

玉树藏族自治州职业技术学校 地震发生当日，玉树藏族自治州职业技术学校紧急成立抗震救灾领导小组，组织全体教职工及时投入抗震救灾。先后抢救教职工及家属31人，学生76人，并从餐厅危楼中抢救食堂灶具及部分食物，实现地震当日开灶供餐，解决师生生活问题。抗震救灾期间，共抢救出价值100余万元的教学器材及1000多件学生被褥、毛毡等。同时，学校把学生的复课放在首位，到4月23日，高三学生按时复课。到5月3日，105名2008级学生就地复课。到6月25日，其余295名学生全部就地复课。学校先后向省内外转移学生824人。

2010年8月，中共青海省委、青海省人民政府、青海省军区授予玉树藏族自治州职业技术学校“全省抗震救灾模范集体”称号。当月，中共中央、国务院、中央军委授予玉树藏族自治州职业技术学校“全国抗震救灾英雄集体”称号。

玉树藏族自治州人民医院 在地震发生的一刹那，玉树藏族自治州人民医院领导和医护人员紧急撤离、疏散住院大楼内的患者和患者家属，使其在不到15分钟的时间里全部安全脱险，无一人受伤。医院成立了医疗、护理、药品器械运送、药配、后勤保障、遗体转移、“120”通道和职工伤亡统计等10个小组，全面投入抢救伤病员工作中。为解决伤病员过多、过于集中而耽误抢救时机的问题，医院党委迅速在赛马场、体育场设立医疗点，并派出医疗队奔赴各个医疗点开展抢救工作。抗震救灾期间，玉树州人民医院抢救伤员3000余人，转运州外医治400余人，为重症患者的救治赢得宝贵时间。

2010年8月，中共青海省委、青海省人民政府、青海省军区授予玉树藏族自治州人民医院“全省抗震救灾模范集体”称号。当月，中共中央、国务院、中央军委授予玉树藏族自治州人民医院“全国抗震救灾英雄集体”称号。

中共玉树县委员会 地震发生当日，中共玉树县委员会迅速成立抗震救灾指挥部，将各乡镇和重灾区结古镇划分为19个责任片区，由县级和科级领导干部负责，有计划有步骤地展开抢救生命、救治伤员、搭建帐篷、发放物资、发放补助金等工作。结合受灾群众登记、物资发放“四项政策”落实等工作，多次修改完善受灾群众登记和物资发放办法，确保每一名受灾群众有饭吃、有干净水喝、有帐篷住、有衣穿、有病能医治。由于组织领导和工作措施到位，保持了社会大局稳定，各项工作平稳推进。在省委、州委组织部门的指导下，及时协调各方面的力量，在短短几天时间内成立225个帐篷社区（村）党支部和党小组，承担起组织群众、安置受灾群众、维护秩序、恢复生产等大量繁重任务，使抗震救灾各项工作及时落到实处。

2010年8月，中共青海省委、青海省人民政府、青海省军区授予中共玉树县委员会“全省抗震救灾模范集体”称号。当月，中共中央、国务院、中央军委授予中共玉树县委员会“全国抗震救灾英雄集体”称号。

玉树县公安局 地震发生当日上午8时左右，玉树县公安局立即组成抗震救灾指挥领导小组，集中力量开展自救互救工作。抗震救灾期间，玉树县公安局出动警力千余人次，解救幸存者1280人，挖出遇难者遗体395具，疏散群众2万余人，登记死亡人数1280人，疏导交通673小时，发放各种救灾物资98卡车，帮助群众搭建临时帐篷805顶，民警个人为受灾群众捐款、捐物价值35万余元。同时，玉树县公安局从有限的警力中抽调精兵强将，分组实行灾区街面24小时巡逻值班，保证抗震抢险以及灾后群众财产和救灾物资的安全，真正成为灾区人民群众的守护者。

2010年8月，中共青海省委、青海省人民政府、青海省军区授予玉树县公安局“全省抗震救灾模范集体”称号。当月，中共中央、国务院、中央军委授予玉树县公安局“全国抗震救灾英雄集体”称号。

中共玉树县隆宝镇委员会 地震发生当日，隆宝镇党委迅速成立镇抗震救灾指挥工作领导小组，设立抗震救灾指挥中心，成立青年党员突击组、民兵突击组、医疗救助组、灾情统计组、治安联防组等7个工作组，明确具体职责和任务分工，实行24小时值班，有效推进抗震救灾工作。抗震救灾期间，镇党委先后制定“党支部工作职责”“党员志愿者服务活动制度”“党员联户帮扶制度”等20多项制度，进一步规范党支部工作程序，强化党员的责任意识和奉献精神。镇党委、君青村、代青村与解放军68303部队7、8、9连队党支部联合，共同开展军地基层党组织“结对联创共建”活动，在保障各类救灾物资有序发放、维护社会稳定以及抢救群众财产等方面发挥了重要作用。镇党委还吸收40名表现突出的入党积极分子为中共党员。

2010年8月，中共青海省委、青海省人民政府、青海省军区授予中共玉树县隆宝镇委员会“全省抗震救灾模范集体”称号。当月，中共中央、国务院、中央军委授予中共玉树县隆宝镇委员会“全国抗震救灾英雄集体”称号。

中共玉树县结古镇委员会　结古镇为玉树地震的重灾区，造成1950人因灾死亡，90%以上房屋倒塌，电力、通信和交通全部中断，成为与外界隔离的“孤岛”。地震发生后，结古镇党委第一时间成立抗震救灾指挥中心，及时抽调5名干部骑摩托车紧急出动联系村社干部，组织辖区11个村、46个社的党员和群众迅速开展自救互救。抗震救灾期间，解救被困群众3800多人，清理遇难者遗体600多具，抢救群众财产价值3500余万元。抗震救灾工作结束后，镇党委成立15个临时帐篷社区党支部和两个菜农临时党支部，并配备17名专职副书记，以坚强的组织推动安置工作顺利进行。共为受灾群众搭建帐篷2400多顶，分发矿泉水1.2万余件、方便面2.4万余箱，及时将党和政府的温暖送到群众当中。

2010年8月，中共青海省委、青海省人民政府、青海省军区授予中共玉树县结古镇委员会“全省抗震救灾模范集体”称号。当月，中共中央、国务院、中央军委授予中共玉树县结古镇委员会“全国抗震救灾英雄集体”称号。

玉树县结古镇东风村党支部　地震发生当日8时左右，东风村党支部组织10名党员及30名群众迅速赶到受灾较为严重的3社住宅区开展抢险工作，营救被困群众19人。10时左右，组织由13名党员、13名民兵和230名群众组成的东风村抢险救灾应急队赶赴结古镇。从地震发生当日到16日，经过3个昼夜奋战，从废墟中挖出遇难者遗体42具，组织车辆及时将受困村民转移到安全地带。16日，党支部组织村社干部在核实灾情的基础上，向受灾群众发放帐篷250顶、被子450床、面粉14.78吨、折叠床448张，并张榜公布、接受监督。党支部还组织全村18名党员采取“一帮一”“多帮一”等形式，与孤残人员、困难群众开展结对帮扶活动，增强了党组织的凝聚力、战斗力，促进了抗震救灾工作的扎实开展。

2010年8月，中共青海省委、青海省人民政府、青海省军区授予玉树县结古镇东风村党支部“全省抗震救灾模范集体”称号。当月，中共中央、国务院、中央军委授予玉树县结古镇东风村党支部“全国抗震救灾英雄集体”称号。

玉树县结古镇扎西大同村党支部　地震发生当日，扎西大同村党支部紧急召集24名党员组成党员抢险队，组织16名民兵和69名青壮年组成民兵应急队开展救灾工作。9时40分，党支部以民兵、村干部、党员为骨干，动员村民、社区居民、流动人员和赶来救援的附近10个村的村民、僧侣、群众1600余人，组织起6个救援队，全力进行救灾。到20时，营救受伤群众161人。从4月17日起，村党支部抽调24名优秀共产党员分赴辖区6个责任区，深入开展入户调查登记工作，从进场、登记、分发、核实等细节入手，保障物资发放工作有序进行。抗震救灾期间，村党支部及6个责任区发放帐篷3840顶、被褥1270床、方便面等食物37卡车、救灾床300张、收音机1000台、电视机70台、现金22万余元，最大限度满足受灾群众生活需要。

2010年6月，中共青海省委授予玉树县结古镇扎西大同村党支部“玉树抗震救灾先进基层党组织”称号。8月，中共青海省委、青海省人民政府、青海省军区授予玉树县结古镇扎西大同村党支部“全省抗震救灾模范集体”称号；中共中央、国务院、中央军委授予玉树县结古镇扎西大同村党支部“全国抗震救灾英雄集体”称号。

玉树县结古寺民主管理委员会　在震后数小时之内，结古寺自发组织400多名僧人成立抗震救灾第一抢险营救队，在震后两天无任何外援力量帮助的情况下，抢救挖出600多名幸存者。随着抢险救援工作的展开，越来越多的遇难者遗体被运往结古寺，遇难者亲属期盼结古寺主持处理后事。寺民主管理委员会主动承担处理当地藏族遇难者遗体、安抚亲属的繁重任务。鉴于灾区丧葬设施不能满足及时处理千人之多的遇难者遗体的实际，他们采取集中火化的方式，对遗体进行净化处理，组织僧众在离结古寺10余千米的山坡上挖掘能容纳千具遗体的临时火葬场，于4月17日自费租车将遇难者遗体运往临时火葬场。寺院用大量的酥油和200立方米木材，举行遇难者遗体集中火化仪式，组织上千名来自各个寺院的活佛和僧人现场进行祈祷法事活动。

2010年8月，中共中央、国务院、中央军委授予玉树县结古寺民主管理委员会“全国抗震救灾英雄集体”称号。

中共称多县委员会　地震发生当日，中共称多县委紧急启动抗震救灾应急预案，第一时间成立抗震救灾指挥部，及时成立地震灾情调查组，由7名县级领导带队分赴各乡镇展开灾情调查。同时，紧急动员并组织由党员、干部职工、公安干警、应急民兵连、寺院僧侣以及青年志愿者、外来民工等1200人组成的抗震救灾突击队赶赴玉树县结古镇主震区，全力以赴搜救被埋人员，共搜救受灾人员47人。15日，又转场进入结古镇禅古寺开展搜救工作，成功搜救16名幸存者。紧急抽调称多县直各医疗单位和各乡镇卫生院15名业务骨干，调配应急药品、医疗设备和救护车组成抗震救灾医疗服务救护队，赶赴玉树县结古镇主灾区支援抗震救灾。医疗救护队与四川甘孜州医疗救护队合力救护各类病人2065人。为保证抗震救灾工作的顺利进行，及时组织水电、交通、通信等部门第一时间检修电力和通信设施。投入装载机5台、挖掘机1台、推土机1台，在拉布乡、歇武镇抢修通天河沿岸塌方道路50余处、101千米，保障“生命绿色通道”的安全畅通。

2010年8月，中共青海省委、青海省人民政府、青海省军区授予中共称多县委员会“全省抗震救灾模范集体”称号。当月，中共中央、国务院、中央军委授予中共称多县委员会“全国抗震救灾英雄集体”称号。

中共囊谦县委员会　地震发生后，中共囊谦县委紧急启动应急响应机制，于4月14日16时左右，调集500余人组成救援队赶赴主震区。救援队抵达灾区后，及时成立囊谦县抗震救灾指挥部，在全州最大的受灾群众安置点——扎西科受灾群众安置点迅速搭建191顶帐篷，先后安置2.4万余名受灾群众。及时组织宗教界人士1000多人组成僧人救援队，在缺乏工具的情况下，徒手从废墟中救出幸存者174名，挖出遇难者遗体356具。

2010年8月，中共青海省委、青海省人民政府、青海省军区授予中共囊谦县委员会“全省抗震救灾模范集体”称号。当月，中共中央、国务院、中央军委授予中共囊谦县委员会“全国抗震救灾英雄集体”称号。

中共杂多县昂赛乡委员会　地震发生当日，昂赛乡党委及时成立抗震救灾领导小组，组织乡干部分赴各村社了解灾情，走访受灾牧户，在两天时间内完成受灾牧户的摸底调查工作，并于地震当夜将乡中心寄宿制学校108名学生和佐青寺孤儿学校24名孤儿送回监护人家中妥善安置。同时，赶赴玉树县结古镇主震区支援抢险救灾工作。支援救灾期间，对377户、1841名受灾群众及时进行安置，组织人员清理废墟、看守遗体、帮助专业救援队营救受伤人员，受到受灾群众的广泛赞誉。

2010年8月，中共青海省委、青海省人民政府、青海省军区授予中共杂多县昂赛乡委员会“全省抗震救灾模范集体”称号。当月，中共中央、国务院、中央军委授予中共杂多县昂赛乡委员会“全国抗震救灾英雄集体”称号。

治多县民政局　地震发生后，治多县民政局紧急召开全体党员和干部职工会议，选派由1名副局长带队、5人组成的第一批救援突击队，满载一车救援物资赶赴玉树县结古镇主震区。15日，又组织第二批救援突击队赶赴玉树县隆宝镇地震灾区。在抗震救灾的10余天里，突击队队员们服从当地党委、政府统一指挥，有序开展疏散群众、抢救伤员、慰问遇难者家属、发放慰问品等工作，解决受灾群众生活问题。先后搭建帐篷120余顶，安置受灾群众120多户。全局干部职工为灾区群众捐款1.35万元。在全县范围内开展捐款捐物活动，为灾区捐款72万余元，捐物折合154万余元。

2010年8月，中共青海省委、青海省人民政府、青海省军区授予治多县民政局“全省抗震救灾模范集体”称号。当月，中共中央、国务院、中央军委授予治多县民政局“全国抗震救灾英雄集体”称号。

曲麻莱县人民政府办公室　地震发生后，曲麻莱县人民政府办公室迅速组成一支由20人组成的救援突击队紧急赶赴玉树县结古镇主震区，在玉树州民族师范学校附近成功救出1名老人和1名小孩。抗震救灾期间，成功解救出幸存者350余名，清理出遇难者遗体32具。15日，曲麻莱县在玉树县成立抗震救灾指挥部，县政府办公室承担全县抗震救灾指挥部综合组大部分工作任务，并组建救灾宣传队，撰写相关材料80余份，编发抗震救灾工作信息和简报10余期，接待社会各界赈灾人士10余人次。从17日开始，设立救灾物资接受、发放点。在以后的10多天内，共发放救灾物资3500余吨，确保受灾群众的吃住、医疗等基本生活需要，维护社会稳定。同时，承担民主南路片区灾害损失调查任务，共入户调查1143户，登记受损房屋8660间。

2010年8月，中共青海省委、青海省人民政府、青海省军区授予曲麻莱县人民政府办公室“全省抗震救灾模范集体”称号。当月，中共中央、国务院、中央军委授予曲麻莱县人民政府办公室“全国抗震救灾英雄集体”称号。

西宁市民政局　地震发生后，西宁市民政局紧急成立抗震救灾组织领导机构，及时运送价值50万元的救灾物资驰援灾区。通过多种媒体向全市发出抗震救灾募捐倡议书，开通捐赠热线和接收通道，组织100余家工商企业和社会各界群众5000余人参加集中募捐活动，共募集资金600万元，其中群众现场捐款80余万元。会同西宁市慈善会募集抗震救灾资金850余万元，接收捐赠物资折合人民币106万元。救助灾区务工、经商返乡人员413人次，支出经费17.3万元。免费组织遇难者遗体运输、冷藏、防腐、整容、火化和各项殡仪服务，完成分运55具遇难者遗体到西宁处理后事的任务，支出经费6.5万元。先后组织慰问抗震救灾一线工作人员、解放军指战员、武警部队官兵、公安干警、新闻记者和物资转运部队500余人，支出慰问经费18.8万元。

2010年8月，中共青海省委、青海省人民政府、青海省军区授予西宁市民政局“全省抗震救灾模范集体”称号。当月，中共中央、国务院、中央军委授予西宁市民政局“全国抗震救灾英雄集体”称号。

西宁市第一人民医院　4月14日20时，西宁市第一人民医院组成由10名医务人员参加的医疗队紧急奔赴灾区。在灾区期间，先后实施治疗2153人次、转运重伤员93名，做到所承担责任区医疗救援全部到位、卫生防疫全部覆盖、接收灾区伤员及时救治。在后方医院，紧急启动医疗救治应急预案，成立医疗救治领导小组，迅速组建由骨科、脑外科、急救、重症监护等专业学科专家组成的医疗救治组，并于14日当夜腾出100余张床位，先后收治灾区伤病员127人次，手术38人次，其中病危14人次、病重36人次，未发生一例死亡病例。

2010年8月，中共青海省委、青海省人民政府、青海省军区授予西宁市第一人民医院“全省抗震救灾模范集体”称号。当月，中共中央、国务院、中央军委授予西宁市第一人民医院“全国抗震救灾英雄集体”称号。

湟源县水务局玉树抗震救灾抢险队　地震发生后，湟源县水务局立即组建由23名水务人员组成的玉树抗震救灾抢险队，调集车辆、水质净化设备、发电机等近100台（套）救援设备及供水塑料管材、管件等救灾物资奔赴灾区。经过20多天的顽强奋战，先后在玉树县赛马场地区开挖回填干支管道1900米、跨河2处、跨路2处、分水井3座、检查井4眼、供水点4座；禅古村两个重灾片区临时供水进水口3座、开挖埋设管线5000多米、供水点6座，为灾区3000多人解决应急供水问题，完成抗震救灾任务。同时，积极动员党员、干部职工为灾区捐款 4.96 万元。

2010 年 8 月，中共青海省委、青海省人民政府、青海省军区授予湟源县水务局玉树抗震救灾抢险队“全省抗震救灾模范集体”称号。当月，中共中央、国务院、中央军委授予湟源县水务局玉树抗震救灾抢险队“全国抗震救灾英雄集体”称号。

西宁东关清真大寺民主管理委员会　地震发生后，东关清真大寺成立救灾工作小组，并于 4 月 16 日（星期五）主麻日集中开展募捐活动，当日为灾区募捐 200 万元。此后，清真大寺又倡议穆斯林群众通过各种渠道捐款 500 余万元，由寺管会主要负责人带队送往灾区。之后，寺管会负责人又前往省红十字医院、青海大学附属医院、青海省康乐医院慰问伤病人员，祝福他们早日康复。寺管会主任马陟说：“我们回族和其他各民族就像是一只手上的指头，谁也离不开谁。”

2010 年 8 月，中共中央、国务院、中央军委授予西宁东关清真大寺民主管理委员会“全国抗震救灾英雄集体”称号。

互助土族自治县交通局　地震发生后，互助土族自治县交通局及时协调青海威远路桥公司出动 2 台挖掘机、4 台装载机、4 台自卸车奔赴灾区，参与打通通往玉树机场的便道，奋战 60 小时清理塌方 5.6 万立方米，实现机场公路双向四车道通行，保证第一批救灾物资运送到灾区。抽调 5 辆客车将到达西宁机场的救灾人员安全、及时送到救灾一线，并将灾区伤员转运至西宁接受治疗。抗震救灾期间，共搜救遇难者遗体 26 具、幸存者 5 人；组织 3 台洒水车向路面洒水 108 吨；动员全系统党员干部职工捐款捐物近 15 万元。

2010 年 8 月，中共青海省委、青海省人民政府、青海省军区授予互助土族自治县交通局“全省抗震救灾模范集体”称号。当月，中共中央、国务院、中央军委授予互助土族自治县交通局“全国抗震救灾英雄集体”称号。

化隆回族自治县卫生局　地震发生当日，化隆回族自治县卫生局紧急组织 5 名有丰富经验的专业技术人员，组成化隆县赴玉树地震灾区救援防疫队和卫生监督队赶赴灾区，开展疾病预防和卫生监督工作。抗震救灾期间，卫生防疫队在玉树县隆宝镇完成预防消毒面积 1.29 万平方米；在玉树县结古镇完成食品卫生监督 45 家（点）、医疗救治点 12 个，检查集中供餐点 110 次、街头餐饮点 650 余次。会同化隆县红十字会在全县范围内开展为玉树地震灾区募捐活动，仅卫生系统接收全县社会各界捐款 5.1 万元，其中卫生系统干部职工捐款 4 万元。

2010 年 8 月，中共青海省委、青海省人民政府、青海省军区授予化隆回族自治县卫生局“全省抗震救灾模范集体”称号。当月，中共中央、国务院、中央军委授予化隆回族自治县卫生局“全国抗震救灾英雄集体”称号。

海南藏族自治州人民医院　4 月 14 日，海南藏族自治州人民医院及时组织 24 名医护人员、

4 辆急救车、1 辆“健康中国流动医院”车组成医疗队赶赴灾区。抢险救灾期间，医疗队共救治受灾群众 3471 人次，转诊危重病人 55 人次。在后方医院，他们迅速成立医疗救治组、专家会诊组、后勤保障组，设置应急床位 100 张，接诊伤员 34 人，门诊转诊 6 人，收治 28 人，转院 4 人，实现院内救治“零死亡”。其间，医院垫付地震伤员医疗救治、食宿等各种费用 81.2 万元，为玉树州囊谦县人民医院捐赠救护车 1 辆。

2010 年 8 月，中共青海省委、青海省人民政府、青海省军区授予海南藏族自治州人民医院“全省抗震救灾模范集体”称号。当月，中共中央、国务院、中央军委授予海南藏族自治州人民医院“全国抗震救灾英雄集体”称号。

海北藏族自治州公安交通警察支队　抗震救灾期间，海北藏族自治州公安交通警察支队先后投入警力 72 人，安排 6 批警力驰援灾区承担道路交通安全疏导、执勤等任务，参与安全护送、疏导救灾车辆 1.6 万余辆，参与交通保卫、保障、开道护送任务 20 次，抓获盗窃嫌疑人 1 名。共有 22 名民警和辅警人员受到表彰，其中 1 名民警被中共青海省委授予“玉树抗震救灾优秀共产党员”称号，2 名民警荣立三等功，11 名民警受到嘉奖，8 名辅警人员被评为先进个人。支队全体干警共为灾区捐款 4.2 万元。

2010 年 8 月，中共青海省委、青海省人民政府、青海省军区授予海北藏族自治州公安交通警察支队“全省抗震救灾模范集体”称号。当月，中共中央、国务院、中央军委授予海北藏族自治州公安交通警察支队“全国抗震救灾英雄集体”称号。

海西蒙古族藏族自治州卫生局　地震发生后，海西蒙古族藏族自治州卫生局组建由 53 人组成的卫生防疫队和鼠防工作队，携带价值达 62.8 万元的救灾设备赶赴灾区。抗震救灾期间，出动卫生防疫人员 1200 余人次、车辆 197 台次，疾病监测入户调查 561 户、2.57 万人次；消毒厕所 145 座、垃圾箱 25 个、集中垃圾点 73 处、分散垃圾点 287 处，消毒面积达 9.6 万平方米；灭獭面积 1.06 万公顷；采集水样 94 份，快速检测食品 177 份，对 255 户（次）餐饮服务摊点进行食品卫生监督检测。

2010 年 8 月，中共青海省委、青海省人民政府、青海省军区授予海西蒙古族藏族自治州卫生局“全省抗震救灾模范集体”称号。当月，中共中央、国务院、中央军委授予海西蒙古族藏族自治州卫生局“全国抗震救灾英雄集体”称号。

天峻县支援玉树抗震救灾指挥部　地震发生后，天峻县委、县人民政府迅速成立由县主要领导任组长的支援玉树抗震救灾指挥部，首次安排财政专项救援资金 200 万元，先后派出 4 支专业队伍 640 余人次奔赴灾区一线直接参与抗震救灾。安排 200 万元资金用于搭建板房食堂、购置学习用具和生活卧具。接收安置玉树灾区第二民族中学 100 名师生在天峻县生格乡寄宿小学复课。向全县社会各界募集捐款总额达 526 万元，缴纳特殊党费 25.7 万元。

2010 年 8 月，中共青海省委、青海省人民政府、青海省军区授予天峻县支援玉树抗震救灾指挥部“全省抗震救灾模范集体”称号。当月，中共中央、国务院、中央军委授予天峻县支援玉树抗震救灾指挥部“全国抗震救灾英雄集体”称号。

黄南藏族自治州疾病预防控制保健中心　地震发生后，黄南藏族自治州疾病预防控制保健中心及时成立由 13 人组成的卫生防疫队，赶往玉树县仲达乡开展卫生防疫消杀、水质监测、传染病疫情报告、计划免疫、健康教育等工作。防疫队在灾区坚持 90 多天，累计消毒寄宿学校 12 所、工程队安置点 6 处、居民安置点 30 处、僧人安置点 4 处、厕所 388 处、临时居所 465 个、水源地 75 处、垃圾集中存放点 279 处，消毒面积 18.46 万平方米。张贴、发放各种宣传卫生防疫材料 1.4 万份，累计受教育人数 2 万余人次。登记计划免疫 1329 户、5148 人，对 430 名儿童建立“预防接种卡证”，接种卡介苗、乙型肝炎疫苗、脊髓灰质炎糖丸疫苗等 1680 人份。

2010 年 8 月，中共青海省委、青海省人民政府、青海省军区授予黄南藏族自治州疾病预防控制保健中心“全省抗震救灾模范集体”称号。当月，中共中央、国务院、中央军委授予黄南藏族自治州疾病预防控制保健中心“全国抗震救灾英雄集体”称号。

玛多县赴玉树抗震救援队　地震发生后，玛多县委、县政府立即抽调干警 20 名、卫生医疗专业技术人员 10 名、后勤保障人员 9 名，组成玛多县赴玉树抗震救援队驰援灾区，投入抗震救援工作。抗震救灾期间，救援队出诊 500 余次，接诊 1911 人次。其中，转送伤员 187 人次，清创缝合 230 余人次，行导尿术 30 余例，骨折复位外固定 150 余人次，急诊、B 超检查 50 余人次，心电图检查 20 余人次。发放棉被 100 床，搜救伤员 11 人（其中重伤 4 人），挖掘遇难者遗体 4 具，挖掘被掩埋物资价值 15 万余元，转移群众 450 人次，运送伤员 600 余人次，搭建帐篷 580 顶。同时，派员在玉树机场至结古镇路段开展救灾物资安全守卫工作，保障此路段救灾物资安全和交通通畅。

2010 年 8 月，中共青海省委、青海省人民政府、青海省军区授予玛多县赴玉树抗震救援队“全省抗震救灾模范集体”称号。当月，中共中央、国务院、中央军委授予玛多县赴玉树抗震救援队“全国抗震救灾英雄集体”称号。

中共青海省委机要局　地震发生后，中共青海省委机要局立即启动全省应急密码通信预案，1 小时后即与灾区开通海事卫星应急密码通信，保障灾区与省委之间的通信联络。同时，派出 20 人到达抗震救灾第一线，在灾区开设通信点 4 处，为抗震救灾提供优质高效的密码电报、加密电话、视频服务，保证中央和省委救灾指挥畅通。全局 30 名党员干部捐款 1.7 万元、缴纳特殊党费 2.35 万元。

2010 年 8 月，中共青海省委、青海省人民政府、青海省军区授予中共青海省委机要局“全省抗震救灾模范集体”称号。当月，中共中央、国务院、中央军委授予中共青海省委机要局“全国抗震救灾英雄集体”称号。

中共青海省委组织部组织处 地震发生后，中共青海省委组织部组织处及时起草并以省委组织部名义下发《关于在玉树抗震救灾中充分发挥各级党组织战斗堡垒作用、各级领导干部模范带头作用和广大共产党员先锋模范作用的紧急通知》，印发《关于倡议广大党员自愿多交纳党费用于支援抗震救灾工作的通知》，为灾区购置和制作2000多面党旗、5500个党员胸卡。派3人在第一时间赶赴地震灾区开展抗震救灾工作，1人协助州委组织部开展灾后重建工作。及时将中共中央组织部下拨的500万元党费转往玉树州委组织部。编发《基层组织建设工作情况通报》84期，完成省委、省政府、省军区表彰抗震救灾先进集体和个人共231个表彰对象先进事迹材料的搜集、整理、上报工作。

2010年8月，中共青海省委、青海省人民政府、青海省军区授予中共青海省委组织部组织处“全省抗震救灾模范集体”称号。当月，中共中央、国务院、中央军委授予中共青海省委组织部组织处“全国抗震救灾英雄集体”称号。

青海日报社西海都市报社 地震发生后，西海都市报社先后派出8批记者53人次赴灾区采访。抗震救灾期间，他们开设《奋战在一线的共产党员》《民族团结之歌》和《党旗飘飘》等专版专刊及《众志成城抗震救灾》《重建一个美好新玉树》等栏目，共刊发抗震救灾版面482个，本地发稿2896篇（幅）。其中上百篇稿件被新华网、人民网、搜狐、新浪、腾讯等国内网站转载。同时，他们为灾区募集款物达554万元。

2010年8月，中共青海省委、青海省人民政府、青海省军区授予青海日报社西海都市报社“全省抗震救灾模范集体”称号。当月，中共中央、国务院、中央军委授予青海日报社西海都市报社“全国抗震救灾英雄集体”称号。

青海电视台新闻中心 地震发生后，青海电视台新闻中心组成5个报道小组赶赴灾区。后方同时进入应急直播状态，编辑、技术、播音、后勤保障等部门人员火速到岗。抗震救灾期间，前方报道组采写了大量反映解放军指战员、武警官兵、公安干警、医务工作者和全国各地救援队伍全力以赴抢险救灾的动人事迹，采制播出新闻宣传报道达5318条次、6.18万分钟，特别报道播出297条次，极大地鼓舞了全省各族人民携手同心抗震救灾的信心，营造了众志成城、同舟共济的舆论氛围。

2010年8月，中共青海省委、青海省人民政府、青海省军区授予青海电视台新闻中心“全省抗震救灾模范集体”称号。当月，中共中央、国务院、中央军委授予青海电视台新闻中心“全国抗震救灾英雄集体”称号。

青海省无线电管理办公室 地震发生后，青海省无线电管理办公室立刻启动应急预案，成立抗震救灾领导小组，紧急调集3辆移动监测车和19名技术人员组建应急保障分队，重点保障航空、铁路、民政、公安、武警、消防和公众通信部门无线电安全。抢险救灾期间，他们保障军用、民用飞机起降1452架次，保障各救援队伍使用的58个无线电频率没有受到任何干扰。

在震区架设 150MHz 超短波临时无线电应急通信网，为玉树抗震救灾指挥部提供 51 部对讲机，为新华社青海分社提供车载台 4 部、对讲机 20 部，为海东医疗队配备车载台 1 部、对讲机 4 部。还为各救援队伍临时调配 7 对双频使用对讲机 113 部、车载台 10 部。

2010 年 8 月，中共青海省委、青海省人民政府、青海省军区授予青海省无线电管理办公室“全省抗震救灾模范集体”称号。当月，中共中央、国务院、中央军委授予青海省无线电管理办公室“全国抗震救灾英雄集体”称号。

青海省工程咨询中心　地震发生后，青海省工程咨询中心会同省内外 10 余名专家汇总编制玉树地震灾害损失报告，编制完成《玉树抗震救灾过渡安置用房和应急设施建设方案》，为灾区群众临时住房建设、水电供应保障发挥积极作用。配合省发展和改革委员会编制《玉树地震灾后恢复重建总体规划》，配合有关部门开展 10 个灾后恢复重建专项规划的编制工作，其中独立完成灾区基础设施、公共服务、产业结构调整、生态修复和防灾减灾 4 个专项规划，印制规划文本 10 余种、200 余册。编制重建项目册 3000 余册，测算玉树灾后恢复重建各类建筑项目造价，为建设单位提供参考依据。

2010 年 8 月，中共青海省委、青海省人民政府、青海省军区授予青海省工程咨询中心“全省抗震救灾模范集体”称号。当月，中共中央、国务院、中央军委授予青海省工程咨询中心“全国抗震救灾英雄集体”称号。

青海省民族宗教事务委员会办公室　地震发生后，青海省民族宗教事务委员会办公室组织人员深入灾区，编发上报抗震救灾情况和民族宗教领域动态信息 80 余期。协调州、县民宗部门和宗教界代表人士，配合相关部门，做好藏族遇难者遗体保管、运送、火化等工作，确保近千具遇难者遗体集中火化。抽调 180 名既懂汉语、又懂康巴方言的大学生志愿者，分赴西宁各医院为医护人员和藏族伤员提供翻译等服务，使伤员得到有效救治。组成 4 个工作组，分赴兰州、西安、成都和昌都各医院协助治疗转移省外伤员。经过 60 多天努力，从灾区转移到省外医院治疗的伤员大部分康复出院。组织协调宗教界捐款捐物 1104 万余元。还从国家民委和国家宗教局为灾区争取救灾款 200 万元。

2010 年 8 月，中共青海省委、青海省人民政府、青海省军区授予青海省民族宗教事务委员会办公室“全省抗震救灾模范集体”称号。当月，中共中央、国务院、中央军委授予青海省民族宗教事务委员会办公室“全国抗震救灾英雄集体”称号。

青海省救灾物资储备中心　地震发生后，青海省救灾物资储备中心紧急启动抗震救灾预案，成立救灾物资接收、统计、发放、车辆调度 4 个工作组，落实捐赠物资接收和发放工作。地震发生当日，紧急调拨军用棉被 1 万床，军用棉褥 1 万条，救灾单、棉帐篷 6150 顶，军用大衣 5000 件，毛毡 50 条，手电筒 200 支，发电机 50 台，并立即运往灾区。在灾区发放各类救灾食品 433.57 吨、棉被 1570 床、棉衣物 2500 件、发电机 49 台、药品 8915 箱、医用板房 6 套，提供装载机1台、炊事车15台、净水设备8台、可燃炭2吨、混合物资20吨，以保障灾区人民的基本生活应急需要。接收社会各界捐赠物资1万余吨，发放物资6100余吨。

2010年8月，中共青海省委、青海省人民政府、青海省军区授予青海省救灾物资储备中心“全省抗震救灾模范集体”称号。当月，中共中央、国务院、中央军委授予青海省救灾物资储备中心“全国抗震救灾英雄集体”称号。

青海省监狱管理局中心医院 地震发生当日，青海省监狱管理局中心医院组织11人组成的医疗救援队奔赴灾区，当晚再次抽调96名人员组成的医疗队，携带价值35万余元的救灾物资奔赴灾区。在救援现场安全转运伤员2200多名。在后方医院，垫付费用590余万元，设置床位100张，从北京朝阳医院、上海第五人民医院邀请10名专家到医院协助开展救治工作，先后收治伤员230人，完成手术54例。

2010年8月，中共青海省委、青海省人民政府、青海省军区授予青海省监狱管理局中心医院“全省抗震救灾模范集体”称号。当月，中共中央、国务院、中央军委授予青海省监狱管理局中心医院“全国抗震救灾英雄集体”称号。

青海省财政厅预算处 为确保灾区应急抢险资金所需，青海省财政厅预算处于地震当日按照省政府的决定及时下拨第一批救灾资金。抗震救灾期间，配合有关部门草拟《玉树地震灾后恢复重建总体规划》《青海省人民政府关于支持玉树地震灾后恢复重建有关政策措施的意见》，为灾后恢复重建工作提供政策保障。积极协助相关处室起草下发《关于加强玉树抗震救灾捐赠资金管理的通知》《玉树抗震救灾捐赠资金管理办法》以及《玉树地震救灾专项资金管理办法》《玉树地震伤员紧急医疗救治费用财政结算办法》等，明确资金安排使用程序及开支标准，实行规范管理，强化对各类救灾款物的监管。

2010年8月，中共青海省委、青海省人民政府、青海省军区授予青海省财政厅预算处“全省抗震救灾模范集体”称号。当月，中共中央、国务院、中央军委授予青海省财政厅预算处“全国抗震救灾英雄集体”称号。

青海省地质环境监测总站 地震发生后，青海省地质环境监测总站立即组成地质灾害应急排查小分队奔赴灾区。抗震救灾期间，排查地质灾害隐患点295处，涉及人数3万余人，对其中222处涉及2万余人的隐患点进行监测。在地质灾害危险区设立警示牌73块，成功避让多次险情。搬迁村民32户139人，撤离群众和救援人员200余人。在结古镇周边地区全面启动重大地质灾害隐患地段监测预警机制，布置监测断面22条，设置监测点69个、地裂缝监测点2处。编制完成《青海玉树“4·14”地震灾区地质灾害应急排查报告》和《青海玉树灾后重建土地利用专项规划》等。

2010年8月，中共青海省委、青海省人民政府、青海省军区授予青海省地质环境监测总站“全省抗震救灾模范集体”称号。当月，中共中央、国务院、中央军委授予青海省地质环境监测总站“全国抗震救灾英雄集体”称号。

青海省环境监测中心站　玉树大地震抢险救灾期间，青海省环境监测中心站先后组织11个环境应急监测小分队，共54人轮换到灾区一线，对灾区地表水、生活饮用水、环境空气进行高密度监测，采集密度覆盖6个县9个乡，工作半径达2000多千米。共采集样品260个，分析项目3732个，上报监测数据8885个，为抗震救灾指挥部科学决策和指导灾区抗震救灾工作顺利实施发挥了重要作用。通过缴纳特殊党费等形式，向灾区捐款1.7万元。

2010年8月，中共青海省委、青海省人民政府、青海省军区授予青海省环境监测中心站“全省抗震救灾模范集体”称号。当月，中共中央、国务院、中央军委授予青海省环境监测中心站“全国抗震救灾英雄集体”称号。

青海省住房和城乡建设厅城乡规划处　抢险救灾初期，青海省住房和城乡建设厅城乡规划处迅速组织协调省内外30家规划编制单位、近千名规划设计人员，在地震灾区拟订《玉树灾后规划编制工作方案》，编制完成《玉树地区灾后过渡房安置建设方案（草案）》。之后，组织省内外40家规划编制单位完成《玉树州城镇体系规划》和《玉树县结古镇（市）总体规划（灾后重建）纲要》以及19个乡镇、133个村庄共计150多个规划的编制任务。

2010年8月，中共青海省委、青海省人民政府、青海省军区授予青海省住房和城乡建设厅城乡规划处“全省抗震救灾模范集体”称号。当月，中共中央、国务院、中央军委授予青海省住房和城乡建设厅城乡规划处“全国抗震救灾英雄集体”称号。

青海省交通厅　抗震救灾期间，青海省交通厅加强交通、运输、通信、水利、电力恢复和民航、石油协调调度，确保救灾公路畅通和救灾人员、物资运输及转运伤员安全，先后投入保畅通保运输和清理地震废墟人员10万余人次、机械设备2万余台班、客货运输车辆5600多辆。清理公路塌方落石43万余立方米，运送抗震救灾人员、灾区伤员赴外地治疗、治愈返乡人员和灾区赴外地就读学生1.6万余人次，运输抗震救灾物资近2.5万吨，运输重建物资4万吨，清理地震废墟97万立方米。全厅系统为灾区捐款106.15万元，捐助生活物资价值76.26万元。

2010年8月，中共青海省委、青海省人民政府、青海省军区授予青海省交通厅“全省抗震救灾模范集体”称号。当月，中共中央、国务院、中央军委授予青海省交通厅“全国抗震救灾英雄集体”称号。

青海省水利抗震救灾指挥部　地震发生当日，青海省水利厅成立水利抗震救灾指挥部，从全省水利系统紧急集结13支200多人组成的水利抢险队，及时组建次生灾害防治与供电抢修、应急供水保障等7个工作组，统筹应急处置与灾后重建，为夺取水利抗震救灾阶段性胜利赢得先机。地震发生不到3天，应急供水水源工程正式通水；半个月，11个片区临时应急供水点和8个乡镇主要临时应急供水工程全部抢通，设置供水点58个，应急供水人口8.96万人。经过10多天紧张建设，禅古水电站于5月3日正式下闸蓄水，开始低水位发电。对巴塘河、扎西科河堤防进行应急除险加固，确保安全度汛。接收省内外水利系统各单位捐款近500万元，协调落实应急抢险资金1亿多元。

2010年8月，中共青海省委、青海省人民政府、青海省军区授予青海省水利抗震救灾指挥部“全省抗震救灾模范集体”称号。当月，中共中央、国务院、中央军委授予青海省水利抗震救灾指挥部“全国抗震救灾英雄集体”称号。

青海省商务厅机关党委第五党支部 青海省商务厅机关党委第五党支部组织救灾人员于4月16日到达玉树县结古镇后立即与玉树州经贸委取得联系，迅速投入抗震救灾当中。其间，累计调运灾区生活必需品1420吨，价值达1104万元，接收来自全国商务系统捐赠各类生活必需品2000余吨、火炉6873个和其他救灾物资。恢复重建中，积极主动向商务部编制上报《玉树地震灾后恢复重建市场服务体系规划》，为恢复重建工作创造了良好的条件。

2010年8月，中共青海省委、青海省人民政府、青海省军区授予青海省商务厅机关党委第五党支部“全省抗震救灾模范集体”称号。当月，中共中央、国务院、中央军委授予青海省商务厅机关党委第五党支部“全国抗震救灾英雄集体”称号。

青海省人民医院 抢险救灾期间，青海省人民医院先后派出医疗队12批124人，在灾区一线接诊9528人次，救治灾区伤员和群众4.5万余人次，其中巡诊2150余例，手术509例，静脉输液720例，危重抢救98例，转运灾区伤员1112人，发放各种药品2000余人次。发放《灾区防病知识手册》《疫情防治手册》等宣传材料2000余份。投入医疗队救援资金、救灾物资85万余元。院内预留病床100张，装备50张病床的标准病区，诊治高原病患者117人，诊疗的伤员无一例死亡，手术伤员无一例感染。

2010年8月，中共青海省委、青海省人民政府、青海省军区授予青海省人民医院“全省抗震救灾模范集体”称号。当月，中共中央、国务院、中央军委授予青海省人民医院“全国抗震救灾英雄集体”称号。9月,中华全国总工会授予青海省人民医院赴玉树抗震救援医疗队“全国工人先锋号”称号。

青海省康复医院 青海省康复医院按照抗震救灾工作安排，抽调精干医护人员组成抗震救灾医疗队，赶赴灾区开展医疗救援工作。针对灾区群众安置点多、居住点分散、伤员和病人得不到及时救治的实际，医疗队及时调整工作思路，由在固定医疗点等待医治伤病员变为主动上门诊治，进行巡回医疗服务。抢险救灾期间，诊治病人1035人，其中60%以上是地震受伤群众，转送危重伤员35人，圆满完成救治任务。

2010年6月,中共青海省委授予青海省康复医院“抗震救灾先进基层党组织”称号。8月，中共青海省委、青海省人民政府、青海省军区授予青海省康复医院“全省抗震救灾模范集体”称号。当月，中共中央、国务院、中央军委授予青海省康复医院“全国抗震救灾英雄集体”称号。9月，青海省康复医院抗震救灾医疗队被中华全国总工会授予“全国工人先锋号”称号。

共青团青海省委员会宣传部　地震发生后，共青团青海省委员会宣传部迅速组建由 60 名医疗卫生部门青年参加的志愿者服务队，携带医药、食品等 54.6 万元救灾物资，赶赴灾区展开救援工作。抢险救灾期间，对接和组织在灾区参加志愿服务的志愿者 4200 人，在西宁参加志愿服务的志愿者 1800 余人。医疗队共接诊治疗伤病员 3236 例，抢救危重病人 92 例，转出治疗 65 例，转移病愈伤员 500 余人。同时，发放药品价值 100 余万元，专业搜救 120 余人次，搜救幸存者 6 人，抢挖粮食、电器等物资价值 6 万余元，专业心理辅导 200 人次，转运物资 1200 吨，医疗陪护、语言翻译志愿服务 1000 人次，劝阻盲目进入灾区志愿者 400 余人。

2010 年 8 月，中共青海省委、青海省人民政府、青海省军区授予共青团青海省委员会宣传部“全省抗震救灾模范集体”称号。当月，中共中央、国务院、中央军委授予共青团青海省委员会宣传部“全国抗震救灾英雄集体”称号。

青海省青年志愿者协会　地震发生后，青海省青年志愿者协会先后紧急招募组建 3 批青年突击队和青年医疗卫生志愿者服务队赶赴灾区，在玉树赛马场安置点开展医疗救助工作。在为期 10 天的志愿服务中，共救助伤员 3200 余名，免费发放药品价值 50 余万元。协调省内外 22 支志愿者服务队近 4000 名志愿者在灾区开展抢险救援、医疗救助、心理辅导、爱心支教等志愿服务。指导共青团玉树州委迅速招募成立了灾后第一支由 20 人组成的志愿者搜救队，先后救出幸存者 4 名，挖出遇难者遗体 10 具。通过多方协调，争取到团中央 3500 万元资金兴建玉树州青少年活动中心。

2010 年 8 月，中共青海省委、青海省人民政府、青海省军区授予青海省青年志愿者协会“全省抗震救灾模范集体”称号。当月，中共中央、国务院、中央军委授予青海省青年志愿者协会“全国抗震救灾英雄集体”称号。

青海省残疾人联合会办公室　抗震救灾期间，青海省残疾人联合会办公室分 3 批向灾区运送价值近 60 万元的生活急需物资和辅助器具，为灾区残联配送 2 辆货运车辆，专门用于为灾区残疾人运送物资。向灾区残联提供临时工作经费 10 万元，帮助灾区残联尽快恢复临时办公，机动解决灾区残疾人面临的困难。接收来自全国残联系统和各方面捐赠款物 400 余万元。协调中国红十字会援建玉树州聋儿培训部、康复中心过渡板房 320 平方米。联系江苏省残联向玉树灾区残疾人捐赠近 5000 部收音机、广东省残联为灾区援建 5 个乡（镇）康复服务站等项目。通过中央政府驻港联络办获得香港同胞捐款人民币 441.67 万元，在治多县、杂多县、曲麻莱县实施奶牛养殖项目；香港无国界社工组织捐赠人民币 88 万元，在结古镇、玉树县、囊谦县实施心理疏导项目。通过中国残疾人福利基金转来香港支持玉树地震灾区残疾人康复设备资金人民币 100 万元。

2010 年 8 月，中共青海省委、青海省人民政府、青海省军区授予青海省残疾人联合会办公室“全省抗震救灾模范集体”称号。当月，中共中央、国务院、中央军委授予青海省残疾人联合会办公室“全国抗震救灾英雄集体”称号。

青海省红十字会 地震发生后，青海省红十字会启动青海省红十字会应对自然灾害和突发事件预案Ⅰ级响应，成立青海省红十字会系统抗震救灾领导小组，全力以赴投入抗震救灾工作。动员和组织200多支共2000多人的红十字志愿者救灾物资运送队，将1.5万余顶帐篷，5.1万件棉被，5万件衣物，5.4万余箱（件）方便食品、饮用水、急救药品和700余吨其他物品，共计价值3.6亿元的救灾物资及时运送到地震灾区。

2010年8月，中共青海省委、青海省人民政府、青海省军区授予青海省红十字会“全省抗震救灾模范集体”称号。当月，中共中央、国务院、中央军委授予青海省红十字会“全国抗震救灾英雄集体”称号。

青海大学附属医院 地震发生后，青海大学附属医院迅速组建救援医疗队赶赴灾区。其间，共接诊6300余人次，巡诊1.7万余人。在“后方”医院，腾出病床200余张，接诊433人，接收入院278人，手术87人，康复治疗45人。向玉树县医院捐赠价值30余万元的远程会诊系统、B超机，提供价值50万元的药品，搭建1000平方米的活动板房，提供16万元的过冬供暖管道系统。为玉树州医院提供700余万元的社会资金建立玉树眼科治疗中心，实施玉树恢复重建期间白内障免费手术治疗项目，解决100张病床和100套被褥。

2010年8月，中共青海省委、青海省人民政府、青海省军区授予青海大学附属医院“全省抗震救灾模范集体”称号。当月，中共中央、国务院、中央军委授予青海大学附属医院“全国抗震救灾英雄集体”称号。9月，青海大学附属医院赴玉树抗震救援医疗队被中华全国总工会授予“全国工人先锋号”称号。

青海省投资集团有限公司抗震救援队 地震发生后，青海省投资集团有限公司先后两次派出救护队140多人，出动挖掘机等大型设备32台（套），抢通道路近11千米，挖掘给水道沟近800米。在灾区的8天时间里，先后搜寻遇难者遗体9具、抢救出档案柜17个、现金3.33万元、保险柜6个、金佛6尊、缝纫机25台、布料40匹、电教设备2套、高低床120余套、课桌及凳子70余套。搭建活动板房5套近300平方米。发放帐篷280顶、棉被2000多套。集团公司及所属公司为灾区捐款1050万元。

2010年8月，中共青海省委、青海省人民政府、青海省军区授予青海省投资集团有限公司抗震救援队“全省抗震救灾模范集体”称号。当月，中共中央、国务院、中央军委授予青海省投资集团有限公司抗震救援队“全国抗震救灾英雄集体”称号。9月，青海省投资集团有限公司玉树抗震救援队被中华全国总工会授予“全国工人先锋号”称号。

西宁特殊钢集团有限责任公司救援队 地震发生后，西宁特殊钢集团有限责任公司主动联系，联合正维公司、铭鑫公司和西宁市第三人民医院，迅速组织一支由50名干部职工组成的救援队，运送大中型铲车2台、翻斗车2台、25吨吊车2台及其他救灾工具和物资紧急赶赴灾区，全力进行抗震救灾。在结古镇西杭路、胜利路等10个搜救点，为受灾群众挖出家电、保险柜、首饰、汽车、摩托车1000余件，第三人民医院救治灾区伤员近1000名。公司捐款1200万元，组织职工捐款104.11万元。

2010年8月，中共青海省委、青海省人民政府、青海省军区授予西宁特殊钢集团有限责任公司救援队“全省抗震救灾模范集体”称号。当月，中共中央、国务院、中央军委授予西宁特殊钢集团有限责任公司救援队“全国抗震救灾英雄集体”称号。9月，西宁特殊钢集团有限责任公司抗震救援队被中华全国总工会授予“全国工人先锋号”称号。

青海盐湖工业集团股份有限公司赴玉树抗震救援队 地震发生后，青海盐湖工业集团股份有限公司组成一支14人的抗震救援队，运送3台大型机械设备抵达地震灾区。抗震救灾期间，共出动救援人员119人次、大型机械设备21台次，挖掘清理废墟1000余立方米，协助加固桥梁、整修道路，为15户受灾群众抢挖生活用品、食品、现金、金银首饰、汽车配件、木材、板材等物资，折合人民币611万余元。

2010年8月，中共青海省委、青海省人民政府、青海省军区授予青海盐湖工业集团股份有限公司赴玉树抗震救援队“全省抗震救灾模范集体”称号。当月，中共中央、国务院、中央军委授予青海盐湖工业集团股份有限公司赴玉树抗震救援队“全国抗震救灾英雄集体”称号。

西部矿业集团有限公司西海煤电有限责任公司矿山救护中队 地震发生后，西部矿业集团有限公司抽调业务素质高、抢险经验丰富的救护队员，组成西海煤电有限责任公司矿山救护中队，参加由海北州组建的“海北地区矿山救护抢险救援队”。抗震救灾期间，他们从废墟中抢救出1名幸存者，挖出12名遇难者遗体。帮助玉树地区相关部门为灾区发放帐篷293顶、棉被700床、方便面1200箱、棉衣850件、罐头1.58万听。帮助清理废墟8户、搭建帐篷10顶。

2010年8月，中共青海省委、青海省人民政府、青海省军区授予西部矿业集团有限公司西海煤电有限责任公司矿山救护中队“全省抗震救灾模范集体”称号。当月，中共中央、国务院、中央军委授予西部矿业集团有限公司西海煤电有限责任公司矿山救护中队“全国抗震救灾英雄集体”称号。

青海省水利水电（集团）有限责任公司 地震发生后，青海省水利水电（集团）有限责任公司先后调集抢修队伍9批次620人参加抗震救灾。抗震救灾期间，调运近百吨救灾物资，抽调机械设备、车辆达120余台（套），投入资金1800余万元。抢通结古地区严重受损的10条高压线路主干线，供电用户占可恢复临时供电用户总量的80%。建成14处集中供水点，供水近2万吨，日供水量达1800吨，满足了3万人的应急供水需求。

2010年8月，中共青海省委、青海省人民政府、青海省军区授予青海省水利水电（集团）有限责任公司“全省抗震救灾模范集体”称号。当月，中共中央、国务院、中央军委授予青海省水利水电（集团）有限责任公司“全国抗震救灾英雄集体”称号。

青海省汽车运输集团有限公司玉树汽车站 地震发生后，青海省汽车运输集团有限公司玉树汽车站在第一时间向集团公司及省公路运输服务总站报告灾情，并迅速开展救援工作。10名职工协同合作，抢救出18名司乘人员和旅客。切实做好车辆调配和油料供应工作，想方设法解决驻站客运班车司乘人员的食宿问题。灾后仅3天，玉树至西宁方向班线恢复营运。当日玉树汽车站向西宁方向发班车13班次，运送旅客536人次。抗震救灾期间，累计发班车189班次，安全运送旅客7560人次，为抗震救灾运送伤员和工作人员调运车辆129辆。

2010年8月，中共青海省委、青海省人民政府、青海省军区授予青海省汽车运输集团有限公司玉树汽车站“全省抗震救灾模范集体”称号。当月，中共中央、国务院、中央军委授予青海省汽车运输集团有限公司玉树汽车站“全国抗震救灾英雄集体”称号。

青海煤业集团有限责任公司矿山救援队 地震发生后，青海煤业集团有限责任公司选派一支由19人组成的救援队，出动2辆指挥车、1辆装备车、1辆电源车，运送260吨优质块煤驰援灾区。抵达当日就搜救出8名幸存者，并迅速将这些伤员送到医疗救治点。短短10天内，救援队共抢救出幸存者11人、遇难者遗体81具、粮食5000千克、保险柜16个、摩托车1辆及金银首饰等贵重物品。为灾区群众搭建帐篷20顶，运送帐篷130顶、棉衣2150件、棉被2010床、方便面2760箱、罐头2.9万听。

2010年8月，中共青海省委、青海省人民政府、青海省军区授予青海煤业集团有限责任公司矿山救援队“全省抗震救灾模范集体”称号。当月，中共中央、国务院、中央军委授予青海煤业集团有限责任公司矿山救援队“全国抗震救灾英雄集体”称号。9月，中华全国总工会授予青海煤业集团有限责任公司矿山救援队“全国工人先锋号”称号。

青海省公路桥梁工程集团有限公司玉树地震抢险救援队 地震发生的当日上午，青海省公路桥梁工程集团有限公司成立抢险救援队。随后又相继组织第二批、第三批、第四批救援队伍分别奔赴灾区。前后共出动大型抢险机械设备23台（套）、派遣人员130余人。抗震救灾期间，救援队先后搜救出幸存者6人，挖出遇难者遗体10具，帮助受灾群众抢挖出财物价值100余万元，拆除面积达5600平方米的3座高危楼房，清理废墟5000余立方米，抢修道路20余千米，清理山体塌方2000立方米，帮助玉树军分区搜挖遇难军马40多匹。

2010年8月，中共青海省委、青海省人民政府、青海省军区授予青海省公路桥梁工程集团有限公司玉树地震抢险救援队“全省抗震救灾模范集体”称号。当月，中共中央、国务院、中央军委授予青海省公路桥梁工程集团有限公司玉树地震抢险救援队“全国抗震救灾英雄集体”称号。

青海正平集团 4月14日7时55分，青海正平集团即指示玉树机场公路项目部赶赴玉树县结古镇参与救灾，并启动抗震救灾应急预案，成立抗震救灾指挥部。距玉树州15千米的正平集团公司机场公路项目部在15分钟内紧急行动，调集人员、机械投入抗震救灾中。从废墟中抢救出幸存者45名，搜寻出遇难者遗体44具，安置受灾群众17名。及时抢通玉树机场至玉树结古镇的生命线，为救灾人员及物资到达灾区赢得宝贵时间，以实际行动诠释了一个民营企业的社会责任和价值理念。

2010 年 8 月，中共青海省委、青海省人民政府、青海省军区授予青海正平集团“全省抗震救灾模范集体”称号。当月，中共中央、国务院、中央军委授予青海正平集团“全国抗震救灾英雄集体”称号。2013 年 4 月，中华全国总工会授予青海正平路桥建设股份有限公司集团共玉公路 A3 标钢筋班“全国工人先锋号”称号。

西部机场集团青海机场有限公司　地震发生后，西部机场集团青海机场有限公司第一时间成立抗震救灾指挥部，启动应急预案，在玉树机场用电损毁、地面通信中断的情况下，千方百计建立玉树通往西宁乃至全国的空中生命救援大通道。抗震救灾期间，保障飞行 1027 架次，运送救援人员 3.3 万人次，运送救灾物资 4233 吨，确保了玉树抗震救灾“空中生命线”的安全、高效、畅通。迅速组织专业人员对玉树机场受灾情况进行评估，编制完成《玉树机场灾后重建规划》。

2010 年 8 月，中共青海省委、青海省人民政府、青海省军区授予西部机场集团青海机场有限公司“全省抗震救灾模范集体”称号。当月，中共中央、国务院、中央军委授予西部机场集团青海机场有限公司“全国抗震救灾英雄集体”称号。

西部机场集团青海机场有限公司玉树机场分公司　地震发生后，作为抗震救灾航空运输最前沿的单位，玉树机场分公司有效克服保障条件和能力有限的实际困难，迅速采取紧急措施组织抗震救灾。抗震救灾期间，高峰日保障 57 个飞行架次的停放和安全运行。保障飞行 490 架次，运送救援人员 1.7 万人次，其中伤员 2133 人次，救灾物资 2175 吨，确保救援物资和伤员的及时转运，保障每一个抗震救灾航班的安全起降。圆满完成党和国家领导人专机 24 架次的保障任务。

2010 年 8 月，中共中央、国务院、中央军委授予西部机场集团青海机场有限公司玉树机场分公司“全国抗震救灾英雄集体”称号。

四川省应急志愿服务总队　地震发生后，四川省应急志愿服务总队组织由 41 名骨干队员组成的首批抢险救援小分队于震后第二天到达灾区。随后，紧急招募 17 名专业医护人员组成第二批医疗卫生志愿服务队，携带医疗器材和药品飞赴灾区，两批志愿者为群众提供服务 2000 余人次。在四川省雅安、甘孜境内通往玉树公路沿线动员招募 350 余名志愿者，设置 18 个志愿服务站，为救灾人员提供送医送药等相关服务 6000 余人次。在成都招募志愿者 450 余名，为在成都治疗的伤员提供服务 2792 人次。联合四川移动和联通公司分别设置免费亲情电话 21 台，拨打寻亲热线电话 1290 人次，帮助 24 名受灾群众找到亲人。组织 7272 名大学生志愿者为灾区伤员无偿献血 238 万毫升。

2010 年 8 月，中共青海省委、青海省人民政府、青海省军区授予四川省应急志愿服务总队“全省抗震救灾模范集体”称号。当月，中共中央、国务院、中央军委授予四川省应急志愿服务总队“全国抗震救灾英雄集体”称号。

二、其他省（市、自治区）全国抗震救灾英雄集体

（一）名单（24个）

北京市等参加玉树地震抢险救灾省（市、自治区）共有24个集体受到中共中央、国务院、中央军委表彰，被授予“全国抗震救灾英雄集体”称号。

北京市

北京市民政局救灾处

北京市红十字救援队

天津市

天津市赴青海玉树抗震救灾医疗队

河北省

唐山市赴玉树抗震救灾突击队

辽宁省

辽宁省赴玉树抗震救灾卫生防疫队

黑龙江省

大庆庆瑞物流有限公司共产党员抗震救灾突击队

江苏省

徐州工程机械集团有限公司

江苏黄埔再生资源利用有限公司

浙江省

浙江省红十字会支援玉树抗震救灾办公室

江西省

江西省红十字会

山东省

青岛市民政局救灾救济处

湖北省

湖北省赴青海省抗震救灾医疗队

广东省

广东医疗救灾专家组

重庆市

重庆市人民政府应急管理办公室应急处置处

四川省

甘孜藏族自治州医疗卫生应急救援队

云南省

云南省赴青海玉树抗震救灾医疗队

云南省地震局玉树地震应急工作组

云南省红十字会大众卫生应急救援队

西藏自治区

西藏自治区赴青海玉树医疗卫生救援队

陕西省

西部机场集团有限公司

甘肃省

甘肃省交通援青抢险救灾突击队

宁夏回族自治区

宁夏回族自治区公安厅“动中通”卫星通信车组

新疆维吾尔自治区

新疆维吾尔自治区疾病预防控制中心赴青海玉树卫生防疫工作队

克拉玛依市卫生应急防疫队

（二）事迹

北京市民政局救灾处 地震发生当日中午，北京市委、市政府启动应急援助响应机制。随后，北京市民政局救灾处在短短两个半小时内将8吨市级储备物资、1吨食品运达首都机场。同时，积极组织社会各界参加中央电视台赈灾义演等向灾区捐款捐物活动，总计接收首都各界救灾款达2.75亿元和大批救灾物资。抗震救灾期间，共向灾区运送专用帐篷1万顶、折叠床2万张、棉衣被10万件，以及饼干、方便面、熟肉制品和药品等价值3000万元的救灾物资，为灾区开展救灾工作，及时解决受灾群众急需物资提供了保证。

2010年8月，中共中央、国务院、中央军委授予北京市民政局救灾处“全国抗震救灾英雄集体”称号。

北京市红十字救援队 地震发生后，北京市红十字会迅速抽调66名队员分3批赶赴灾区。搜救分队在灾区历时10天，搜寻、排查5乡25村40多处废墟，救出幸存者12人，找到遇难者遗体12具，向西宁转送地震孤儿23人。医疗分队抵达玉树后，迅速搭建野战医院4所，抢救危重伤员35人、救治85人、转运43人、接生婴儿1名、空中陪护转运52人。4月17日晚，野战医院收治了被埋在废墟中三天三夜的垂危伤员普布卓玛，经医护人员12个小时抢救，创造了生命的奇迹。紧急救援阶段结束后，留守队员组成医疗服务小组，共救治、巡诊、帮助灾区伤病群众 1165 人。

2010 年 8 月，中共中央、国务院、中央军委授予北京市红十字救援队“全国抗震救灾英雄集体”称号。

天津市赴青海玉树抗震救灾医疗队 地震发生后，天津市委、市政府立即启动《天津市突发公共卫生事件应急办法》Ⅰ级响应。在很短的时间内，从天津市胸科医院等 13 所医疗机构抽调 26 名副主任医师以上职称的医生和有着急诊、重症抢救经验的护理人员，组成抗震救灾医疗队紧急奔赴抗震救灾第一线。队员们克服严重的高原反应，创造性地开展救治工作，出色完成抗震救灾医疗救治任务。抢险救灾期间，共诊疗受伤患者 1651 人次，其中抢救危重症患者 36 人次，开展手术 32 台次，会诊 127 次，成为格尔木救治点诊疗伤员最多、救治危重症最多的医疗队，并创造伤员零感染、零死亡的佳绩。

2010 年 8 月，中共中央、国务院、中央军委授予天津市赴青海玉树抗震救灾医疗队“全国抗震救灾英雄集体”称号。

唐山市赴玉树抗震救灾突击队 地震发生后，唐山市委、市政府紧急组织一支由抢险救援、医疗服务、心理救助为主的 71 名队员参加的赴玉树抗震救灾突击队奔赴灾区。抗震救灾期间，医疗服务队共接诊病人 810 余人次，累计免费发放各类药品价值 10 余万元。抢险救援队共清理受灾居民 15 户，搬运木材约 50 立方米，清理土石方约 55 立方米，清理出各种物品 340 多件，价值 20 余万元；捐献帐篷 3 顶，价值 8000 余元。心理救助队兵分两路积极开展心理救助活动，开设心理救助门诊，先后进行心理干预 560 余人次。

2010 年 8 月，中共中央、国务院、中央军委授予唐山市赴玉树抗震救灾突击队“全国抗震救灾英雄集体”称号。

辽宁省赴玉树抗震救灾卫生防疫队 抗震救灾期间，辽宁省赴玉树抗震救灾卫生防疫队 70 多名队员在灾区工作 82 天，走访受灾群众 1671 户、帐篷 2735 顶、服务人口 5958 人，查明并消毒水源 125 个。发现流感样病例 267 例，发热、腹泻、出疹病人 182 人，采集 153 个水井样品进行检测分析，对 2 个超标准水井进行消毒处理，发放饮用水消毒片 7.8 万片。对厕所、垃圾堆放点、个别居民的帐篷等进行消毒处理 200 多处，面积 18 万余平方米。发放健康教育宣传材料和防病手册 7849 份，现场宣传 2034 次。有 5 名青年队员火线递交入党申请书。

2010 年 8 月，中共中央、国务院、中央军委授予辽宁省赴玉树抗震救灾卫生防疫队“全国抗震救灾英雄集体”称号。

大庆庆瑞物流有限公司共产党员抗震救灾突击队 地震发生后，大庆庆瑞物流有限公司共产党员抗震救灾突击队一行 4 人，从贵州兴义市抗旱前线转战玉树灾区，同玉树民政部门取得联系，承担抗震救灾物资运输任务。他们艰苦奋战 11 个昼夜，突击运输全国各地支援玉树的矿泉水、食品、药品、帐篷、炉具、衣物等受灾群众急需物品，发放到巴塘乡、结古镇等 6 个乡镇受灾群众。捐赠价值 10 余万元的物资。

2010 年 8 月，中共中央、国务院、中央军委授予大庆庆瑞物流有限公司共产党员抗震救灾突击队“全国抗震救灾英雄集体”称号。

徐州工程机械集团有限公司　地震发生后，徐州工程机械集团有限公司成立行动指挥小组，紧急派出 15 名员工和 11 台价值 1034 万元的救援车辆组成首批救援队星夜赴灾区紧急救援。同时，紧急调配 75 台装载机、226 台起重机及 450 位操作手等应急资源和人员赶赴灾区参与救灾。他们在灾区连续奋战 16 个日夜，成功完成 120 多项吊装救援任务，保障了救援设施正常运行，抢救了大量社会物资和人民财产，在救援中发挥了重要保障作用。在 4 月 20 日中央电视台“情系玉树　大爱无疆”赈灾晚会上，徐工集团向玉树灾区捐款 600 万元。

2010 年 8 月，中共中央、国务院、中央军委授予徐州工程机械集团有限公司“全国抗震救灾英雄集体”称号。

江苏黄埔再生资源利用有限公司　地震发生仅两小时，江苏黄埔再生资源利用有限公司选派 43 人组成救援队奔赴灾区。救援队在西宁购买 21 台二手吊机、推土机及挖掘机等重型机械设备投入紧张救援当中。在长达 23 天的连续奋战中，救援队成功救出幸存者 11 名，向灾区捐助发电机 50 台、矿泉水 500 吨、军用大衣 3000 件、活动板房 500 套、快餐面 500 箱、收音机 5000 台、课桌椅 1300 套以及价值 200 多万元的药品，总价值 4300 万元。在 4 月 20 日中央电视台“情系玉树　大爱无疆”赈灾晚会直播现场再次向玉树捐赠 1000 万元。

2010 年 8 月，中共中央、国务院、中央军委授予江苏黄埔再生资源利用有限公司“全国抗震救灾英雄集体”称号。

浙江省红十字会支援玉树抗震救灾办公室　4 月 14 日当日，浙江省红十字会党组决定成立支援玉树抗震救灾办公室，并启动应急预案。在第一时间发出募捐呼吁，带领全省各级红十字会组织、红十字会志愿者全力为灾区募捐，共募捐款物 1.38 亿元，位居全国红十字会系统第三。在中央电视台“情系玉树　大爱无疆”赈灾晚会直播现场，精心组织浙江省 10 家企事业单位再次向灾区捐赠 1850 万元。

2010 年 8 月，中共中央、国务院、中央军委授予浙江省红十字会支援玉树抗震救灾办公室“全国抗震救灾英雄集体”称号。

江西省红十字会　地震发生后，江西省红十字会迅速成立江西省红十字会援助玉树抗震救灾工作领导小组，立即向社会各界发出募捐呼吁，公布捐赠热线和救灾专用账号，建立 24 小时热线接听值班制度。震后第三天，将价值 122 万元的药品紧急运抵玉树地震灾区。经过近两个月的日夜奋战，共募集捐赠款物价值 2581.85 万元，有力地支援了玉树灾区人民的抗震救灾工作。

2010年8月，中共中央、国务院、中央军委授予江西省红十字会“全国抗震救灾英雄集体”称号。

青岛市民政局救灾救济处 地震发生后，青岛市民政局救灾救济处迅速做好救灾储备物资应急准备工作，在最短时间内组织协调空运，于4月15日凌晨向灾区紧急空运价值15万元的食品等应急救灾物资。积极协调各捐赠接收机构全力接收社会捐赠，加强捐赠组织管理，确保捐赠工作规范有序、捐赠资金汇缴及时、捐款使用公开透明。抗震救灾期间，组织全市人民捐款捐物达7107万元，占全省捐助总额的三分之一以上，有力支援了玉树灾区抗震救灾工作。

2010年8月，中共中央、国务院、中央军委授予青岛市民政局救灾救济处“全国抗震救灾英雄集体”称号。

湖北省赴青海省抗震救灾医疗队 地震发生后，湖北省赴青海省抗震救灾医疗队111名队员和20台救护车，携带价值100余万元的药品和器械迅速到达青海西宁之后，安排大部分医疗队员留守西宁，协助相关医院开展救治工作；选派27名队员、6台救护车组成医疗小分队赶赴灾区。抗震救灾期间，灾区医疗小分队较好地完成了地震伤员的初步处置和转运任务。驻守西宁的医疗队员在协助相关医院完成伤员康复、心理疏导等大量基础工作的同时，独立完成大型手术22台，转运伤员46人。

2010年8月，中共中央、国务院、中央军委授予湖北省赴青海省抗震救灾医疗队“全国抗震救灾英雄集体”称号。

广东医疗救灾专家组 地震发生后，根据卫生部的安排，广东省卫生厅从省内11家医院抽调人员，组建广东医疗救灾专家组，携带近70万元的药械和20万元的救灾物资飞赴西宁，成为卫生部派出的第一支到达青海的医疗专家组。抗震救灾期间，专家组成员诊治伤员6285人次，完成手术86台次，抢救危重伤员84人次，治疗操作488次，开展新技术6项，护理伤员1923人次，病例讨论358次，开展业务培训21次，转运病人53名。

2010年8月，中共中央、国务院、中央军委授予广东医疗救灾专家组“全国抗震救灾英雄集体”称号。

重庆市人民政府应急管理办公室应急处置处 地震发生后，重庆市人民政府应急管理办公室及时与青海省政府应急办公室沟通联系，迅速协调重庆市级有关部门、单位组织由消防官兵及医疗人员等430余人组成的抢险队伍，携带抢险救援器材6213件及大量医疗救援药品、器械奔赴灾区。紧急协调商业、经贸、民政、财政等部门，采购棉被1万床、棉大衣6080件、发电机160台、应急灯1042盏、儿童羽绒服500件，以最快速度送达灾区。

2010年8月，中共中央、国务院、中央军委授予重庆市人民政府应急管理办公室应急处置处“全国抗震救灾英雄集体”称号。

甘孜藏族自治州医疗卫生应急救援队　地震发生后，甘孜藏族自治州医疗卫生应急救援队立即驰援灾区，成为四川省首支抵达灾区的省外医疗卫生救援队。在51天的救援行动中，累计救治伤病员7578人次，发放药品3万余人次，开展小手术2718人次，转运与协助转运重症伤病员470余人，消毒58.5万平方米，开展健康教育3.7万人次，在震后医疗救助和卫生防疫中发挥了重要作用。

2010年8月，中共中央、国务院、中央军委授予甘孜藏族自治州医疗卫生应急救援队“全国抗震救灾英雄集体”称号。

云南省赴青海玉树抗震救灾医疗队　地震发生后，云南省卫生厅迅速抽调14家医疗单位的113名医护、后勤人员和19辆救护车组成抗震救灾医疗队，于4月15日兵分三路火速向玉树灾区开进。抗震救灾期间，医疗队共救治伤病员3122人次（其中救治重伤员238人次），开展手术21例，转运伤员44人次，巡诊263人次，心理咨询220人次，创造了零死亡率、零感染率的佳绩。

2010年8月，中共中央、国务院、中央军委授予云南省赴青海玉树抗震救灾医疗队“全国抗震救灾英雄集体”称号。

云南省地震局玉树地震应急工作组　4月19日，云南省地震局抽调2名业务骨干组成应急工作组，赴玉树地震灾区现场开展应急工作。赴青海之前，工作组充分比较1996年云南省丽江7.0级地震与玉树地震灾害的差异，分析玉树地震与云南强震的关系，多次专题研究玉树地震灾害评估相关问题，拓展远程地震应急响应的内容，为远程地震应急响应注入新的内涵。抵达震区后，工作组立即向中国地震局玉树地震现场工作指挥部灾评组汇报研究情况，提交相关建议并被采纳。抗震救灾期间，工作组认真开展资料收集整理分析和报送工作，共收集整理1000余条信息，连续编发《青海玉树7.1级地震情况反映》7期112份。

2010年8月，中共中央、国务院、中央军委授予云南省地震局玉树地震应急工作组“全国抗震救灾英雄集体”称号。

云南省红十字会大众卫生应急救援队　地震发生后，云南省红十字会迅速组建由15名队员组成的大众卫生应急救援队，携带救援装备和后勤保障物资赶赴灾区，开展搭建应急卫生厕所、宣传卫生防病知识等应急救援工作，为灾区1万余名群众和4支救援队营地搭建100个应急卫生厕所，对1300多名灾区群众进行卫生防病知识宣传。

2010年8月，中共中央、国务院、中央军委授予云南省红十字会大众卫生应急救援队“全国抗震救灾英雄集体”称号。

西藏自治区赴青海玉树医疗卫生救援队 在灾区坚持奋战的 50 多天里，西藏自治区赴青海玉树医疗卫生救援队共诊疗病人 9185 人次，完成各种大小手术 286 台次，顺利接生 2 例，外出巡诊 213 次，转送危重病人 102 例，抢救危重病人 18 例，完成传染病症状监测 2 万人次，开展水质检测检验 36 份，指导帮助牧民处理死亡动物尸体 262 具，处理垃圾 7 吨，开展重点场所消毒 35 万平方米，鼠疫疫源地旱獭密度调查 200 公顷。

2010 年 8 月，中共中央、国务院、中央军委授予西藏自治区赴青海玉树医疗卫生救援队“全国抗震救灾英雄集体”称号。

西部机场集团有限公司 地震发生后，西部机场集团有限公司在不到两个小时的时间内恢复玉树机场的运行，建立玉树、西宁、西安三级指挥系统，打通通往玉树的空中救援通道，当日保证 5 架救灾专机飞往玉树，为抗震救灾赢得宝贵时间。抽调技术骨干 100 多人，调集专业设备 16 台支援灾区机场，有力保障灾区机场在超负荷状态下安全运行。抗震救灾期间，集团公司共保障抗震救灾飞行 1027 架次，运送救援人员 3.3 万人次，运送救灾物资 4233 吨。

2010 年 8 月，中共中央、国务院、中央军委授予西部机场集团有限公司“全国抗震救灾英雄集体”称号。

甘肃省交通援青抢险救灾突击队 地震发生后，甘肃省交通运输厅立即启动应急预案，在震后 4 个小时内完成紧急组建任务，组织由公路养护、运输管理、勘察设计、工程施工等部门的 60 名专家和道路抢险专业人员组成的甘肃省交通援青抢险救灾突击队，携带 18 台重型机械奔赴玉树灾区，开展抗震救灾抢险保通工作。抗震救灾期间，甘肃省交通援青抢险救灾突击队共投入抢险人员 8545 人次、机械 1680 台次、资金 2560 万元，动员应急运力 273 辆（4028 吨），抢运受灾人员 603 人，为玉树灾区抢险救灾保通工作做出积极贡献。

2010 年 8 月，中共中央、国务院、中央军委授予甘肃省交通援青抢险救灾突击队“全国抗震救灾英雄集体”称号。

宁夏回族自治区公安厅“动中通”卫星通信车组 宁夏回族自治区公安厅“动中通”卫星通信车组由 3 名工作人员和 1 台车组成。通信车组在地震灾区的八天九夜，向公安部传送视频资料 3670 分钟；向中央电视台一套、四套、九套及新闻频道直播 15 次，累计达 70 分钟；延播采用 3 次，共 151 分钟；向宁夏电视台传送视频资料 200 分钟，圆满完成公安部和宁夏回族自治区公安厅党委交给的抗震救灾通信保障任务。

2010 年 8 月，中共中央、国务院、中央军委授予宁夏回族自治区公安厅“动中通”卫星通信车组“全国抗震救灾英雄集体”称号。

新疆维吾尔自治区疾病预防控制中心赴青海玉树卫生防疫工作队 新疆维吾尔自治区疾病预防控制中心赴青海玉树卫生防疫工作队 24 名队员，于 4 月 17 日抵达玉树灾区。抗震救灾期间，完成 2.65 万平方米（204 座帐篷、112 座厕所、91 座垃圾池）清毒工作，发放卫生宣传画册 5620 份，培训人员 590 人，接种疫苗 1790 人（份），完成防疫灭獭面积 1.76 万公顷。

2010 年 8 月，中共中央、国务院、中央军委授予新疆维吾尔自治区疾病预防控制中心赴青海玉树卫生防疫工作队“全国抗震救灾英雄集体”称号。

克拉玛依市卫生应急防疫队 6 月 4 日，由 5 名专业技术人员组成的克拉玛依市卫生应急防疫队抵达玉树灾区，对当地 40 余座厕所、200 余处垃圾堆放点开展灭蝇工作，消杀面积 0.8 万平方米。协助指导完成消毒约 19 万平方米。未发现一起传染病病例，也未发生聚集性食物中毒事件。在临时就医点接诊各类患者 59 人，在当地培训 20 多名防疫宣传员，张贴及发放常见传染病防治知识宣传画册、宣传单 3000 余份。

2010 年 8 月，中共中央、国务院、中央军委授予克拉玛依市卫生应急防疫队“全国抗震救灾英雄集体”称号。

三、中央和国家机关全国抗震救灾英雄集体

中共中央宣传部国家应急新闻中心办公室等 26 个中央和国家机关受到中共中央、国务院、中央军委表彰，被授予“全国抗震救灾英雄集体”称号。

（一）名单（26 个）

中共中央宣传部国家应急新闻中心办公室
人民日报社青海分社
新华通讯社青海分社
中央人民广播电台军事宣传中心
中央电视台新闻中心玉树抗震救灾报道团
民政部社会福利和慈善事业促进司
法制日报社玉树地震灾区采访小组
财政部驻青海省财政监察专员办事处
中国城市规划设计研究院
交通运输部公路局
青藏铁路公司
水利部长江水利委员会玉树抗震救灾工作组
农业部兽医局
卫生部疾病预防控制局传染病预防控制处
中国疾病预防控制中心传染病预防控制所

审计署驻兰州特派员办事处
中国科学院对地观测与数字地球科学中心
中国地震局玉树地震现场应急工作队
中国银行业监督管理委员会玉树监管分局
中国民用航空西北地区空中交通管理局青海分局
中国扶贫基金会
中国青少年发展基金会
中国康复研究中心
中国红十字基金会
中国作家玉树抗震救灾采访团
中国农业银行股份有限公司青海省玉树分行“帐篷银行”

（二）事迹

中共中央宣传部国家应急新闻中心办公室 地震发生当日，由应急新闻中心办公室编发的第一期《突发事件快报》即报中央领导，很快得到批示。抗震救灾期间，应急新闻中心办公室先后派出5批8人到玉树抗震救灾一线组织协调新闻宣传工作，每日发回《前方快报》。在连续一个半月的时间内，他们白天收集整理有关情况，研究分析境内外舆情，制定报道重点和宣传口径；晚上协调组织召开由中央主要新闻单位负责人参加的新闻通气会，通报情况，部署任务，提出要求。建立与各有关部门、各新闻单位、前方与后方之间高效畅通的协调机制，迅速形成一个整体作战的指挥体系，实现新闻宣传和舆论引导工作有力有序有效。

2010年8月，中共中央、国务院、中央军委授予中共中央宣传部国家应急新闻中心办公室“全国抗震救灾英雄集体”称号。

人民日报社青海分社 抗震救灾期间，《人民日报》开设抗震救灾专版，青海分社3名记者每天都有数篇报道见报。在采写《抗震救灾英雄谱》过程中，完成20多篇报道任务。其中，《废墟上盛开民族团结花》《定居房成了“救命房”》《高原精神不倒，民族团结长青》等报道获得读者好评。7月初，青海分社及人民日报地方部2名记者组成的报道组再赴玉树采访，推出长篇通讯《聚力托举新玉树》。青海分社记者在《人民日报》、《人民日报海外版》、人民网刊发抗震救灾报道320多篇，内参20多篇，其中，中央领导批示2篇。

2010年8月，中共中央、国务院、中央军委授予人民日报社青海分社“全国抗震救灾英雄集体”称号。

新华通讯社青海分社 抗震救灾期间，新华通讯社共派出记者近100人次，发出各类报道1816条，其中内参180篇，有20余条内参得到多位中央领导批示；摄影图片179组805张；

音视频稿件 381 条。新华网青海频道编发稿件 4345 篇，日均发稿 310 篇。新华通讯社青海分社共动员 72 人参与抗震救灾报道，先后有 45 人参与救灾，运送保障物资约 20 吨、400 多种。通过飞机和陆路运送伤员 180 人次，安排灾区群众就餐人数约 3800 人次。

2010 年 8 月，中共中央、国务院、中央军委授予新华通讯社青海分社“全国抗震救灾英雄集体”称号。

中央人民广播电台军事宣传中心　抗震救灾期间，中央人民广播电台军事宣传中心先后派 10 多名记者前往玉树灾区，共组织发稿 1.18 万篇（幅），其中《新闻和报纸摘要》《新闻联播》126 篇，《央广新闻》连线 259 次，《国防时空》节目 130 篇，对台节目 1145 篇，中国广播网军事频道刊发文字稿 513 篇、图片 657 幅，全面、立体地宣传报道解放军指战员和武警官兵抗震救灾行动，在社会各界引起强烈反响。一线记者采写内参 12 篇，为首长机关提供决策咨询，有 5 篇得到中央军委首长批示。

2010 年 8 月，中共中央、国务院、中央军委授予中央人民广播电台军事宣传中心“全国抗震救灾英雄集体”称号。

中央电视台新闻中心玉树抗震救灾报道团　震后 36 小时内，由 198 名记者组成的中央电视台新闻中心玉树抗震救灾报道团全部部署就位，成为中央媒体中到达最早、人数最多、持续时间最长、报道规模最大的新闻团队。前方报道组 12 小时内快速布点，设置近 20 个机动报道分队，覆盖所有重点受灾乡镇。通过报道中央和国务院领导在灾区指导救灾场景，生动展现他们深入灾区一线慰问救灾人员、看望受灾群众、鼓励全国人民众志成城抗震救灾的感人时刻，收到良好的舆论反响和引导作用。同时，有效地向西方社会展示中国政府“以人为本”的施政理念和高效、果断的危机决策能力，赢得国际社会的普遍认同。

2010 年 8 月，中共中央、国务院、中央军委授予中央电视台新闻中心玉树抗震救灾报道团“全国抗震救灾英雄集体”称号。

民政部社会福利和慈善事业促进司　地震发生后，民政部社会福利和慈善事业促进司第一时间成立前方工作小组紧急赶赴灾区。在灾区 20 多天时间里，工作小组察看社会福利设施、慰问“三孤”人员和地震伤残人员，指挥灾区民政部门制定救助安置方案，确认震后新增“三孤”人员，并开展临时生活救助，为 3200 多名伤残人员配置康复辅助器具。协调宝钢集团捐资 500 万元为伤残人员免费安装假肢及配制其他康复辅助器具。组织多家民办养老机构组成“长期照护全国联盟”赶赴灾区，为伤残人员提供专业的护理和服务。抗震救灾期间，组织来自全国 17 个省（市、自治区）53 家会员单位的 137 名专业助理员救助 400 多名伤残人员。

2010 年 8 月，中共中央、国务院、中央军委授予民政部社会福利和慈善事业促进司“全国抗震救灾英雄集体”称号。

法制日报社玉树地震灾区采访小组 在灾区一线，法制日报社玉树地震灾区采访小组完成文字特写《泪花白花和着雪花的哀思》、图片专版《让我为你点亮一盏酥油灯》和系列报道《玉树抗震救灾一线的政法队伍》3篇，全方位地刻画政法机关在此次玉树抗震救灾中的杰出表现和动人事迹。抗震救灾期间，《法制日报》记者共采写稿件近200篇，写出《一次没有生还者的救援》等优秀作品和《空军专机夜航转运地震伤员》等独家新闻。其中，采访小组记者发稿61篇，新闻图片数十幅。

2010年8月，中共中央、国务院、中央军委授予法制日报社玉树地震灾区采访小组“全国抗震救灾英雄集体”称号。

财政部驻青海省财政监察专员办事处 抗震救灾期间，财政部驻青海省财政监察专员办事处先后派出9批工作组，深入灾区开展调研检查，调查中央驻青海单位、企业受灾情况比例达到100%；走访受灾群众400多户，召开多方监管协调会议17次，上报工作调研报告和工作快报157期；监督检查相关单位94家，涉及金额近50亿元，纠正违规问题26项，提出工作建议43项。为灾区捐款3.2万元，捐物折合10万元。

2010年8月，中共中央、国务院、中央军委授予财政部驻青海省财政监察专员办事处“全国抗震救灾英雄集体”称号。

中国城市规划设计研究院 地震发生后，中国城市规划设计研究院当日成立由9名人员参加的抗震救灾工作小组赶赴灾区。抗震救灾期间，统筹组织参加玉树灾后重建规划工作的技术力量，收集灾区的卫星云片、航测图纸等技术基础资料，编制科学、合理、极具前瞻性和可操作性的全套规划，包括《玉树结古镇城市总体规划（2010—2020）》和《玉树结古镇总体城市设计》等。为灾区投入资金200万元，募集捐款100万元，其中882名职工共捐款36万元。

2010年8月，中共中央、国务院、中央军委授予中国城市规划设计研究院“全国抗震救灾英雄集体”称号。

交通运输部公路局 4月14日上午，交通运输部公路局启动应急预案，成立青海玉树抗震救灾工作领导小组及3个工作组，向青海省交通部门紧急拨付1000万元抢险救灾专项资金，协调18个省（区、市）向地震灾区调运公路抢通机械144台。抗震救灾期间，交通运输部公路局投入人力8.65万人次、机械设备1.18万台次，资金1亿多元。其中，救助物资728万元，减免通行费536万元；投入应急运力2073辆，抢运救灾物资2.47万吨。抢运救灾人员及受灾人员1.42万人；抢通公路133条3317千米、桥梁183座5666米、涵洞202道、隧道1条432米，为夺取抢险救灾工作全面胜利做出重要贡献。

2010年8月，中共中央、国务院、中央军委授予交通运输部公路局“全国抗震救灾英雄集体”称号。

青藏铁路公司　地震发生当日，青藏铁路公司立即启动应急预案，成立铁路抢运抗震救灾物资指挥部，全力以赴保障抗震救灾人员和物资的铁路运输，安全、高效地完成抗震救灾阶段性任务。抗震救灾期间，青藏铁路公司抢运各类救灾物资 8.1 万吨，转运救灾人员 1111 人、灾区伤员 968 人、灾区学生 2238 人，向灾区捐赠一套价值 190 余万元的高压氧舱设备，捐款捐物价值 400 余万元。

2010 年 8 月，中共中央、国务院、中央军委授予青藏铁路公司“全国抗震救灾英雄集体”称号。

水利部长江水利委员会玉树抗震救灾工作组　地震发生后，水利部长江水利委员会立即成立抗震救灾领导小组，并组织委属有关单位专业人员组成抗震救灾工作组紧急赶赴灾区。经过工作组的努力，震后第三天，灾区恢复正常供电；第五天，禅古水电站应急除险加固工程开工；第十天，结古镇城区 11 个片区和 8 个乡镇主要集中供水点全部通水；第十一天，河道应急除险工程实施方案出台；第十二天，提出灾区安全度汛方案；第十八天，顺利完成《青海省玉树地震水利灾后重建规划报告》；第二十天，重建规划报告通过水利部和青海省人民政府审查；第二十一天，禅古水电站恢复低水位蓄水发电。水利部长江水利委员会共向地震灾区捐款 365 万元。

2010 年 8 月，中共中央、国务院、中央军委授予水利部长江水利委员会玉树抗震救灾工作组“全国抗震救灾英雄集体”称号。

农业部兽医局　地震发生后，农业部兽医局迅速组建并派出由动物疫病防控、风险评估、疫苗使用、应急管理等方面的 24 名专家组成的两批工作组和专家组前往灾区。协调 50 余万元的消毒救灾物资从兰州运往灾区。及时发布《青海玉树抗震救灾动物防疫工作实施方案》《青海玉树地震灾区动物疫病免疫方案》《青海玉树地震灾区重大动物疫病紧急监测方案》。组织灾区和邻近地区的兽医技术人员，组成 400 多人的应急防疫工作小组，开展死亡动物清理和无害化处理。共无害化处理死亡畜禽 5.8 万头（只）、藏犬 3107 只，环境消毒 80 多万平方米，免疫犬 4.32 万只、家畜 66.85 万头（只）。协调下拨救灾资金近 300 万元，分 4 批向灾区调运 10 吨消毒剂和 2 万余件（套）防疫用品。

2010 年 8 月，中共中央、国务院、中央军委授予农业部兽医局“全国抗震救灾英雄集体”称号。

卫生部疾病预防控制局传染病预防控制处　抗震救灾期间，卫生部疾病预防控制局传染病预防控制处制定《青海玉树县抗震救灾卫生防疫工作方案》等一系列工作预案，将 19 个安置点划分为 17 个卫生防疫责任区，1 周内实现灾区卫生防疫工作全覆盖。组建由 200 人组成的防疫预备队，建立板房实验室，将中国疾病预防控制中心一辆移动 P3 实验室紧急调运至灾区。宣传灾后卫生防病知识，为灾区适龄儿童接种甲肝、麻疹疫苗，接种率 90% 以上，为重点人群建立免疫屏障。科学论证确定环境消杀范围、消杀药种类和用药量，保护三江源生态环境。由于地震导致的传染病危害因素得到控制，未发生与地震相关的传染病暴发流行，实现了大灾之后无大疫的阶段性目标。

2010年8月，中共中央、国务院、中央军委授予卫生部疾病预防控制局传染病预防控制处“全国抗震救灾英雄集体”称号。

中国疾病预防控制中心传染病预防控制所 地震发生后，中国疾病预防控制中心传染病预防控制所先后派出工作人员33名前往灾区，以移动式生物安全实验室为主体，建立包括实验区、生活区、停车区等配套设施的实验基地。在实验区，设立配套板房实验室和高压蒸汽灭菌锅帐篷、实验准备间、动物解剖间、实验操作间。在生活区，建立自来水供水系统、环保型冲水卫生间、太阳能淋浴间。完成30只自毙动物的检测，包括家犬、旱獭、羊、高原鼠兔和小家鼠等，并及时报告检测结果，得到相关部门的好评。

2010年8月，中共中央、国务院、中央军委授予中国疾病预防控制中心传染病预防控制所“全国抗震救灾英雄集体”称号。

审计署驻兰州特派员办事处 地震发生后，审计署驻兰州特派员办事处及时跟进，全力以赴做好抗震救灾审计工作。通过跟踪审计，促进救灾资金和物资按要求及时到位、规范使用、有效监管，发挥了国家审计的“免疫系统”功能，为国家资金的有效合理使用保驾护航。上报的审计信息中有两篇在《审计署重要信息》刊发，其中1篇所反映出的问题经中央领导批示，相关部门进行整改和纠正，审计成果显现。

2010年8月，中共中央、国务院、中央军委授予审计署驻兰州特派员办事处“全国抗震救灾英雄集体”称号。

中国科学院对地观测与数字地球科学中心 地震发生后，中国科学院对地观测与数字地球科学中心紧急启动灾情遥感应急响应机制，快速构建天、空、地一体化地震灾害遥感监测网络。当日下午即获取灾区高分辨率航空遥感数据，15日凌晨第一批灾区遥感影像及分析报告送往国务院应急办公室。在地震发生24小时内将第二批灾后航空遥感图像和专报报送至国家有关部门。在批量数据抵达北京后，对获取的航空航天遥感数据实施同步数据共享，16个行业部门均在第一时间获得相关数据，为国家有关部门提供重要的决策支持和咨询服务依据，为救灾赢得宝贵时间。

2010年8月，中共中央、国务院、中央军委授予中国科学院对地观测与数字地球科学中心“全国抗震救灾英雄集体”称号。

中国地震局玉树地震现场应急工作队 地震发生后，中国地震局迅速调集160名技术人员奔赴青海、四川灾区，开展余震监测、震情趋势判断、灾害调查评估、发震构造调查、损失评估等各项应急工作。抢险救灾期间，中国地震局派出30多个灾害调查小组，行程5万千米，对灾区5县和四川省石渠县等27个乡镇的居民房屋、水利设施、教育卫生、企业等灾情进行调查，调查范围超过3万平方千米，完成调查点120个，绘制地震断层破裂的准确位置。在灾区先后架设 43 套流动地震观测仪，记录余震 1412 次，为震后趋势研判提供第一手资料和数据。

2010 年 8 月，中共中央、国务院、中央军委授予中国地震局玉树地震现场应急工作队“全国抗震救灾英雄集体”称号。9 月，中华全国总工会授予中国地震局“4·14”玉树地震现场应急联合工作队“全国工人先锋号”称号。

中国银行业监督管理委员会玉树监管分局　地震发生后，中国银行业监督管理委员会玉树监管分局启动应急预案，研究部署抗震救灾工作。监管分局职工兵分三路展开救援工作，徒手从废墟中救出 14 名幸存者。按照“先受理、后审批，先开业、后规范”的原则，灵活采取电话、传真、网络等传输方式，急事急办，特事特办，确保更多的金融机构及时为受灾群众服务。震后 36 个小时，第一家银行网点恢复营业；震后第四天，震区金融服务全面恢复。中央电视台、青海电视台、《金融时报》等 12 家媒体先后 36 次报道震区金融工作。

2010 年 8 月，中共中央、国务院、中央军委授予中国银行业监督管理委员会玉树监管分局“全国抗震救灾英雄集体”称号。

中国民用航空西北地区空中交通管理局青海分局　地震发生后，中国民用航空西北地区空中交通管理局青海分局第一时间启动应急响应机制，第一时间选派空管专业人员驰援玉树，第一时间抢通玉树卫星电话，为灾区人民架起抗震救灾的“生命天路”。抗震救灾期间，保障玉树、西宁两地抗震救灾安全飞行 1027 架次，运送救援人员和伤员 3.3 万人次（其中伤员 4459 人次）运送救灾物资 4233 吨；出色完成党和国家领导人的专机保障任务，经受住了飞行安全和抗震救灾的双重考验。

2010 年 7 月，中国民用航空西北地区空中交通管理局青海分局被中国民航局授予“全国民航玉树抗震救灾先进集体”称号。8 月，中共中央、国务院、中央军委授予中国民用航空西北地区空中交通管理局青海分局“全国抗震救灾英雄集体”称号。

中国扶贫基金会　地震当日，中国扶贫基金会调拨 200 顶帐篷，采购 3000 床棉被、13 吨食品、价值 550 万元的儿童服装和 39.59 万元的常规药品以及便携式医疗器械运往灾区。抗震救灾期间，建成 12 个加多宝公益吸氧站，向救援人员提供 2 万余人次的公益吸氧。捐资 78 万元，新建州直属机关幼儿园板房校舍，总面积 1200 多平方米，确保 600 多个孩子按期复课。为玉树州孤儿学校资助 120 万元。

2010 年 8 月，中共中央、国务院、中央军委授予中国扶贫基金会“全国抗震救灾英雄集体”称号。

中国青少年发展基金会　地震发生后，中国青少年发展基金会第一时间启动救灾预案，组建玉树抗震救灾前线工作小组，采购 100 万元救灾物资运往灾区。迅速联合全国 33 家省级青基会，发起“希望工程紧急救灾劝募行动”，筹集捐款 5000 余万元。距震后不到 80 个小时，第一所“抗震希望学校”在玉树结古镇孤儿学校落成，280多名孤儿搬进2万余平方米活动板房教室上课。对当年考录的大学生全部予以资助，每人一次性资助4000元。对其他家庭经济困难的学生，按每人1000元的标准进行资助，资助人数2000多名。

2010年8月，中共中央、国务院、中央军委授予中国青少年发展基金会“全国抗震救灾英雄集体”称号。

中国康复研究中心 地震发生后，中国康复研究中心立即组建由18名神经内外科、骨科、脊柱外科、普通外科、康复治疗师和辅助肢具工程师等方面的专家组成的救援医疗队，携带数十万元抗震救灾物资奔赴灾区。医疗队在灾区奋战12天，巡检伤员87名，二次检伤73人次，诊治伤员500余人次，制作辅助器具9件，开展康复训练48人次，手术5例，输液390余人次。开展各类培训5次，培训人员300余人次。1255名中心职工向灾区捐款20余万元。

2010年8月，中共中央、国务院、中央军委授予中国康复研究中心“全国抗震救灾英雄集体”称号。

中国红十字基金会 地震发生后，中国红十字基金会积极响应中国红十字会号召，广泛动员社会募捐，向灾区提供援助。抗震救灾期间，中国红十字基金会共募集社会各界捐款1.49亿元，募集物资价值261.48万元。组织干部职工和志愿者赴灾区开展救助和慰问活动，向灾区孤儿院、学校发放生活和学习用品，给予灾区人民以物质帮助和精神慰藉。

2010年8月，中共中央、国务院、中央军委授予中国红十字基金会“全国抗震救灾英雄集体”称号。

中国作家玉树抗震救灾采访团 地震发生后，中国作家协会立即组织一支以青海作家为主的12名中国作家采访团到灾区采访。他们不分昼夜奔走在体育馆、赛马场等安置点和受灾严重的寺院采访，在极端困难的条件下写出了一篇篇生动的文章。其中，《玉树日记》真实记录了玉树采访的行程，《雪中的卓玛》《他们永远是最可爱的人》《索南的高原》等反映玉树人民抗震救灾的作品，取得良好的社会反响。从报告文学集《玉树大营救》和诗集《废墟上的花朵》里，人们感受到了共产党好、社会主义制度好、人民军队和各族人民团结一致的伟大力量。

2010年8月，中共中央、国务院、中央军委授予中国作家玉树抗震救灾采访团“全国抗震救灾英雄集体”称号。

中国农业银行股份有限公司青海省玉树分行“帐篷银行” 震后36小时，中国农业银行股份有限公司青海省玉树分行及辖属各县支行网络中心与省分行数据中心通信网络顺利联通，恢复对外办理业务；“帐篷银行”正式对外营业，办理第一笔81.75万元救灾款转入业务。震后第十八天，灾区第一家面积120平方米的“板房银行”正式对外营业。第二十八天，第二个“板房银行”玉树县支行民主路分理处正式营业。抢险救灾期间，通过运行ATM机、24小时服务、应急业务、增加临柜服务力量等措施，发生业务 8.44 万笔，金额 5.40 亿元。

2010 年 8 月，中共中央、国务院、中央军委授予中国农业银行股份有限公司青海省玉树分行“全国抗震救灾英雄集体”称号。

四、国务院国资委管理的中央企业全国抗震救灾英雄集体

中国航空工业集团公司飞行试验研究院玉树抗震救灾航测小组等 12 个国务院国资委管理的中央企业受到中共中央、国务院、中央军委表彰，被授予“全国抗震救灾英雄集体”称号。

（一）名单（12 个）

中国航空工业集团公司飞行试验研究院玉树抗震救灾航测小组

中国石油天然气集团公司中国石油天然气股份有限公司青海销售分公司

中国石油化工集团公司中国石油化工股份有限公司青海石油分公司

国家电网公司青海省电力公司

中国电力投资集团公司黄河上游水电开发有限责任公司

中国电信集团公司青海省分公司

中国联合网络通信集团有限公司玉树藏族自治州分公司

中国移动通信集团公司青海有限公司

中国东方航空集团公司中国东方航空股份有限公司西北分公司

中国铁路工程总公司中铁隧道集团有限公司青藏铁路西格二线关角隧道工程指挥部

中国铁道建筑总公司中铁二十一局集团有限公司第四工程有限公司

中国航空油料集团公司中国航空油料有限责任公司青海分公司

（二）事迹

中国航空工业集团公司飞行试验研究院玉树抗震救灾航测小组　地震发生后，中国航空工业集团公司飞行试验研究院玉树抗震救灾航测小组全体人员克服高原反应强、保障能力差、空域条件异常复杂等困难，优质高效完成航测任务。抗震救灾期间，他们共出动 B-7024 和 B-7025 两种机型 13 架次，总飞行近 35 小时，勘测面积约 1200 平方千米，提供地震灾区的第一手资料，为中共中央、国务院指挥抗震救灾工作提供决策依据。

2010 年 8 月，中共中央、国务院、中央军委授予中国航空工业集团公司飞行试验研究院玉树抗震救灾航测小组“全国抗震救灾英雄集体”称号。

中国石油天然气集团公司中国石油天然气股份有限公司青海销售分公司　地震发生后，

中国石油天然气集团公司中国石油天然气股份有限公司青海销售分公司启动应急机制，协调计划、运输、销售等各部门在灾区搭建一座流动油库，调集2000余吨油品，保证10天以上供应。此后，制定24小时油品调存保供机制，组织以党员干部为主体的抢险保供突击队，紧急协调调集100多台油罐车，追加1万吨油品计划，编制发放《抗震救灾油品保供手册》，快速建起抗震救灾供油网络，10辆流动加油车、5座撬装加油装置分布救灾一线，为沿途100多座加油站开通绿色通道。

2010年8月，中共中央、国务院、中央军委授予中国石油天然气集团公司中国石油天然气股份有限公司青海销售分公司“全国抗震救灾英雄集体”称号。

中国石油化工集团公司中国石油化工股份有限公司青海石油分公司 地震发生后，中国石油化工集团公司中国石油化工股份有限公司青海石油分公司协调有关炼油企业和铁路部门，在原供应计划的基础上紧急调集2万吨油品支持抗震救灾，确保抗震救灾期间油品供应。在通往灾区沿途的20多座加油站开通“抗震救灾绿色通道”，实行24小时营业，为抗震救灾车辆优先加油、优惠服务，保证抗震救灾车辆快速足量加油。组成“抗震保供突击队”，组织100吨汽油、柴油和价值几十万元灾区急需的生活用品，无偿供应抗震救灾车辆。先后两次向灾区捐款1500万元；制作100套校服，赠送给在西宁华罗庚小学就读的来自灾区的孩子。

2010年8月，中共中央、国务院、中央军委授予中国石油化工集团公司中国石油化工股份有限公司青海石油分公司“全国抗震救灾英雄集体”称号。

国家电网公司青海省电力公司 地震发生后的第一时间，国家电网公司青海省电力公司调集大型应急电源车10辆、发电机53台，投入价值1114万元的导线、电杆等抢修物资，组织649名抢修人员到灾区一线参与抗震救灾。经过参战人员的艰苦努力，震后64小时，玉树电网第一条主线路恢复向玉树州藏医院供电。震后84小时，玉树机场专线一次送电成功。震后95小时，开始向玉树州卫校安置点照明通电。震后149小时，6个安置点及医院、指挥中心、学校等重点场所全部实现电网供电。编制完成玉树电网灾后恢复重建规划报告，全力投入玉树330千伏大电网进入和地方电网升级改造工作。电力公司全体员工为灾区捐款280万元，缴纳特殊党费72.8万元。

2010年8月，中共中央、国务院、中央军委授予国家电网公司青海省电力公司“全国抗震救灾英雄集体”称号。

中国电力投资集团公司黄河上游水电开发有限责任公司 地震发生后，中国电力投资集团公司黄河上游水电开发有限责任公司先后派出3批由101人组成的抗震救灾抢险队伍，出动32部车辆，紧急调配1000多台设备、供气具和30吨柴油、20顶军用帐篷及大宗电缆，安全、有序地运到灾区，并承担起玉树结古镇格萨尔广场、玉树机场应急电源保障和禅古、拉贡、治多3座受损水电站抢险抢修任务。在短短7天时间里，抢修8台受损机组，出色完成机组调试、恢复发电任务，为抗震救灾提供强大的电力保障。为玉树灾区捐助资金 200 万元、物资折合 300 万元。

2010 年 8 月，中共中央、国务院、中央军委授予中国电力投资集团公司黄河上游水电开发有限责任公司“全国抗震救灾英雄集体”称号。

中国电信集团公司青海省分公司　地震发生后，中国电信集团公司青海省分公司以最快的速度为玉树州委、州政府以及玉树抗震救灾指挥部提供固定电话、卫星电话、移动电话、无线上网卡等一揽子应急指挥通信设备。经过分公司全体人员的艰苦奋斗，震后 1 小时，率先恢复玉树机场移动通信和灾区的对外通信。在救灾帐篷内紧急成立“中国电信灾区临时新闻服务站”，为省内外新闻媒体搭建新闻传送平台，开设免费报平安电话和“114”寻亲热线，向灾区群众发送 3000 多万条公益短信。开通抗震救灾信息咨询服务热线，为广大用户提供各类灾情信息的汇集、查询、转接、发布等服务。

2010 年 8 月，中共青海省委、青海省人民政府、青海省军区授予中国电信集团青海省分公司“全省抗震救灾模范集体”称号。当月，中共中央、国务院、中央军委授予中国电信集团公司青海省分公司“全国抗震救灾英雄集体”称号。

中国联合网络通信集团有限公司玉树藏族自治州分公司　中国联合网络通信集团有限公司玉树藏族自治州分公司 32 名员工，面对灾难，表现出超乎寻常的冷静与果敢。在余震还频频发生的时候，他们不顾安危，从摇摇欲坠的房屋中拖出发电机等通信器材，并赶往重要的基站做好应急发电准备。在他们的努力下，率先恢复震区基站的通信，得到抗震救灾指挥部的肯定，受到灾区群众的好评。

2010 年 8 月，中共中央、国务院、中央军委授予中国联合网络通信集团有限公司玉树藏族自治州分公司“全国抗震救灾英雄集体”称号。

中国移动通信集团公司青海有限公司　震后第一时间，中国移动通信集团公司青海有限公司组织 100 多名技术人员，投入卫星电话 5 部、卫星通信车两辆、油罐车两辆、发电机 12 台开展通信抢通工作。震后第三天，灾区 6 个县光缆全部抢通，保证党委和政府现场指挥、抗震救援人员及灾区群众的通信需求。新建基站两个，扩容载频 102 块，开通宽带服务。开通“10086”“12580”两路热线，发送公益短信 840 万条、彩信 77 万条、红十字会抗震救灾捐款短信 525 万条、灾区天气预报 242 万条、《新华移动抗震专刊手机报》420 多万户。向灾区捐款 200 万元，捐赠帐篷等物资价值 70 余万元。

2010 年 8 月，中共中央、国务院、中央军委授予中国移动通信集团公司青海有限公司“全国抗震救灾英雄集体”称号。

中国东方航空集团公司中国东方航空股份有限公司西北分公司　地震发生后，中国东方航空集团公司中国东方航空股份有限公司西北分公司启动抗震救灾应急响应机制，成立抗震救灾前线指挥部，及时投入抗震救灾工作中。东航飞机第一批抵达西宁机场，第一个飞赴玉树抗震救灾现场，第一时间把青海省领导和抢险救援部队、医疗队伍运送到灾区，第一时间从灾区抢运出第一批地震危重伤员，为夺取抗震救灾的胜利发挥了重要作用。抗震救灾期间，他们共计飞行 305 架次，运送救灾人员和伤员 1.07 万人，运输救灾物资、设施设备等 541.5 吨。

2010 年 8 月，中共中央、国务院、中央军委授予中国东方航空集团公司中国东方航空股份有限公司西北分公司“全国抗震救灾英雄集体”称号。

中国铁路工程总公司中铁隧道集团有限公司青藏铁路西格二线关角隧道工程指挥部　地震发生后，中国铁路工程总公司中铁隧道集团有限公司青藏铁路西格二线关角隧道工程指挥部迅速组织由 71 名员工组成的抗震抢险突击队，调集 3 台大客车、6 台工作车和 1 台指挥车，装载帐篷、棉被及救援工具等救灾物资，迅速投入抗震抢险救灾当中。抗震救灾期间，共清理倒塌房屋 257 间，面积达 2430 平方米，清理出教学用电脑 40 台、课桌凳 200 余套、钢丝床 200 余张。转移轿车、摩托车、电脑、数码相机等价值 400 余万元的物资。搭建帐篷 1020 顶，发放食品 7 吨。就近抽调 2 台后勤补给车，为驻地周边受灾群众提供路灯照明、设备充电服务。

2010 年 8 月，中共中央、国务院、中央军委授予中国铁路工程总公司中铁隧道集团有限公司青藏铁路西格二线关角隧道工程指挥部“全国抗震救灾英雄集体”称号。

中国铁道建筑总公司中铁二十一局集团有限公司第四工程有限公司　震后第一时间，中国铁道建筑总公司中铁二十一局集团有限公司第四工程有限公司抽调 100 多名人员组成抗震抢险突击队，紧急采购价值 40 余万元的抗震救灾急需物资运到灾区，调配挖掘机、装载机等 44 台大型施工设备投入抢险救灾。抗震救灾期间，抽调 3000 多名干部职工和劳务工，调遣 400 多台（套）机械设备，搭建活动板房 300 平方米，硬化地面 1500 平方米，保证了铁路救灾物资的快装、快卸、快运输。经过 2 个多月连续奋战，完成西宁北货运中心抗震救灾应急工程建设的任务，为灾后重建物资转运工作提供了有力保障。

2010 年 8 月，中共中央、国务院、中央军委授予中国铁道建筑总公司中铁二十一局集团有限公司第四工程有限公司“全国抗震救灾英雄集体”称号。

中国航空油料集团公司中国航空油料有限责任公司青海分公司　为确保空运救援的畅通无阻，中国航空油料集团公司中国航空油料有限责任公司青海分公司全力为救灾飞机提供优质高效的供油服务，实现了中国航油“救灾飞机飞到哪里，中国航油加到哪里”的庄严承诺。在震后 20 日内，为 247 架次抗震救灾飞机提供加油保障 2238 吨，刷新了青海高原航油史上单日加油量、单架次加油量、罐式加油车单日保障航班、连续接卸铁路油槽车和公路来油等指标最高纪录，为完成转运伤员和救灾物资任务做出了积极贡献。

2010 年 8 月，中共中央、国务院、中央军委授予中国航空油料集团公司中国航空油料有限责任公司青海分公司“全国抗震救灾英雄集体”称号。

五、公安消防、特警、边防部队全国抗震救灾英雄集体

青海省公安消防总队等 27 个公安消防、特警、边防部队单位集体受到中共中央、国务院、中央军委表彰，被授予“全国抗震救灾英雄集体”称号。

（一）名单（27 个）

青海省公安消防总队
青海省公安消防总队玉树藏族自治州支队
青海省公安消防总队西宁市支队赴玉树抗震救灾救援队
青海省公安消防总队海东地区支队搜救犬分队
青海省公安消防总队海西蒙古族藏族自治州支队赴玉树抗震救灾救援队
青海省公安消防总队果洛藏族自治州支队赴玉树抗震救灾救援队
青海省玉树藏族自治州公安局特警支队
青海省西宁市公安局特警支队
青海省海东地区公安局赴玉树抗震救灾特警队
青海省海南藏族自治州公安局特警支队
青海省海西蒙古族藏族自治州公安局特警支队
青海省果洛藏族自治州公安局特警支队
青海省公安边防总队
山东省公安消防总队赴玉树抗震救灾救援队
广东省公安消防总队赴玉树抗震救灾救援队
广东省公安边防总队赴玉树抗震救灾医疗救援队
重庆市公安消防总队特勤支队
四川省公安消防总队赴玉树抗震救灾救援队
四川省成都市公安局特警支队
四川省阿坝藏族羌族自治州公安局特警支队
四川省甘孜藏族自治州公安局特警支队
西藏自治区公安消防总队赴玉树抗震救灾救援队
甘肃省公安消防总队兰州市支队
甘肃省兰州市公安局特警支队
云南省公安边防总队赴玉树抗震救灾医疗救援队
公安部治安管理局赴玉树抗震救灾特警指挥部
公安部消防局赴玉树抗震救灾指挥部

（二）事迹

青海省公安消防总队 地震发生后，青海省公安消防总队快速反应、科学指挥、全力救援、维护稳定，共投入兵力1020人，救出幸存者44人，挖出遇难者遗体208具，疏散转移被困群众4105人，抢救物资价值1000多万元，扑救火灾40余起。后方人员协调包机12架次、运输车辆155台次，运输人员3000余人、装备物资210余吨，救治受灾群众1585人。

2010年8月，中共中央、国务院、中央军委授予青海省公安消防总队“全国抗震救灾英雄集体”称号。

青海省公安消防总队玉树藏族自治州支队 地震发生后，青海省公安消防总队玉树藏族自治州支队第一时间投入救援工作，是灾区第一支开展救灾的专业救援部队。抗震救灾期间，共解救幸存者40人，挖出遇难者遗体146具，疏散转移被困群众2700余人。为群众搭建避难所20余间，抢救财产价值近千万元，扑灭因地震引发的火灾41起。同时，在12个安置点设立防消一体化的消防安全执勤点，确保震后未发生大的火灾事故。

2010年8月，中共青海省委、青海省人民政府、青海省军区授予青海省公安消防总队玉树藏族自治州支队“全省抗震救灾模范集体”称号。当月，中共中央、国务院、中央军委授予青海省公安消防总队玉树藏族自治州支队“全国抗震救灾英雄集体”称号。

青海省公安消防总队西宁市支队赴玉树抗震救灾救援队 地震发生后，青海省公安消防总队西宁市支队赴玉树抗震救灾救援队126名官兵迅速集结驰援灾区。抗震救灾期间，共出动车辆133台次、人员1360人次，抢救人员19人（幸存者3人），转移被困群众1560人，完成1170个搜救点的救援工作，协助受灾户抢救财产价值600余万元。向救灾一线输送给养物资价值30余万元，运送人员2000余人，向灾区捐款5.57万元。

2010年8月，中共中央、国务院、中央军委授予青海省公安消防总队西宁市支队赴玉树抗震救灾救援队“全国抗震救灾英雄集体”称号。

青海省公安消防总队海东地区支队搜救犬分队 地震发生后，青海省公安消防总队海东地区支队搜救犬分队在灾区一线冒着余震和房屋随时垮塌的危险，先后在玉树州民族师范学校女生宿舍、州交通局四层办公楼、上拉秀乡等多处开展搜救工作40余次，累计搜索8000多平方米，准确定位16名幸存者和9名遇难者遗体所在位置。在完成搜救任务的同时，协助疏散被困群众970人，并积极完成搬运物资、清理遇难者遗体和为受灾群众搭建帐篷等任务。

2010年8月，中共中央、国务院、中央军委授予青海省公安消防总队海东地区支队搜救犬分队“全国抗震救灾英雄集体”称号。

青海省公安消防总队海西蒙古族藏族自治州支队赴玉树抗震救灾救援队　地震发生后，青海省公安消防总队海西蒙古族藏族自治州支队赴玉树抗震救灾救援队 37 名官兵发扬舍生忘死、攻坚克难精神，坚持奋战在一线，先后往灾区调运 20 吨货物和价值 5 万余元的油料，从废墟中挖出遇难者遗体 11 具，抢救三江源项目工程资料及价值 568.8 万余元的财物，转运物资 1000 余件，帮助居民搭建帐篷 28 顶。

2010 年 8 月，中共中央、国务院、中央军委授予青海省公安消防总队海西蒙古族藏族自治州支队赴玉树抗震救灾救援队“全国抗震救灾英雄集体”称号。

青海省公安消防总队果洛藏族自治州支队赴玉树抗震救灾救援队　地震发生后，由 18 名官兵组成的青海省公安消防总队果洛藏族自治州支队赴玉树抗震救灾救援队迅速驰援灾区，全力投入抢险救灾。抗震救灾期间，先后抢救出幸存者 6 人，转移疏散群众 300 多人，抢救生活物资价值 120 余万元。在玉树州职业技术学校鏖战三天三夜，挖出全部遇难者遗体，并从废墟中成功解救出一名被埋压 129 小时的藏族妇女。

2010 年 8 月，中共中央、国务院、中央军委授予青海省公安消防总队果洛藏族自治州支队赴玉树抗震救灾救援队“全国抗震救灾英雄集体”称号。

青海省玉树藏族自治州公安局特警支队　地震发生后，青海省玉树藏族自治州公安局特警支队快速反应，迅速组织队员投入搜救工作。同时，全力协助玉树县看守所控制在押人员，全力做好治安防控、交通疏导、安全警卫等工作。抗震救灾期间，特警支队先后出动警力 3000 余人次、车辆 1000 台次，救出被困群众 118 名（幸存者 91 名），运送伤员 1307 人次，完成一、二级警卫任务 12 次，调解纠纷 70 余起，抓获犯罪嫌疑人 27 名。

2010 年 8 月，中共中央、国务院、中央军委授予青海省玉树藏族自治州公安局特警支队“全国抗震救灾英雄集体”称号。

青海省西宁市公安局特警支队　地震发生后，青海省西宁市公安局特警支队立即组织人员，火速驰援灾区，全力投入抗震救灾。抗震救灾期间，积极救助受灾群众，全力做好维护灾区治安、疏导道路交通等各项工作，先后出动警力 1 万余人次，救助群众 900 余人次，为群众搭建帐篷 313 顶，协助处理交通事故 73 起，疏导车辆近 3 万台次，调解纠纷 380 余起，处理盗窃案件 9 起，抓获犯罪嫌疑人 5 名。

2010 年 8 月，中共青海省委、青海省人民政府、青海省军区授予青海省西宁市公安局特警支队“全省抗震救灾模范集体”称号。当月，中共中央、国务院、中央军委授予青海省西宁市公安局特警支队“全国抗震救灾英雄集体”称号。

青海省海东地区公安局赴玉树抗震救灾特警队　6 月 1 日，青海省海东地区公安局赴玉树抗震救灾特警队奉命奔赴玉树灾区，担负结古镇部分地区治安维护、灾后重建和突发事件处置等任务。在灾区的50多天时间里，坚持24小时在任务区执勤巡逻，先后出动警力3800余人次，疏导车辆1.6万余台次，救助受灾群众、帮助司乘人员和行人9000余人次，顺利完成灾区高考执勤安保任务，妥善处置各类事件43起，协助查处各类案件25起。

2010年8月，中共中央、国务院、中央军委授予青海省海东地区公安局赴玉树抗震救灾特警队“全国抗震救灾英雄集体”称号。

青海省海南藏族自治州公安局特警支队 地震发生后，青海省海南藏族自治州公安局特警支队出动警力6633人次，先后将1373车救灾物资安全转运并发放到受灾地区和群众手中，制止哄抢救灾物资行为143起，抓获盗窃嫌疑人和交通违法人员83人，抢救运送伤员358人，抢救财物价值150余万元，疏导清理交通堵塞车辆3万辆以上，参与完成党和国家领导人在玉树抗震救灾期间的重大警卫任务20余次，为玉树抗震救灾和维护灾区稳定做出重大贡献。

2010年8月，中共青海省委、青海省人民政府、青海省军区授予青海省海南藏族自治州公安局特警支队“全省抗震救灾模范集体”称号。当月，中共中央、国务院、中央军委授予青海省海南藏族自治州公安局特警支队“全国抗震救灾英雄集体”称号。

青海省海西蒙古族藏族自治州公安局特警支队 6月1日，青海省海西蒙古族藏族自治州公安局特警支队奉命奔赴玉树灾区，担负玉树县治安维护、街面巡逻、设卡盘查、重要路段警卫和大型活动安全保卫等工作任务。在灾区的50多天时间里，先后出动警力3200余人次，救助受灾群众1600余人次，盘查、疏导车辆4万余台次，并完成多次重大警卫任务和大型活动的安全保卫任务，成功处置1起危险化学品泄漏事件，及时消除了安全隐患。

2010年8月，中共中央、国务院、中央军委授予青海省海西蒙古族藏族自治州公安局特警支队“全国抗震救灾英雄集体”称号。

青海省果洛藏族自治州公安局特警支队 地震发生后，青海省果洛藏族自治州公安局特警支队临危受命，迅速集结队伍，第一时间到达救灾一线，全力以赴展开各项救援工作。抗震救灾期间，先后出动警力1800余人次，搜救受伤群众11人，挖出遇难者遗体4具，转移受伤群众450余人次，接收并处置群众求助600余起，护送救灾物资29车次，救助老人及失散儿童120余名，为群众搭建帐篷1200余顶。

2010年8月，中共中央、国务院、中央军委授予青海省果洛藏族自治州公安局特警支队“全国抗震救灾英雄集体”称号。

青海省公安边防总队 抗震救灾期间，青海省公安边防总队克服部队初建、警力不足等困难，先后投入警力730人次、车辆240台次、经费近200万元，协调安排航空运力19架次，运送人员1844人次，装卸转运物资30吨。在西宁至玉树800多千米的生命补给线上，全程做好公安边防部队医疗救援队人员、物资的集结转运、后勤供给和协调联络等各项工作，有力保障了抗震救灾的顺利进行。

2010 年 8 月，中共中央、国务院、中央军委授予青海省公安边防总队“全国抗震救灾英雄集体”称号。

山东省公安消防总队赴玉树抗震救灾救援队　地震发生后，山东省公安消防总队赴玉树抗震救灾救援队 193 名官兵，携带 26 只搜救犬、530 件（套）器材装备迅速赶赴灾区。在灾区，连续奋战三昼夜，参与救援警力 460 人次，对近 7 平方千米责任区的建筑物倒塌现场实施搜救。全体参战官兵分成 3 批，每批 4 个搜救小组、4 个救援小组，连续奋战，科学施救，成功救出幸存者 1 人，挖出遇难者遗体 10 具，挖出 2.5 万元现金和大量藏经、首饰等贵重物品。

2010 年 8 月，中共中央、国务院、中央军委授予山东省公安消防总队赴玉树抗震救灾救援队“全国抗震救灾英雄集体”称号。

广东省公安消防总队赴玉树抗震救灾救援队　地震发生后，广东省公安消防总队赴玉树抗震救灾救援队 314 名官兵在灾区连续奋战 5 天，搜救、挖掘坍塌建筑物 356 处，转移和安置受灾群众 284 人，成功解救被困群众 1 人，清理遇难者遗体 94 具，搬运救灾物资 80 余吨，医疗救治 80 余人次，捐赠救灾食品、药品价值 20 余万元，是全国公安消防部队 6 支增援力量中第一个到达玉树灾区展开救援、第一个解救生还者的救援队。

2010 年 8 月，中共中央、国务院、中央军委授予广东省公安消防总队赴玉树抗震救灾救援队“全国抗震救灾英雄集体”称号。

广东省公安边防总队赴玉树抗震救灾医疗救援队　地震发生后，广东省公安边防总队赴玉树抗震救灾医疗救援队 113 名队员，克服强烈的高原反应，连续奋战 10 天，全力开展医疗救治等工作，先后救治受伤群众 951 名，实施手术 82 例，协助转运受伤群众 62 名，开展心理疏导 120 余人次，帮助群众搬运物资 14.3 吨，清理受损房屋 36 间，搭建帐篷 26 顶，向灾区群众捐款 11 万元以及价值 21.87 万元的医疗物资。

2010 年 8 月，中共中央、国务院、中央军委授予广东省公安边防总队赴玉树抗震救灾医疗救援队“全国抗震救灾英雄集体”称号。

重庆市公安消防总队特勤支队　地震发生后，重庆市公安消防总队特勤支队紧急调派 85 名救援官兵，携带 5 条搜救犬和生命探测仪等救援设备赶赴灾区。在历时 5 天的战斗中，官兵们在平均海拔 4000 米的高原腹地，克服恶劣气候条件，充分运用在“5·12”汶川特大地震抗震救灾行动中积累的丰富经验，严密组织、科学施救，成功解救 1 名幸存者，护送伤员 230 余人，救助受灾群众 800 余人。

2010 年 8 月，中共中央、国务院、中央军委授予重庆市公安消防总队特勤支队“全国抗震救灾英雄集体”称号。

四川省公安消防总队赴玉树抗震救灾救援队 地震发生后，四川省公安消防总队赴玉树抗震救灾救援队 320 名官兵，携带 32 台生命探测仪、6 条搜救犬和 1000 余件（套）救援特勤装备，分两路驰援灾区。在灾区连续奋战 5 天，开展救援行动 127 次，分别在 985 个救援点开展行动，搜救范围遍及城区 5 平方千米和 7 个乡镇、16 个自然村，成功解救被困群众 1 人，挖出遇难者遗体 151 具。

2010 年 8 月，中共中央、国务院、中央军委授予四川省公安消防总队赴玉树抗震救灾救援队“全国抗震救灾英雄集体”称号。

四川省成都市公安局特警支队 地震发生后，四川省成都市公安局特警支队迅速集结警力，昼夜兼程赶赴地震灾区，全力投入抗震救灾工作。一方面，积极参与抢险救援，成功协助营救被困群众 9 名，抢出财物价值数十万元；另一方面，大力加强社会治安防控、交通疏导、安全警卫等工作，先后协助发放救灾物资 257 吨，盘查嫌疑人 1430 余人次、车辆 450 余台次，抓获犯罪嫌疑人 4 名，调解各类纠纷 40 余起。

2010 年 8 月，中共中央、国务院、中央军委授予四川省成都市公安局特警支队“全国抗震救灾英雄集体”称号。

四川省阿坝藏族羌族自治州公安局特警支队 地震发生后，四川省阿坝藏族羌族自治州公安局特警支队昼夜兼程 40 余小时，7 次翻越海拔 4000 米以上的雪山，比规定时间提前 5 个小时抵达灾区，并迅速投入抢险救援和治安防控工作。在灾区连续奋战 49 天，共出动警力 6400 余人次、车辆 700 余台次，完成重大警卫任务 10 次，盘查可疑车辆 6500 余台次，处理治安案件 120 余起，抓获犯罪嫌疑人 265 名。

2010 年 8 月，中共中央、国务院、中央军委授予四川省阿坝藏族羌族自治州公安局特警支队“全国抗震救灾英雄集体”称号。

四川省甘孜藏族自治州公安局特警支队 在近两个月的抗震救灾工作中，四川省甘孜藏族自治州公安局特警支队共出动警力 2 万余人次，车辆 3400 余台次，营救出被困人员 7 名，调解纠纷 300 余起，处置突发性事件 30 起，查获和协助当地警方破获案件 24 起，抓获犯罪嫌疑人 57 名。

2010 年 8 月，中共中央、国务院、中央军委授予四川省甘孜藏族自治州公安局特警支队“全国抗震救灾英雄集体”称号。

西藏自治区公安消防总队赴玉树抗震救灾救援队 地震发生后，西藏自治区公安消防总队赴玉树抗震救灾救援队 105 名官兵，出动抢险救援车辆 11 台，携带生命探测仪、各类器材装备 867 件（套）紧急驰援灾区。他们在灾区连续奋战 5 天，从废墟中搜出遇难者遗体 8 具、重伤人员 1 名，挖出保险柜 6 个，佛像、唐卡等数十件，帮助群众转移家用电器等生活物资价值 500 余万元。

2010 年 8 月，中共中央、国务院、中央军委授予西藏自治区公安消防总队赴玉树抗震救灾救援队“全国抗震救灾英雄集体”称号。

甘肃省公安消防总队兰州市支队　地震发生后，甘肃省公安消防总队兰州市支队迅速调集 154 名官兵、14 台救援车前往灾区实施救援。全体参战官兵连续奋战五昼夜，救助被困群众 7 人，挖出遇难者遗体 24 具，搭建救灾帐篷 30 余顶，抢救《大藏经》等经卷 24 部和大量贵重物品，为灾区捐款 7.2 万元。

2010 年 8 月，中共中央、国务院、中央军委授予甘肃省公安消防总队兰州市支队“全国抗震救灾英雄集体”称号。

甘肃省兰州市公安局特警支队　地震发生后，甘肃省兰州市公安局特警支队全力投入抗震救灾。在灾区艰苦奋战的 49 天时间里，先后出动警力 1.1 万余人次，救出重伤群众 4 名，完成一、二级警卫任务 11 次，疏导车辆 9.6 万余台次，调解纠纷 100 余次，移交治安案件 80 余起，转移救灾物资 50 余吨，为群众搭建帐篷 173 顶、办好事 1800 余件。

2010 年 8 月，中共中央、国务院、中央军委授予甘肃省兰州市公安局特警支队“全国抗震救灾英雄集体”称号。

云南省公安边防总队赴玉树抗震救灾医疗救援队　抗震救灾期间，云南省公安边防总队赴玉树抗震救灾医疗救援队 60 名队员，运载价值 30 余万元的药品和 30 顶帐篷紧急赶赴灾区。他们在灾区连续奋战 10 天，先后运送重伤员 276 名，救治伤病员 2424 人次，煎煮大锅药 1000 余千克，捐赠、搭建帐篷 74 顶，捐款捐物折合人民币 12 万余元，圆满完成玉树抗震救灾指挥部交给的各项救灾任务。

2010 年 8 月，中共中央、国务院、中央军委授予云南省公安边防总队赴玉树抗震救灾医疗救援队“全国抗震救灾英雄集体”称号。

公安部治安管理局赴玉树抗震救灾特警指挥部　地震发生后，公安部治安管理局迅速成立赴玉树抗震救灾特警指挥部，紧急调集有关省（市）730 名特警队员，第一时间赶赴灾区抢险救灾。抗震救灾期间，共救助群众 3200 余人，营救幸存者 91 人，挖出遇难者遗体 34 具；出动警力 52.3 万人次，盘查可疑人员 1 万余人次、车辆 2.8 万台次，抓获犯罪嫌疑人 145 人，执行重大警卫任务 13 次，为顺利完成各项抗震救灾任务做出了突出贡献。

2010 年 8 月，中共中央、国务院、中央军委授予公安部治安管理局赴玉树抗震救灾特警指挥部“全国抗震救灾英雄集体”称号。

公安部消防局赴玉树抗震救灾指挥部　地震发生后，公安部消防局迅速成立赴玉树抗震救灾指挥部，按照中共中央、国务院和公安部党委指示要求，第一时间调集 10 个总队、2137 名消防特勤官兵和大量特殊救援装备增援灾区。25 名军（师）职干部深入一线，科学部署、科学指挥，充分发挥专业优势，争分夺秒实施救援，为保护人民群众生命财产安全做出了重要贡献。

2010 年 8 月，中共中央、国务院、中央军委授予公安部消防局赴玉树抗震救灾指挥部“全国抗震救灾英雄集体”称号。

六、中国人民解放军全国抗震救灾英雄集体

解放军第 309 医院赴玉树抗震救灾医疗队等 47 个中国人民解放军部队单位受到中共中央、国务院、中央军委表彰，被授予“全国抗震救灾英雄集体”荣誉称号。

（一）名单（47 个）

解放军第 309 医院赴玉树抗震救灾医疗队
解放军电视宣传中心军事新闻部
第三军医大学高原病防治医疗专家组
第四军医大学国家应急医疗救援队
62213 部队
解放军第 22 医院
95118 部队
95788 部队 64 分队
93987 部队
96361 部队
96375 部队 71 分队
96351 部队 59 分队
96351 部队 71 分队
解放军第 536 医院外二科
第二炮兵火箭兵报社新闻电教室
第二炮兵总医院抗震救灾医疗队
66150 部队 60 分队
68211 部队
68206 部队 57 分队
68303 部队
68303 部队 30 分队

68303 部队 41 分队
68303 部队 58 分队
68303 部队 64 分队
68303 部队 70 分队
68303 部队 75 分队
68303 部队 83 分队
68313 部队 40 分队
68313 部队 61 分队
68313 部队 78 分队
68313 部队 83 分队
青海省玉树军分区
青海省军区玉树独立骑兵连
68710 部队
68710 部队 57 分队
68710 部队 72 分队
68046 部队 61 分队
68060 部队应急兵站
解放军第 4 医院
68062 部队 71 分队
兰州军区疾病预防控制中心抗震救灾应急防疫救援队
解放军第 323 医院抗震救灾医疗队
兰州军区兰州总医院国家应急救援医疗队
解放军第 153 野战方舱医院
四川省石渠县人民武装部
资阳陆军预备役工兵团
西藏军区总医院高山病专家医疗队

（二）事迹

解放军第 309 医院赴玉树抗震救灾医疗队　地震发生后，解放军第 309 医院赴玉树抗震救灾医疗队紧急出动由 26 个专业学科构成的 61 名队员，携带 79 种 206 类（套）医疗设备及 133 个品种、价值 15 万余元的药品奔赴地震灾区。他们在灾区连续奋战 25 天，先后接诊受灾群众 879 人，收治伤员 371 人，转送 435 人，急诊手术 12 人，巡诊 1474 人次，留置观察 43 人。先后医治军人伤员 340 人，危重病例 16 例，心理疏导 639 人次。在《人民日报》《解放军报》和中央电视台等媒体刊发稿件 150 余篇。医疗队还与玉树州人民医院、仲达乡卫生院签订 3 年共建协议，捐赠药品、物资和设备约40万元。

2010年8月，中共中央、国务院、中央军委授予解放军第309医院赴玉树抗震救灾医疗队“全国抗震救灾英雄集体”称号。

解放军电视宣传中心军事新闻部 地震发生后，解放军电视宣传中心军事新闻部组织38名骨干记者执行抗震救灾新闻报道任务。地震发生当晚，《新闻联播》《军事报道》栏目播发《军队和武警官兵奔赴救灾第一线》的综合新闻。在《军事报道》开设“昼夜奋战”“灾后防疫”“人间有爱”等专栏，连续8天配发《抗震救灾当尖兵》《关键时刻到一线》《为了群众的生命》等短评。积极协助中央电视台传输提供素材1200多分钟，成功保障《情系玉树 大爱无疆——抗震救灾大型募捐活动特别节目》、抗震救灾军队新闻发布会等多次现场连线报道任务的完成。中央电视台新闻频道、直播连线播发有关救灾部队的新闻460多条，连线超过150个小时。抗震救灾期间，在各新闻媒体播发新闻910多条，出色完成电视报道任务。

2010年8月，中共中央、国务院、中央军委授予解放军电视宣传中心军事新闻部“全国抗震救灾英雄集体”称号。

第三军医大学高原病防治医疗专家组 地震发生后，第三军医大学高原病防治医疗专家组32名高原病防治和急救、皮肤、创伤等方面的专家参加抗震救灾。执行任务期间，他们先后成功救治军地高原疾病、高原反应等患者1324人，其中重症高原病患者30余人；巡诊查体5000余人。主动开展医学科普知识宣传，制作发放高原病防治手册及宣传挂图1万册（份）。

2010年8月，中共中央、国务院、中央军委授予第三军医大学高原病防治医疗专家组“全国抗震救灾英雄集体”称号。

第四军医大学国家应急医疗救援队 地震发生后，第四军医大学党委立即启动应急预案，紧急抽调技术过硬的专家骨干组成医疗救援队，于4月15日20时10分飞抵玉树机场，成为第一支青海省外到达灾区的军队医疗救援队。抗震救灾期间，医疗队诊治伤病员1692人次，成功实施高原野战环境下孕妇急性化脓性阑尾切除术，开展高原健康宣教10余场。援建帮扶上拉秀乡卫生院，圆满完成医疗救治任务，赢得当地政府、灾区人民、救灾官兵的高度赞誉。

2010年8月，中共中央、国务院、中央军委授予第四军医大学国家应急医疗救援队“全国抗震救灾英雄集体”称号。

62213部队 地震发生后，62213部队组织320台运输车、722名官兵参加抗震救灾。执行任务期间，共计向灾区运送指战员388名，输送装卸帐篷1.04万顶、棉衣被5.04万件、方便面2793箱、矿泉水2650吨、药品882件、担架500副、食品50吨、简易厕所55所。组织23台运输车为玉树县隆宝镇中心寄宿学校送去50顶帐篷、800套桌椅、800套书包和文具，以及大米、面粉、酥油、蔬菜等急需物资，连夜搭建能够容纳874名学生、19个班级的“帐篷学校”，帮助孩子们顺利复课。

2010年8月，中共青海省委、青海省人民政府、青海省军区授予62213部队“全省抗震救灾模范集体”称号。当月，中共中央、国务院、中央军委授予62213部队“全国抗震救灾英雄集体”称号。

解放军第22医院　地震发生后，解放军第22医院组织400名官兵参加抗震救灾。执行任务期间，医疗队共接诊门诊伤员2729人，巡诊5037人，发放药品3000余人次，抢救危重病人27人，收治伤员209人，开展手术30例，收治伤病员1763人次，军人门诊724人次，住院71人，成功实施手术45例。为禅古村提供价值10万元的药品及医疗器材。

2010年8月，中共青海省委、青海省人民政府、青海省军区授予解放军第22医院“全省抗震救灾模范集体”称号。当月，中共中央、国务院、中央军委授予解放军第22医院“全国抗震救灾英雄集体”称号。

95118部队　地震发生后，95118部队组织226名官兵参加抗震救灾。4月14日12时55分，部队指挥的3架飞机用时不到7个小时就将首批192名救灾人员、3台救援车运抵灾区，为运送伤员、物资赢得宝贵时间。在19日的抗震救灾战斗中，积极克服高原机场保障设施简陋、严重缺氧等困难，连续大强度飞行305架次、430小时32分，空运人员4607名、物资1944吨，创造了大型运输机在高原机场成建制一次着陆成功、持续飞行、实施夜航的“三个首创”，在“空中禁区”架起了一座“生命通道”，高标准完成抗震救灾任务。

2010年8月，中共中央、国务院、中央军委授予95118部队“全国抗震救灾英雄集体”称号。

95788部队64分队　地震发生后，95788部队64分队组织107名官兵参加抗震救灾。在19天的抗震救灾战斗中，分队攻坚克难、连续奋战，积极投身到夜航灯光保障任务中。利用保障间隙，主动参加救灾物资搬运、伤病员转移、军机安检等工作，平均每天工作16个小时以上，最长一天达到20个小时。分队有7人先后累倒在救灾工作现场，但官兵们始终坚守岗位，圆满保障玉树机场救灾飞行10个场次、34个架次，搬运救灾物资10余吨，抢运伤病员200余人，安检人员800余人次、行李物品1200余件。

2010年8月，中共中央、国务院、中央军委授予95788部队64分队“全国抗震救灾英雄集体”称号。

93987部队　地震发生后，93987部队组织800余名官兵参加抗震救灾。针对任务持续时间长、飞机装载要求高等特点，对所属人员进行科学编组、细化分工，部队领导分兵把守、靠前指挥，确保装卸工作井然有序、安全高效。在19天的抗震救灾战斗中，先后出动兵力5520余人次、车辆260台次，行程2.68万千米，搬运物资2681吨，转移伤病员510人，为夺取抗震救灾胜利做出了重要贡献。

2010年8月，中共青海省委、青海省人民政府、青海省军区授予93987部队“全省抗震救灾模范集体”称号。当月，中共中央、国务院、中央军委授予93987部队“全国抗震救灾英雄集体”称号。

96361部队　地震发生后，96361部队组织1678名官兵参加抗震救灾。在上拉秀乡、隆宝镇等救灾点果断采取兵力“化整为零、编组深入”的方式，4次深入灾区腹地成功搜救受伤群众6人。执行任务期间，共救助重伤群众27人，医治伤病群众3401人次。在扎西大同村和禅古寺的废墟清运清理和文物抢救任务中，疏通道路13千米，紧急输送物资577吨，清运废墟12万立方米，平整场地5万余平方米，抢救珍贵文物1.5万余件，存折现金合计120万余元。帮助巴塘乡寄宿小学和玉树州孤儿学校搭建帐篷、活动板房，运送配备各类教材等物资，使两所学校按期交付使用。他们还开展“送温暖、献爱心”活动，捐款123万元。

2010年8月，中共青海省委、青海省人民政府、青海省军区授予96361部队“全省抗震救灾模范集体”称号。当月，中共中央、国务院、中央军委授予96361部队“全国抗震救灾英雄集体”称号。

96375部队71分队　地震发生后，96375部队71分队组织91名官兵参加抗震救灾。到达灾区后，他们迅速建立有线与无线、固定与机动、军队与地方相结合的通信保障模式，及时帮助地方恢复国防通信线路，保障任务单位信息的传输需求。先后排除设备大小故障32次，紧急抢修光缆线路故障1次，处理危及线路安全隐患点40余处。首创野战光缆临时性固定方法3种，自制并悬挂线路警示牌120余个。制定《战地正规化值勤考核验收标准》，提高战地值勤正规化水平。发展地方信息联络员4人，制止不法分子蓄意破坏光缆通信线路行为3起，确保通信线路安全稳定运行。

2010年8月，中共中央、国务院、中央军委授予96375部队71分队“全国抗震救灾英雄集体”称号。

96351部队59分队　地震发生后，96351部队59分队组织259名官兵参加抗震救灾。在工程机械无法展开的情况下奋战近5个小时，用锹挖手刨清理废墟30余立方米，顺利清理琼龙达路路障3.5千米，打通通往结古镇的“生命通道”。担负灾后安置任务后，先后完成巴塘草原寄宿学校、新禅古寺、玉树州孤儿学校等136间活动板房的搭建任务。平整场地1.21万平方米，调整土石方2.5万立方米，浇筑混凝土650立方米，率先建成震区规模最大、功能最全、质量最高的板房学校。拆除危房32户，清理废墟10余万立方米，为受灾群众分发食品1万余份，转运伤员87人，受到驻地政府和群众一致好评。

2010年8月，中共中央、国务院、中央军委授予96351部队59分队“全国抗震救灾英雄集体”称号。

96351 部队 71 分队　地震发生后，96351 部队 71 分队组织 365 名官兵参加抗震救灾，抽调 20 台车快速出动、30 台车集结待命、40 台车紧急准备。在震发当日，以最快的速度把各类救灾物资运到受灾群众手中。执行任务期间，该分队先后出动车队 9 批次、车辆 77 台次，累计运输物资 800 余吨，安全行车 13 万余千米。同时，主动参与转移伤员、搭建帐篷、装卸物资、清理废墟和日常勤务等各项救灾工作，充分展现了高原汽车兵过硬的作风纪律和良好的精神风貌。

2010 年 8 月，中共中央、国务院、中央军委授予 96351 部队 71 分队“全国抗震救灾英雄集体”称号。

解放军第 536 医院外二科　地震发生后，解放军第 536 医院外二科组织 9 名官兵参加抗震救灾。一线医疗队在受灾群众最集中的结古镇格萨尔广场开设“帐篷医院”，每天工作时间都在 20 小时以上，有时同时展开两台手术，曾在 5 个小时内连做 9 台手术。在完成的 431 例手术中，无一例发生感染。后方救治人员采取并、腾、转、加等各种办法，增设抗震救灾专用病床，确保伤病员能够及时收入治疗。

2010 年 8 月，中共中央、国务院、中央军委授予解放军第 536 医院外二科“全国抗震救灾英雄集体”称号。

第二炮兵火箭兵报社新闻电教室　地震发生后，第二炮兵火箭兵报社新闻电教室组织 10 名记者执行抗震救灾新闻报道任务。成立电视新闻前后方报道协调组，及时在中央电视台通过字幕编发《第二炮兵部队快速机动奔赴灾区救援》的新闻。形成立体协调的电视报道网络，做到全方位、多角度、多视野对第二炮兵部队救援情况进行报道。中央电视台《新闻联播》播报的《第二炮兵救灾部队全力抢救藏族文物》《玉树州孤儿板房学校投入使用》等新闻引起较大反响。推出《抗震救灾英雄谱：玉树抗震救灾排头兵——高海华》等典型。执行任务期间，先后在中央电视台发稿 80 多篇，编发专题节目 10 部，协调凤凰卫视等境外媒体编发新闻专题近 20 个小时。

2010 年 8 月，中共中央、国务院、中央军委授予第二炮兵火箭兵报社新闻电教室“全国抗震救灾英雄集体”称号。

第二炮兵总医院抗震救灾医疗队　地震发生后，第二炮兵总医院共抽调 44 名骨干人员组成抗震救灾医疗队，携带医疗设备 95 台（件）、3G 医学影像远程会诊平台系统 6 套、药品 100 余种、防疫设备 9 台（套），作为专家力量支援解放军第 536 医院，执行玉树地震伤员的救治任务。到达西宁当日，立即与解放军解放军第 536 医院医务人员一起对 55 名伤员展开摸底式查房及会诊工作。针对收容伤病员伤情特点和麻醉科专业人员短缺的实际，紧急增派骨科、麻醉科专家奔赴西宁支援，又急调药学专家携带价值 10 余万元的麻醉药品和手术器材赴西宁再次支援，开展的 46 台次手术均获得成功，111 名伤员得到有效救治。投入最新研发的 3G 医学影像远程会诊系统，为抗震救灾提供远程支援，开拓大规模救治伤员的新模式。为解放军第4医院等无偿开通会诊系统，使290多名危重伤员享受到首都近百名军地专家的实时诊断。

2010年8月，中共中央、国务院、中央军委授予第二炮兵总医院抗震救灾医疗队“全国抗震救灾英雄集体”称号。

66150部队60分队 地震发生后，66150部队60分队派出60名搜救队员参加抗震救灾。在12天的抗震救灾中，救援队指战员连续突击、日夜奋战，先后转战127个作业点，成功营救出掩埋在废墟深处的幸存者7人，清理遇难者遗体31具，帮助其他救援队确认定位18人次，挖出存折5个，搬运物资100余吨。帮助玉树县政府搭设帐篷20顶，为灾区群众捐助帐篷4顶、毛毯60条、方便面40余箱、矿泉水50余箱。

2010年8月，中共中央、国务院、中央军委授予66150部队60分队“全国抗震救灾英雄集体”称号。中央军委授予66150部队60分队“抢险救援模范营”称号。

68211部队 地震发生后，68211部队组织1210名指战员参加抗震救灾。4月14日，该部队仅用1个小时就完成出动准备，先遣队90名指战员组织各型车辆16台、携带救援器材937件，迅速赶赴地震灾区执行抗震救援任务，成为第四支到达灾区的专业救援部队。成立6个搜救组，对扎西大同村、禅古寺、扎西科、先锋巷木材厂等352个点位进行拉网式排查，抢救出重伤（病）群众5名，挖出遇难者遗体8具。在废墟清理过程中，挖出现金1386万余元、金银玛瑙等贵重物品465件、家电（具）125件、粮食349袋。当得知高三学生因学校损毁可能耽误高考的情况后，紧急采购16顶大型帐篷及炊事车、发电机和学习用品，派出炊事员保障学生饮食，指定部队大学生干部为学生辅导功课。与扎西大同村的20多名群众结成互帮对子，组建民兵应急分队，建立治安警务室、卫生防疫室，开展扶贫帮困、治安联防等活动。

2010年8月，中共中央、国务院、中央军委授予68211部队“全国抗震救灾英雄集体”称号。

68206部队57分队 地震发生后，68206部队57分队组织119名指战员参加抗震救灾。在共和县尕海救灾物资转运点，连续奋战28天，先后卸载各类物资7.2万余件，搬运物资8934吨，准确高效地将生活必需品送到灾区。在国道214线两侧设立“你服务灾区，我为你服务”宣传牌，为过往人员提供热水、干粮等熟食，热情开展便民服务活动。为受灾群众特别是生活极为困难的孤寡老人送去粮油、衣物，捐款1500余元。

2010年8月，中共中央、国务院、中央军委授予68206部队57分队“全国抗震救灾英雄集体”称号。

68303部队 地震发生后，68303部队组织3405名指战员参加抗震救灾。到达灾区后，编成208个小分队，深入7个乡镇、39个村、102个社，逐村逐户实施搜救治疗，先后救治伤员4271人，装运物资700余吨，清墟80万立方米，清理各类衣物、被褥1.1万余床（件）、家电家具 6.4 万件、金银物品 460 余件、保险柜 65 个、唐卡 139 幅、各类食品 310 余吨、现金 2800 余万元和价值 460 余万元的虫草、鹿茸等名贵药材，共计价值近 1.8 亿元。搭建帐篷 1385 顶，发放食品 300 余吨，御寒物资 4.6 万件；与 23 个乡镇、学校党委（支部）、302 名“三孤”人员和 477 名特困人员结成帮扶对子；为援建学校捐赠学习用具 1100 余套、现金 5 万余元，派出 20 名大学生官兵担任教师，保证 6 校共计 4600 多名师生如期复课开学；派出 3 名心理医生、137 名心理骨干深入街道村户开展便民服务。

2010 年 8 月，中共中央、国务院、中央军委授予 68303 部队“全国抗震救灾英雄集体”称号。

68303 部队 30 分队　地震发生后，68303 部队 30 分队组织 97 名指战员参加抗震救灾。进驻灾区后，迅速投入救援任务，共搜救 70 余户、300 余人，清理废墟 50 余户，圆木 3800 余根，空心砖 1 万余块，衣物 200 余件，家电 340 余件，金银首饰等价值 210 余万元。抽调 12 名工程机械操作手到兄弟单位指导大型机械操作，协助清理废墟，使预计 45 天完成的清墟任务提前 20 天完成。在西杭社区，清理出嘛呢石 100 余吨。与禅古寺小学建立共建关系，抢救财产 10 余万元，协调解决帐篷 8 顶，帮助两名辍学孩子和 95 名失学儿童重返校园，捐助现金 8000 余元。

2010 年 8 月，中共中央、国务院、中央军委授予 68303 部队 30 分队“全国抗震救灾英雄集体”称号。

68303 部队 41 分队　地震发生后，68303 部队 41 分队组织 93 名指战员参加抗震救灾。执行任务期间，分队先后 30 余次执行人员物资转运、废墟土石拉运任务，动用车辆 400 余台次，转运人员 1200 余人次、物资 3000 余吨，拉运土石 2 万余立方米。分队出动水车为 30 余位行动不便的孤寡老人、残疾人送水，并发动指战员捐赠现金 8000 多元、棉被大衣 30 余床（件）。为帮助灾区学校迅速复课，分队先后 20 余次出动车辆，为帐篷小学拉运课桌、学习用具及办公用品等 4000 余件（套）。

2010 年 8 月，中共中央、国务院、中央军委授予 68303 部队 41 分队“全国抗震救灾英雄集体”称号。

68303 部队 58 分队　地震发生后，68303 部队 58 分队组织 499 名指战员参加抗震救灾。面对隆宝镇、哈秀乡、安冲乡等乡镇 6200 平方千米的排查搜救区域和结古镇西杭、扎西大同村等 3 个片区 10 万余立方米的清墟任务，采取“党员带一组、一组搜十户”的方式，先后排查搜救 5981 户，搭建帐篷 1100 余顶，装卸和拉运分发物资 3000 余吨，清理废墟 63000 平方米，清运回填土石 36 余万立方米。与隆宝镇敬老院、哈秀乡敬老院 107 名孤寡老人和 33 名孤儿结成帮扶对子，送去矿泉水 76 件、方便面 60 箱、粮食蔬菜 4100 余千克，查体巡诊 300 多次，赠送药品价值 8000 多元。为隆宝镇中心寄宿小学、措美村小学和措桑村小学等 6 所学校搭建帐篷 79 顶，捐助各类课桌椅 2124 套、棉被褥 300 余床（件）。

2010年8月，中共中央、国务院、中央军委授予68303部队58分队“全国抗震救灾英雄集体”称号。

68303部队64分队 地震发生后，68303部队64分队组织94名指战员参加抗震救灾。执行搜救任务中，广大官兵连续奋战10余天，行程300余千米，排查搜救900余户，转移群众1510人，搭建帐篷300余顶，装卸和发放物资300余吨，为受灾群众抢救出金佛10尊、唐卡15幅、粮食和牛羊肉1万余千克、木料1.7万余根，价值超过1500万元。执行清理废墟任务中，分队党支部与新寨村党支部结成对子、建立共建关系，先后排查826户，发放物资2.57万件，搭建帐篷30余顶，清理废墟7万立方米，清理出价值600余万元的物品。

2010年8月，中共中央、国务院、中央军委授予68303部队64分队“全国抗震救灾英雄集体”称号。

68303部队70分队 地震发生后，68303部队70分队组织86名指战员参加抗震救灾。在帮助玉树县巴曲路塘达村阿旺才加和红卫村幸福小巷义西拉加两家清理废墟时，分队指战员用双手清理出20吨水泥、20袋面粉、15袋大米，抢救出经书、金佛、古董、画像等价值40余万元的贵重物品。在新寨村发放赈灾物资时，连续卸载物资4卡车，帮助西拉家清理出价值30多万元的物品。执行任务期间，分队先后清理废墟5.37万立方米，搭建帐篷1217顶，转移群众1720余人，卸载发放赈灾物资520余吨，挖出燃料、木料、建材等9000余立方米，拆除危房165栋，清运建筑垃圾17.47万立方米，回填12.73万立方米，挽回经济损失1410余万元。

2010年8月，中共中央、国务院、中央军委授予68303部队70分队“全国抗震救灾英雄集体”称号。

68303部队75分队 地震发生后，68303部队75分队组织97名指战员参加抗震救灾。执行抗震救灾任务4个月期间，共排查隆宝镇、安冲乡、结古镇等3个乡镇11个村社、1656户，为群众抢救出衣物4877件、食物2.5万余千克、贵重物品420余万元、家具2757件（套）、木料1.97万根、经文48箱；装卸救灾物资780吨，协助地方发放救灾物资120吨；搜救清理西杭、扎西大同等3个片区1168户、9.48万立方米废墟，回填10万余立方米土石；为群众搭建帐篷216顶，资助10名孤寡老人；援建3所帐篷小学，帮助学生复课，每天派出6名大学生指战员承担教学任务。

2010年8月，中共中央、国务院、中央军委授予68303部队75分队“全国抗震救灾英雄集体”称号。

68303部队83分队 地震发生后，68303部队83分队组织95名指战员参加抗震救灾。针对救援区域面积大、清理废墟任务重的实际，分队坚持预防在先、科学筹划、分片指挥、责任到人，组织3名干部各带一个排开展救援工作，及时调整了两个党小组、27个“三互”小组，确保救援行动有序有力展开。主动与解放村党支部结成帮扶对子，开展“废墟一起清、宣传一起搞、难题一起解”活动，走村入户宣传发动群众 57 户，12 户不愿清理废墟的群众主动要求配合清理工作。先后走访慰问受灾群众 478 户，抢救受伤群众 24 人，拆除危房 247 间，搭建帐篷 135 顶，抢救贵重物品 699 件，搭建教室 15 间，装卸帐篷 300 顶、课桌椅 500 套，清理废墟 6024 立方米、木材 7000 余立方米、钢材 40 吨。

2010 年 8 月，中共中央、国务院、中央军委授予 68303 部队 83 分队“全国抗震救灾英雄集体”称号。

68313 部队 40 分队　地震发生后，68313 部队 40 分队组织 54 名指战员参加抗震救灾。执行任务期间，分队先后搭建帐篷 300 余顶，拉运物资 150 余吨，卸载、分发帐篷 800 余顶、棉衣被 750 余件（床）、课桌椅 200 余套。协助北京军区 255 野战医院卸载各类药品、医疗器械、生活物资 30 余吨，搭建医疗帐篷 20 余顶，架设医疗方舱 12 个，清理废墟 1.3 公顷。在担负灭鼠灭獭任务中，仅用 5 天时间就对玉树机场至巴塘乡 900 余公顷的旱獭进行清除。及时成立“党员突击队”“团员突击队”，组织为民小分队，深入各村户开展助民为民活动，为受灾学校捐献课桌椅 500 套、棉衣被 270 件（床）、书包及学习用具 130 套，拉运土方掩盖储存生活用煤 50 余吨。

2010 年 8 月，中共中央、国务院、中央军委授予 68313 部队 40 分队“全国抗震救灾英雄集体”称号。

68313 部队 61 分队　地震发生后，68313 部队 61 分队组织 238 名指战员参加抗震救灾。在抢险救灾第一线，广泛开展“火线入党”“立功创模”“军地党组织联建共创”等活动，所属两个分队党支部先后与玉树机场党支部、巴塘乡铁力角村党支部建立联系点，开展“走进军营、开放机场”“共学创新理论、携手抗震救灾”等活动，有效促进抗震救灾任务的完成。执行任务期间，卸载空运物资 60 余架次，装卸车 300 余台次，装卸救灾物资 2 万余吨。为确保机场和物资的安全，分队及时与机场和巴塘乡取得联系，了解民情社情，加强预测分析，科学制订防范预案，没有发生一起救灾物资丢失或被盗现象。

2010 年 8 月，中共中央、国务院、中央军委授予 68313 部队 61 分队“全国抗震救灾英雄集体”称号。

68313 部队 78 分队　地震发生后，68313 部队 78 分队组织 32 名指战员参加抗震救灾。执行任务期间，共清理废墟 36 户，拆除危房 57 间，搬运搭建帐篷 49 顶，完成土方量 2030 立方米，回填废墟 1576 立方米，拉运清理废墟 83 车次 1423 立方米，清理空心砖 1754 块、木料 1784 根，整理玉器、金银等贵重物品折合现金 1000 余万元，平整场地 6000 平方米。在执行赛马场搭建帐篷的突击任务中，仅用 6 天时间就圆满完成 430 顶帐篷搭建。开展救助“孤儿、孤老、孤残和特困家庭”活动，先后对玉树州孤儿学校 208 名孤儿，结古镇 5 户孤寡、6 名孤残、

10 户特困家庭进行重点救助，搭建帐篷 80 余顶，运送各种食品 1000 多千克。

2010 年 8 月，中共中央、国务院、中央军委授予 68313 部队 78 分队“全国抗震救灾英雄集体”称号。

68313 部队 83 分队 地震发生后，68313 部队 83 分队组织 64 名指战员参加抗震救灾。执行任务期间，分队先后拆除危房 200 多间，拉运清理废墟 400 余立方米，清理出唐卡、金佛、法器等贵重物品和现金 500 余万元。在 1 个月时间里运送食品 100 余吨，搭建帐篷 1000 余顶。主动与结古镇果青村党支部开展联建联创活动，帮助村党支部搭建“帐篷活动室”，捐赠现金 5000 元、桌椅 20 套。为确保果青和扎芒两所小学按时复课，主动帮助他们搭建帐篷 20 余顶，捐献桌椅 120 余套、被褥 130 套、学习用具 180 余套。

2010 年 8 月，中共中央、国务院、中央军委授予 68313 部队 83 分队“全国抗震救灾英雄集体”称号。

青海省玉树军分区 地震发生后，青海省玉树军分区组织 205 名指战员参加抗震救灾。他们集结州、县民兵应急分队组成 7 个救援小组，投入兵力 1430 余人次，救出幸存者 125 人，搭建帐篷 420 顶，为 100 多名受灾群众提供住宿，并为他们发放生活物品。组织民兵 2800 多人次奔赴外援部队没有进入的玉树县上拉秀乡、隆宝镇等偏远村庄，抢救出幸存者 101 人。第一时间通过广播电视连线，开通地方专线 30 多部，军用电话 200 多部，架设电线 1.3 万米，确保军地各级抗震救灾指挥机构有序设立和顺利开展工作。抗震救灾展开后，每天进入军分区院内的车辆 2000 多台次，人员 6000 余人次，由于组织指挥得力，没有发生一起拥堵混乱现象，确保指挥部各项决策及时传达到抗震救灾一线。

2010 年 8 月，中共青海省委、青海省人民政府、青海省军区授予青海省玉树军分区“全省抗震救灾模范集体”称号。当月，中共中央、国务院、中央军委授予青海省玉树军分区“全国抗震救灾英雄集体”称号。

青海省军区玉树独立骑兵连 地震发生后，青海省军区玉树独立骑兵连组织 99 名指战员参加抗震救灾，先后转战玉树县新建路居民区、玉树州民族中学等 8 个救援点。地震发生当日，全连指战员救出被埋群众 52 人、军马 15 匹。65 名官兵向玉树州医院无偿献血 2 万余毫升。执行任务期间，先后搭建帐篷 300 余顶，卸运帐篷、被褥、蔬菜和药品等物资 30 余车共 300 余吨。清理出佛像 100 多尊、经书 453 卷、其他各类贵重物品价值 40 余万元。

2010 年 8 月，中共中央、国务院、中央军委授予青海省军区玉树独立骑兵连“全国抗震救灾英雄集体”称号。

68710 部队 地震发生后，68710 部队组织 1164 名指战员参加抗震救灾。先后在扎西大同村、西航村和红卫路 3 个任务区展开搜救，搜救出 186 名群众，其中幸存者 19 人。为玉树第一民族中学搭建帐篷 96 顶，选派 8 名干部担任校外辅导员。为赛马场、体育场、当代村灾民救助点和其他 5 所学校搭建帐篷 1300 余顶，协助搭建活动板房 120 间。救助重伤病员 168 人，转运伤病员 1540 人，提供医疗服务 254 人，开设食物供应点为群众提供热食 1600 余份、干粮 5360 份。出动车辆 230 台次，运送各类救灾物资 200 余吨，装卸各类物资 1360 余吨，协助民政部门发放救灾物资 830 余吨。投放药剂 5388 千克，填堵旱獭洞 7.2 万个，完成鼠疫防控总面积 1.4 万平方米；租赁地方工程机械 68 台，清运废料 19 万立方米，回填土方 10 万立方米，清理各类物资 2.2 万立方米。

2010 年 8 月，中共青海省委、青海省人民政府、青海省军区授予 68710 部队“全省抗震救灾模范集体”称号。当月，中共中央、国务院、中央军委授予 68710 部队“全国抗震救灾英雄集体”称号。

68710 部队 57 分队　地震发生后，68710 部队 57 分队组织 220 名指战员参加抗震救灾。执行任务期间，先后从废墟中挖出 76 名被掩埋群众，其中幸存者 8 人。清理房间 600 余间，从废墟中挖出现金 62 万余元、虫草 5000 余克、保险柜 54 个、房产证 26 本、存折 17 个、银行卡 36 张、佛经 650 卷、粮食 600 余袋、金佛 53 尊及法器 20 余件、银藏刀 26 把、古董字画 12 幅、唐卡 8 幅、电器 120 件、摩托车 14 辆、轿车 9 辆，协助民政部门发放帐篷、被褥、食品等救灾物资 300 余吨，搭建帐篷 80 余顶。协助完成 4000 多公顷的保护性灭獭任务。

2010 年 8 月，中共中央、国务院、中央军委授予 68710 部队 57 分队“全国抗震救灾英雄集体”称号。

68710 部队 72 分队　地震发生后，68710 部队 72 分队组织 80 名指战员参加抗震救灾。扎西大同村藏族妇女索南才措和她的女儿才旦拉毛已经在倒塌的废墟内蜷缩近 25 小时。经过指战员近两个小时的紧张救援，母女双方终于获救。在为一户藏族群众抢救财物时，分队官兵奋战 2 小时，终于将他家的传家宝——价值 70 万元的玛瑙项链挖出。在西杭西路清理废墟时，连续奋战 6 个多小时，为 3 户村民清理废墟。返回时，一位老乡希望能够帮他家清理倒塌的羊圈。羊圈里羊粪堆得满满的，臭气熏天，但大家还是愉快答应下来。2 小时后，羊圈变得干干净净，战士们却已是精疲力尽。

2010 年 8 月，中共中央、国务院、中央军委授予 68710 部队 72 分队“全国抗震救灾英雄集体”称号。

68046 部队 61 分队　地震发生后，68046 部队 61 分队组织 13 名指战员参加抗震救灾。执行任务期间，先后 6 次在结古镇多个点位开设通信枢纽，开通通信线路数十条，转接卫星电话 130 余次，传送图像 200 幅，确保部队内外、上下之间的联络畅通。深入结古镇新寨村搜救人员，帮助拆除危房 12 间 270 平方米，清理废墟 600 立方米，平整场地 400 平方米，转移粮食 2500 余千克、家电衣物 200 余件，从废墟中救出幸存者 2 人，转移受伤群众 11 名。搭建帐篷 15 顶，接纳安置受灾群众 150 余名，发放矿泉水 1500 瓶、速食食品 1200 余包、被褥 35 套、药品 950 余包，为近百人提供医疗卫生服务。

2010 年 8 月，中共中央、国务院、中央军委授予 68046 部队 61 分队“全国抗震救灾英雄集体”称号。

68060 部队应急兵站　地震发生后，68060 部队应急兵站组织 515 名指战员参加抗震救灾。执行任务期间，他们先后出动兵力 2903 人次、车辆 1092 台次，救治伤病员 5423 人次，协调运送救灾物资 7416 吨。为任务部队和受灾群众发放主副食品 86.5 吨，收发被装、给养、野营物资 36.76 万件（套），收发油料 2694.8 吨，供应生活用水 3623 吨，洗涤被服 1420 件（套），提供洗浴服务 9446 人次。组织全体官兵献爱心，累计捐款 17 万元。

2010 年 8 月，中共中央、国务院、中央军委授予 68060 部队应急兵站“全国抗震救灾英雄集体”称号。

解放军第 4 医院　地震发生后，解放军第 4 医院组织 400 名医疗骨干紧急奔赴灾区执行医疗救援和卫生防疫任务。进入灾区后，迅速搭建一所能容纳 60 名伤员的“野战流动医院”，当日就救治护理伤病员 630 人，成功实施手术 173 台。抽调 13 名具有心理专业知识、懂藏语的医护人员，对 60 多名伤病员实施心理疏导。抽调 18 名骨干力量，携带价值 10 万元的药品、食品，赴当卡寺、结古寺为 59 名僧侣健康查体，并与当卡寺达成军民共建协议。执行任务期间，共抢救治疗伤病员 1.2 万人次，实现无一例死亡、无一例交叉感染、无一例并发症、无一例高原性疾病发生。

2010 年 8 月，中共青海省委、青海省人民政府、青海省军区授予解放军第 4 医院“全省抗震救灾模范集体”称号。当月，中共中央、国务院、中央军委授予解放军第 4 医院“全国抗震救灾英雄集体”称号。

68062 部队 71 分队　地震发生后，68062 部队 71 分队组织 108 名指战员参加抗震救灾。主动与甘达村党支部结成帮建对子，先后为村民捐献生活物资 2 吨和医疗用品、耗材 3000 余件，为甘达村帐篷学校捐赠桌椅 100 余套、生活物资 1 吨，平整场地、道路、铺设石子路面 1.84 万平方米。执行任务期间，累计出动车辆 357 台次，安全行驶 76576 千米，拉运物资 1900 吨，搭建帐篷 879 顶，在 21 个物资存放点装卸物资 3451 吨，保障救灾部队就餐 2596 人次，圆满完成救灾任务，受到军民一致好评。

2010 年 8 月，中共中央、国务院、中央军委授予 68062 部队 71 分队“全国抗震救灾英雄集体”称号。

兰州军区疾病预防控制中心抗震救灾应急防疫救援队　地震发生后，兰州军区疾病预防控制中心组织 50 名医疗骨干组成抗震救灾应急防疫救援队赶赴灾区。救援队制订疾病监测、卫生监督、消杀灭和健康教育等工作方案，并严格按照方案开展工作。执行任务期间，累计消毒帐篷 4500 余顶、板房 60 间、垃圾点 650 余处、厕所 580 余个，杀毒面积达 510 余万平方米，检测水样 425 份。对任务部队 185 名炊管人员开展卫生培训，发放《高原抗震救灾卫生防护手册》3000 余册、《灾后卫生防病须知》和防病挂图 3500 余份，开展心理健康调查 288 人，团体辅导 1415 人，个体辅导 14 人，健康教育授课 300 人，得到灾区群众和救灾部队官兵一致称赞。

2010 年 8 月，中共中央、国务院、中央军委授予兰州军区疾病预防控制中心抗震救灾应急防疫救援队“全国抗震救灾英雄集体”称号。

解放军第 323 医院抗震救灾医疗队　地震发生后，解放军第 323 医院组织 60 名医务人员成立抗震救灾医疗队紧急赶赴灾区，执行医疗救援和卫生防疫任务。医疗队调配 10 名驾驶员和野战救护车等 10 台车辆，每天组成 3 ~ 5 个医疗小组，分别由 1 名主治或主任医师带队，共巡诊伤病人员 3928 人次。组织专人进行流行病学调查，制作 2000 余份流行病调查表发放给灾区群众。派专人对巴塘乡医院仅有的 4 名医护人员进行培训，解决血尿常规、心电图机等检查设备无人会用的窘境。为玉树县敬老院 30 名孤寡老人送去米、面等生活必需品和药品。先后接诊病人 1727 人次，巡诊病人 3928 人次，向后方运送伤病员 542 人次，清创、手术 22 人次，抢救危重伤病员 22 人次，派出医护 22 人担负 11 架次的空运后送任务。

2010 年 8 月，中共中央、国务院、中央军委授予解放军第 323 医院抗震救灾医疗队“全国抗震救灾英雄集体”称号。

兰州军区兰州总医院国家应急救援医疗队　地震发生后，兰州军区兰州总医院组织 106 名医务人员组成国家应急救援医疗队参加抗震救灾。到达灾区后，在余震不断的废墟上开设野战医院，设置骨科、普外、胸外等 13 个专科，设置床位 50 张。在做好野战医院收治和“帐篷门诊”的同时，医疗队员进村入户为受伤群众和部队官兵巡诊，先后到达隆宝镇、下拉秀镇等 12 个村镇，捐出现金 1.87 万元。执行任务期间，医疗队先后接诊 2780 人次，巡诊 6605 人次，收治 225 人次，抢救危重病人 45 人，清创缝合 84 人次，手术 14 人次，向后方运送 115 人，军人门诊 306 人次，进行各类检查 1415 人次，开展心理疏导 1498 人次，洗消 4270 人次，洗消面积 32 万平方米，发放药品价值 105 万元。

2010 年 8 月，中共中央、国务院、中央军委授予兰州军区兰州总医院国家应急救援医疗队“全国抗震救灾英雄集体”称号。

解放军第 153 野战方舱医院　地震发生后，解放军第 153 野战方舱医院先后有 3 批共 342 名医务人员参加抗震救灾。他们与玉树州人民医院建立联合办公、医疗帮带等机制，先后为玉树州红旗小学近 600 名师生进行体检，为参加高考学生提供心理疏导和医疗服务，对玉树州人民医院对接帮带，进行骨科、呼吸、妇产、普外、内科等方面新业务新技术讲座，组织专业知识培训 104 次，接受培训 1123 人次。帮助州人民医院检修医疗设备 48 台，搭建医用过渡板房

1000平方米，并签订长达5年的医疗合作协议。在150多天的抗震救灾中，先后接诊伤病群众2.5万余人，收治病人2281人，完成大小手术1061例；派出医疗搜救分队32批350人次，巡诊930人，防疫消杀面积82万平方米。

2010年8月，中共中央、国务院、中央军委授予解放军第153野战方舱医院“全国抗震救灾英雄集体”称号。

四川省石渠县人民武装部 距离震中仅140千米的石渠县人民武装部受灾严重。接到命令后，顾全大局，立即启动抢险救灾应急预案，迅速筹集救灾物资，组织百余名民兵组成抗震救灾突击队紧急驰援玉树。执行任务期间，共救出4名重伤员，搜寻挖掘22具遇难者遗体，组织运送伤员500余名，搭建帐篷70余顶，搬运救灾物资100余吨，挖出9幅唐卡、3尊金佛、1千克虫草、8万余元现金及其他财物总价值近1000万元。在石渠县抗震救灾期间，救出群众62人，运送伤病员980多人，装卸救灾物资200余吨。

2010年8月，中共中央、国务院、中央军委授予四川省石渠县人民武装部“全国抗震救灾英雄集体”称号。

资阳陆军预备役工兵团 地震发生后，资阳陆军预备役工兵团组织255名官兵和预备役人员参加抗震救灾。执行任务期间，救出幸存者1名，挖出价值5000余万元的虫草、藏红花等贵重藏药材和价值330余万元的财物（包括保险柜2个、现金54万元、金佛15尊、铜佛33尊、佛经1000余卷、唐卡9幅）挖掘清理车辆、机械、电器等物资47台。为玉树州民族中学搭建1800平方米板房学校，使高三学生在震后9日内顺利复课。帮助受灾群众解决生活困难，在物资保障十分有限的情况下，为灾区群众送去价值10余万元的粮油、衣被等生活物资。有8名表现突出的战士火线入党，成为抗震一线的生力军。

2010年8月，中共中央、国务院、中央军委授予资阳陆军预备役工兵团“全国抗震救灾英雄集体”称号。

西藏军区总医院高山病专家医疗队 地震发生后，西藏军区及时抽调全军高山病中心内（外）科等专家、业务骨干及部分保障人员共30人，组成第一支成建制有临床经验的高山病专家医疗队参加抗震救灾。救援行动期间，医疗队先后开展急性高原病防治基本知识宣讲96场，听讲者1.3万余人次；为救援部队和灾区群众巡诊1.30万人次，发放高原康胶囊1.25万人份，使玉树地震灾区急性高山病发病率从救援初期的80%下降到后期的2.6%，有效减少各救援队非战斗减员。积极开展医疗服务进乡进村进寺院活动，资助孤寡残疾45人，捐送物品价值5000多元。

2010年8月，中共中央、国务院、中央军委授予西藏军区总医院高山病专家医疗队“全国抗震救灾英雄集体”称号。

七、中国人民武装警察部队全国抗震救灾英雄集体

武警青海省总队第 1 支队等 19 个武警部队单位受到中共中央、国务院、中央军委表彰，被授予“全国抗震救灾英雄集体”称号。

（一）名单（19 个）

武警青海省总队第 1 支队
武警青海省总队第 1 支队 1 大队
武警青海省总队第 1 支队 3 大队
武警青海省总队第 1 支队 3 大队工化中队
武警青海省总队第 4 支队 3 大队
武警青海省总队第 4 支队 4 大队特勤中队
武警青海省总队西宁市支队 1 大队 1 中队
武警青海省总队玉树藏族自治州支队
武警青海省总队玉树藏族自治州支队直属大队
武警青海省总队玉树藏族自治州支队玉树县中队
武警青海省总队政治部新闻工作站
武警甘肃省总队医院医疗队
武警 8653 部队
武警 8653 部队 3 大队
武警 8653 部队 1 大队 12 分队
武警 8653 部队 3 大队 33 分队
武警水电第 2 总队 5 支队 6 中队
武警交通第 1 总队 1 支队 1 大队 3 中队
武警总医院救援医疗队

（二）事迹

武警青海省总队第 1 支队　地震发生后，武警青海省总队第 1 支队组织 1000 名官兵参加抗震救灾。他们将官兵编为 6 个突击队，分赴扎西科、新寨、果青、扎西大同村和玉树州军分区、玉树民族中学，搜救生命、转移安置群众。设立 4 个固定医疗救治点和 4 个助民服务点，开展救伤、防病和生活救助。帮助甘达村建立“帐篷党员之家”，搭建“帐篷小学”，开办“党员活动室”，赠送 500 册学习资料、300 套学习文具和 500 件棉衣被等生活用品。执行任务期间，

共搜救幸存者72人，救治受伤群众315人，挖掘运送遇难者遗体76具，搭建救灾帐篷640顶，转移安置受灾群众1015人，免费发放药品4.1万元，装卸搬运物资2756吨。挖出现金160余万元，贵重物品价值1670余万元。抢修拓宽道路5千米，拆除危房1557间，清理废墟49万立方米、木头1万余立方米、砖7480块，洗消消毒4万平方米。

2010年8月，中共青海省委、青海省人民政府、青海省军区授予武警青海总队第1支队“全省抗震救灾模范集体”称号。当月，中共中央、国务院、中央军委授予武警青海省总队第1支队“全国抗震救灾英雄集体”称号。

武警青海省总队第1支队1大队　地震发生后，武警青海省总队第1支队1大队迅速集结320名官兵奔赴灾区。执行任务期间，他们先后到扎西科村、扎西大同村、果青村、新寨村转移被困群众150人，抢救出伤员12名。抢救受灾群众财产价值400余万元，物资60余吨；挖出遇难者遗体9具、现金12万余元、唐卡7幅、佛经5卷、玛瑙首饰41件及各类生活用品价值10余万元。先后为灾区群众捐赠棉衣12件、矿泉水3件、大饼360余个，为灾区学童捐献文具60余套，价值1000余元。

2010年8月，中共中央、国务院、中央军委授予武警青海省总队第1支队1大队“全国抗震救灾英雄集体”称号。

武警青海省总队第1支队3大队　地震发生后，武警青海省总队第1支队3大队组织300名官兵参加抗震救灾。进入红卫村、民主路救援点时，在不到20小时的时间里，转移受伤群众269人，救出幸存者23人，搬运遇难者遗体25具。在执行禅古村清理废墟和抢救群众财产任务中，先后清理民宅766户，回填建筑垃圾97立方米，清理废墟面积7万余平方米，归整可利用建筑材料8744立方米。从废墟中挖出保险柜19个、现金9万余元、港币100元、外币1000元，实物折合人民币550余万元。先后对巴塘滩一号桥等4个重要目标进行守卫，担负维护3个救灾物资发送点秩序。赴囊谦县、杂多县执行维稳任务中，累计出动兵力5500人次，其中武装巡逻1150人次，协助交通管制3830人次，设卡250人次，重要目标守卫1万余人次，其他临时警卫勤务2.43万人次。

2010年8月，中共中央、国务院、中央军委授予武警青海省总队第1支队3大队“全国抗震救灾英雄集体”称号。

武警青海省总队第1支队3大队工化中队　地震发生后，武警青海省总队第1支队3大队工化中队组织65名官兵参加抗震救灾。执行任务期间，先后在扎西科、扎西大同、甘达村营救出幸存者2人，转移被困群众150人，抢救伤员267名，救治和转移被困群众339人，挖出遇难者遗体9具；在废墟中挖出现金23万元、虫草7.5千克、唐卡49幅、各类家电292件、手机23部、粮食11吨、牛羊肉960千克、玉镯和玉佛珠14件、金佛2尊、金银首饰127件，以及日用百货2000余件，价值150余万元。搭建帐篷42顶，转移建筑材料50余吨。

2010年8月,中共中央、国务院、中央军委授予武警青海省总队第1支队3大队工化中队“全国抗震救灾英雄集体”称号。

武警青海省总队第4支队3大队 地震发生后，武警青海省总队第4支队3大队组织276名官兵参加抗震救灾。执行任务期间，先后担负仲达乡等6个村的搜救、10个村1268户的进村入户、禅古村的搬迁、现场警卫、赛马场及红卫路武装巡逻、禅古村山体滑坡抢险和废墟清理等任务，官兵每天休息不到4个小时，平均每天装卸物资200余吨。共转移受灾群众32户、139人，搬迁群众22户，拆卸、搭建帐篷39顶，搬运各类物资110余吨，清理危房380间，清理废墟264处，挖出现金43万元和1.7万余件财物。

2010年8月，中共中央、国务院、中央军委授予武警青海省总队第4支队3大队“全国抗震救灾英雄集体”称号。

武警青海省总队第4支队4大队特勤中队 地震发生后，武警青海省总队第4支队4大队特勤中队组织82名官兵参加抗震救灾。执行任务期间，先后解救被困群众224人，挖掘遇难者遗体13具，掩埋遇难者遗体24具，抢运粮食2.5万余千克，抢救被埋牲畜13头，挖掘现金4.8万元、存折6本共计20余万元。拆除危房419间，搬运物资95吨，搭设简易帐篷433顶，安置受灾群众448人。在进村入户中，清理危险路段79处，搬运土石1000余立方米，清除砂石10余吨，维护发电输水管道225米，疏通乡村道路11.5千米，修筑水沟3千米。

2010年8月,中共中央、国务院、中央军委授予武警青海省总队第4支队4大队特勤中队“全国抗震救灾英雄集体”称号。

武警青海省总队西宁市支队1大队1中队 地震发生后，武警青海省总队西宁市支队1大队1中队组织100名官兵参加抗震救灾。在执行装卸拉运救灾物资任务中，官兵连续奋战4昼夜，拉运救灾物资240余吨，发放救灾物资180余吨。在担负扎西科村西段废墟清理任务中，参战官兵连续奋战10余天，帮助46户受灾群众清理废墟24万平方米，归整可利用建筑材料4310立方米，拆除危房63间，挖出现金17万元、贵重物品14件。连续3天到街道、安置点帮助打扫卫生4000余平方米，清理生活垃圾10余吨。为灾区群众搭建帐篷36顶、拉运饮用水10余吨，找回丢失牲畜8头，帮助孤寡老人和受伤群众搬运生活物资3000余千克，受到当地政府和人民群众的广泛赞誉。

2010年8月,中共中央、国务院、中央军委授予武警青海省总队西宁市支队1大队1中队“全国抗震救灾英雄集体”称号。

武警青海省总队玉树藏族自治州支队 地震发生后，武警青海省总队玉树藏族自治州支队组织370名官兵参加抗震救灾。将官兵编成40个救援小组,仅用8分钟时间就赶到附近居民、银行、学校、医院等重要部位抢险救灾。当日，在废墟中救出幸存者980人，转移救治5189人，运送伤员540人，转移遇难者遗体155具，抢运卸载救灾物资140吨。在营区腾出地方搭建帐篷，接纳群众3000余人次。组成3个救护医疗队，每天救治伤病群众达1000人次。执行任务期间，先后挖出150余万元现金和虫草、有价证券、金银等贵重物品。在结古寺转移千年镇寺之宝“黑金刚护法神”1尊、金佛305尊、法器1000余件以及东仓《大藏经》3500余卷，受到僧侣的高度称赞。

2010年8月，中共青海省委、青海省人民政府、青海省军区授予武警青海总队玉树藏族自治州支队“全省抗震救灾模范集体”称号。当月，中共中央、国务院、中央军委授予武警青海省总队玉树藏族自治州支队“全国抗震救灾英雄集体”称号。

武警青海省总队玉树藏族自治州支队直属大队 地震发生后，武警青海省总队玉树藏族自治州支队直属大队组织238名官兵参加抗震救灾。他们将官兵编成30个救援小组，仅用8分钟时间就赶到了附近居民、银行、学校、医院等重要部位抢险救灾，并以营区周边为中心，逐步扩大搜救范围。在方圆40平方千米的范围内全靠徒步行进，没有专业工具就用手刨、用肩扛、用铁锹挖，仅震发当日就搜救出被压幸存者720人，救治伤员890人，转移群众2236人。在营区腾出地方搭建帐篷，接纳群众2000余人次。派出50名官兵协助车辆管理部门疏导交通，维持秩序，确保国道214线“生命大动脉”畅通无阻。

2010年8月，中共中央、国务院、中央军委授予武警青海省总队玉树藏族自治州支队直属大队“全国抗震救灾英雄集体”称号。

武警青海省总队玉树藏族自治州支队玉树县中队 地震发生后，武警青海省总队玉树藏族自治州支队玉树县中队火速组织40名官兵参加抗震救灾。在没有任何专业救援工具的情况下，硬是用手刨、肩扛连续奋战18个小时，搜救出被压幸存者37人，转移救治群众92人，搜救出遇难者遗体18具、生产生活物资4.5吨，抢救出虫草、佛像、有价证券等贵重物品折合人民币50万余元。执行任务期间，在押110名人犯无一逃脱。为受灾群众搭建帐篷116顶、理发超过200人，装卸各类救灾物资近3000吨，修建垃圾点5个、厕所7个，维修保养发电机、柴油机20余台。

2010年8月，中共青海省委、青海省人民政府、青海省军区授予武警青海省总队玉树藏族自治州支队玉树县中队“全省抗震救灾模范集体”称号。当月，中共中央、国务院、中央军委授予武警青海省总队玉树藏族自治州支队玉树县中队“全国抗震救灾英雄集体”称号。

武警青海省总队政治部新闻工作站 地震发生后，武警青海省总队政治部新闻工作站组织8名业务骨干承担抗震救灾新闻报道工作。抗震救灾期间，该站在电视、广播、报纸、网络等媒体共发稿2120篇（条）。这些稿件被中央级媒体刊发485篇（条），其中《人民日报》12篇，头版头条3篇；新华社内参17篇，其中中央和军委领导批示7篇；《解放军报》56篇，其中头版头条1篇；中央电视台56条，其中《新闻联播》11条；中央人民广播电台31条，其中《新闻和报纸摘要》8条,《中国青年报》《法制日报》等53篇，其中《中国青年报》头版头条1篇；武警报刊292篇，其中头版头条7篇。

2010年8月，中共青海省委、青海省人民政府、青海省军区授予武警青海省总队政治部新闻工作站“全省抗震救灾模范集体”称号。当月，中共中央、国务院、中央军委授予武警青海省总队政治部新闻工作站“全国抗震救灾英雄集体”称号。

武警甘肃省总队医院医疗队　地震发生后，武警甘肃省总队医院组织由42名官兵组成的医疗救援队参加抗震救灾。到达灾区后立即搭建帐篷，设置医疗检诊点，开设床位12张。连续奋战10天，接诊伤病员1865人次，救治伤病员533人次，巡诊55人次，清创缝合手术30例，防疫消毒9900平方米，检查、检验93人次，心理疏导30人次，消耗药品价值11.6万元，实现了救治伤病员无一例死亡、无一例严重并发症、无一例诊治差错的佳绩。

2010年8月，中共中央、国务院、中央军委授予武警甘肃省总队医院医疗队“全国抗震救灾英雄集体”称号。

武警8653部队　地震发生后，武警8653部队组织1100名官兵执行抗震救灾任务。他们组成4个救援分队，分别开赴结古镇民主路南、民主路北、禅古寺和当代村4个主震区全力搜救，共抢救出被压幸存者49人，转移安置群众1310人，救助受伤群众898人，搬运遇难者遗体87具，搜挖被埋现金500万元、粮食34吨和各类贵重物品总价值约5160万元。清理废墟1.72立方米，整理建材1.26万立方米，清理垃圾6万立方米，搜挖出被埋现金389万元，挖出价值4300余万元的珍珠、玛瑙等贵重物品。

2010年8月，中共中央、国务院、中央军委授予武警8653部队“全国抗震救灾英雄集体”称号。

武警8653部队3大队　地震发生后，武警8653部队3大队组织291名官兵参加抗震救灾。他们先后出动2800人次执行当代村搜救任务，共搜索3000余间房屋，挖出46具遇难者遗体，成功救出幸存者13人，安全转移700多人，帮助群众挖掘8尊大金佛、66尊小金佛、36个保险柜和400余万元现金等。在执行搜救禅古寺文物任务中，共挖掘中大金佛2尊、小金佛338尊、经书150余卷，为寺院挽回经济损失600余万元。执行清理废墟任务中，出动1000名兵力，搬运780吨救灾物资，搭建350顶帐篷，清理8000余立方米废墟。帮助结古镇修通3.8千米道路，清理4.5吨垃圾。

2010年8月，中共中央、国务院、中央军委授予武警8653部队3大队“全国抗震救灾英雄集体”称号。

武警8653部队1大队12分队　地震发生后，武警8653部队1大队12分队组织83名官兵参加抗震救灾。在执行搜救任务中，分队采取分区域、逐点逐户逐室、地毯拉网式搜救的方法，在民主路南、民主路北2个主震区同时展开搜救。连续奋战近20天，共挖出6名被埋人员，搬运36具遗体，转移安置群众232人，救助受伤群众38人，搭建134顶帐篷，搬运420余吨救灾物资，清理3000余立方米废墟，为挽救灾区群众生命财产，尽快恢复生产生活秩序做出积极贡献。

2010年8月，中共中央、国务院、中央军委授予武警8653部队1大队12分队“全国抗震救灾英雄集体”称号。

武警8653部队3大队33分队 地震发生后，武警8653部队3大队33分队组织86名官兵参加抗震救灾。执行任务期间，出动警力900余人次，连续奋战近40天，抢修道路5.5千米，协助电力部门架设电线800米，挖下水管道1000米，共抢救出幸存者30人，安全转移群众800余人，搜寻出现金358万余元，金银玉器、虫草、金佛等贵重物品价值700余万元，电器、粮食、家具等生活物资价值100余万元。

2010年8月，中共中央、国务院、中央军委授予武警8653部队3大队33分队“全国抗震救灾英雄集体”称号。

武警水电第2总队5支队6中队 地震发生后，武警水电第2总队5支队6中队组织106名官兵参加抗震救灾。执行任务期间，共挖掘遇难者遗体27具，搬运遇难者遗体100余具。挖出现金6.27万元、各种贵重物品价值1715.8万元。转运装卸物资220余吨。抢修道路43.2千米，架设电杆204根，抢修电力线路5.8万米。平整场地900平方米，拆除危房1345间，清理垃圾4800吨，清理废墟87.61万立方米。搭建帐篷73顶，转移群众500余人，救助受伤群众4550人。喷洒消毒13.4万平方米。

2010年8月，中共中央、国务院、中央军委授予武警水电第2总队5支队6中队“全国抗震救灾英雄集体”称号。

武警交通第1总队1支队1大队3中队 地震发生后，武警交通第1总队1支队1大队3中队组织59名官兵参加抗震救灾。经过连续34个昼夜的奋战，共抢通灾区县乡公路22条，新修通车便道12条，加固和搭建桥梁7座；清理废墟32处900多万吨，平整场地19万平方米，搭建帐篷98顶；为灾区群众捐款3000余元，赠送米面3吨、蔬菜2吨、牛羊肉400余千克、午餐肉罐头25箱、方便面900余箱、棉衣480余件（套），帮助3所学校及时复课。

2010年7月，中共中央组织部授予武警交通第1总队1支队1大队3中队党支部“抗震救灾先进基层党组织”称号。8月，中共中央、国务院、中央军委授予武警交通第1总队1支队1大队3中队“全国抗震救灾英雄集体”称号。

武警总医院救援医疗队 地震发生后，武警总医院救援医疗队组织32名医务人员参加抗震救灾。执行任务期间，先后救治伤病员1507人，开展清创缝合手术65例，救治危重病人58人，消毒喷洒 3500 平方米，心理疏导 180 余人次，创造了震后第一时间到达灾区、建起第一所帐篷医院、展开震区第一台外科手术、第一时间进村入户巡诊等多项救援纪录。

2010 年 8 月，中共中央、国务院、中央军委授予武警总医院救援医疗队“全国抗震救灾英雄集体”称号。

八、民兵预备役全国抗震救灾英雄集体

青海省陆军预备役步兵旅医院等 2 个民兵预备役部队单位受到中共中央、国务院、中央军委表彰，被授予“全国抗震救灾英雄集体”称号。

（一）名单（2 个）

青海省陆军预备役步兵旅医院
四川省成都市综合应急救援大队

（二）事迹

青海省陆军预备役步兵旅医院　接到救灾命令后，青海省陆军预备役步兵旅医院迅速启动应急预案，集结包括 12 名医疗专家在内的 30 名官兵，筹集价值 198 万元的医疗器材、药品和两台救护车、1 台指挥车以及 3 万余元生活物资赶赴灾区。救援初期，全体官兵连续奋战 3 个昼夜，救治、后送危重病人 560 余人。为有效防止因过度疲劳而导致医疗差错和事故，医院成立党员突击队，走村入户巡诊 25 次、救治伤病员 300 余例，发放药品 20 余万元。执行任务期间，医院先后救治、运送伤病员 3116 名，其中危重伤员 560 余人，发放药品价值 120 余万元。

2010 年 8 月，中共中央、国务院、中央军委授予青海省陆军预备役步兵旅医院“全国抗震救灾英雄集体”称号。

四川省成都市综合应急救援大队　地震发生后，四川省成都市综合应急救援大队迅速集结 240 名救援官兵，昼夜兼程奔赴玉树灾区开展抗震救灾。在历时 18 天的抗震救援中，全队官兵先后排查受困群众 638 户，挖出遇难者遗体 11 具，营救出幸存者 4 人。挖出保险柜 25 个，清理现金 2000 余万元、各类贵重金银饰 400 余件、有价证券 500 余万元、各类文物 80 余件。清理废墟 1.6 万余立方米。组织防疫洗消 6000 余平方米，搭建帐篷学校 3 所，卸载各类抗震救灾救援物资 810 吨。

2010 年 8 月，中共中央、国务院、中央军委授予四川省成都市综合应急救援大队“全国抗震救灾英雄集体”称号。

第二节　全省抗震救灾模范集体

2010年8月11日，中共青海省委、青海省人民政府、青海省军区表彰122个全省抗震救灾模范集体。

一、名单（122个）

玉树州抗震救灾指挥部
中共玉树州委组织部
中共玉树州委统战部
玉树州人民检察院
玉树州发展和改革委员会
玉树州司法局
玉树州文化体育广播电视局电视新闻部
玉树州人民医院
玉树州职业技术学校
中共玉树县委员会
中共称多县委员会
中共囊谦县委员会
中共玉树县隆宝镇委员会
中共玉树县结古镇委员会
中共玉树县结古镇东风村党支部
中共玉树县结古镇扎西大同村党支部
中共杂多县昂赛乡委员会
治多县民政局
曲麻莱县人民政府办公室
玉树州江霖有色金属有限公司
玉树州客运公司
西宁市第一人民医院
西宁市民政局
湟源县水务局玉树抗震救灾抢险队
互助县交通局

化隆县卫生局
海西州卫生局
天峻县支援玉树抗震救灾指挥部
海南州人民医院
海北州公安交通警察支队
黄南州疾病预防控制保健中心
玛多县抗震救灾救援队
西海都市报社
青海电视台新闻中心
青海人民广播电台新闻中心
民革青海省委员会
中共青海省委机要局
青海省国土资源厅
青海省无线电管理办公室
中共青海省委组织部组织处
青海省工程咨询中心
青海省民族宗教事务委员会办公室
青海省救灾物资储备中心
青海省监狱管理局中心医院
青海省财政厅预算处
青海省环境监测中心站
青海省地质环境监测总站
青海省住房和城乡建设厅城乡规划处
青海省交通厅
青海省水利抗震救灾指挥部
中共青海省商务厅机关委员会第五支部
青海省人民医院
青海省康复医院
共青团青海省委宣传部
青海省残疾人联合会办公室
青海正平集团
青海省红十字会
青海大学附属医院
青海省投资集团有限公司抗震救援队
西宁特殊钢集团有限责任公司救援队

青海盐湖工业集团股份有限公司赴玉树抗震救援队
青海西海煤电有限责任公司矿山救护中队
青海省水利水电（集团）有限责任公司
青海省公路运输服务总站玉树汽车站
青海煤业集团矿山救援队
青海公路桥梁工程集团有限公司玉树地震抢险救援队
中国电信集团青海分公司
中国移动青海分公司网络部
西宁供电公司
青藏铁路公司西宁客运段
西部机场集团青海机场有限公司
四川省应急志愿服务总队
青海省青年志愿者协会
青海省公安消防总队抗震救灾前线指挥部
青海省公安消防总队玉树州支队
青海省公安厅警卫局后勤处车队
青海省公安边防总队抗震救灾指挥部
西宁市公安局特警支队
黄南州公安局交警支队
海南州公安局特警支队
海东地区公安局交警支队
青海省公安厅交通警察总队
玛多县公安局
海西州公安局交警支队
西宁市公安局交警支队
玉树州公安局
玉树县公安局
青海省玉树军分区
青海省治多县人民武装部
青海省称多县民兵应急连
青海陆军预备役步兵旅通信营
中国人民解放军 68710 部队
中国人民解放军 68710 部队 59 分队
中国人民解放军 68710 部队 64 分队
中国人民解放军 68710 部队 71 分队

中国人民解放军 96361 部队
中国人民解放军 96375 部队
中国人民解放军 96374 部队
中国人民解放军 96351 部队 51 分队
中国人民解放军第 536 医院
中国人民解放军第 22 医院
中国人民解放军 62213 部队
中国人民解放军 62214 部队
中国人民解放军 68062 部队
中国人民解放军第 4 医院
中国人民解放军 93987 部队
武警青海总队赴玉树抗震救灾前线指挥所
武警青海总队第一支队
武警青海总队第一支队二中队
武警青海总队第四支队二中队
武警青海总队第四支队二大队
武警青海总队西宁支队一大队
武警青海总队西宁支队十三中队
武警青海总队玉树州支队
武警青海总队玉树州支队玉树县中队
武警青海总队政治部新闻站
武警青海总队医院医疗队
武警第 187 师 561 团
武警第 187 师 561 团 1 营 1 连
武警第 187 师 561 团 3 营
武警水电第八支队三中队
武警交通第一总队第一支队

二、事迹①

玉树州人民检察院　在震后救灾黄金时间，玉树州人民检察院组织 80 名干警，抢救、安置、转治伤病员 240 余人。转入受灾群众过渡安置阶段后，组成 100 人的抗震救灾工作组，完成 1414 户、5874 人的户口登记、分发证件和救灾物资发放工作，将价值 251 万元的紧急转移

① 已在“全国抗震救灾英雄集体”中简介事迹的集体不再重复记述。

补助资金和困难群众生活补助费发放到户到人。抗震救灾期间，共发放救灾帐篷 1400 余顶、棉被 1 万余床、应急食品 210 吨、取暖炉具 528 套、煤 188 吨。

2010 年 8 月，中共青海省委、青海省人民政府、青海省军区授予玉树州人民检察院“全省抗震救灾模范集体”称号。

玉树州江霖有色金属有限公司 地震发生当晚，玉树州江霖有色金属有限公司组织 32 人和 3 辆大卡车携带价值 20 万元的救援物资赶赴灾区，并捐款 100 万元。抗震救灾期间，帮助抢救出汽车 2 辆、保险柜 2 个、存折 4 个（现金近万元）、金银珠宝 20 余件，以及一批文物、佛像、经文，价值近千万元。协助木材加工场和一家面粉加工厂转移机械设备和原材料。

2010 年 8 月，中共青海省委、青海省人民政府、青海省军区授予玉树州江霖有色金属有限公司“全省抗震救灾模范集体”称号。

玉树州客运公司 地震发生当日清晨，玉树州客运公司组织员工将公司所属三江源酒店 205 名旅客和 112 名值班人员全部有序疏散到安全地带，将宾馆的所有被褥和餐厅食品、饮料全部发放给旅客，无一人伤亡，创造了挽救生命的奇迹。震后第三天恢复各客运班线，第十天将三江源酒店 235 名员工送往西宁就业。为了生产自救，公司兴办两个砂石供应点，为正在建设的共玉高速公路供应石料，解决 785 名职工以及包括农牧民工在内的 2300 人的就业问题。抗震救灾期间，公司共出动公交车 77 辆，运送伤员 185 次；出动大型客车 225 次、货车 8 次，接送伤员和转移群众 2.05 万人次，为救治伤员赢得宝贵时间。

2010 年 8 月，中共青海省委、青海省人民政府、青海省军区授予玉树州客运公司“全省抗震救灾模范集体”称号。

青海人民广播电台新闻中心 地震发生后，青海人民广播电台立即启动突发性事件应急机制，迅速抽调新闻中心业务骨干奔赴灾区，随后又紧急组织转播车、技术人员、主持人直奔玉树。抗震救灾期间，新闻中心共向省台各频率发消息、录音报道、连线（口头报道）900 多条，与全国各地电台连线报道 100 多条，向中央人民广播电台中国广播联盟发稿 30 多篇。

2010 年 8 月，中共青海省委、青海省人民政府、青海省军区授予青海人民广播电台新闻中心“全省抗震救灾模范集体”称号。

民革青海省委员会 地震发生后，民革青海省委员会采购价值 5 万余元的救灾物品运往灾区。抗震救灾期间，向台湾地区台北市青海同乡会发出倡议，接受台湾同胞捐款 2.6 万元。从香港陈廷骅基金会为灾区争取到捐款 4000 万元港币。从山东德州交通职业中等专业学校为灾区争取资助 30 名中职生就读到毕业。共收到全国各级民革组织和青海民革以及广大民革成员捐款 140 余万元和价值 80 余万元的救灾物资。

2010 年 8 月，中共青海省委、青海省人民政府、青海省军区授予民革青海省委员会“全省抗震救灾模范集体”称号。

青海省国土资源厅　地震发生后，青海省国土资源厅立即启动Ⅰ级响应，迅速集结地质灾害应急排查、环境评价专家和打井找水队伍，第一时间开展各项抗震救灾工作。抽调210人组成专业地质灾害应急排查队伍，逐乡逐村逐个居民点开展应急排查，将200多人转移到安全地带。组织陕西、甘肃两省国土资源系统专业技术人员共排查地质灾害隐患点295处，涉及人数3.28万人。其中，建立预警点222处，涉及人数2.05万人；搬迁避点73处，涉及人数1.23万人。完成《青海玉树“4·14”地震灾区资源环境承载力和恢复重建选址评估报告》，开展结古镇受灾群众临时安置场地选址工作，并提出具体建议。

2010年8月，中共青海省委、青海省人民政府、青海省军区授予青海省国土资源厅“全省抗震救灾模范集体”称号。

中国移动青海分公司网络部　抗震救灾期间，中国移动青海分公司网络部抢通结古镇至玉树机场的中断光缆30多千米，恢复结古镇至曲麻莱、治多、囊谦和杂多4个县全长872千米的光缆，开通了结古镇体育场、赛马场2个二号基站，有效保障了该地几万名群众和驻地救援部队的通信畅通。

2010年8月，中共青海省委、青海省人民政府、青海省军区授予中国移动青海分公司网络部“全省抗震救灾模范集体”称号。

西宁供电公司　抗震救灾期间，西宁供电公司先后组织由110人参加的11支抗震抢险突击队，并调集23辆车、3辆应急电源车、3台小型发电机，为救灾总指挥部、新闻媒体、医疗救助点等重点场所提供震后28个小时用电，同时为赛马场受灾群众安置点2万余人提供生活用电。

2010年8月，中共青海省委、青海省人民政府、青海省军区授予西宁供电公司“全省抗震救灾模范集体”称号。

青藏铁路公司西宁客运段　地震发生后，青藏铁路公司西宁客运段组建伤员专列临时党支部，从拉萨、郑州、成都车队抽调100名高素质乘务员和24名烹饪技艺好的餐车人员参加转运伤员工作。在伤员专列和运送伤员的车厢安排2名列车“红十字”救护员、4名藏族列车员，全力做好救治工作。抗震救灾期间，西宁客运段安全运送伤员、愈后伤员和陪护人员968名，安全运送玉树赴外地学生3批2238人。向灾区捐款18万元，缴纳特殊党费3万元。

2010年8月，中共青海省委、青海省人民政府、青海省军区授予青藏铁路公司西宁客运段“全省抗震救灾模范集体”称号。

青海省公安消防总队抗震救灾前线指挥部　在连续12个昼夜的救援行动中，青海省公安消防总队抗震救灾前线指挥部共调集兵力1020人，救出埋压群众190人，挖出遇难者遗体

208具，疏散转移解救被困群众4105人，抢救物资价值9000余万元，扑灭火灾50余起，转运受伤群众1585人。向安置点送水700余吨，灭尘79次。及时挖掘氯化钴等化学药剂1134件，其中剧毒、强腐蚀性化学品13种300余件。

2010年8月，中共青海省委、青海省人民政府、青海省军区授予青海省公安消防总队抗震救灾前线指挥部“全省抗震救灾模范集体”称号。

青海省公安厅警卫局后勤处车队 地震发生后，青海省公安厅警卫局后勤处车队迅速派出重要救灾物资车队、机要通信车队和警卫车队，以最短时间奔赴灾区，全力保障灾区警卫勤务需要。5月15日，中央领导视察灾区时，车队马上安排技术精湛的驾驶员负责通信指挥车的护送任务，安全及时护送通信指挥车抵达灾区。在驾驶人员少、工作任务重、路况差、行程远、气候变化无常的困难面前，全体人员夜以继日地奋战在抗震救灾一线，以“零事故、零差错”的优异成绩，完成抗震救灾警卫车辆保障任务。

2010年8月，中共青海省委、青海省人民政府、青海省军区授予青海省公安厅警卫局后勤处车队“全省抗震救灾模范集体”称号。

青海省公安边防总队抗震救灾指挥部 地震发生后，青海省公安边防总队抗震救灾指挥部把抗震救灾作为政治任务和头等大事，组织官兵奋战在西宁、玉树之间800多千米的“两点一线”上，全力做好医疗救援队后勤保障工作。先后动用警力730人次，投入资金200余万元，动用车辆240台次，协调航空运力19架次，圆满完成了抗震救灾应急保障任务。

2010年8月，中共青海省委、青海省人民政府、青海省军区授予青海省公安边防总队抗震救灾指挥部“全省抗震救灾模范集体”称号。

黄南州公安局交警支队 地震发生后，黄南州公安局交警支队抽调精干警力、警车组成应急机动组，赶赴国道214线海南州境内执行交通疏导任务。抗震救灾期间，支队圆满完成党和国家领导人在灾区视察的一级交通安全保卫警卫任务，以及玉树县结古镇禅古村灾后重建现场会、拥军大会、灾后恢复重建万人誓师大会暨第一批项目开工仪式等交通安全保卫任务。

2010年8月，中共青海省委、青海省人民政府、青海省军区授予黄南州公安局交警支队“全省抗震救灾模范集体”称号。

海东地区公安局交警支队 抗震救灾期间，海东地区公安局交警支队投入警力300多人、3870人次，出动警车1500多辆次，安全护送、引导救灾车队130多批次、各类救援车辆2800多辆次，警卫开道190多次，圆满完成一、二、三级交通警卫任务15次，解答路况咨询3500余次。解救被困群众1250余人次、伤员71人。

2010年8月，中共青海省委、青海省人民政府、青海省军区授予海东地区公安局交警支队“全省抗震救灾模范集体”称号。

青海省公安厅交通警察总队 接到救灾命令后，青海省公安厅交通警察总队迅速调集全省644名警力，出动9369人次前往灾区和国道214线，将全省交警总警力的近70%投入抗震救灾交通安全应急保障中。出动警车240辆，安全护送、引导通往玉树的大型救灾车队341批次，各类救援车辆6193辆次，解答路况咨询1万余次，保障近9万辆机动车安全行驶。

2010年8月，中共青海省委、青海省人民政府、青海省军区授予青海省公安厅交通警察总队“全省抗震救灾模范集体”称号。

玛多县公安局 地震发生后，玛多县公安局迅速集结20名民警和协警员赶赴灾区开展救援工作。抗震救灾期间，平均每天投入警力40余人次，疏导往返灾区车辆1200余台次，警车带道411次，应急救助74场次，救助车辆50台次，救助伤病员39人。搜救受伤群众11人（重伤4人），挖出遇难者遗体4具。走访群众156户，救助受灾群众15人，转移受伤群众达450人次。为受灾群众搭建安置帐篷700顶，从废墟中挽回群众财产损失价值15万余元。

2010年8月，中共青海省委、青海省人民政府、青海省军区授予玛多县公安局“全省抗震救灾模范集体”称号。

海西州公安局交警支队 接到救灾命令后，海西州公安局交警支队13名交通民警以最快速度奔赴抗震救灾第一线，投入灾区交通疏导工作中。抗震救灾期间，指挥控制交通200余小时，承担警卫保障任务6次，其中一级警卫任务3次、二级警卫任务3次；完成特勤护送1次。出动警车150余台次，出动警力130人次。

2010年8月，中共青海省委、青海省人民政府、青海省军区授予海西州公安局交警支队“全省抗震救灾模范集体”称号。

西宁市公安局交警支队 抗震救灾期间，西宁市公安局交警支队分三批抽调30余名交通民警赶赴地震灾区维护交通秩序，有效地保障了结古镇民主路和胜利路两条重要交通要道畅通。先后出动警力2200人次，出动警车1500余台次，确保了各类救灾物资和运送人员车辆通行。

2010年8月，中共青海省委、青海省人民政府、青海省军区授予西宁市公安局交警支队“全省抗震救灾模范集体”称号。

青海省治多县人民武装部 地震发生后，青海省治多县人民武装部快速集结87名民兵，奔赴受灾严重的玉树县隆宝镇全力抢救人民群众生命财产。抗震救灾期间，从废墟中挖出被埋人员36名，其中幸存者25人、遇难者遗体11具。为受灾群众搬运牛羊肉1500余千克，搜救出摩托车5辆、电视机7台、冰柜2个。搭建帐篷86顶，装卸救灾物资160吨。

2010年8月，中共青海省委、青海省人民政府、青海省军区授予青海省治多县人民武装部“全省抗震救灾模范集体”称号。

青海省称多县民兵应急连　接到救灾命令后，青海省称多县民兵应急连紧急集结民兵160人，征用车辆4台，筹集各类救灾物资赶赴灾区。抗震救灾期间，共搜救挖出30人，其中幸存者3人，找到文物80余件。卸载和发放救灾物资1500余吨、转运救灾物资720吨。清理土块、碎砖瓦120余立方米，疏导车辆2万余台次。看护救灾物资、执勤巡逻200人次。转移受灾群众100余户450人次，搭建帐篷153顶。

2010年8月，中共青海省委、青海省人民政府、青海省军区授予青海省称多县民兵应急连“全省抗震救灾模范集体”称号。

青海陆军预备役步兵旅通信营　抗震救灾期间，青海陆军预备役步兵旅通信营布放抢修光缆240余千米，光缆接头50个，修复基站34个，安装电话374部，实现了恢复43个通信全阻乡镇的目标。开通玉树机场的CDMA网络基站，恢复治多、曲麻莱、杂多等县（乡、镇）和玉树机场通信，第一个实现救灾生命线——玉树机场公路CDMA网络全线覆盖，通过CDMA手机彩信发出灾区照片，恢复“全球眼”业务。

2010年8月，中共青海省委、青海省人民政府、青海省军区授予青海陆军预备役步兵旅通信营“全省抗震救灾模范集体”称号。

中国人民解放军68710部队59分队　抗震救灾期间，中国人民解放军68710部队59分队官兵搭建救灾帐篷55顶，转运伤员50余人次。搬运帐篷等急需救灾物资50余吨、米面油500吨、食品300吨、矿泉水400吨，圆满完成物资搬运任务。

2010年8月，中共青海省委、青海省人民政府、青海省军区授予中国人民解放军68710部队59分队“全省抗震救灾模范集体”称号。

中国人民解放军68710部队64分队　抗震救灾期间，中国人民解放军68710部队64分队官兵面对强烈的高原反应和身体极限的挑战，全力投入抢救人民群众的生命财产之中，先后搜救出幸存者3人，挖出遇难者遗体19具、现金9万余元以及唐卡、佛像、保险箱、首饰、家电、汽车、虫草、米、面等物品价值200余万元。出动车辆796车次，为68户居民清理废墟1.6万立方米。

2010年8月，中共青海省委、青海省人民政府、青海省军区授予中国人民解放军68710部队64分队“全省抗震救灾模范集体”称号。

中国人民解放军68710部队71分队　抗震救灾期间，中国人民解放军68710部队71分队官兵克服种种困难，连续奋战74天，成功营救出3名幸存者，搜寻遇难者遗体28具，为群众抢救财物千万余元，清理倒塌房屋600余间，清运垃圾2万余立方米，回填土方6730立方米。在玉树机场转运伤员1423人，装卸物资105吨。清理出医疗设备和药品价值2000余万元。

2010年8月，中共青海省委、青海省人民政府、青海省军区授予中国人民解放军68710

部队71分队“全省抗震救灾模范集体”称号。

中国人民解放军96375部队　抗震救灾期间，中国人民解放军96375部队全体指战员制作横幅、标语、旗帜40余条，抗震救灾灯箱、展板、板报10余块。为灾区捐款29万元，捐献衣物400多件，360多名官兵写下抗震救灾决心书。运用多种手段，迅速建立有线与无线、固定与机动、军队与地方相结合的通信保障模式，确保抗震救灾指挥所对上对下通信联络的畅通。广泛开展火线入党、火线立功活动，7人火线入党，5名官兵战地立功。

2010年8月，中共青海省委、青海省人民政府、青海省军区授予中国人民解放军96375部队“全省抗震救灾模范集体”称号。

中国人民解放军96374部队　抗震救灾期间，中国人民解放军96374部队修复保养检测各类军地抗震救灾车辆1762台，圆满完成西宁机场825吨抗震救灾物资的搬运保障任务。组织3支车辆抢修流动小分队在国道214线近400千米保障路段实施流动巡回维修保障任务。在灾区开设第二维修保障基地，搭建临时厂房，迅速展开维修保障任务，保证了抗震救灾物资安全、及时运往灾区，创造了机动反应最快、保障任务最重、修理完好率最高的历史纪录。部队指战员为灾区捐款23万余元。

2010年8月，中共青海省委、青海省人民政府、青海省军区授予中国人民解放军96374部队“全省抗震救灾模范集体”称号。

中国人民解放军96351部队51分队　抗震救灾期间，中国人民解放军96351部队51分队先后出动兵力150人、防化装备车辆11台，出色完成防疫消毒、生活用水保障等多项任务。在结古镇民主村抢运伤员1名，抢运价值20余万元的救灾物资，搭设帐篷20余顶。在当代、红卫两个村对倒塌严重的750余户住宅、生活垃圾堆积地、集中安置点周边地域等6个重点目标进行压制消毒，消毒面积达291万平方米，有效防止了病菌蔓延和疾病发生。为560余户群众提供生活用水15吨，防止因饮用水污染引发疾病传播。

2010年8月，中共青海省委、青海省人民政府、青海省军区授予中国人民解放军96351部队51分队“全省抗震救灾模范集体”称号。

中国人民解放军第536医院　抗震救灾期间，中国人民解放军第536医院医疗队在救灾现场抢救伤员5000余人次，后方医院先后收治111名灾区伤病员，共开展手术45台次，做到了无一例死亡、无一例交叉感染、无一例并发症的出现，为打赢抗震救灾硬仗做出了积极贡献。

2010年8月，中共青海省委、青海省人民政府、青海省军区授予中国人民解放军第536医院“全省抗震救灾模范集体”称号。

中国人民解放军62214部队　抗震救灾期间，中国人民解放军62214部队先后投入指战员350余人次、载重车辆120多台次，装载抗震救灾物资60余吨，转运医疗器材和药品30余吨，转运解放军第三军医大学医疗专家和第22医院抗震救灾医疗分队90余人，保障抗震救灾人员600余人、救灾车辆300多台，圆满完成抗震救灾任务。

2010年8月，中共青海省委、青海省人民政府、青海省军区授予中国人民解放军62214部队“全省抗震救灾模范集体”称号。

中国人民解放军68062部队 接到救灾命令后，中国人民解放军68062部队紧急派出110人、46台车辆，装载联勤某分部应急兵站人员及装备，紧急奔赴玉树灾区。之后，又先后出动人员、车辆66个批次，在西宁机场、火车站和一些仓库装载大量帐篷、食品等救灾物资，承运物资量超过灾区抗震救灾物资总量的60%。执行任务期间，部队共出动兵力2223人次、车辆650台次，行程11万余千米，拉运各类救灾物资7000余吨。

2010年8月，中共青海省委、青海省人民政府、青海省军区授予中国人民解放军68062部队“全省抗震救灾模范集体”称号。

武警青海总队赴玉树抗震救灾前线指挥所 抗震救灾期间，武警青海总队赴玉树抗震救灾前线指挥所指挥出动4650名兵力和医护人员，救出幸存者1191人，挖出、搬运遇难者遗体301具，转移群众5068人，救治伤病群众1.59万人次，卸载、搬运、转运救灾物资4000余吨，转运重伤病员3860余人。指导建立4个免费就餐点，设立16个医疗救助点和11个医疗服务队，圆满完成现场搜救、医疗救治、安抚安置、废墟清理、恢复秩序、维护稳定等多样化任务。

2010年8月，中共青海省委、青海省人民政府、青海省军区授予武警青海总队赴玉树抗震救灾前线指挥所“全省抗震救灾模范集体”称号。

武警青海总队第一支队二中队 抗震救灾期间，武警青海总队第一支队二中队共抢救受灾群众物资60余吨，价值400余万元。转移被困群众150人，抢救出幸存者12人，挖出遇难者遗体9具、现金12万余元、唐卡7幅、经书5卷、玛瑙首饰41件，以及各类生活用品价值10余万元。搭建帐篷20顶，安置受伤群众36人。

2010年8月，中共青海省委、青海省人民政府、青海省军区授予武警青海总队第一支队二中队“全省抗震救灾模范集体”称号。

武警青海总队第四支队二中队 抗震救灾期间，武警青海总队第四支队二中队先后救出幸存者32人，转移救治伤员389人，转移遇难者遗体15具。搬迁群众22户，清理危房380间，清理废墟264处，搜挖现金43万元和价值1.72万元的物品，完成禅古村一社、二社和禅古小学整体搬迁转移任务。

2010年8月，中共青海省委、青海省人民政府、青海省军区授予武警青海总队第四支队二中队“全省抗震救灾模范集体”称号。

武警青海总队第四支队二大队　抗震救灾期间，武警青海总队第四支队二大队救治、转移受伤群众 269 人，救出幸存者 23 人，搬运遇难者遗体 25 具。清理民宅 766 户，搜挖现金 23.43 万元，回填建筑垃圾 97 立方米，清理废墟面积 7.7 万平方米，归整可利用建筑材料 8744 立方米。搭设帐篷 72 顶，装卸和搬运抗震救灾物资 3400 余吨。

2010 年 8 月，中共青海省委、青海省人民政府、青海省军区授予武警青海总队第四支队二大队“全省抗震救灾模范集体”称号。

武警青海总队西宁支队一大队　抗震救灾期间，武警青海总队西宁支队一大队出动官兵 3000 余人次，帮助 96 户群众清理废墟 45 万立方米，归整可利用建筑材料 8410 立方米，拆除危房 43 间，挖掘现金 25 万元、贵重物品 18 件。搭建帐篷 36 顶，拉运饮用水 10 余吨，找回丢失牲畜 8 头，搬运生活物资 3000 余千克。为 3 所民族学校捐赠 5000 余元的学习用品。

2010 年 8 月，中共青海省委、青海省人民政府、青海省军区授予武警青海总队西宁支队一大队“全省抗震救灾模范集体”称号。

武警青海总队西宁支队十三中队　抗震救灾期间，武警青海总队西宁支队十三中队拉运救灾物资 120 余吨，发放救灾物资 60 余吨。先后处置打架斗殴事件 2 起、交通事故 6 起，救助受伤群众 7 人。帮助 24 户受灾群众清理废墟 12 万立方米，归整可利用建筑材料 2320 立方米，拆除危房 23 间。打扫卫生 2400 余平方米，清理生活垃圾 10 余吨。为灾区群众搭建帐篷 23 顶，拉运饮用水 10 余吨，搬运生活物资 3000 余千克。走访慰问受灾群众 24 户，赠送米、面 24 袋，清油 100 千克，维修灶具 14 件。

2010 年 8 月，中共青海省委、青海省人民政府、青海省军区授予武警青海总队西宁支队十三中队“全省抗震救灾模范集体”称号。

武警青海总队医院医疗队　抗震救灾期间，武警青海总队医院先后两次派出 52 名专家赶赴灾区。其间，医疗队行程 1300 余千米，8 次深入 9 个“帐篷村”、23 个受灾群众安置点，诊治群众 2370 余人次，开展手术 56 例，转送重伤员 76 人，赠送药品近 9 万元。

2010 年 8 月，中共青海省委、青海省人民政府、青海省军区授予武警青海总队医院医疗队“全省抗震救灾模范集体”称号。

武警第 187 师 561 团　抗震救灾期间，武警第 187 师 561 团先后出动救灾兵力 1.12 万人次，挖出幸存者 89 人，转移安置群众 2310 人，救助受伤群众 1597 人，搬运遇难者遗体 186 具，帮助群众搜寻金银玉器和虫草等贵重物资总价值 4900 余万元。为禅古寺抢救大金佛等，挽回经济损失 1000 余万元。设立 3 个就餐点，免费为 9000 余人次的群众提供就餐。免费发放价值 4 万余元的药品，接收诊治 620 名伤病群众，发放救灾物资 120 余吨。

2010 年 8 月，中共青海省委、青海省人民政府、青海省军区授予武警第 187 师 561 团“全省抗震救灾模范集体”称号。

武警第 187 师 561 团 1 营 1 连　抗震救灾期间，武警第 187 师 561 团 1 营 1 连先后搜救遇难者遗体 4 具，清理出现金 1.15 万元、手机 4 部、保险柜 1 个（内有现金 500 万元）、藏药 250 余千克。为禅古寺挖掘转运 1000 多尊佛像、400 余卷经书和 20 幅唐卡，为寺院挽回直接经济损失 1000 余万元。中央电视台《焦点访谈》、中央人民广播电台、新华社、凤凰卫视、青海卫视、《解放军报》、《解放军画报》、《人民武警报》等对此作专题报道。

2010 年 8 月，中共青海省委、青海省人民政府、青海省军区授予武警第 187 师 561 团 1 营 1 连“全省抗震救灾模范集体”称号。

武警第 187 师 561 团 3 营　地震发生后，武警第 187 师 561 团 3 营 291 名官兵在救灾一线连续奋战 90 天，搜寻房屋 3000 余间，挖出 46 具遇难者遗体，成功搜救 13 名幸存者，安全转移 700 多名群众，帮助群众挖掘金佛等价值 2400 余万元的贵重物品。搬运 780 吨救灾物资，搭建 350 顶帐篷。设立 2 个就餐点，免费为 3600 多名群众提供就餐。帮助结古镇修通道路 3.8 千米，清理垃圾 4.5 吨，归整各种建筑材料 900 余吨。

2010 年 8 月，中共青海省委、青海省人民政府、青海省军区授予武警第 187 师 561 团 3 营“全省抗震救灾模范集体”称号。

武警水电第八支队三中队　地震发生后，武警水电第八支队三中队迅速组织电力抢修分队，承担配合青海电网公司电力抢修任务。参战官兵全程参与人员搜救、道路抢修、电力恢复和废墟清理工作。帮助群众搭建帐篷 50 多顶，协助湖南省、云南省红十字会卸装设备 50 余吨。先后参与结 3#、11# 线路以及格萨尔广场、赛马场、体育场等供电线路的电力抢修工作。

2010 年 8 月，中共青海省委、青海省人民政府、青海省军区授予武警水电第八支队三中队“全省抗震救灾模范集体”称号。

武警交通第一总队第一支队　地震发生后，武警交通第一总队第一支队成立 3 个“党员突击队”，紧急抽调大型工程机械投入抗震救灾。执行任务期间，支队官兵先后搜救受灾群众 80 余户，救出幸存者 5 人，转移重伤员 32 人，挖出遇难者遗体 27 具，帮助群众抢救出价值 600 余万元的财产，清理、拉运、回填废墟 200 余处、50 余万立方米，拆除危房 97 栋，抢通灾区道路 23 条，帮助受灾群众搭建帐篷 78 顶。

2010 年 8 月，中共青海省委、青海省人民政府、青海省军区授予武警交通第一总队第一支队“全省抗震救灾模范集体”称号。

三、同时受到全国、青海省级表彰集体

玉树州抗震救灾指挥部等 80 个单位集体同时受到中共中央、国务院、中央军委和中共青海省委、青海省人民政府、青海省军区的表彰，获得“全国抗震救灾英雄集体”和“全省抗震

救灾模范集体”称号。

同时获得“全国抗震救灾英雄集体”和“全省抗震救灾模范集体”称号的集体一览表

表 1-2

序号	单位名称
1	玉树州抗震救灾指挥部
2	中共玉树州委组织部
3	中共玉树州委统战部
4	玉树藏族自治州发展和改革委员会
5	玉树藏族自治州公安局
6	玉树藏族自治州文化体育广播电视局电视新闻部
7	玉树藏族自治州司法局
8	玉树藏族自治州人民医院
9	玉树藏族自治州职业技术学校
10	中共玉树县委员会
11	玉树县公安局
12	中共称多县委员会
13	中共囊谦县委员会
14	中共玉树县隆宝镇委员会
15	中共玉树县结古镇委员会
16	玉树县结古镇东风村党支部
17	玉树县结古镇扎西大同村党支部
18	中共杂多县昂赛乡委员会
19	治多县民政局
20	曲麻莱县人民政府办公室
21	青海省汽车运输集团有限公司玉树汽车站
22	西宁市第一人民医院
23	西宁市民政局
24	湟源县水务局玉树抗震救灾抢险队
25	互助土族自治县交通局
26	化隆回族自治县卫生局
27	海西蒙古族藏族自治州卫生局
28	天峻县支援玉树抗震救灾指挥部
29	海南藏族自治州人民医院
30	海北藏族自治州公安交通警察支队
31	黄南藏族自治州疾病预防控制保健中心
32	玛多县赴玉树抗震救灾救援队
33	青海日报社西海都市报社
34	青海电视台新闻中心
35	中共青海省委机要局

续表 1-2

序号	单位名称
36	青海省无线电管理办公室
37	中共青海省委组织部组织处
38	青海省工程咨询中心
39	青海省民族宗教事务委员会办公室
40	青海省救灾物资储备中心
41	青海省监狱管理局中心医院
42	青海省财政厅预算处
43	青海省环境监测中心站
44	青海省地质环境监测总站
45	青海省住房和城乡建设厅城乡规划处
46	青海省交通厅
47	青海省水利抗震救灾指挥部
48	青海省商务厅机关党委第五党支部
49	青海省人民医院
50	青海省康复医院
51	共青团青海省委员会宣传部
52	青海省青年志愿者协会
53	青海省残疾人联合会办公室
54	青海正平集团
55	青海省红十字会
56	青海大学附属医院
57	青海省投资集团有限公司抗震救援队
58	西宁特殊钢集团有限责任公司救援队
59	青海盐湖工业集团股份有限责任公司赴玉树抗震救援队
60	西部矿业集团有限公司西海煤电有限责任公司矿山救护中队
61	青海省水利水电（集团）有限责任公司
62	青海煤业集团有限责任公司矿山救援队
63	青海省公路桥梁工程集团有限公司玉树地震抢险救援队
64	西部机场集团青海机场有限公司
65	中国电信集团公司青海省分公司
66	四川省应急志愿服务总队
67	青海省公安消防总队玉树藏族自治州支队
68	青海省西宁市公安局特警支队
69	青海省海南藏族自治州公安局特警支队
70	青海省玉树军分区
71	68710 部队
72	96361 部队
73	解放军第 22 医院
74	62213 部队

续表 1-2

序号	单位名称
75	解放军第 4 医院
76	93987 部队
77	武警青海省总队第 1 支队
78	武警青海省总队玉树藏族自治州支队
79	武警青海省总队玉树藏族自治州支队玉树县中队
80	武警青海省总队政治部新闻工作站

第三节　全省抗震救灾民族团结模范集体

2010 年 8 月 11 日，中共青海省委、青海省人民政府、青海省军区表彰 12 个全省抗震救灾民族团结模范集体。

一、名单（12 个）

平安县水务局
共和县中医院玉树抗震救灾医疗队
海北州卫生局
义煤集团青海义海能源有限责任公司
黄南藏族自治州疾病预防控制保健中心
玛多县抗震救灾救援队
中共玉树州委政法委
青海兴青集团玉树抗震救灾救援队
西宁东关清真大寺民主管理委员会
玉树县结古寺民主管理委员会
称多县尼宗寺民主管理委员会
曲麻莱县巴干寺民主管理委员会

二、事迹①

平安县水务局　地震发生后，平安县水务局抽调 21 名技术骨干组成青海水利抢险队平安

① 已在“全国抗震救灾英雄集体”中简介事迹的集体不再重复记述。

分队，筹集价值 24 万余元抗震救灾物资运往灾区。经过 6 天的紧急抢修，在加吉娘移民社区新增供水点 8 个，恢复供水点 5 个，埋设管道 1482 米。投入人工 126 个，发电机台班 4 个，车辆台班 24 个，解决 2718 人的饮水问题。投入人工 189 个，车辆台班 9 个，发电机台班 36 台班，装卸管道约 30 吨，为及时解决赛马场临时供水工程通水打下坚实基础。

2010 年 8 月，中共青海省委、青海省人民政府、青海省军区授予平安县水务局“全省抗震救灾民族团结模范集体”称号。

共和县中医院玉树抗震救灾医疗队 地震发生后，共和县中医院调集急救常用药品 10 万余元，腾出 30 多张床位。抽调 12 名临床前线医护人员组成医疗救援队赶赴灾区，在灾区诊治病人 632 人次，转运重伤员 15 人次。医院医务人员捐款 5.8 万元，缴纳特殊党费 2000 元。

2010 年 8 月，中共青海省委、青海省人民政府、青海省军区授予共和县中医院玉树抗震救灾医疗队“全省抗震救灾民族团结模范集体”称号。

海北州卫生局 地震发生后，海北州卫生局抽调 91 名业务骨干分赴灾区。抗震救灾期间，他们开展消毒面积达 55 万平方米，健康教育宣传 125 次，受众 9105 人次，监测水井 264 口。监督检查食品卫生从业单位 22 户，消毒厕所 471 所次，处理动物尸体 164 具。鼠疫监测面积数万公顷，灭獭面积 6360 公顷。检查食品生产单位和食品经营单位 451 户次、各类医疗卫生机构 28 家、安置点和居民临时居住帐篷区 79 个。入户宣传 1228 户次，受众 5827 人次。局机关和州直各卫生单位捐款 7.58 万元。

2010 年 8 月，中共青海省委、青海省人民政府、青海省军区授予海北州卫生局“全省抗震救灾民族团结模范”集体称号。

义煤集团青海义海能源有限责任公司 地震发生后，义煤集团青海义海能源有限责任公司组成 39 人的救援队，携带 25 类 168 种救援设备以及 6 万余元的捐赠物资前往灾区救援。抗震救灾期间，在 33 个搜救点挖出家电、保险柜、首饰、玉石、汽车、摩托车、现金、存折、青稞等物资 2000 余件，价值 560 余万元。搭建帐篷 306 顶，解决 3000 多人的住宿问题。捐赠价值 6 万余元的方便面等生活物资。公司向灾区捐赠现金和物资总价值约 138 万元。干部职工为灾区捐款 8.6 万元。

2010 年 8 月，中共青海省委、青海省人民政府、青海省军区授予义煤集团青海义海能源有限责任公司“全省抗震救灾民族团结模范集体”称号。

中共玉树州委政法委 抗震救灾期间，中共玉树州委政法委组织和动员政法干警 700 余人，搜救出幸存者 400 余名，挖出遇难者遗体 200 多具，转移安置受灾群众 1200 多户 5600 余人。开展受灾群众登记 24 次，登记 1.8 万人；调运分发救灾物资 4000 余吨，帮助群众搭建帐篷 1600 余顶，救助受灾群众达 2.6 万人。

2010年8月，中共青海省委、青海省人民政府、青海省军区授予中共玉树州委政法委“全省抗震救灾民族团结模范集体”称号。

称多县尼宗寺民主管理委员会　地震发生后，称多县尼宗寺民主管理委员会全力投入抗震救灾，成立了由民管会主任为组长、其他民管会委员为成员的抗震救灾领导小组。抗震救灾期间，参与抗震救灾的人员达220余人次，处理遇难者遗体5具，捐款捐物价值1.85万元。

2010年8月，中共青海省委、青海省人民政府、青海省军区授予称多县尼宗寺民主管理委员会“全省抗震救灾民族团结模范集体”称号。

曲麻莱县巴干寺民主管理委员会　地震发生后，曲麻莱县巴干寺100多名僧侣先后分赴灾区第一线，主动参与到搜救人员等工作当中，搬出遇难者遗体36具，帮助遇难者家属处理后事。巴干寺先后5次向灾区捐赠价值达1166万元的救灾物资。为33个重灾户和特殊困难家庭送去救济金5.2万元，为吉宗寺捐助4万元。

2010年8月，中共青海省委、青海省人民政府、青海省军区授予曲麻莱县巴干寺民主管理委员会“全省抗震救灾民族团结模范集体”称号。

三、同时受到全国、青海省级表彰集体

黄南藏族自治州疾病预防控制保健中心等4个集体同时受到中共中央、国务院、中央军委和中共青海省委、青海省人民政府、青海省军区的表彰，分别被授予“全国抗震救灾英雄集体”和“全省抗震救灾民族团结模范集体”称号。

同时获得“全国抗震救灾英雄集体”和“全省抗震救灾民族团结模范集体”称号的集体一览表

表1-3

序号	单位名称
1	黄南藏族自治州疾病预防控制保健中心
2	玛多县抗震救灾救援队
3	西宁东关清真大寺民主管理委员会
4	玉树县结古寺民主管理委员会

第三章　抗震救灾模范

第一节　全国抗震救灾模范

2010 年 8 月 18 日，中共中央、国务院、中央军委表彰 334 名全国抗震救灾模范。

一、青海省全国抗震救灾模范

（一）名单（95 名）

王玉虎（藏族）	中共青海省玉树州委副书记、玉树藏族自治州人民政府州长
李学文（藏族）	中共青海省玉树州纪律检查委员会综合室主任
南　阳（藏族）	玉树藏族自治州人民政府副秘书长、办公室主任
王成元	玉树藏族自治州公安局副局长
洛　阳（藏族）	玉树藏族自治州民政局党组书记、局长
李海燕（女，藏族）	玉树藏族自治州财政局农财科科长
尼　夏（藏族）	玉树藏族自治州国土资源局矿产资源管理科科长
尕玛朋措（藏族）	玉树藏族自治州建设局党组书记、局长
文江才（藏族）	玉树藏族自治州交通局党组书记、局长
东　嘎（藏族）	玉树藏族自治州农牧局党组书记、局长
宋仁德	玉树藏族自治州畜牧兽医工作站站长、高级畜牧师
葛旭磊	玉树藏族自治州中级人民法院法警支队副支队长
才仁公保（藏族）	中共玉树县委员会副书记、玉树县人民政府县长
李　昊	玉树县人民政府办公室副主任

才旦多杰（藏族）	玉树县公安局主任科员
周玉华（藏族）	玉树县第一完全小学教师
伊西代青（女，藏族）	玉树县妇幼卫生综合医院护士长
马福良（藏族）	中共玉树县下拉秀镇委员会书记
松　尕（藏族）	玉树县巴塘乡岔来村党支部书记
才　哇（藏族）	玉树县结古镇扎西大同村三社社长
罗永跃	玉树县结古镇华龙超市个体户
公　保（藏族）	玉树县结古镇当卡寺民主管理委员会主任
江　尕（藏族）	玉树县安冲乡达杰寺民主管理委员会主任
金巴东周（藏族）	称多县人民政府办公室副主任
仁青多丁（藏族）	中共囊谦县吉尼赛乡拉翁村党支部书记
加哇才仁（藏族）	杂多县扎青乡兽医站站长、中级兽医师
贾　瑛（女，藏族）	治多县人民医院主治医师
内美文次（藏族）	曲麻莱县人民检察院公诉科副科长
祁化仍（藏族）	中共西宁市供销合作社联合社党委副书记、纪委书记
胡　薇（女，满族）	西宁电视台记者
石泉霖	西宁市疾病预防控制中心副主任、副主任医师
祁永清（回族）	西宁市第二人民医院副院长、副主任医师
丁志军	西宁赛迪会展有限公司总经理
闫立平	西宁泰欣出租车行司机
马宝祥（回族）	湟中县大才回族乡前沟村村民
坚赞昂旦（藏族）	湟中县塔尔寺民主管理委员会副主任、藏医师
苏昂欠才让（藏族）	西海农民报社采编部主任、主任记者
王　伟	海东地区疾病预防控制中心副主任
阿克明（蒙古族）	中共乐都县委员会办公室主任
韩文成（撒拉族）	循化撒拉族自治县仙红辣椒开发有限公司董事长
韩　进（撒拉族）	青海欣路建设工程有限公司循化工程队队长
陈有文（藏族）	海南藏族自治州畜牧兽医工作站站长、高级兽医师
马志明（回族）	贵德县水务局局长
陈芝正（藏族）	祁连县疾病预防控制保健中心副主任
麻叶拉（蒙古族）	中共门源回族自治县青石嘴镇委员会书记
任宗高	中共海西蒙古族藏族自治州委员会副秘书长、办公室主任
钱东去（藏族）	海西蒙古族藏族自治州人民医院急诊科主任、副主任医师
潘立清（蒙古族）	中共德令哈市尕海镇委员会副书记、尕海镇人民政府镇长
肖永明	青海中浩天然气化工有限公司董事长、总经理

才让多杰（藏族）	同仁县隆务镇居民
索南达吉（藏族）	黄南藏族自治州职业技术学校副校长、高级讲师
班玛闹吾（藏族）	共青团果洛藏族自治州委员会副书记
吴　敏（女）	果洛藏族自治州达日县人民医院医师
李艳萍（女）	中共青海省纪律检查委员会党风廉政建设室主任科员
罗德拉（藏族）	中共青海省委统战部二处处长
张生禄	青海省人民政府办公厅秘书三处主任科员
杨　扬（满族）	青海省发展和改革委员会固定资产投资处处长
董继忠	青海省经济委员会包装和食品工业办公室主任科员
圈启章（藏族）	青海省民族宗教事务委员会宗教一处处长
更　阳（藏族）	青海省民政厅党组书记、厅长
窦　强	青海省民政厅救灾处主任科员
竺向东	青海省财政厅办公室主任
窦　超	青海省第一测绘院工程师
吴国禄	青海省环境地质勘查局党委书记、局长
匡　湧	青海省住房和城乡建设厅厅长
胡　军	青海省建设工程质量监督总站站长、高级工程师
田明有	青海省收费公路管理处副处长、高级工程师
冀国栋	青海省公路局结古公路段段长
于从乐	青海省水利厅党组书记、厅长
吕　强	青海省水利水电勘测设计研究院设计室主任、副总工程师
孙应祥	青海省兽医局副局长
苏　宁（女）	青海省卫生厅党组书记、厅长，青海省食品药品监督管理局局长
杜玉雄（回族）	青海大学附属医院副院长、主任医师
吴世政	青海省第五人民医院院长、主任医师
郭　鹏	青海省疾病预防控制中心科长、副主任医师
李连生	青海红十字医院普外科副主任、副主任医师
李晓峰	青海省妇女联合会妇女发展部副主任科员
马永成（回族）	青海桥头铝电股份有限公司保卫部部长
张国裕	西宁特殊钢集团有限责任公司铁钢轧分厂副厂长、工程师
苑　钢	青海盐湖工业集团股份有限公司团委书记、工会副主席
尹　磊	西部矿业集团有限公司锡铁山分公司办公室主任
唐增科	青海省水利水电（集团）有限责任公司董事长、党委书记
张建国	青海省汽车运输集团有限公司董事长、党委书记、总经理
王存儒	青海煤业集团有限责任公司矿山救援队指导员

张永厚	青海省公路桥梁工程集团有限公司项目经理
李德业	青海正平集团农民工
唐海忠	中国电力投资集团公司黄河上游水电开发有限责任公司黄河电力检修工程有限公司检修工
杜金玉	国家电网公司青海省电力公司火电工程公司送电工程处线路班班长
张崇誉	中国联合网络通信集团有限公司玉树藏族自治州分公司副总经理
马千里（回族）	新华通讯社青海分社总编室常务副总编辑、高级记者
郑太红	青海电视台新闻中心采访部副主任
刘端强	青海日报社新闻摄影中心记者
王海咏（女）	青海人民广播电台主任编辑
程珠祖	西部机场集团青海机场有限公司总经理
李　欣	北京博万科技发展有限责任公司总经理

（二）事迹

王玉虎　1962 年 5 月出生，青海省囊谦县人，藏族，中共党员，中共青海省玉树州委副书记、玉树藏族自治州人民政府州长。

地震发生后，王玉虎全力以赴投身到抗震救灾当中，深入一线，查看地震灾情，慰问受灾群众，指导救援工作，部署灾后重建。在灾情最严重的地方，总能看到他忙碌的身影；在群众最需要的时候，他总会出现在群众中间，他的一言一行深深地感染了周围的群众。地震发生后的一个多月时间里，他坚持在一线组织指挥工作，每天连续工作十几个小时，有时一天要察看十几个安置点，兢兢业业、勤勤恳恳，直到抢险救灾工作取得全面胜利。

2010 年 8 月，中共青海省委、青海省人民政府、青海省军区授予王玉虎“全省抗震救灾模范”称号。当月，中共中央、国务院、中央军委授予王玉虎“全国抗震救灾模范”称号。

李学文　1973 年 3 月出生，青海省玉树县人，藏族，中共党员，中共青海省玉树州纪律检查委员会综合室主任。

地震发生后，李学文主动要求深入受灾最严重的扎西大同村组织群众开展救援工作。他不顾个人安危，在倒塌房屋下连续奋战 12 个小时，抢救出伤员 7 人，并将他们及时送到临时搭建的医院。在倒塌的玛尼石堆下，他用手刨、扳手撬，通过 20 多个小时连续抢救，挖出遇难者遗体 24 具。他每天在扎西大同、西航、扎西科等村走村串户，实地调查灾情，并向群众宣传党和政府的赈灾政策，安抚受灾群众。他协助村支委会一班人在受灾群众安置点建立了震后玉树州第一个帐篷社区临时党组织。

2010 年 8 月，中共青海省委、青海省人民政府、青海省军区授予李学文“全省抗震救灾模范”称号。当月，中共中央、国务院、中央军委授予李学文“全国抗震救灾模范”称号。

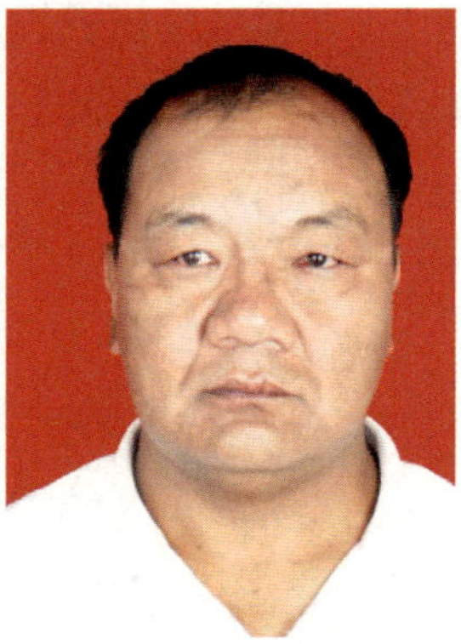

南阳 1965 年 3 月出生，青海省玉树县人，藏族，中共党员，玉树藏族自治州人民政府副秘书长、办公室主任。

在灾情勘查中，南阳和州政府领导一起深入受损严重、随时有坍塌危险的办公楼等场所，掌握受损第一手资料，为领导正确决策做了大量基础性工作。他始终奋战在工作一线，做好日常工作，深入群众了解思想动态，稳定群众情绪。不断向群众宣讲有关地震方面的知识，用科学澄清谣言，慰问、安抚好受灾群众的心理工作。

2010 年 8 月，中共青海省委、青海省人民政府、青海省军区授予南阳“全省抗震救灾模范”称号。当月，中共中央、国务院、中央军委授予南阳“全国抗震救灾模范”称号。

王成元 1963 年 9 月出生，青海省互助县人，中共党员，玉树藏族自治州公安局副局长。

地震发生后，王成元迅速带领 30 余名干警赶赴现场抢救被压人员，救出幸存者 48 人。面对灾后灾区日均车流量超过原设计流量 10 倍的巨大交通压力，他克服因胃癌而将胃大部切除后的病痛坚持工作。由于劳累过度、体力透支，3 次晕倒在救援现场，中央电视台《焦点访谈》栏目对他的事迹进行了报道。

2010 年 6 月，中共青海省委授予王成元“玉树抗震救灾优秀共产党员”称号。8 月，中共青海省委、青海省人民政府、青海省军区授予王成元“全省抗震救灾模范”称号。当月，中共中央、国务院、中央军委授予王成元“全国抗震救灾模范”称号。

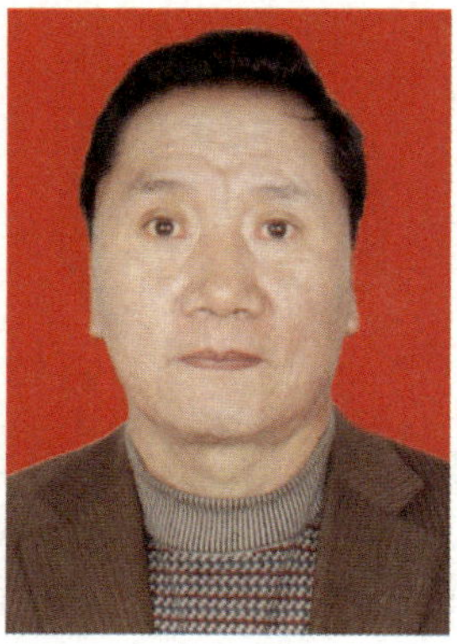

洛阳 1954 年 3 月出生，青海省玉树县人，藏族，中共党员，玉树藏族自治州民政局党组书记、局长。

地震发生当日，洛阳紧急组织转移安置灾区重伤员，亲手装卸并搭建帐篷，持续奋战 20 多个小时。在缺少工作人员的情况下，他独自一人担负起最重要、最困难的物资接收和分配工作，连续 12 天坚守在工作一线，使得救灾物资及时分发到位，确保了灾区群众有饭吃、有水喝、有帐篷住，让灾区的广大群众切实感受到了党和政府的关怀、温暖。

2010 年 8 月，中共青海省委、青海省人民政府、青海省军区授予洛阳“全省抗震救灾模范”称号。当月，中共中央、国务院、中央军委授予洛阳“全国抗震救灾模范”称号。

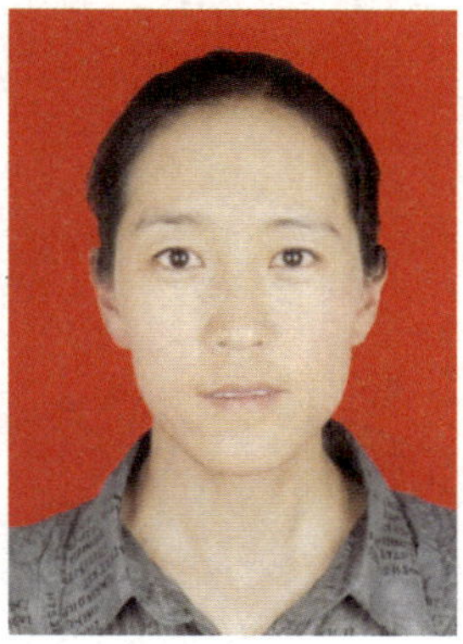

李海燕（女） 1974 年 10 月出生，青海省玉树县人，藏族，中共党员，玉树藏族自治州财政局农财科科长。

地震发生后，李海燕不顾家人和孩子，立刻回单位投入抗震救灾工作，及时展开基础档案资料和办公设施的抢救工作，以最快的速度恢复科室的正常工作。她带领科室工作人员，加班加点、连续奋战，全面完成了全州 2009 年财政支农投入目标考评工作，按期完成《玉树州农业综合开发项目灾后损失报告》和《玉树州农业综合开发项目灾后重建测算表》。

2010 年 8 月，中共青海省委、青海省人民政府、青海省军区授予李海燕“全省抗震救灾模范”称号。当月，中共中央、国务院、中央军委授予李海燕“全国抗震救灾模范”称号。

尼夏 1968 年 12 月出生，青海省玉树县人，藏族，中共党员，玉树藏族自治州国土资源局矿产资源管理科科长。

抢险救灾期间，尼夏在扎西大同村抗震救灾片区负责灾情核查登记、搬运发放救灾物资工作。他每天连续工作十几个小时，将党和政府及全国人民的关怀、爱心送到广大受灾群众手里。他被抽调到土地权属核查工作组后，协助测绘作业单位核查土地权属工作。自开展土地权属核查工作以来，克服人员少、土地使用权人安置地分散、有的土地使用权人不在本地等困难，对每宗土地使用权人、面积进行调查核实、签字确认，以维护灾区广大人民群众的合法权益。

2010 年 8 月，中共青海省委、青海省人民政府、青海省军区授予尼夏“全省抗震救灾模范”称号。当月，中共中央、国务院、中央军委授予尼夏“全国抗震救灾模范”称号。

尕玛朋措 1968 年 11 月出生，青海省囊谦县人，藏族，中共党员，玉树藏族自治州建设局党组书记、局长。

抗震救灾期间，尕玛朋措深入村社实地查看受灾情况，一边抢险救灾，一边了解灾情，并在第一时间向州政府汇报灾情，为政府应急决策提供依据。随后，他负责搭建生命营救线的行动，紧急组织结古镇地区施工建筑企业 10 多名项目经理、80 余名建筑工人、3 台吊车、3 台挖掘机，组成抢险队开赴现场，营救遇险群众，在抢救生命的黄金期内从废墟中营救出幸存者 180 人之多。

2010年8月，中共青海省委、青海省人民政府、青海省军区授予尕玛朋措“全省抗震救灾模范”称号。当月，中共中央、国务院、中央军委授予尕玛朋措“全国抗震救灾模范”称号。

文江才　1957年10月出生，青海省称多县人，藏族，中共党员，玉树藏族自治州交通局党组书记、局长。

地震发生后，还未来得及穿上外衣的文江才跑出家门，立即投入抢险救灾的行列中。抗震救灾期间，在省交通厅领导和有关部门的大力支持下，玉树州交通系统投入人力7.06万人次、机械设备8333台、应急运力货车1067台次、客车574台次，抢修损毁公路71条、2595千米，桥梁161座、4733米，抢运救灾及受伤人员1.38万人。

2010年7月，中共中央组织部授予文江才“抗震救灾优秀共产党员”称号。8月，中共青海省委、青海省人民政府、青海省军区授予文江才“全省抗震救灾模范”称号。当月，中共中央、国务院、中央军委授予文江才“全国抗震救灾模范”称号。

东嘎　1958年7月出生，青海省称多县人，藏族，中共党员，玉树藏族自治州农牧局党组书记、局长。

地震发生后，东嘎带领干部职工先后从废墟中成功营救幸存者13人，并挖出5具遇难者遗体。与省农牧厅紧急协调动物防疫工作人员210多名，免疫注射人畜共患病炭疽66.84万头（只），狂犬病免疫注射4.43万条，确保了大灾之后无大疫。组织编写《玉树州灾后农村牧区建设规划》《玉树州灾后农牧业建设规划》等，为灾后重建工作奠定了良好的基础。

2010年8月，中共青海省委、青海省人民政府、青海省军区授予东嘎“全省抗震救灾模范”称号。当月，中共中央、国务院、中央军委授予东嘎“全国抗震救灾模范”称号。

宋仁德　1966年6月出生，青海省门源县人，中共党员，玉树藏族自治州畜牧兽医工作站站长、高级畜牧师。

地震发生时，刚跑出门外的宋仁德就被倒塌的房屋墙体砸倒在地。他急忙爬起来，随即投入抗震救灾工作中，之后一个半小时内他救出幸存者8人。

抗震救灾期间，组织协调400余名防疫人员，分片进行应急救援及灾情调查、动物尸体无害化处理、人畜共患病疫苗接种及消毒等工作，并做好后勤保障，确保灾区无重大疫情发生。

2010年8月，中共青海省委、青海省人民政府、青海省军区授予宋仁德“全省抗震救灾模范”称号。当月，中共中央、国务院、中央军委授予宋仁德“全国抗震救灾模范”称号。

葛旭磊　1972年12月出生，河南省许昌市人，中共党员，玉树藏族自治州中级人民法院法警支队副支队长。

地震发生时，葛旭磊正去外地办案的路上，当他看到道路两旁牧民的房屋倒塌时，便迅速下车投入救灾当中。在营救过程中发现一对夫妇抱着一个生命垂危的小女孩后，急忙将一家三口送到70千米外的临时医疗点进行救治。在玉树机场救灾物资押运工作中，他共参与转送伤员600余人，装卸救灾物资1211吨，押运货物200吨，行程2000多千米。他与法院干警一起在法院办公楼抢运出刑事诉讼档案37袋、民事诉讼档案5袋、历年文书档案25袋，以及电脑、电视机、健身器材等，并转移到安全地带。

2010年8月，中共青海省委、青海省人民政府、青海省军区授予葛旭磊“全省抗震救灾模范”称号。当月，中共中央、国务院、中央军委授予葛旭磊“全国抗震救灾模范”称号。

才仁公保　1959年6月出生，青海省治多县人，藏族，中共党员，中共玉树县委员会副书记、玉树县人民政府县长。

地震发生后，才仁公保一直工作在抗震救灾一线，亲自到安置点帮助群众搭建帐篷。为实现受灾群众有饭吃、有水喝、有衣穿、有住所、有病医的目标，安排卫生防疫部门组织医疗小组深入灾区，给群众送医送药，确保大灾之后无大疫；布置民政部门进行全面调查摸底，掌握灾情，积极争取外援，及时给群众以帮助。统筹公安部门加强治安管理，维护灾区群众正常生活。他经常到受灾群众的帐篷中，了解他们的生活，帮助解决实际问题。

2010年8月，中共青海省委、青海省人民政府、青海省军区授予才仁公保“全省抗震救灾模范”称号。当月，中共中央、国务院、中央军委授予才仁公保“全国抗震救灾模范”称号。

李昊　1972年12月出生，青海省乐都县人，中共党员，玉树县人民政府办公室副主任。

地震将李昊一家3人埋在废墟下，年仅4个月的女儿不幸遇难，妻子受重伤。他没有被突如其来的灾难和失去亲人的伤痛所击倒，在指挥部承担着机械调配、油料供应、文字处理、后勤保障、上下协调、内外沟通等各项工作，保证了指挥部各项工作的高效有序运转。抗震救灾期间，他组织职工和民工抢救的公共财物价值达200余万元。

2010年8月，中共青海省委、青海省人民政府、青海省军区授予李昊“全省抗震救灾模范”称号。当月，中共中央、国务院、中央军委授予李昊“全国抗震救灾模范”称号。

才旦多杰 1962年2月出生，青海省玉树县人，藏族，中共党员，玉树县公安局主任科员。

地震发生后，双腿高位截肢的才旦多杰，驾驶着改装的小汽车，连续工作10余天，每天运送的伤员在100人左右，先后抢救运送伤员1000余名。才旦多杰曾荣立一等功1次、二等功1次、三等功3次、嘉奖5次，多次荣获“全州优秀人民警察”称号。

2010年8月，中共青海省委、青海省人民政府、青海省军区授予才旦多杰“全省抗震救灾模范”称号。当月，中共中央、国务院、中央军委授予才旦多杰“全国抗震救灾模范”称号。

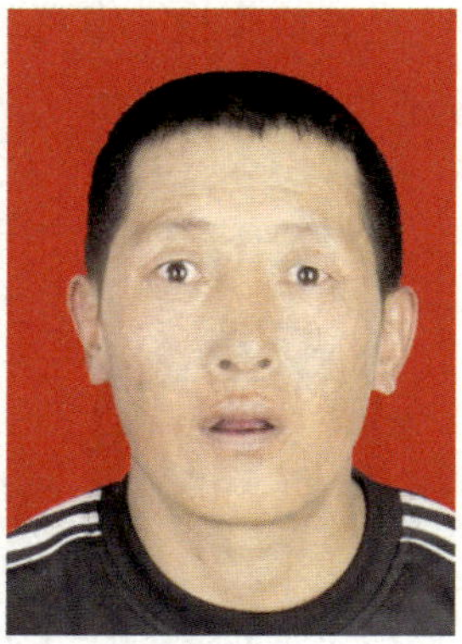

周玉华 1964年3月出生，青海省玉树县人，藏族，中共党员，玉树县第一完全小学教师。

就在周玉华准备出门上班的一瞬间，地震灾难突然降临。他奋力从废墟中爬起来将受伤的母亲与妹妹刨出后就直奔学校，同其他教师一起以最快的速度将学生疏散到操场，紧接着把他们带到山上避难。他与学生一起艰难地度过了三天三夜，保证了学生的安全。地震发生后，他没回过家，一直陪伴着那些可爱的学生，住在临时搭起的帐篷中。

2010年8月，中共青海省委、青海省人民政府、青海省军区授予周玉华“全省抗震救灾模范”称号。当月，中共中央、国务院、中央军委授予周玉华“全国抗震救灾模范”称号。

伊西代青（女） 1972年6月出生，青海省玉树县人，藏族，玉树县妇幼卫生综合医院护士长。

地震发生时，伊西代青第一时间冲进病房，把所有病人都安全疏散完毕。在医院断电、断水的情况下，她一边组织护士到就近区域水井打水，一边救治伤员。一位年过七旬的老人送到医院时已陷入昏迷状态，脸上和衣服上都是呕吐物，大小便失禁，她连忙擦掉老人脸上脏物，清除其口腔分泌物，并把大小便洗干净，给她吸氧、静脉输液、留置导尿，老人最终得以脱险。

2010年8月，中共青海省委、青海省人民政府、青海省军区授予伊西代青“全省抗震救灾模范”称号。当月，中共中央、国务院、中央军委授予伊西代青“全国抗震救灾模范”称号。

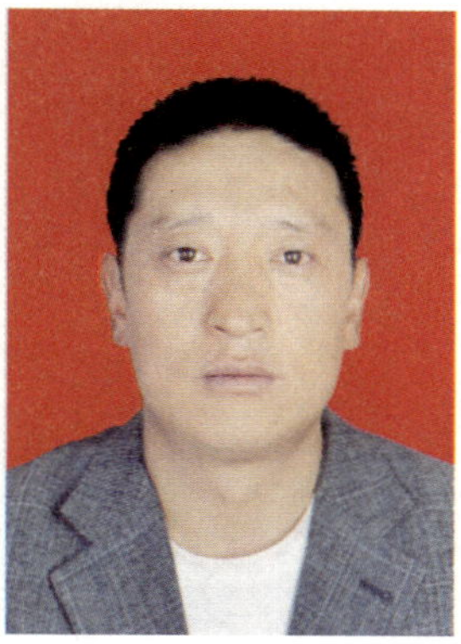

马福良　1968 年 1 月出生，青海省玉树县人，藏族，中共党员，中共玉树县下拉秀镇委员会书记。

地震发生当日，马福良和镇上的干部拿镐挖、用管钳拧，甚至用双手刨，当他们救出第八个幸存者时，时间已到了 17 时左右。当他匆忙赶回在结古镇的家时大吃一惊：妻子左臂骨折，岳母和两个妹妹均受重伤，他年仅 33 岁的弟弟不幸遇难。常年在基层乡镇工作的他，全靠这个他最疼爱的弟弟帮助照料一大家子人。在以后的半个多月时间里，他走遍了全镇 9 个村、38 个社和 8 座寺院，详察乡情、民情和寺情，问计于民，问政于民，解决实际问题，受到群众的广泛赞誉。

2010 年 8 月，中共青海省委、青海省人民政府、青海省军区授予马福良“全省抗震救灾模范”称号。当月，中共中央、国务院、中央军委授予马福良“全国抗震救灾模范”称号。

才哇　1963 年 6 月出生，青海省玉树县人，藏族，中共党员，玉树县结古镇扎西大同村三社社长。

地震中才哇失去了 3 位亲人，却顾不上去料理家人后事，毅然奋战在救灾现场。在三天三夜不眠不休的紧张救人过程中，他带领乡亲们救出幸存者 20 多人，转移安置伤员近百人。72 小时黄金救援期后，他带领几十户村民在赛马场边的一处空地上搭建临时帐篷，解决了全社群众的住宿问题。

2010 年 8 月，中共青海省委、青海省人民政府、青海省军区授予才哇“全省抗震救灾模范”称号。当月，中共中央、国务院、中央军委授予才哇“全国抗震救灾模范”称号。

罗永跃　1980 年 11 月出生，四川省洪雅县人，中共党员，玉树县结古镇华龙超市个体户。

地震发生后，罗永跃顾不上自己的店铺，随即察看附近个体户受损及人员伤亡情况，安排受灾群众到空旷的玉树州体育场躲避，并当即带领几名年轻力壮的个体户投入抢救遇险人员的工作中，抬伤员，搜寻被困群众。没有铁锹，就用手刨；没有担架，就用木条做简易担架；没有救护车，就用个体户的送货车。通过他和大家的努力，共解救被困、受伤群众 30 余名。

2010 年 8 月，中共青海省委、青海省人民政府、青海省军区授予罗永跃“全省抗震救灾模范”称号。当月，中共中央、国务院、中央军委授予罗永跃“全国抗震救灾模范”称号。

公保　1944年8月出生，青海省玉树县人，藏族，玉树县结古镇当卡寺民主管理委员会主任。

地震发生后，公保主动承担运送病人、接送医生的任务，派出本寺院的两辆面包车和专职司机，在9天时间里，共自费接送救援队员和病人3000余人次。他联系北京、上海、西宁、西藏等地的慈善协会和一些企业家，将价值15万元的救灾物资运送到灾区，并发放到受灾群众手中。他组织本寺120多名僧人，赶往结古镇重灾区营救受灾群众。在他的带领下，前后10天共救出幸存者155人，挖出336具遗体，并对遇难者遗体按照藏传佛教丧葬习俗予以处理。

2010年8月，中共青海省委、青海省人民政府、青海省军区授予公保“全省抗震救灾民族团结模范”称号。当月，中共中央、国务院、中央军委授予公保“全国抗震救灾模范”称号。

江尕　1960年10月出生，青海省玉树县人，藏族，玉树县安冲乡达杰寺民主管理委员会主任。

面对灾情，江尕一面组织在结古镇幸存的14名僧人赶赴西航、扎西大同村等重灾区抢救被埋人员、挖出遇难者遗体，一面通知达杰寺组成82人的抗震救灾先锋队支援结古重灾区。抗震救灾期间，在结古地区共救出被困幸存者24人，挖出遇难者遗体38具。他将寺院库存价值27.55万元的米、面、青稞、炒面、食用油等第一时间发放给结古镇附近的受灾群众。寺院出资将72具遗体按照藏传佛教丧葬习俗予以处理。自己出资3.44万元，为172户遇难者家属发放慰问金。

2010年8月，中共青海省委、青海省人民政府、青海省军区授予江尕“全省抗震救灾民族团结模范”称号。当月，中共中央、国务院、中央军委授予江尕“全国抗震救灾模范”称号。

仁青多丁　1949年7月出生，青海省囊谦县人，藏族，中共党员，囊谦县吉尼赛乡拉翁村党支部书记。

从4月14日开始，仁青多丁就带领本村广大党员干部群众赶赴灾区一线，投入解救被困群众、清理遇难者遗体、抢救物资的工作中。在抗震救灾的日日夜夜里，他不怕苦、不叫累，协助有关部门分发物资、搭建帐篷、统计受灾数据等，为抗震救灾做出了贡献。为了确保救灾物资及时有序地发放到受灾群众手中，从接收到发放，他建立了一整套的制度，不仅使每一批物资的发放有据可查，而且做到公平、公正、公道、透明，从而赢得了群众的肯定和认可。

2010年8月，中共青海省委、青海省人民政府、青海省军区授予仁青多丁“全省抗震救灾模范”称号。当月，中共中央、国务院、中央军委授予仁青多丁“全国抗震救灾模范”称号。

加哇才仁　1973 年 9 月出生，青海省玉树县人，藏族，中共党员，杂多县扎青乡兽医站站长、中级兽医师。

在失去 7 位亲人、4 位亲属严重受伤的情况下，加哇才仁紧急赶赴结古镇灾区，和几名同事一起在赛马场片区杂多县受灾居民安置点调运发放救灾帐篷和食品。没有车，就四处找车；没有装卸工，就自己装卸;没有人搭建帐篷，就自己动手搭建。他还主动承担转送伤员、充当翻译等工作，每天工作时间长达十五六个小时，得到受灾群众的好评和上级领导的赞誉。

2010 年 8 月，中共青海省委、青海省人民政府、青海省军区授予加哇才仁“全省抗震救灾模范”称号。当月，中共中央、国务院、中央军委授予加哇才仁“全国抗震救灾模范”称号。

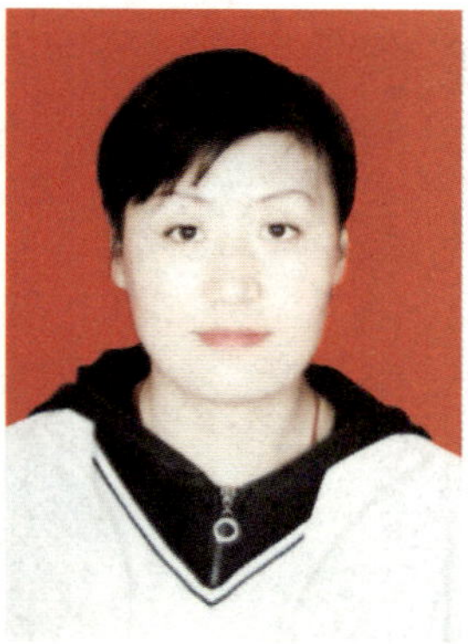

贾瑛(女)　1980 年 11 月出生，青海省治多县人，藏族，中共党员，治多县人民医院主治医师。

在震后第八个夜晚，一名两岁女孩处于深度昏迷状态，贾瑛俯下身子进行人工呼吸，将大量的血块和淤痰及时排出体外，危在旦夕的小生命奇迹般复活过来。在隆宝镇重灾区，她连续十几个昼夜奋战在抢救伤员的前线，接诊病人 1.05 万人次，抢救伤员 8 名、危重病人 61 人。

2010 年 8 月，中共青海省委、青海省人民政府、青海省军区授予贾瑛“全省抗震救灾模范”称号。当月，中共中央、国务院、中央军委授予贾瑛“全国抗震救灾模范”称号。

内美文次　1978 年 11 月出生，青海省玉树县人，藏族，中共党员，曲麻莱县人民检察院公诉科副科长。

地震当日，内美文次没有顾及失联的岳父，不顾家中妻子的埋怨和年迈的父母毅然投入救援工作中。抗震救灾期间，他参与抢救运送重伤人员 8 人、轻伤人员 12 人，抢救出幸存者 5 人。为 5 个消防救援队充当翻译，联络指挥部调取各种挖掘设备 7 台次。在团结村安排分发救灾食物、药品、帐篷等各种物资，挨家挨户登记统计受灾情况，为上级部门决策提供第一手资料。

2010 年 8 月，中共青海省委、青海省人民政府、青海省军区授予内美文次“全省抗震救灾模范”称号。当月，中共中央、国务院、中央军委授予内美文次“全国抗震救灾模范”称号。

祁化仍　1971 年 10 月出生，青海省湟中县人，藏族，中共党员，西宁市供销合作社联合社党委副书记、纪委书记。

在哈秀乡灾区的一个月时间里，祁化仍同群众一起搬运、清点、发放救灾物资，共发放各种饮料 2231 件、帐篷 573 顶、大米 500 袋、挂面 800 件、方便面 2845 件、折叠床 1170 张、棉衣 1290 件。他和其他干部一起进村入帐篷访问 170 多户，召开乡村干部座谈会 3 次，了解救灾物资到位情况和群众生产生活中存在的困难和问题，并及时撰写调查报告上报玉树县抗震救灾指挥部。

2010 年 8 月，中共青海省委、青海省人民政府、青海省军区授予祁化仍“全省抗震救灾模范”称号。当月，中共中央、国务院、中央军委授予祁化仍“全国抗震救灾模范”称号。

胡薇（女）　1979 年 7 月出生，陕西省三原县人，满族，西宁电视台记者。

在灾区采访的 13 天时间里，胡薇每天做的就是两件事，拍新闻、传新闻。她每天深入现场采访，走遍灾区的每一个角落，拍摄了大量救灾场景。在通信设施遭到严重损毁、无法进行卫星传输的情况下，她求助玉树州电信局，采用内部网卡，向西宁电视台上传新闻素材、传送画面，发送电视新闻 10 多条。

2010 年 8 月，中共青海省委、青海省人民政府、青海省军区授予胡薇“全省抗震救灾模范”称号。当月，中共中央、国务院、中央军委授予胡薇“全国抗震救灾模范”称号。

石泉霖　1957 年 7 月出生，青海省民和县人，中共党员，西宁市疾病预防控制中心副主任、副主任医师。

地震发生后，石泉霖带领西宁市卫生局派赴的第一支疾控卫生防疫工作队迅速投入搬运物资、消毒及疾病监测快速评估工作中。他与有关部门及时协调工作队的工作区域、驻地、物资分配等问题，进乡村、入帐篷，掌握疫情信息，在第一时间取得第一手资料。无论是在疾病监测现场、还是在消毒宣传的队伍中，都能看到他的身影。抢险救灾期间，西宁市卫生防疫工作队负责的工作区域内未发生传染病疫情和食物、饮用水等中毒事件。

2010 年 8 月，中共青海省委、青海省人民政府、青海省军区授予石泉霖“全省抗震救灾模范”称号。当月，中共中央、国务院、中央军委授予石泉霖“全国抗震救灾模范”称号。

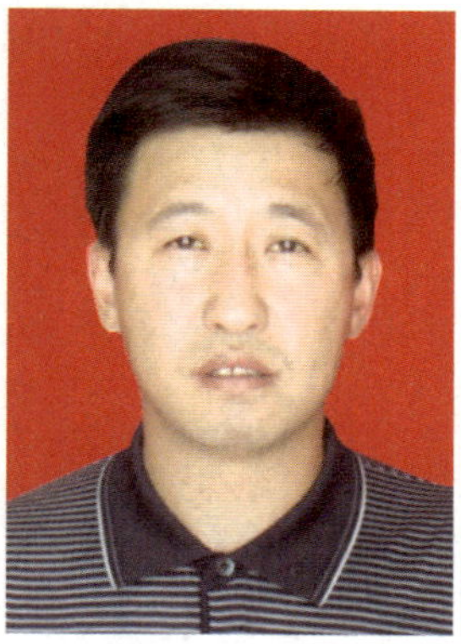

祁永清　1967 年 7 月出生，青海省门源县人，回族，中共党员，西宁市第二人民医院副院长、副主任医师。

地震发生后，祁永清立即抽调 10 名经验丰富、技术精湛的医疗人员，成立了以他为队长的第一医疗救援队。抢险救灾期间，他所带领的医疗救援队共诊治伤员 587 人，转运伤员 52 人次，骨折手法复位石膏外固定 16 人次，静脉注射 200 余人次，换药 102 人次，外伤处理 356 人次，赢得当地群众的肯定和有关部门的认可。

2010 年 8 月，中共青海省委、青海省人民政府、青海省军区授予祁永清“全省抗震救灾模范”称号。当月，中共中央、国务院、中央军委授予祁永清“全国抗震救灾模范”称号。

丁志军　1971 年 12 月出生，江苏省人，中共党员，西宁赛迪会展有限公司总经理。

在地震发生的第一时间，曾经是一名骨科大夫的丁志军主动报名志愿参加青年志愿者医疗队。他在灾区奋战 20 天，每天平均工作 18 个小时，救助千名群众，并救治刚出生 28 天的婴儿一名，将仅剩的 500 元捐给了这个孩子的家长。他冒着余震和继续坍塌的危险，只身进入结古宾馆的废墟下，徒手挖掘找到一名幸存者，及时对幸存者进行诊断，并采取急救措施。

2010 年 8 月，中共青海省委、青海省人民政府、青海省军区授予丁志军“全省抗震救灾模范”称号。当月，中共中央、国务院、中央军委授予丁志军“全国抗震救灾模范”称号。

闫立平　1968 年 9 月出生，辽宁省人，中共党员，西宁泰欣出租车行司机。

地震发生后，闫立平组织 8 名“爱心车队”队员赶赴灾区。在灾区的 7 天时间内发放救灾物资 30 余吨，搭建救灾帐篷 8 顶，搬卸救灾物资 50 余吨。事后，又与青海大学和青海民族大学的学生会联系，与灾区所有在青海学生建立联系卡，随时满足他们的用车需求。

2010 年 8 月，中共青海省委、青海省人民政府、青海省军区授予闫立平“全省抗震救灾模范”称号。当月，中共中央、国务院、中央军委授予闫立平“全国抗震救灾模范”称号。

马宝祥 1967年12月出生，青海省湟中县人，回族，中共党员，湟中县大才回族乡前沟村村民。

当得知发生地震的消息后，马宝祥毅然放弃300万元的劳务工程，立即召集弟弟、儿子、侄子等8位亲友，组成“青海省红十字会情系玉树马宝祥志愿者小分队”，开着自家的卡车，带着价值5000元的矿泉水、方便面、帐篷、铁锹等救灾物资，连夜赶赴灾区。在灾区发放300箱方便面，为10名遇难者家属送去了每户300元钱的资助。抗震救灾期间，先后为灾区群众发放帐篷600多顶，棉衣、棉被2000多件，方便面、饮用水2万余件。

2010年8月，中共青海省委、青海省人民政府、青海省军区授予马宝祥“全省抗震救灾模范”称号。当月，中共中央、国务院、中央军委授予马宝祥“全国抗震救灾模范”称号。

坚赞昂旦 1965年8月出生，青海省贵德县人，藏族，湟中县塔尔寺民主管理委员会副主任、藏医师。

地震发生后，坚赞昂旦组织寺院活佛及僧人代表到解放军第4医院、省藏医院，看望慰问正在接受治疗的160名灾区受伤同胞、5名在玉树抗震救灾中患高原病的战士和2名公安干警。他带领“塔尔寺赈灾慰问团”一行22人和11辆运输车，装载炒面、酥油等价值100万元的赈灾物资前往灾区慰问，并捐款2000元。为180户受灾民众发放炒面、酥油、药物、毛毯、被褥等赈灾物资，为20名湟中乡亲每人发放回家路费200元，向结古寺捐款1万元。

2010年8月，中共青海省委、青海省人民政府、青海省军区授予坚赞昂旦“全省抗震救灾民族团结模范”称号。当月，中共中央、国务院、中央军委授予坚赞昂旦“全国抗震救灾模范”称号。

苏昂欠才让 1971年7月出生，青海省互助县人，藏族，中共党员，西海农民报社采编部主任、主任记者。

苏昂欠才让进驻结古镇新寨村后，积极开展新闻采访工作，努力挖掘抗震救灾中涌现出的典型人物和先进事迹，为《青海日报》和《西海农民报》提供20多篇新闻稿件，其中《开在废墟上的格桑花》《生命线上守护人》《地震边缘》等作品，社会反响良好，为抗震救灾工作营造了良好的舆论氛围。

2010年8月，中共青海省委、青海省人民政府、青海省军区授予苏昂欠才让“全省抗震救灾模范”称号。当月，中共中央、国务院、中央军委授予苏昂欠才让“全国抗震救灾模范”称号。

王伟　1963 年 11 月出生，青海省循化县人，中共党员，青海省海东地区疾病预防控制中心副主任。

地震发生后，王伟带领 19 名防疫队员赶赴重灾区隆宝镇，一干就是 3 个月。他们累计消毒面积 1 万余平方米，完成接种麻腮风 1092 人、甲肝疫苗 1070 人次，监测生活饮用水 24 份，消毒及处理动物尸体 68 具，发放宣传画册 5000 余份，发动群众及部队开展爱国卫生运动 3 次，开展健康咨询、串户宣传和专题讲座 50 余次，受教育人数达 6000 多人，保障受灾群众的卫生健康，得到群众的认可。

2010 年 8 月，中共青海省委、青海省人民政府、青海省军区授予王伟“全省抗震救灾模范”称号。当月，中共中央、国务院、中央军委授予王伟“全国抗震救灾模范”称号。

阿克明　1969 年 12 月出生，青海省乐都县人，蒙古族，中共党员，中共乐都县委员会办公室主任。

地震发生后，阿克明负责结古镇民主路（南）片区的灾情调查统计工作，共调查统计近 1300 户 6300 多人，倒塌受损房屋 8823 间。抗震救灾期间，共向民主路（南）玉树县籍受灾户发放有关证件 298 个、帐篷 646 顶、“四金”补助 116 万元，各类救灾物资价值 500 余万元。共拆除危房 500 多间，清理废墟 1.2 万平方米，归整可重复利用建筑材料 2.69 万平方米。先后协调乐都县委、县政府解决价值 16.6 万元的救灾物资和 5.3 万元救灾资金，在第一时间将这些救灾物资发放到灾区群众手中。

2010 年 8 月，中共青海省委、青海省人民政府、青海省军区授予阿克明“全省抗震救灾模范”称号。当月，中共中央、国务院、中央军委授予阿克明“全国抗震救灾模范”称号。

韩文成　1958 年 1 月出生，青海省循化县人，撒拉族，中共党员，青海省循化撒拉族自治县仙红辣椒开发有限公司董事长。

韩文成于地震当日中午率领 20 人携带价值 16 万元的棉被等救灾物品奔赴灾区，第一时间将清真救灾物资送到结古清真寺。随后，他又率队奔赴禅古寺慰问受灾僧侣。他在抗震救灾第一线奋战 7 天。由于高原反应越来越严重，他不得不返回西宁进行治疗。住院期间，还通过电视、报纸继续关注灾区震后的重建工作，不断呼吁身边的亲朋好友为玉树灾区捐款捐物。

2010 年 8 月，中共青海省委、青海省人民政府、青海省军区授予韩文成“全省抗震救灾民族团结模范”称号。当月，中共中央、国务院、中央军委授予韩文成“全国抗震救灾模范”称号。

韩进　1946年5月出生，青海省循化县人，撒拉族，中共党员，青海欣路建设工程有限公司循化工程队队长。

震后不到10分钟，韩进迅速动员组织公司80多名撒拉族员工组建震后第一支民间抗震救援队。抗震救灾期间，他带领的救援队共救出幸存者8人，挖出遇难者遗体174具。发现和保护现金60余万元，在四川特警队的帮助下，经确认将所有现金归还所有者或家属，得到当地政府及藏族同胞的广泛赞誉。

2010年8月，中共青海省委、青海省人民政府、青海省军区授予韩进“全省抗震救灾模范”称号。当月，中共中央、国务院、中央军委授予韩进“全国抗震救灾模范”称号。

陈有文　1967年2月出生，青海省化隆县人，藏族，中共党员，海南藏族自治州畜牧兽医工作站站长、高级兽医师。

抗震救灾期间，陈有文带领的应急队仅用3天时间共搜寻并无害化处理动物尸体7671头（只），消毒面积2万余平方米。此后，他们承担结古镇、哈秀乡、巴塘乡的15万头（只）动物的紧急免疫任务。经过10多天奋战，注射狂犬病疫苗2.1万只、牛羊炭疽疫苗14.3万头（只），发放宣传材料4万余份，有效地保障了灾区公共卫生安全。他个人捐款1000元，发动全站职工捐款1.6万元。

2010年8月，中共青海省委、青海省人民政府、青海省军区授予陈有文“全省抗震救灾模范”称号。当月，中共中央、国务院、中央军委授予陈有文“全国抗震救灾模范”称号。

马志明　1968年10月出生，青海省贵德县人，回族，中共党员，青海省贵德县水务局局长。

接到救援通知后，马志明立即抽调20余名水利专业骨干组成抢险队，及时筹集60余万元的救灾物资和施工机械设备，迅速赶赴灾区。在22天的抗震救灾中，他带领的水务抢险队共开挖管道2220米，开挖回填土方8050立方米，铺设各类规格PE管2187米，修建引水口1座，砌筑检查井3座、供水点5处，突击抢修结古镇毁损的供水工程8处9次，及时修复破裂的蓄水池压力管道和主管道。及时安排技术人员赶赴甘达村人畜饮水工程和两条沟道的防洪工程现场，进行工程勘测设计，编制施工方案，组织专业施工队施工。

2010年8月，中共青海省委、青海省人民政府、青海省军区授予马志明“全省抗震救灾模范”称号。当月，中共中央、国务院、中央军委授予马志明“全国抗震救灾模范”称号。

陈芝正　1972年4月出生，青海省门源县人，藏族，中共党员，青海省祁连县疾病预防控制保健中心副主任。

地震发生后，陈芝正坚持在哈秀乡和隆宝镇开展鼠疫防治知识宣传、鼠疫疫情监测、灭獭前密度调查等防控工作。他带领队员和120名官兵对哈秀、隆宝地区进行了拉网式灭獭工作，累计步行超过1000千米。在闲暇之余，他带领鼠疫防控队员们用鼠疫防治车帮助住地附近受灾群众拉运饮用水、搭建帐篷和搬家，给哈秀乡敬老院的老人们捡牛粪和义务看病等。

2010年8月，中共青海省委、青海省人民政府、青海省军区授予陈芝正“全省抗震救灾模范”称号。当月，中共中央、国务院、中央军委授予陈芝正“全国抗震救灾模范”称号。

麻叶拉　1970年6月出生，青海省门源县人，蒙古族，中共党员，中共门源回族自治县青石嘴镇委员会书记。

4月17日，麻叶拉接到救灾通知后，立即赶往地震救灾一线，投入到受灾群众登记造册、救灾物资发放等工作。他在较短的时间里完成800多户9000余名群众的登记造册工作，并协助积极维护救灾物资发放现场秩序。在灾区的70多天时间里，他和队员们累计发放帐篷2100顶，棉衣、棉被近千件，方便面、罐头1.1万件，大米、面粉、茶叶等生活用品300余吨，床1000余张，解决群众的燃眉之急。

2010年8月，中共青海省委、青海省人民政府、青海省军区授予麻叶拉“全省抗震救灾模范”称号。当月，中共中央、国务院、中央军委授予麻叶拉“全国抗震救灾模范”称号。

任宗高　1961年9月出生，甘肃省会宁县人，中共党员，中共海西蒙古族藏族自治州委员会副秘书长、办公室主任。

地震发生后，任宗高和救灾队员在玉树州民族师范学校现场成功救出2名幸存学生，挖出遇难者遗体22具。他组织9台装载机、1台挖掘机、5台翻斗自卸车实施拆除作业，经过28个小时的连续作业，圆满完成玉树州委机关大院的危旧房拆除任务。抢险救灾期间，他指挥各救援队共拆除因震损坏的危房764间，拉运建筑垃圾6.7万立方米，平整场地1万平方米，为加快受灾群众安置奠定了基础。

2010年8月，中共青海省委、青海省人民政府、青海省军区授予任宗高“全省抗震救灾模范”称号。当月，中共中央、国务院、中央军委授予任宗高“全国抗震救灾模范”称号。

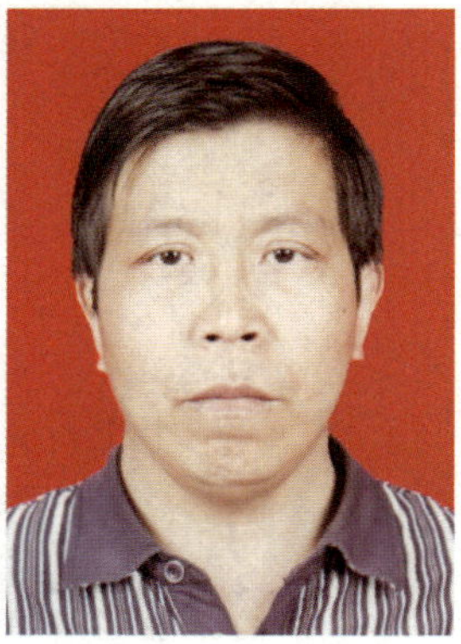

钱东去 1969年5月出生，青海省乐都县人，藏族，中共党员，青海省海西蒙古族藏族自治州人民医院急诊科主任、副主任医师。

地震发生后，钱东去主动向医院领导请缨参加救灾医疗队。在灾区条件极其艰苦的情况下，为救援队员诊治高原不适、上呼吸道感染、腹泻等多种疾病。抢险救灾期间，他先后为禅古村、西杭村村民诊治慢性病、创伤、眼疾等35人次，并为文成公主庙的僧侣及附近村民诊治疾病21人次，发放药品总计3万余元。

2010年8月，中共青海省委、青海省人民政府、青海省军区授予钱东去“全省抗震救灾模范”称号。当月，中共中央、国务院、中央军委授予钱东去“全国抗震救灾模范”称号。

潘立清 1976年7月出生，青海省格尔木市人，蒙古族，中共党员，中共德令哈市尕海镇委员会副书记，尕海镇人民政府镇长。

潘立清在灾区的60多天里，经过4次调查核实，统计出果青片区479户受灾情况，做到了名册清晰、数据可靠。协调军队实施大面积搜救和紧急调运物资，共发放帐篷1036顶、燃煤30吨、灶具94件、各类食品9365件、大衣棉被4715件、睡袋1000余件、燕麦20吨，确保救灾物资到户到人。组织人员整理地震罹难人员的详细资料，分类登记“三孤”人员，协助有关部门将抚慰金等“四项”补贴243.38万元发放到受灾群众手中。

2010年8月，中共青海省委、青海省人民政府、青海省军区授予潘立清“全省抗震救灾模范”称号。当月，中共中央、国务院、中央军委授予潘立清“全国抗震救灾模范”称号。

才让多杰 1971年7月出生，青海省同仁县人，藏族，青海省同仁县隆务镇居民。

在结古镇经营兽药生意已经有11个年头的才让多杰，地震袭来时以最快的速度察看同院其他住户的情况，发现在一片废墟下压埋着来自四川、甘肃和青海互助等地到玉树经商、打工的10名汉族、土族、藏族群众后，他用简单的工具一点一点地挖掘，经过近4个小时的努力，被埋压的8人成功获救。此后，他又成功救出外地旅客6人。但无情的灾害几乎使他一无所有，房屋倒塌、车辆损毁，大量库存药品被埋，经济损失近30万元。

2010年8月，中共青海省委、青海省人民政府、青海省军区授予才让多杰“全省抗震救灾模范”称号。当月，中共中央、国务院、中央军委授予才让多杰“全国抗震救灾模范”称号。

索南达吉　1964 年 1 月出生，青海省同仁县人，藏族，中共党员，黄南藏族自治州职业技术学校副校长、高级讲师。

为接收灾区学生，他及时组建玉树县第二民族中学黄南教学点，对本校教室、宿舍、办公室、食堂等进行了粉刷、维修，为 6 间教室配备课桌椅、电视等，为办公室购买办公桌椅、办公用品，准备了 14 间宿舍，并配备高低床、被褥及各类生活用品。临时搭建板房餐厅两间，为学生购买人身安全保险，开展心理疏导工作，帮助学生尽快适应新环境。

2010 年 8 月，中共青海省委、青海省人民政府、青海省军区授予索南达吉“全省抗震救灾模范”称号。当月，中共中央、国务院、中央军委授予索南达吉“全国抗震救灾模范”称号。

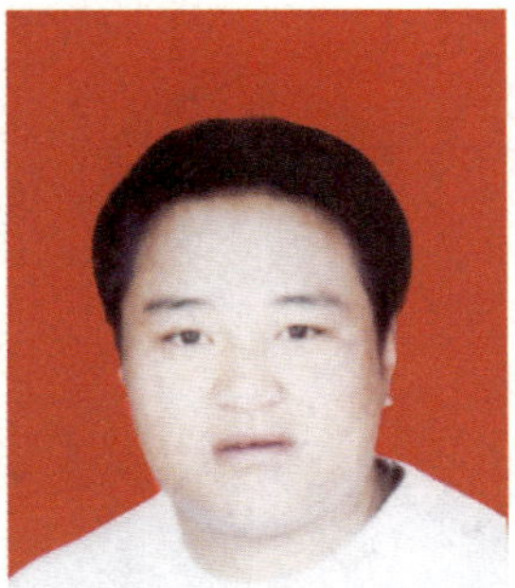

班玛闹吾　1974 年 5 月出生，青海省甘德县人，藏族，中共党员，共青团果洛藏族自治州委员会副书记。

班玛闹吾到达灾区后，不顾余震带来的种种危险，立即组建党员突击队并迅速成立帐篷党支部，对灾区群众进行帮扶，组织调动灾区有能力的青年重建家园，协助当地教育部门及时搭建“帐篷学校”，使学生及时复课。协助当地有关部门，对受灾人口进行摸底排查，先后 7 次对受灾群众户籍进行详细统计。邀请群众对救灾物资发放进行现场监督，做到公平公正，受到灾区群众的好评。

2010 年 8 月，中共青海省委、青海省人民政府、青海省军区授予班玛闹吾“全省抗震救灾模范”称号。当月，中共中央、国务院、中央军委授予班玛闹吾“全国抗震救灾模范”称号。

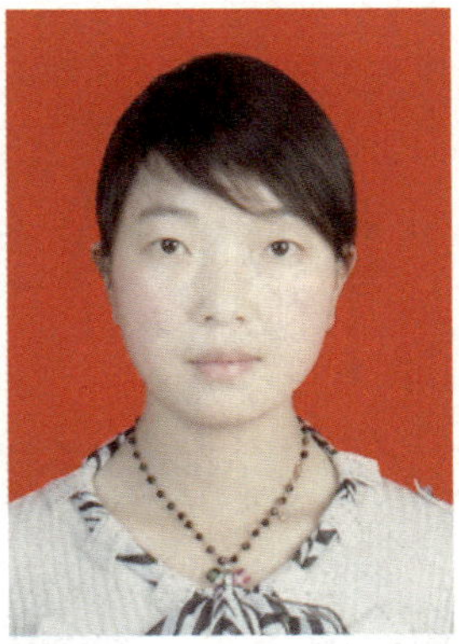

吴敏（女）　1979 年 6 月出生，青海省乐都县人，中共党员，果洛藏族自治州达日县人民医院医师。

地震发生后，吴敏不顾襁褓中的婴儿和年迈的父母，主动要求奔赴抗震救灾第一线。到达灾区的短短几天里，经她诊治的伤员就有 300 多人。她凭着多年的行医经验兼做心理医生，为因灾难、伤残而造成心理创伤和精神障碍的患者进行心理干预 236 人次，使他们逐渐走出丧失亲人、自身致残的阴影。

2010 年 8 月，中共青海省委、青海省人民政府、青海省军区授予吴敏“全省抗震救灾模范”称号。当月，中共中央、国务院、中央军委授予吴敏“全国抗震救灾模范”称号。

李艳萍（女） 1975年3月出生，青海省西宁市人，中共党员，中共青海省纪律检查委员会党风廉政建设室主任科员。

李艳萍作为一位8岁孩子的母亲，在灾区连续奋战20天，会同当地纪检监察干部奋力开展自救，尽快恢复生活和工作秩序。向工作组领导和省纪委汇报灾情，争取价值20余万元的物资送达灾区。加强对救灾物资分配使用、受灾群众安置措施落实、“三孤”人员补助金发放等工作的监督检查，及时将社会捐助款物进行公示。撰写的报道《抗震救灾，纪检监察机关在行动》得到中央纪委领导的批示。

2010年8月，中共青海省委、青海省人民政府、青海省军区授予李艳萍“全省抗震救灾模范”称号。当月，中共中央、国务院、中央军委授予李艳萍“全国抗震救灾模范”称号。

罗德拉 1962年8月出生，青海省乐都县人，藏族，中共党员，中共青海省委统战部二处处长。

地震发生第二天，罗德拉带领的15辆救灾车队满载全省统战系统捐赠的救灾物资抵达灾区，并分发到各安置点和部分受灾严重的寺院和僧人手中。当1000多名僧人聚集欲为遇难者举行祷告法会时，他立即进行劝导，有效地控制现场局面，成功劝返5000多名在玉树抗震救灾的外省籍僧人。协助有关部门全面启动87座受灾寺院恢复重建工作，参与编制上报总投资为9.9亿元的《青海玉树地震灾后文化遗产保护和宗教活动场所恢复重建规划》及《玉树宗教活动场所恢复重建管理办法》。

2010年8月，中共青海省委、青海省人民政府、青海省军区授予罗德拉“全省抗震救灾模范”称号。当月，中共中央、国务院、中央军委授予罗德拉“全国抗震救灾模范”称号。

张生禄 1974年8月出生，陕西省横山县人，中共党员，青海省人民政府办公厅秘书三处主任科员。

地震发生后，张生禄及时向省政府领导汇报，主动与省民政厅等部门联系，当日赶赴灾区。抢险救灾期间，他主要负责文稿草拟、联络协调、会议记录等方面的服务工作。他加班加点，为前线指挥部草拟、整理了30多篇数万字的紧急汇报材料、会议纪要、信息及领导讲话稿，保证抗震救灾指挥部各项工作的有序运转。

2010年8月，中共青海省委、青海省人民政府、青海省军区授予张生禄“全省抗震救灾模范”称号。当月，中共中央、国务院、中央军委授予张生禄“全国抗震救灾模范”称号。

杨扬　1966 年 3 月出生，陕西省西安市人，满族，中共党员，青海省发展和改革委员会固定资产投资处处长。

杨扬带病坚持工作，先后多次赶赴灾区一线了解灾情，踏勘现场，开展抗震救灾工作。会同有关处室起草《青海省玉树地震灾后重建工作方案》和《青海省玉树地震灾后重建规划工作实施方案》，按期完成玉树灾后重建总体规划和 10 个专项规划以及《玉树地震恢复重建总项目册》的编制任务。起草《关于规范玉树地震灾后恢复重建项目审核管理工作的意见》和《玉树地震灾后恢复重建项目并联审核工作试行方案》等，为规范有序地开展灾后重建工作提供可靠的依据。

2010 年 8 月，中共青海省委、青海省人民政府、青海省军区授予杨扬“全省抗震救灾模范”称号。当月，中共中央、国务院、中央军委授予杨扬“全国抗震救灾模范”称号。

董继忠　1969 年 4 月出生，陕西省礼泉县人，中共党员，青海省经济委员会包装和食品工业办公室主任科员。

地震发生后，董继忠及时与工业和信息化部及周边省区经信委（工业和信息化委）及其相关企业对接，完成与甘肃等五省区的 15 户企业签订供应大宗建材的框架协议，完成《玉树地震灾后恢复重建建材供应保障方案》的制定工作，有力地保障抢险救灾工作的顺利进行，为灾区恢复重建奠定良好的基础。

2010 年 8 月，中共青海省委、青海省人民政府、青海省军区授予董继忠“全省抗震救灾模范”称号。当月，中共中央、国务院、中央军委授予董继忠“全国抗震救灾模范”称号。

圈启章　1961 年 9 月出生，青海省湟中县人，藏族，中共党员，青海省民族宗教事务委员会宗教一处处长。

地震发生当日，圈启章舍小家顾大家，积极投身到抗震救灾工作中。到达灾区后，他第一时间深入受灾较重的 9 座寺院，对 1500 多名僧人及部分宗教界上层人士进行看望和慰问。为稳定灾区僧人和群众情绪，缓解灾区人口、交通和医疗卫生压力，他耐心细致地向灾区僧人和少数民族群众及外省籍僧人宣传党和政府抗震救灾部署，安抚当地僧众，劝返外省僧人，为灾区稳定做出重要贡献。

2010 年 7 月，中共中央组织部授予圈启章“抗震救灾优秀共产党员”称号。8 月，中共青海省委、青海省人民政府、青海省军区授予圈启章“全省抗震救灾模范”称号。当月，中共中央、国务院、中央军委授予圈启章“全国抗震救灾模范”称号。

更阳　1954年6月出生，青海省玉树县人，藏族，中共党员，青海省民政厅党组书记、厅长。

抗震救灾期间，在更阳的主持和领导下，青海省民政厅向灾区调运帐篷9.7万顶、被褥25万套、衣物25万件、食品4700余吨，以及饮用水、药品、燃料、应急救援设备等共25大类97个品种4万余吨的救灾物资。接收社会各界捐赠款物23.1亿元。其中，接收捐款15.3亿元，接收民政部调拨物资和社会各界捐赠物资折合7.8亿元。以最快的速度印发《遇难人员抚慰金发放管理办法》等4项安抚政策，累计发放各类补助款和救助金1.8亿元。

2010年8月，中共青海省委、青海省人民政府、青海省军区授予更阳“全省抗震救灾模范”称号。当月，中共中央、国务院、中央军委授予更阳“全国抗震救灾模范”称号。

窦强　1973年8月出生，青海省湟中县人，中共党员，青海省民政厅救灾处主任科员。

灾情发生后，窦强立即向省救灾物资储备中心发出物资调运预告，不间断地向民政部报告灾情进展情况，协调厅机关在飞机场、火车站建立物资接收站，接收、调运民政部紧急调拨和社会各界捐赠的救灾物资。负责与民政部、省玉树抗震救灾指挥部及州、县民政部门上下通联，保证灾区紧急转移安置工作需要的各类应急救灾物资及时、高效调配和调拨。提前通报29个相关部门做好震灾损失评估准备，协助指导国土、交通等部门核实相关基础数据，为全省抗震救灾指挥部提供第一手资料。他在灾区奋战40多天，每天坚持工作20个小时，跑遍灾区每一个乡镇。

2010年8月，中共青海省委、青海省人民政府、青海省军区授予窦强“全省抗震救灾模范”称号。当月，中共中央、国务院、中央军委授予窦强“全国抗震救灾模范”称号。

竺向东　1967年11月出生，内蒙古自治区凉城县人，中共党员，青海省财政厅办公室主任。

竺向东15日晨抵达灾区，了解掌握玉树灾情，向省财政厅各部门反馈信息，并及时将有关情况上报财政部。为确保救灾应急资金迅速拨付到位，他夜以继日地坚守在抗震救灾资金保障工作岗位上。连续两个多月，他起草和修改会议纪要、编发督办通知、向财政部及省政府上报相关材料。他带头坚持实行24小时值班制度。对厅党组的决策，在积极协助相关处室办理的同时坚决落实到位，没有一项工作超过党组决定的时限要求。

2010年8月，中共青海省委、青海省人民政府、青海省军区授予竺向东“全省抗震救灾模范”称号。当月，中共中央、国务院、中央军委授予竺向东“全国抗震救灾模范”称号。

窦超　1970 年 8 月出生，山西省兴县人，中共党员，青海省第一测绘院工程师。

抗震救灾期间，窦超主要负责国家测绘局航摄组的沟通联络、后勤服务及安全保障工作。在军、地各方共同努力和协作下，他精心组织无人机航拍工作。玉树震区无人机航摄工作的顺利开展，标志着我国首次在青藏高原高海拔地区使用无人机获取遥感影像数据获得成功，这些数据为灾区抗震救灾、灾情评估、移民安置、城市规划、基础设施建设等提供了强有力的地图支持和数据保证。

2010 年 8 月，中共青海省委、青海省人民政府、青海省军区授予窦超“全省抗震救灾模范”称号。当月，中共中央、国务院、中央军委授予窦超“全国抗震救灾模范”称号。

匡湧　1963 年 6 月出生，青海省西宁市人，青海省住房和城乡建设厅厅长。

地震发生后，匡湧紧急组建工程救援队奔赴灾区参加抗震救灾工作。他在灾区连续奋战 3 个多月，组织工程救援队 200 多人、60 多台大型机械设备全力投入抢险救灾。先后投入机械设备 1.83 万台次，作业人员 12 万人次，清理废墟 300 万立方米，拆除危房 100 万平方米，为确保第一批项目的如期开工建设创造了有利条件。在震后的 10 天内组织完成《关于做好地震灾区受灾群众过渡房建设工作方案》等 17 项恢复重建工作方案。短短 20 多天，编制完成《玉树州城镇体系规划》《玉树县禅古村、甘达村灾后重建总体规划》等多项规划初稿以及 19 个乡镇 133 个村庄的规划编制工作。

2010 年 8 月，中共青海省委、青海省人民政府、青海省军区授予匡湧“全省抗震救灾模范”称号。当月，中共中央、国务院、中央军委授予匡湧“全国抗震救灾模范”称号。

胡军　1959 年 5 月出生，河北省滦南县人，中共党员，青海省建设工程质量监督总站站长、高级工程师。

地震发生后，由胡军带队的青海省建设系统玉树抗震救灾工程救援队在灾区工作 70 多天，挖出 2 具遇难者遗体，成功抢救出 400 多件法器、佛像、经书等。将清理出的 39 匹腐烂军马尸体妥善掩埋。他还负责灾后重建现场危房拆除和建筑垃圾清运工作，投入作业人员 12 万人次、机械 1.8 万台次，拆除危房 100 万平方米，清理废墟近 300 万立方米，完成需拆除危房总量的 71.1%和清墟总量的 73.2%。

2010 年 8 月，中共青海省委、青海省人民政府、青海省军区授予胡军“全省抗震救灾模范”称号。当月，中共中央、国务院、中央军委授予胡军“全国抗震救灾模范”称号。

田明有 1970年5月出生，青海省湟中县人，中共党员，青海省收费公路管理处副处长、高级工程师。

地震发生后，田明有及时调动参建玉树机场路的26台（套）机械设备、240名参建者，在30分钟内迅速赶到机场路中断现场，参与抢险保通工作。同时，紧急调集距离灾区140千米外的3家施工单位22台(套)机械设备和130多名参建者赶赴现场参与道路保通工作。经过现场全体工作人员的全力抢修，在震后5小时内机场路3处中断路段单向通车，20小时内抢通双向通行道路，30小时内最后一个便道被清通，实现双向通行。

2010年8月，中共青海省委、青海省人民政府、青海省军区授予田明有“全省抗震救灾模范”称号。当月，中共中央、国务院、中央军委授予田明有“全国抗震救灾模范”称号。

冀国栋 1960年8月出生，河南省鲁山县人，中共党员，青海省公路局结古公路段段长。

地震发生后，面对被山体滑坡掩埋数千米的道路，冀国栋带领抢通人员在最短的时间内清通格尔木通往玉树的省道308线，清理塌方1.3万立方米。之后，他带领党员突击队转战国道214线，在很短的时间内完成雁口山至结古段的抢通任务，清理塌方1.9万余立方米。

2010年8月，中共青海省委、青海省人民政府、青海省军区授予冀国栋“全省抗震救灾模范”称号。当月，中共中央、国务院、中央军委授予冀国栋“全国抗震救灾模范”称号。

于丛乐 1961年10月出生，河北省清苑县人，中共党员，青海省水利厅党组书记、厅长。

于丛乐于地震当日赶到灾区，结合灾情实际，紧急研究抢险救灾方案。从全省调集8支水利抢险救援专业队伍，紧急组建12支水利应急供水抢险队和1支防汛机动抢险队，迅速展开抢险抢通，取得一个又一个胜利。震后17个小时，省抗震救灾指挥部恢复供电；第三天，第一个应急供水点通水；第五天，禅古水电站大坝应急、除险加固、灾后恢复重建工程正式开工；第八天，8个乡镇应急供水工程全部实现通水；第十六天，赛马场新建应急水源工程3条直管全面通水，结古镇11个片区58个临时供水点、8.96万人喝上放心水、干净水。

2010年8月，中共青海省委、青海省人民政府、青海省军区授予于丛乐“全省抗震救灾模范”称号。当月，中共中央、国务院、中央军委授予于丛乐“全国抗震救灾模范”称号。

吕强　1968年5月出生，河南省淮滨县人，中共党员，青海省水利水电勘测设计研究院设计室主任、副总工程师。

地震发生后，吕强带领水利抢险队，在交通阻塞、材料备件不足的情况下，千方百计开展应急抢险施工，恢复供水设施，确保灾区集中安置点的应急供水。在结古镇三岔口供水管线发生爆管、爆管产生的水柱高达七八米、造成交通全线阻塞时，他带领水利抢险队采用钢管外套封堵法，两侧采用封堵剂填塞成功，于21日凌晨对破损管道加压试水一次成功正式供水。

2010年8月，中共青海省委、青海省人民政府、青海省军区授予吕强“全省抗震救灾模范”称号。当月，中共中央、国务院、中央军委授予吕强“全国抗震救灾模范”称号。

孙应祥　1964年10月出生，甘肃省陇西县人，中共党员，青海省兽医局副局长。

孙应祥在灾区工作近20天，带领救灾队员开展死亡动物无害化处理、环境消毒、紧急免疫等工作。他跑遍灾区的9个乡镇，深入受灾严重的结古镇、隆宝镇和上拉秀乡、下拉秀镇现场指导因灾死亡动物无害化处理和消毒工作。根据灾区实际，他紧急抽调玉树州5个县及海南州个6县的30多名兽医技术人员，开展因灾死亡犬獒及牛羊的收集、无害化处理工作，先后组织500余名动物防疫人员在灾区开展动物防疫免疫和环境消毒工作，有效防止重大疫情的发生。

2010年8月，中共青海省委、青海省人民政府、青海省军区授予孙应祥“全省抗震救灾模范”称号。当月，中共中央、国务院、中央军委授予孙应祥“全国抗震救灾模范”称号。

苏宁（女）　1955年6月出生，陕西省礼泉县人，中共党员，青海省卫生厅党组书记、厅长，青海省食品药品监督管理局局长。

地震发生后，苏宁立即研究制订卫生应急救援方案，成立抗震救灾组织机构，紧急组织省内医疗急救、卫生防疫队350余人奔赴灾区开展卫生救援工作，实现医疗救治和卫生防疫“两个全覆盖”。医疗急救队累计接诊8.8万人次，诊疗4.7万人次，高原病巡诊6万人次。为让伤员尽早得到救治，她安排省内医疗机构腾出床位2000张。协调飞机152架次、火车专列两车次，平安快捷转运重伤员3109名，取得了伤员转运途中无一例死亡、无一起意外事故的好成绩。先后向玉树地震灾区紧急调运制氧机、呼吸机等医疗设备2800余台（件），调运药品、医疗器械总计3727万元。

2010年8月，中共青海省委、青海省人民政府、青海省军区授予苏宁“全省抗震救灾模范”称号。当月，中共中央、国务院、中央军委授予苏宁“全国抗震救灾模范”称号。

杜玉雄 1957年3月出生，青海省湟中县人，回族，中共党员，青海大学附属医院副院长、主任医师。

地震发生后，杜玉雄带领救援医疗队于第一时间进入灾区开展医疗救援工作。在一周的连续奋战中，他带领医务人员接诊伤病员达3200余人次，进行骨复位固定、清创缝合、胸腹腔穿刺引流等外科治疗830余例，处理和转运重症伤员540余例，诊治高原反应病人70余例，抢救严重急性高原反应、急性心绞痛、重症肺炎、难产等急危病人12例，到周边乡村、寺院等巡诊7000余人次。

2010年8月，中共青海省委、青海省人民政府、青海省军区授予杜玉雄“全省抗震救灾模范”称号。当月，中共中央、国务院、中央军委授予杜玉雄“全国抗震救灾模范”称号。

吴世政 1959年6月出生，青海省乐都县人，中共党员，青海省第五人民医院院长、主任医师。

从玉树灾区转运的伤病员到达青海省第五人民医院后，吴世政带领医务人员连续奋战49个小时开展救治。随后，带领10余名高原病防治专家奔赴灾区一线，深入各个抗震点为每位救援人员、解放军指战员、指挥部工作人员测血压、听心肺、看眼底、查血氧饱和度，对每一个可能发生高原病的细节他都不放过。负责制订《青海玉树地震灾区救援人员及灾后重建人员急性高原病防治方案》等一系列技术方案，完善高原病从医疗队巡诊、门诊就诊到住院救治的医疗体系，实现高原病医疗服务全覆盖。

2010年8月，中共青海省委、青海省人民政府、青海省军区授予吴世政“全省抗震救灾模范”称号。当月，中共中央、国务院、中央军委授予吴世政“全国抗震救灾模范”称号。

郭鹏 1973年10月出生，青海省互助县人，中共党员，青海省疾病预防控制中心科长、副主任医师。

4月4日中午，郭鹏随第一批防疫队员火速赶赴灾区，会同玉树州疾控中心救灾防疫队员对结古镇安置点进行全面、彻底的消毒。随后，他制订《玉树灾区预防性消毒方案》，科学实施消杀灭工作，重点对安置点饮水、厕所、垃圾、遗体进行消毒，并对安置点厕所的建立、垃圾的处理提出可操作性意见。他每天背着几十斤重的喷雾器和其他防疫设备往返各受灾群众安置点，清理水源周围环境，加固水井井口，对水源地进行消毒。为让受灾群众打消顾虑，放心饮用消毒后的水，他们每到一处，都要先端起碗亲口尝一尝，从而赢得群众的交口称赞。

2010年8月，中共青海省委、青海省人民政府、青海省军区授予郭鹏“全省抗震救灾模范”称号。当月，中共中央、国务院、中央军委授予郭鹏“全国抗震救灾模范”称号。

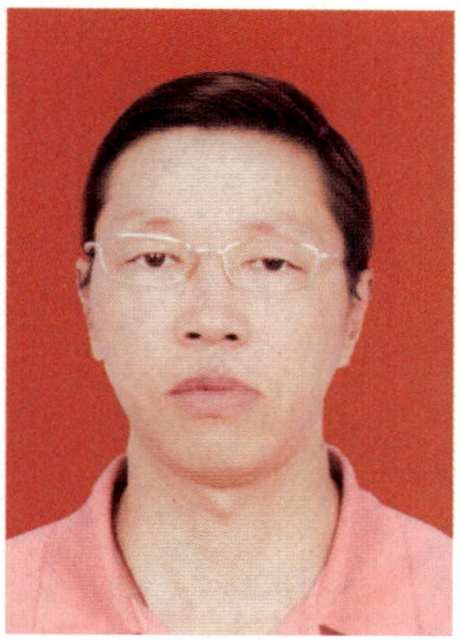

李连生　1966年12月出生，河南省人，中共党员，青海红十字医院普外科副主任、副主任医师。

李连生于15日上午到达灾区后，立即投入抢险救灾工作中，当日救治各类伤员132例，其中危重3例、转诊5例。在此后的8天里，救治及随访各类患者1500余例，救治危重患者近百例，转诊患者150余例。

2010年8月，中共青海省委、青海省人民政府、青海省军区授予李连生“全省抗震救灾模范”称号。当月，中共中央、国务院、中央军委授予李连生“全国抗震救灾模范”称号。

李晓峰　1976年1月出生，甘肃省镇原县人，中共党员，青海省妇女联合会妇女发展部副主任科员。

抗震救灾期间，李晓峰两次赶赴灾区，协调组建200多人的“青海省玉树灾区巾帼志愿者队伍”，分发生活物资200余吨。组织7辆“母亲健康快车”，为结古镇禅古、甘达、果青等21个受灾村运送价值50万元的生活用品。协调李连杰壹基金会，为灾区捐助毛毯3000条、牛奶200箱、卫生巾400箱、睡袋200条，解决了边远灾区妇女儿童的燃眉之急。协调广东省妇女儿童基金会，为玉树县隆宝镇寄宿制学校送去380套被子、褥子、脸盆等生活用品。

2010年8月，中共青海省委、青海省人民政府、青海省军区授予李晓峰“全省抗震救灾模范”称号。当月，中共中央、国务院、中央军委授予李晓峰“全国抗震救灾模范”称号。

马永成　1965年7月出生，青海省大通县人，回族，中共党员，青海桥头铝电股份有限公司保卫部部长。

作为青海省投资集团有限公司抗震救援队副队长的马永成，在灾区8天的抢险救援中，他和抢险队员一起先后搜寻到遇难者遗体9具、档案柜17个、现金3.33万元、保险柜6个、金佛6尊、缝纫机25台、布料40匹、电教设备2套、高低床120余套、课桌及凳子70余套，疏通道路近11千米，挖掘给水道沟800米，清理群众财产18户，搭建活动板房300余平方米，发放帐篷280顶、棉被2000多床。

2010年8月，中共青海省委、青海省人民政府、青海省军区授予马永成“全省抗震救灾模范”称号。当月，中共中央、国务院、中央军委授予马永成“全国抗震救灾模范”称号。

张国裕 1969年8月出生，青海省西宁市人，中共党员，西宁特殊钢集团有限责任公司铁钢轧分厂副厂长、工程师。

地震发生当日，西钢集团公司迅速组织抗震救援队，任命张国裕为救援队队长，带领队员直奔地震灾区。4月16日21时抵达灾区后，他带领全体救援队队员和先期到达玉树的第三人民医院医护人员立即投入救灾当中。在连续5天的搜救过程中，先后在结古镇西杭路、胜利路等10个搜救点挖出家电、保险柜、首饰、汽车、摩托车1000余件，救治伤员近1000人。

2010年8月，中共青海省委、青海省人民政府、青海省军区授予张国裕“全省抗震救灾模范”称号。当月，中共中央、国务院、中央军委授予张国裕“全国抗震救灾模范”称号。

苑钢 1972年1月出生，山东省齐河县人，中共党员，青海盐湖工业集团股份有限公司团委书记、工会副主席。

地震发生后，苑钢带领盐湖集团玉树抗震救援队14名队员和3台大型机械赶赴灾区开展救援工作。在灾区20天的抢险救灾中，他执行救灾紧急任务10多次，组织出动救援人员212人次、大型机械设备46台次，拆除危房、危楼100多间，挖掘清理废墟2000余立方米，为5户受灾单位和40多户群众抢救、挽回财产损失1100余万元。

2010年8月，中共青海省委、青海省人民政府、青海省军区授予苑钢“全省抗震救灾模范”称号。当月，中共中央、国务院、中央军委授予苑钢“全国抗震救灾模范”称号。

尹磊 1968年7月出生，山东省济南市人，中共党员，西部矿业集团有限公司锡铁山分公司办公室主任。

4月18日0:30，由尹磊带领的西部矿业集团有限公司救援队抵达灾区。在为期15天的抗震救灾中，他们帮助玉树州委大院清理平整办公板房用地，吊装清理车辆6辆。在结古寺清理交通公路1.5千米，平整寺院僧众及周边群众搭建帐篷场地约0.13公顷。在州农行结古分行等抢险现场吊拆吊装工时达32个小时。完成格萨尔广场、赛马场两处大屏幕基础吊装以及支柱安装工作。帮助藏族群众平整场地、搭建帐篷32顶，抢救群众财产32户，运送藏族伤员4人，转运救灾物资12吨。

2010年8月，中共青海省委、青海省人民政府、青海省军区授予尹磊“全省抗震救灾模范”称号。当月，中共中央、国务院、中央军委授予尹磊“全国抗震救灾模范”称号。

唐增科　1957 年 10 月出生，陕西省人，中共党员，青海省水利水电（集团）有限责任公司董事长、党委书记。

地震发生后，唐增科第一时间赶赴灾区一线，协调组织灾区各专业队伍实施电力设施抢修，共抢修结古地区用户变压器 160 多台，系统电源供电范围覆盖灾区 70%以上的人口，日供电负荷接近 2500 千瓦，供电 7.7 万千瓦时。同时，建成 14 处集中供水点，日供水量达 1800 吨。公司筹措 100 万元资金支援抗震救灾工作。

2010 年 8 月，中共青海省委、青海省人民政府、青海省军区授予唐增科“全省抗震救灾模范”称号。当月，中共中央、国务院、中央军委授予唐增科“全国抗震救灾模范”称号。

张建国　1954 年 5 月出生，河北省人，中共党员，青海省汽车运输集团有限公司董事长、党委书记、总经理。

地震灾害发生后，张建国迅速成立运输救援保障、汽车修理救援、施救后援 3 个小组，对站区场地进行清理，合理规划车站场区，灾后第三天实现玉树至西宁道路客运班线正式开通。在国道 214 线沿线修理排除各类救灾车辆故障 336 台次。组织 20 台车辆完成西宁至曹家堡机场、西宁至兰州机场、西宁至玉树区间运送部队救援官兵及伤员任务，保证救援队伍和伤员的及时救治。

2010 年 8 月，中共青海省委、青海省人民政府、青海省军区授予张建国“全省抗震救灾模范”称号。当月，中共中央、国务院、中央军委授予张建国“全国抗震救灾模范”称号。

王存儒　1964 年 6 月出生，山东省莒南县人，中共党员，青海煤业集团有限责任公司矿山救援队指导员。

王存儒到达灾区后，带领 14 名专业救援队员，手抬肩扛各种救援工具和重达几十公斤的设备仪器，奋战 12 小时，抢救出 8 名伤者和大批被褥、衣物和生活用品。搜救转入安置群众后，他组织队员组成 3 个组，每组 6 人，采取分片包干的办法发放物资。他自己负责最为艰苦、路线最长、运送最困难的果青村，靠人工搬运帐篷、衣物、矿泉水、方便面等，为灾区群众送去急需的生活物资。

2010 年 8 月，中共青海省委、青海省人民政府、青海省军区授予王存儒“全省抗震救灾模范”称号。当月，中共中央、国务院、中央军委授予王存儒“全国抗震救灾模范”称号。

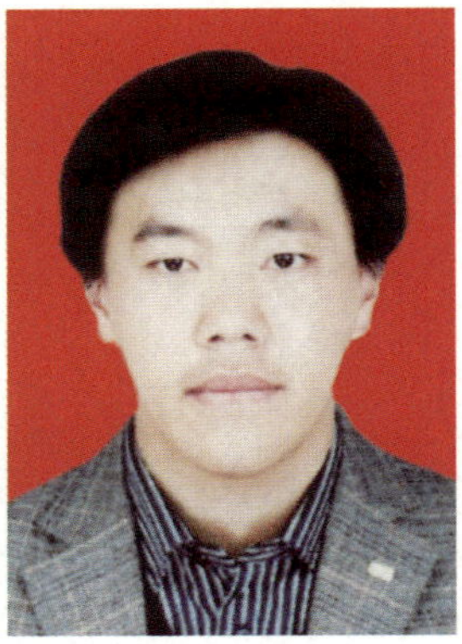

张永厚　1973年9月出生，青海省西宁市人，中共党员，青海省公路桥梁工程集团有限公司项目经理。

4月14日10时许，驻扎在距玉树300多千米的路桥集团公司囊多项目部经理张永厚，立即组织54名抢险救援队员奔赴重灾区。前三天，他们共搜救出幸存者6人，以后又相继搜掘出遇难者遗体多具。之后，他带领队员转战到灾区交通运输生命线国道214线囊谦段突击性保通工程上。此路段受地震的影响比较严重，山体塌方、道路塌陷，工程难度非常大，任务要求也特别高。经过近一个月的艰苦努力，道路抢通了，但他因劳累几次差点晕倒在地。

2010年8月，中共青海省委、青海省人民政府、青海省军区授予张永厚“全省抗震救灾模范”称号。当月，中共中央、国务院、中央军委授予张永厚“全国抗震救灾模范”称号。

唐海忠　1973年1月出生，青海省西宁市人，中共党员，中国电力投资集团公司黄河上游水电开发有限责任公司黄河电力检修工程有限公司检修工。

4月14日，唐海忠作为公司组织的灾区抢险队成员，赶赴灾区。救援工作中，他和其他抢修队员一起完成2台机组转轮拆卸、回装和机组三大轴件的分解、处理、回装工作。禅古水电站水轮机转轮连轴螺栓严重锈蚀，拆卸非常困难。他挺身而出，抡起约15千克重的铁锤，朝高过头顶的连轴阀固定螺栓上的扳手敲击，每拆卸一个螺丝，至少需要抡一二十个来回，整个阀有十几个螺杆。在他的努力下，圆满完成检修任务，为抗震救灾工作顺利进行做出了贡献。

2010年8月，中共青海省委、青海省人民政府、青海省军区授予唐海忠“全省抗震救灾模范”称号。当月，中共中央、国务院、中央军委授予唐海忠“全国抗震救灾模范”称号。

张崇誉　1967年10月出生，青海省共和县人，中共党员，中国联合网络通信集团有限公司玉树藏族自治州分公司副总经理。

在地震导致通信中断的情况下，张崇誉统筹协调四川、甘肃等合作单位的抢险支援队伍，精心组织应急抢修、基站发电、灾情统计、家属抚慰等抢险救灾工作。灾后第四天，全面恢复中国联通通信。组织人员在赛马场、牦牛广场、体育场、格萨尔广场等受灾群众集中的地方为群众提供30多部免费亲情电话和多处免费充电服务点。

2010年8月，中共青海省委、青海省人民政府、青海省军区授予张崇誉“全省抗震救灾模范”称号。当月，中共中央、国务院、中央军委授予张崇誉“全国抗震救灾模范”称号。

马千里　1962 年 8 月出生，青海省民和县人，回族，中共党员，新华通讯社青海分社总编室常务副总编辑、高级记者。

4 月 15 日 14 时 20 分，马千里带领的由总社和分社记者组成的第三批 8 人报道小分队紧急向玉树灾区奔赴。抗震救灾期间，他累计签发稿件 1000 多篇。参与采写的长篇通讯《不倒的玉树　奋进的力量——写在玉树抗震救灾一个月之际》等稿件，被中央电视台《新闻联播》摘要口播，新华每日电讯、《经济日报》等 40 多家中央及地方媒体重点采用，产生了良好的社会反响。

2010 年 8 月，中共中央、国务院、中央军委授予马千里“全国抗震救灾模范”称号。

郑太红　1965 年 8 月出生，湖南省永州市人，中共党员，青海电视台新闻中心采访部副主任。

4 月 14 日 8 时刚过，郑太红得知玉树发生地震的消息。在第一时间，他和 4 名同事火速赶往灾区，于 14 日深夜 24 时到达灾区。抗震救灾期间，他相继采写《决不放弃》《千里送暖寄深情》《群众冷暖在我心》《我们在一起》等大量富有感染力和影响力的电视新闻作品。这些新闻真实反映灾区救援情况，对鼓舞灾区人民的志气、弘扬抗震救灾精神发挥了良好的作用。

2010 年 8 月，中共青海省委、青海省人民政府、青海省军区授予郑太红“全省抗震救灾模范”称号。当月，中共中央、国务院、中央军委授予郑太红“全国抗震救灾模范”称号。

刘端强　1964 年 12 月出生，天津市人，中共党员，青海日报社新闻摄影中心记者。

4 月 14 日，得知玉树发生强烈地震的消息以后，刘端强立即在第一时间请战，并于当晚和同事们驱车赶往灾区。抢险救灾期间，他 3 次赴灾区，主要承担中央领导视察和省委主要领导指挥抗震救灾工作的摄影报道任务。感人至深的一幕是：才娃将头凑过去与强卫的头紧紧地碰在一起。这一刻他虽然也是泪水奔涌而出，但始终没有忘记自己的职责，不停地按动相机快门，记录下这感人的一幕。这幅作品被中央档案馆永久收藏。

2010 年 8 月，中共青海省委、青海省人民政府、青海省军区授予刘端强“全省抗震救灾模范”称号。当月，中共中央、国务院、中央军委授予刘端强“全国抗震救灾模范”称号。

王海咏（女） 1970年7月出生，青海省乌兰县人，中共党员，青海人民广播电台主任编辑。

4月14日，青海人民广播电台紧急组织报道小分队迅速奔赴地震灾区，王海咏成为中外媒体中较早进入玉树的记者，也成为青海人民广播电台第一批派往灾区采访的唯一女记者。在灾区的每一天，她和同事们始终和军人一样奋战在抢险救灾的最前线，置身于千千万万受灾群众当中。在最艰难的10多天里，她每天步行十几千米，冒着余震、疫病的危险，发回大量最新最快的独家报道，成为各界了解玉树抗震救灾情况的重要信息。她在灾区一线充满深情的直播报道在听众中引起广泛好评。

2010年8月，中共青海省委、青海省人民政府、青海省军区授予王海咏“全省抗震救灾模范”称号。当月，中共中央、国务院、中央军委授予王海咏“全国抗震救灾模范”称号。

程珠祖 1953年12月出生，湖南省道县人，中共党员，西部机场集团青海机场有限公司总经理。

4月14日8时30分，程珠祖接到玉树发生地震的通知。他立即召集公司会议，成立抗震救灾指挥部，启动应急预案，安排部署公司抗震救灾工作。随后，他赶赴机场坐镇应急指挥中心，召集青海民航系统各单位召开联席会议，协调分工，确保后续民航抗震救灾指挥体系的顺畅。在他有序指挥和高效协调下，震后两小时玉树机场重新开放，并确定飞往玉树抗震救灾的民航飞机，架起玉树通往西宁的空中生命救援通道。5小时内青海民航以及青海机场公司所属各机场全部完成抗震救灾飞行保障准备工作，当日中午组织第一架飞机由西宁飞向玉树，将首批指挥救援人员运抵玉树。

2010年8月，中共青海省委、青海省人民政府、青海省军区授予程珠祖“全省抗震救灾模范”称号。当月，中共中央、国务院、中央军委授予程珠祖“全国抗震救灾模范”称号。

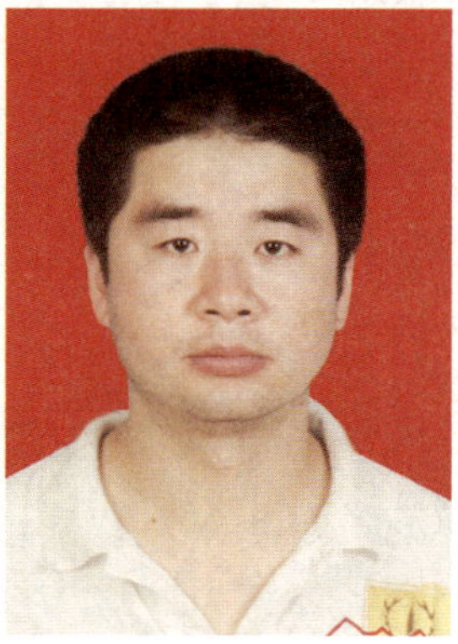

李欣 1978年6月出生，内蒙古自治区丰镇市人，北京博万科技发展有限责任公司总经理。

4月14日当晚，李欣带领突击组飞抵西宁，并连夜赶往重灾区结古镇。到达灾区后，他会同各专业救援队、武警官兵、当地团组织、各地志愿者迅速展开“黄金72小时”营救。连续6天的紧张工作，成功搜救出6名幸存者和11具遇难者遗体，救护运送30余名重伤员，为400余名偏远地区的受灾群众巡诊送药、送水送食物。之后，他又组织北京志愿者再次来到玉树，启动为期一年的“玉树希望之星”

小摄影师志愿者在行动活动。

2010 年 8 月，中共青海省委、青海省人民政府、青海省军区授予李欣“全省抗震救灾模范”称号。当月，中共中央、国务院、中央军委授予李欣“全国抗震救灾模范”称号。

二、其他省（市、自治区）全国抗震救灾模范

（一）名单（38 名）

北京市

蒋协远　　北京积水潭医院副院长、主任医师

天津市

冯忠兴　　天津市救灾物资储备站主任

陈　兵　　天津医科大学第二医院急诊科主任、主任医师

河北省

王文忠　　枣强县大营镇芍药村党总支书记

辽宁省

韩迪秋　　辽宁省建设工程安全监督总站副站长、高级工程师

王树诚　　辽宁省疾病预防控制中心副主任、主任技师

王健林　　大连万达集团股份有限公司董事长

黑龙江省

孙　旭　　大庆庆瑞物流有限公司项目经理

刘迎霞（女）　　哈尔滨翔鹰集团股份有限公司董事长

江苏省

邱海波　　东南大学附属中大医院副院长、主任医师

浙江省

马永春　　浙江省立同德医院主治医师

周选慈　　温州爱尔达制衣有限公司仓库管理员

江西省

熊积禄　　新建县红十字会常务副会长

吴海波（女，仫佬族）　　新余市红十字会科员

山东省

郭建政　　《齐鲁晚报》记者

卢志强　　泛海控股集团有限公司董事长

河南省

王向召　　河南电视台都市频道记者

湖北省

叶哲伟	华中科技大学同济医学院附属协和医院骨科副主任医师
唐晓安	湖北日报社社会部记者

广东省

金大地	南方医科大学南方医院骨科中心主任、主任医师
杨　琨	广东电视台新闻中心记者

重庆市

杨　阳	江津区先锋镇绣庄村村民，中国农业发展银行青海省玉树分行农民工
邓志根	重庆市卫生局农村卫生管理处副主任科员
何　熠（满族）	《重庆晨报》摄影记者

四川省

朱祥胜	四川省机场集团有限公司成都双流国际机场股份有限公司医疗救护中心副主任、副主任医师
周国兴	什邡市安全生产应急救援大队队长、经济师
杨　勇	四川省卫生厅应急办公室副主任

云南省

刘玉明	云南省第一人民医院副院长、主任医师

西藏自治区

金战兵	昌都地区地震局局长
巴桑次仁（藏族）	昌都地区民政局副科长

陕西省

徐永刚	陕西省人民医院副院长、主任医师
何喜奎	西部机场集团有限公司董事长、党委书记

甘肃省

孙亚军	甘肃省卫生厅应急办公室主任
吴　超	中共甘肃省委机要局副主任科员
王永超	甘肃省国土资源厅地质环境处处长

宁夏回族自治区

高　俊	宁夏回族自治区人民医院骨科主任、主任医师
王卫东	宁夏广播电视总台新闻中心记者

新疆维吾尔自治区

刘　健（女）	乌鲁木齐市红十字急救中心总护士长、主管护师

（二）事迹

蒋协远　1964 年 1 月出生，北京积水潭医院副院长、主任医师。

4 月 14 日，北京市卫生局组建由北京积水潭医院、北京大学第三医院、北京大学人民医院等医疗机构 60 名医务人员组成的救援队。蒋协远临危受命担任北京医疗救援队队长，他带领质控组成员当日抵达西宁后，对 237 名伤员进行分类，其中骨折病人占 80%。他深入病区查房，对重、危重的伤员仔细询问病情，详查 X 光片。一天下来一共走访 7 个病区，近 100 名伤病员。短短的几天时间，他巡察了西宁地区 6 家最大医院的 850 余名病人，重点检查已经做完手术和即将手术的病人，有效控制了盲目手术的情况。

2010 年 8 月，中共中央、国务院、中央军委授予蒋协远“全国抗震救灾模范”称号。

冯忠兴　1957 年 2 月出生，天津市人，中共党员，天津市救灾物资储备站主任。

得知地震消息的当日，冯忠兴立即启动《天津市救灾物资储备站物资调运应急预案》，组织人员将 2 万件救灾棉大衣发往灾区。在此后的 10 天内，连续 3 次向灾区紧急运送救灾物资 2.1 万件（包），重量近 700 吨；使用大型运输车辆 60 台次，组织救灾物资搬运人员近 210 人次，装载棚车 30 个，在全国率先将中央储备物资运抵灾区，受到了民政部的表扬。

2010 年 8 月，中共中央、国务院、中央军委授予冯忠兴“全国抗震救灾模范”称号。

陈兵　1967 年 7 月出生，天津市人，天津医科大学第二医院急诊科主任、主任医师。

地震发生后，陈兵主动请缨，赴青海省格尔木救治点。仅用一天时间就搭建了第一间 ICU 病房并具备了接诊条件，当日就接收多名危重伤员。救灾期间，在灾区医院建立起《收治病人制度》《转出病人制度》等一整套比较完善的管理制度，填补格尔木市医疗领域的多项空白，确保“零感染、零死亡”，为伤员构筑了一道坚实的“生命堡垒”。

2010 年 8 月，中共中央、国务院、中央军委授予陈兵“全国抗震救灾模范”称号。

王文忠 1962年4月出生，河北省枣强县人，中共党员，河北省枣强县大营镇芍药村党总支书记。

地震发生后，王文忠迅速组织一支由18名党员组成的抗震救灾突击队赶赴灾区。他自己拿出近30万元的救灾物资发放给受灾群众，还承担才旦卓尕家3个孩子上学期间的全部学费。抗震救灾期间，他个人出资40余万元。

2010年8月，中共中央、国务院、中央军委授予王文忠“全国抗震救灾模范”称号。

韩迪秋 1958年4月出生，辽宁省沈阳市人，中共党员，辽宁省建设工程安全监督总站副站长、高级工程师。

当得知辽宁省有援建任务后，韩迪秋第一时间主动向省建设厅领导请缨。到达灾区的第二天，他带领规划设计工作人员，挨家挨户进行调查、勘测，平均每天走访200余户。经过10余天的艰苦工作，掌握了完整准确的第一手资料，成为进驻灾区后第一家完整掌握援建地区基本情况的援建单位。7月初，他参与的第一批援建项目举行开工奠基仪式，成为首批开工的援建单位。

2010年8月，中共中央、国务院、中央军委授予韩迪秋“全国抗震救灾模范”称号。

王树诚 1955年1月出生，辽宁省沈阳市人，中共党员，辽宁省疾病预防控制中心副主任、主任技师。

4月26日晨，王树诚带领队员从西宁出发急奔玉树。27日早晨5点到达灾区。抗震救灾期间，他根据卫星航拍图将辖区划分成12个小区，然后把每个小区独立制成彩图，并标明帐篷、水井、厕所、垃圾点等防疫重点部位。对发现的流感样病例175例、腹泻病例50例、发热伴出疹4例，逐一采取相应治疗措施。完成辖区内46处水源的卫生情况调查，并根据检测数据结果，有针对性地实施消毒处理。针对当地两所学校易发疫病的情况，组织力量进行重点监测和防控，夯实疾病防治的基础，圆满完成灾区卫生防疫等任务。

2010年8月，中共中央、国务院、中央军委授予王树诚“全国抗震救灾模范”称号。

王健林　1954年10月出生，四川省成都市人，中共党员，大连万达集团股份有限公司董事长。

地震发生后，他在第一时间召开董事会，通过捐款决定。4月19日，得知“情系玉树·大爱无疆”抗震救灾大型募捐活动消息后，在刚刚向西南旱灾捐款4000万元的情况下，再次毫不犹豫地伸出援助之手，为玉树地震灾区捐款1亿元。

2010年8月，中共中央、国务院、中央军委授予王健林“全国抗震救灾模范”称号。

孙旭　1979年5月出生，黑龙江省齐齐哈尔市人，中共党员，大庆庆瑞物流有限公司项目经理。

4月15日，孙旭带领其他3名队友向地震灾区出发。18日凌晨到达灾区后，立即同玉树民政部门取得联系，承担起抗震救灾物资的运送任务。他和其他3名队友在灾区艰苦奋战11个昼夜，运送发放各类救灾物资2.6万件。递交5000元特殊党费，捐赠价值10余万元灾区最急需的物资。

2010年8月，中共中央、国务院、中央军委授予孙旭“全国抗震救灾模范”称号。

邱海波　1966年10月出生，河南省人，中共党员，东南大学附属中大医院副院长、主任医师。

4月23日23时，邱海波到达西宁后，迅速参与重症伤员救治工作，为病人开展床边血液滤过治疗，组织多学科专家会诊、紧急抢救，及时调整救治方案，直至把病人从死神手中抢救回来。他负责1000多名重症患者的筛查工作，重点担负青海省人民医院等3家医院重症伤员救治指导工作，每天开展重症患者查房、现场会诊工作。特别是运用汶川抗震救灾经验，大大提高了灾区危重病人抢救的成功率，最终使得玉树地震伤病者死亡率远远低于汶川地震。

2010年8月，中共中央、国务院、中央军委授予邱海波“全国抗震救灾模范”称号。

马永春 1978年3月出生，江苏省泗洪县人，中共党员，浙江省立同德医院主治医师。

4月17日晚，马永春赶赴灾区参与心理救援工作，并运用自身参与过灾后心理救援工作的经验，结合实际情况，创造性地开展心理救援工作，采取多种方式服务灾区人民，做出了突出贡献，出色完成了任务。

2010年8月，中共中央、国务院、中央军委授予马永春“全国抗震救灾模范”称号。

周选慈 1985年3月出生，浙江省温州市人，共青团员，温州爱尔达制衣有限公司仓库管理员。

在得知玉树发生地震后，周选慈联系温州市实验小学，在全校发动大规模募捐义卖等活动，筹集大量文具、衣服等爱心物品。在自身感冒高烧尚未痊愈的情况下，周选慈冒着生命危险深入灾区一线开展援助行动。在灾区，他发动社会爱心募集，3天时间募集到1500条棉被和11顶棉帐篷，解决了上拉秀中心技校和加巧分校的学生保暖问题。通过多方协调、联络，争取了3台净水设备，解决了4000多人的饮用水问题。

2010年8月，中共中央、国务院、中央军委授予周选慈“全国抗震救灾模范”称号。

熊积禄 1968年5月出生，江西省新建县人，中共党员，新建县红十字会常务副会长。

地震发生后，熊积禄带领干部职工向社会募集款物达216万元，募集款物总额在全省99个县（区）中遥遥领先，并在第一时间从应急救灾资金中向灾区汇出50万元的捐赠款。向全县各界发出《向青海玉树地震灾区捐款倡议书》，公布捐款账号和捐赠热线。在县城人员密集场所设置10个流动募捐点，方便爱心人士捐赠活动。通过信息简报、宣传栏、县电视台、县政府网站等多种渠道，向社会各界公布并及时更新募捐情况，接受社会各界的监督。

2010年8月，中共中央、国务院、中央军委授予熊积禄“全国抗震救灾模范”称号。

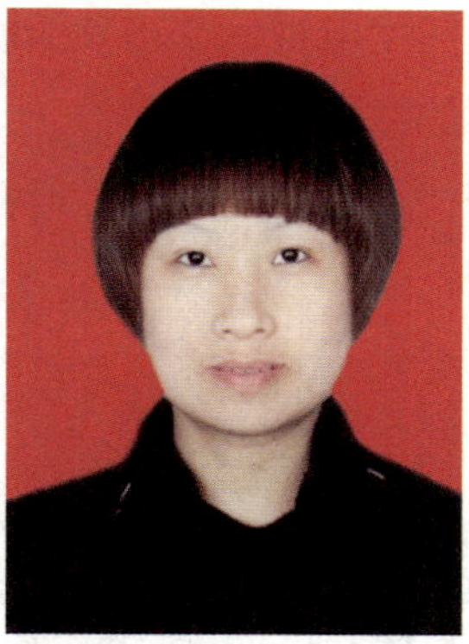

吴海波（女）　1969年5月出生，广西壮族自治区人，仫佬族，江西省新余市红十字会科员。

地震发生后，根据组织安排，吴海波与同事们在第一时间向社会发出为地震灾区募捐的紧急呼吁，在全市各单位和市民之中散发10万余张募捐倡议书，并在《新余日报》、电视台等媒体公布了捐款账号和捐款热线，设立了捐款点。之后短短一个多月，新余市红十字会共接收社会捐款达257万元，捐款额在全省红十字会系统人均排名第一。

2010年8月，中共中央、国务院、中央军委授予吴海波“全国抗震救灾模范”称号。

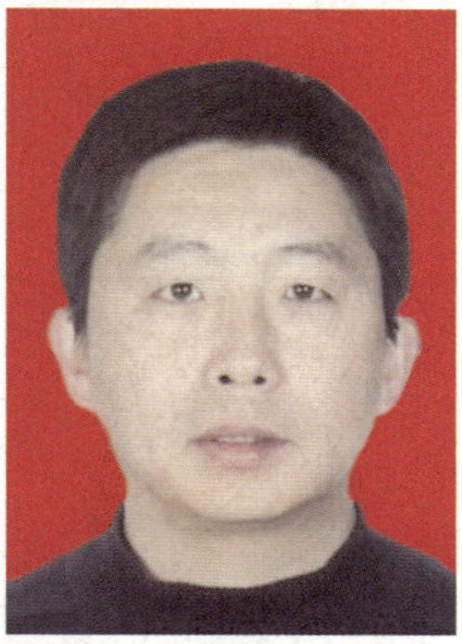

郭建政　1971年2月出生，山东省莱州市人，《齐鲁晚报》记者。

地震发生后，郭建政在第一时间主动请战，成为第一位赶至灾区的山东省记者。他每天背着30多千克的摄影设备，徒步行走20千米，拍摄了上万张照片，发回一篇篇报道，用影像记录灾区震后救援与重建工作。因过度劳累，他被诊断为急性高原肺水肿，随时会有生命危险，被强制入院治疗。

2010年8月，中共中央、国务院、中央军委授予郭建政“全国抗震救灾模范”称号。

卢志强　1952年11月出生，山东省威海市人，中共党员，山东省泛海控股集团有限公司董事长。

玉树地震发生后，集团董事会迅速决定向青海玉树地震灾区捐款1亿元，同时号召集团系统员工积极向灾区捐款捐物，支持抗震救灾。

2010年8月，中共中央、国务院、中央军委授予卢志强“全国抗震救灾模范”称号。

王向召　1979年5月出生，河南省襄城县人，中共党员，河南电视台都市频道记者。

4月14日，王向召得知地震发生后，第一时间向领导请缨，当晚即飞往青海灾区。抗震救灾期间，他先后采写《野战方舱医院实施第一例手术》《震前震后一个价——玉树河南老乡不发地震财》《大救援中的小舢板——河南民间救援队玉树遍地开花》等专题新闻，共向河南电视台发送新闻30余条。特别是《玉树州妇幼保健院震后急需重建》的新闻在河南电视台都市频道播发后，河南宋庆龄基金会和河南电视台都市频道联合发动社会力量募集爱心款 70 余万元，并全部用于玉树州妇幼保健院的重建。

2010 年 8 月，中共中央、国务院、中央军委授予王向召“全国抗震救灾模范”称号。

叶哲伟 1970 年 10 月出生，湖北省武汉市人，中共党员，华中科技大学同济医学院附属协和医院骨科副主任医师。

抗震救灾期间，他克服高原反应，将个人生死置之度外，转运救治伤员连续奋战 30 多个小时，持续高烧 39℃也不下火线，被誉为“灾难中挺立的白衣战士”。其事迹多次被中央电视台综合频道、中央电视台新闻频道及国内多家媒体报道。

2010 年 8 月，中共中央、国务院、中央军委授予叶哲伟“全国抗震救灾模范”称号。

唐晓安 1977 年 12 月出生，湖北省监利县人，中共党员，湖北日报社社会部记者。

抗震救灾期间，他先后采写的《“感谢湖北人”——我省医疗队抢运伤员小记》《老人莫哭，我们来帮你》《空中生命的接力》等报道，在社会上引起强烈反响。他慷慨解囊捐款慰问受灾群众旦增求松一家，受到当地有关部门和群众的高度评价。

2010 年 8 月，中共中央、国务院、中央军委授予唐晓安“全国抗震救灾模范”称号。

金大地 1952 年 10 月出生，江苏省苏州市吴江区人，中共党员，南方医科大学南方医院骨科中心主任、主任医师。

地震发生后，灾区伤者 80%以上为骨科病人。金大地作为骨科领域的全国知名专家，受卫生部指派作为专家顾问于 4 月 17 日紧急飞赴西宁指导抢救伤员。他不顾高原反应和旅途辛苦立即投入救治工作，到达当日即逐一检诊了 220 余名伤员，当晚通宵手术，连续工作 10 多个小时。在 C 臂 X 光透视环境下，他不顾个人安危，短短 8 天内累计检诊伤员 467 名，完成复杂手术 47 台。

2010 年 8 月，中共中央、国务院、中央军委授予金大地“全国抗震救灾模范”称号。

杨琨 1980年10月出生，广东省广州市人，中共党员，广东电视台新闻中心记者。

4月14日，杨琨作为广东电视台第一个、广东省第一批随救援队采访的记者到达玉树灾区后，立即投入采访，累计发稿10余篇，其中《广东救援队救出第一名生还者》等新闻在中央电视台各档栏目滚动播出。在直播组尚未到达玉树的情况下，他与同事及时组成简易直播小组，用3G电话和卫星频道、珠江频道、新闻频道的各档栏目做电话连线、现场直播，累计播出数量超过30多档，将灾区的第一手资讯及时传送给广东和全国的观众。

2010年8月，中共中央、国务院、中央军委授予杨琨“全国抗震救灾模范”称号。

杨阳 1987年12月出生，重庆市江津区人，中共党员，重庆市江津区先锋镇绣主村村民，中国农业发展银行青海省玉树分行农民工。

4月14日8时，他第一时间冲向最近的一排垮塌民房，成功救出7名藏族同胞。当时，有一位30多岁的藏族青年被埋在倒塌的土石木梁下，只露出半截身体。没有铁锹，没有锄头，他徒手刨开了一层层泥块，又搬走一块块石头，将压在藏族青年腿上的木梁撬开，藏族青年终于得救了。8时20分，就在杨阳准备离开时，藏族青年却哭着拉住了他。原来这位青年的妻子和女儿还困在废墟中。于是，他们两人趴在废墟上，用手一层层地拨开瓦砾、搬开土石、掀开木梁，救出母女二人，一家三口平安脱险。在抢险救灾的48小时内，他先后救出7名藏族同胞。

2010年8月，中共中央、国务院、中央军委授予杨阳“全国抗震救灾模范”称号。

邓志根 1982年8月出生，四川省成都市新都区人，中共党员，重庆市卫生局农村卫生管理处副主任科员。

地震发生时，邓志根的儿子刚出生10多天，爱人正在坐月子，但他主动要求奔赴救灾一线。他与队友共救治伤员2128人次。他白天积极参与伤员救治，晚上连夜撰写信息、统计医疗救治情况，每天工作14小时以上，共撰写简报信息20余篇，提供新闻素材近50条，拍摄影像资料长达10多个小时，照片数百张，为宣传抗震救灾做出了贡献。

2010年8月，中共中央、国务院、中央军委授予邓志根“全国抗震救灾模范”称号。

何熠　1979年8月出生，四川省苍溪县人，满族，《重庆晨报》摄影记者。

地震发生后，何熠赶赴灾区一线采访。在西宁机场，他拍摄了全国各地抗震救灾队伍集结的图片，并及时把这些照片传至报社。抵达玉树的当晚，第一时间发回《重庆消防铁军奋战玉树》等多篇稿件，被国内多家报刊和网站刊载和转载。之后他拍摄了上万张新闻照片，并向报社发送稿件30余篇，为报道青海玉树抗震救灾工作提供了鲜活的第一手资料。

2010年8月，中共中央、国务院、中央军委授予何熠“全国抗震救灾模范”称号。

朱祥胜　1968年8月出生，四川省安岳县人，中共党员，四川省机场集团有限公司成都双流国际机场股份有限公司医疗救护中心副主任、副主任医师。

朱祥胜接到空中转运玉树灾区伤员的紧急任务后，带领中心全体医护人员坚守机坪13小时，圆满完成3架次专机共177名伤员的转运任务，并为3架专机、224辆各类保障用车和1.7万平方米的机坪进行消毒。

2010年8月，中共中央、国务院、中央军委授予朱祥胜“全国抗震救灾模范”称号。

周国兴　1963年2月出生，四川省什邡市人，中共党员，什邡市安全生产应急救援大队队长、经济师。

地震发生后，身患糖尿病10年之久的周国兴主动请缨，率领20名队员迅速集结急驰玉树。他与队员一起，夜以继日，冒着余震的危险全力开展生死营救，共解救遇险人员2名，营救被困人员1名，挖出遇难者遗体13具，搜寻出现金及贵重物品价值110余万元。

2010年8月，中共中央、国务院、中央军委授予周国兴“全国抗震救灾模范”称号。

刘玉明　1952年5月出生，山西省灵丘县人，中共党员，云南省第一人民医院副院长、主任医师。

地震发生后，刘玉明作为云南省赴青海玉树抗震救灾医疗队副队长和医疗专家，在第一时间展开救援工作。在救灾一线，他不顾自己高血压、胃溃疡和头晕目眩等高原反应，接诊伤员，坚持工作。他率领的医疗队共救治 500 余名患者，无一例病人发生漏诊误诊，受到当地政府和群众的好评。

2010 年 8 月，中共中央、国务院、中央军委授予刘玉明“全国抗震救灾模范”称号。

金战兵　1954 年 3 月出生，山西省夏县人，中共党员，西藏自治区昌都地区地震局局长。

地震发生后，金战兵在第一时间组建由 58 人参加的西藏自治区赴青海玉树地震应急救援先遣队。到达灾区后，他带领队员在玉树县红旗小学、建筑公司等地挖出遇难者遗体 8 具，救出重伤员 1 人。主动参与完成结古镇和上拉秀乡一线的灾害评估工作，组织、指导绘制完成《震区房屋倒塌和人员集中掩埋区域图》《震区严重受灾范围及地震波及范围示意图》。抢险救灾期间，共编发信息等文字稿 25 份，为各级部门做出正确决策提供了科学依据。

2010 年 8 月，中共中央、国务院、中央军委授予金战兵“全国抗震救灾模范”称号。

巴桑次仁　1974 年 4 月出生，西藏自治区昌都县人，藏族，中共党员，昌都地区民政局副科长。

15 日凌晨 4 时到达玉树县结古镇后，一下车，巴桑次仁与昌都救援队的人员即马上加入分发物资的行列中，成为西藏自治区第一支到达玉树开展救援的队伍。在灾区的 60 多天里，他和队友始终置自身安危于不顾，穿行于救灾一线，早出晚归，抗严寒、战疲劳，顶余震、冒风沙，进村入户，查灾核灾，走访受灾牧户，耐心细致地做好群众的思想教育工作，稳定群众恐慌情绪，维护灾区秩序。主动承担救援队搭建帐篷、挑水煮饭等后勤保障工作，被救援队亲切称为“后勤部长”。

2010 年 8 月，中共中央、国务院、中央军委授予巴桑次仁“全国抗震救灾模范”称号。

徐永刚　1959 年 5 月出生，陕西省蒲城县人，中共党员，陕西省人民医院副院长、主任医师。

地震发生当日下午，徐永刚在最短的时间内组建了一支由 32 名医务人员组成的赴青海抗震救灾医疗救援队，4 月 15 日下午乘飞机抵达西宁，当日即进驻伤员较多的青海红十字医院。他带领医疗队队员在救援一线坚持奋战 15 天，共接诊伤员 315 人次，查房 1765 人次，会诊 44 人次，手术 27 人次，疑难讨论 7 人次，检伤 493 人次，筛查伤员 1075 人次，协调转运伤员千余人次。

2010 年 8 月，中共中央、国务院、中央军委授予徐永刚“全国抗震救灾模范”称号。

何喜奎 1953 年 1 月出生，甘肃省甘谷县人，中共党员，西部机场集团有限公司董事长、党委书记。

地震发生后，何喜奎第一时间建立横跨陕、甘、宁、青四省（区）的机场救灾保障体系，仅用 1 个多小时即打通玉树空中救援通道；紧急调集集团救援突击队和特种设备支援灾区，有效减缓救灾航班激增带来的保障压力。他亲赴西宁机场、玉树机场，连续奋战十几天，每天工作 20 小时左右。他组织机务部门与空管部门，科学计算飞机起降时间差，合理调配机位，有效提高机场运输能力。他果断决策，打破常规，简化流程，加快人员和物资的进出港速度，保证灾区机场在超出负荷 100 多倍的情况下有序运行。

2010 年 8 月，中共中央、国务院、中央军委授予何喜奎“全国抗震救灾模范”称号。

孙亚军 1963 年 10 月出生，陕西省宝鸡市人，中共党员，甘肃省卫生厅应急办公室主任。

地震发生当日，孙亚军和应急办其他人员一起，在最短的时间内组建甘肃省抗震救灾医疗救援队，历经 20 小时到达玉树灾区，成为全国第一支赶赴灾区的省级医疗救援队。抵达灾区后，他立即带领医疗救援队投入地震伤员的抢救和转运工作中，先后组织救援队转运伤员 48 架次、1569 人，抢救危重伤员 360 人，救治高原病患者 35 人，空中护送伤员转运 5 架次，实现伤员转运“零死亡”“零差错”，为伤员后续救治赢得宝贵时间。

2010 年 8 月，中共中央、国务院、中央军委授予孙亚军“全国抗震救灾模范”称号。

吴超 1982 年 2 月出生，湖北省天门市人，中共党员，中共甘肃省委机要局副主任科员。

地震发生后，吴超被派往青海玉树执行抗震救灾应急密码通信保障任务。抵达灾区后，他冒着零下 10 多度的严寒，不顾余震的袭扰，立即调试应急密码通信系统，确保通信系统运行畅通稳定，圆满完成抗震救灾应急密码通信服务保障任务。

2010 年 8 月，中共中央、国务院、中央军委授予吴超“全国抗震救灾模范”称号。

王永超　1964 年 7 月出生，陕西省乾县人，中共党员，甘肃省国土资源厅地质环境处处长。

地震发生后，王永超不顾肾脏手术刚刚恢复带来的身体不适，主动请缨，担任地质灾害应急排查队队长。抗震救灾期间，他带领排查队队员完成地质灾害隐患点排查 41 处，涉及人口 422 人。建议监测预警点 41 处，涉及人口 422 人。建议搬迁点 4 处，涉及人口 94 人。建议工程治理点 36 处，为灾后重建选址奠定坚实基础，有力支援了抗震救灾工作。

2010 年 8 月，中共中央、国务院、中央军委授予王永超“全国抗震救灾模范”称号。

高俊　1957 年 4 月出生，山西省文水县人，中共党员，宁夏回族自治区人民医院骨科主任、主任医师。

高俊带领的抢险队于地震当日下午出发，在震后 48 小时到达结古镇。在灾区，他与防疫队队员深入重灾区禅古村每户帐篷查看受伤群众，及时发放药品，进行伤口处理，并将危重病人及时转送。在村前村后、帐篷内外、寺院周围多次喷洒药物消毒。下河道取水样，并向群众宣传卫生常识及防疫措施。抗震救灾期间，他和队员共消毒帐篷 400 多顶次，救治受伤人员 200 多人。

2010 年 8 月，中共中央、国务院、中央军委授予高俊“全国抗震救灾模范”称号。

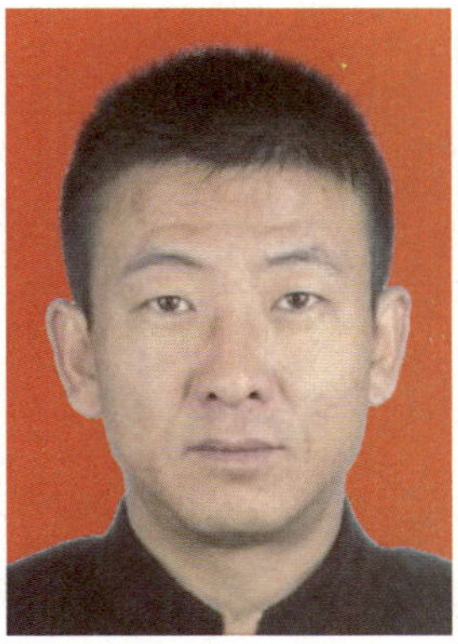

王卫东　1969 年 11 月出生，江苏省淮安市人，中共党员，宁夏广播电视总台新闻中心记者。

地震发生后，王卫东经过 30 个小时的昼夜颠簸到达灾区，当日救出受伤群众 3 人。此后，他和中央电视台采访人员一起，拍下一幕幕救援的感人画面，为中央电视台配合直播 6 次，为中央电视台新闻联播和宁夏电视台的字幕播发大量新闻。

2010 年 8 月，中共中央、国务院、中央军委授予王卫东“全国抗震救灾模范”称号。

刘健（女） 1965年12月出生，中共党员，新疆维吾尔自治区乌鲁木齐市红十字急救中心总护士长、主管护师。

刘健在抢险救援第一线，克服恶心、呕吐、头晕头痛等高原反应，积极配合大夫在救治现场为病人检查、打针、输液，同大家一起救治5名参加救援抢险的解放军战士，将一名脑水肿战士从死亡线拉了回来。她每天坚持给100多位病人测血压、打针。当乌鲁木齐市医务人员撤回西宁时，她又主动留下来，坚持到新疆救援队完成任务。

2010年8月，中共中央、国务院、中央军委授予刘健“全国抗震救灾模范”称号。

三、中央和国家机关全国抗震救灾模范

（一）名单（36名）

黎兴文（女）	中共中央对外宣传办公室一局调研员
丁　伟	人民日报社新闻协调部副主任、高级编辑
杨寿德（藏族）	新华通讯社青海分社记者
王　瑟	光明日报社驻新疆记者站站长
马玉宏（回族）	经济日报社驻青海记者站站长
刘　龙	中央电视台新闻中心记者
任　杰	中国国际广播电台新闻中心记者
张　进	中国日报社国际部副主任
黄书元	人民出版社党委书记、社长
郭晓光	国务院应急管理办公室副主任
王万平	国家发展和改革委员会经济运行调节局调研员
陈东升	教育部基础教育一司专项工作处副处长
章建良	青海省通信管理局党组书记、局长
吉太才让（藏族）	西北民族大学藏语言文化学院政治辅导员
邹　铭	民政部救灾司司长，国家减灾中心主任
张永双	中国地质科学院地质力学研究所地质灾害研究室副主任、研究员
张志敏	环境保护部环境应急与事故调查中心副主任
蔡团结	交通运输部道路运输司城乡客运处处长
刘　勇	交通运输部综合规划司公路规划处处长
刘明芳	青藏铁路公司辅业资产管理中心西宁装卸车间主任、助理工程师
宋树立（女）	卫生部办公厅新闻办公室主任

梁万年	卫生部卫生应急办公室主任
李　群	中国疾病预防控制中心疾病控制与应急处理办公室副主任、研究员
魏　平	中国人民银行玉树藏族自治州中心支行党委书记、行长
田有山	青海省玉树藏族自治州国家税务局办公室主任
刘　超	国家安全生产应急救援指挥中心指挥协调部协调处副处长
谢　武	四川煤矿安全监察局信息调度中心副主任
尹光辉	国家地震灾害紧急救援队重大事项联席会议办公室副主任
沙成宁	青海省地震局监测中心测震台网室主任、工程师
严兴起	青海省玉树藏族自治州气象台工程师
童光毅	国家电力监管委员会南方监管局安全处处长
多　杰（藏族）	中国民用航空青海安全监督管理局副局长
朱立国	中国中医科学院望京医院副院长、主任医师
吴天一（塔吉克族）	青海高原医学科学研究院院长、研究员
黄国满	中国测绘科学研究院研究员
陈军勇	青海省玉树藏族自治州邮政局党委书记、局长

（二）事迹

黎兴文（女）　1963年12月出生，台湾澎湖县人，中共党员，中共中央对外宣传办公室一局调研员。

4月15日，黎兴文带领工作组抵达西宁；16日凌晨驱车前往灾区，当晚抵达结古镇后马上开展工作。抗震救灾期间，由她牵头组成中央外宣办工作小组，迅速建立中央外宣办与灾区一线新闻媒体机构的沟通机制。组织先期到达的境外媒体参加17日的第一场新闻发布会。带领工作组精心组织境外记者参加各类新闻发布会，努力通过权威信息来有效引导境外舆论。针对热点问题，安排多场次境外记者集体采访活动，特别是在胡锦涛视察灾区的当日，组织境外记者近距离拍摄到胡锦涛视察灾情、慰问受灾群众的第一手画面，境外媒体对此十分高兴，纷纷表示感谢。

2010年8月，中共中央、国务院、中央军委授予黎兴文“全国抗震救灾模范”称号。

丁伟　1968年9月出生，河北省黄骅市人，中共党员，人民日报社新闻协调部副主任、高级编辑。

丁伟是中央新闻单位在一线坚守时间最长的负责人。他在灾区坚持15天，他组织策划、执笔采写或参与采写的报道有《危难时，我们挺直脊梁》《废墟上盛开民族团结花》《大救援，挑战罕见难度》《一顶帐篷的温暖“旅程”》《定居房成了“救命房”》等20多篇。其中，《在一起，人民有了主心骨》和《任何困难都难不倒英雄的中国人民》得到中央领导的表扬，《新华文摘》和中宣部《党建》杂志、《学习通讯》全文转载。

2010年8月，中共中央、国务院、中央军委授予丁伟“全国抗震救灾模范”称号。

杨寿德 1973年7月出生，青海省共和县人，藏族，中共党员，新华通讯社青海分社记者。

杨寿德是第一个到达地震灾区的新华通讯社记者。抗震救灾期间，他和兄弟分社记者实现中国电视网开播以来在高原地区大时段、滚动式无脚本电视直播，出色完成《新闻视点》《新华纵横》等大量电视专题和内参调研，参与直播22场，采写电视专题15条、电视新闻120多条，圆满地完成前期报道任务，得到总社和分社领导的高度评价。

2010年8月，中共中央、国务院、中央军委授予杨寿德“全国抗震救灾模范”称号。

王瑟 1961年9月出生，山西省武乡县人，中共党员，光明日报社驻新疆记者站站长。

抗震救灾期间，王瑟先后发表《藏族小伙心系结古》《玉树的色彩》《帐篷党支部：忙》《唐山志愿者：铁》《各民族同胞生死相依》等一批富有特色的稿件。在中央媒体中率先推出了《全力救助群众——记青海省玉树军分区司令员吴勇》的典型报道。

2010年8月，中共中央、国务院、中央军委授予王瑟“全国抗震救灾模范”称号。

马玉宏 1964年11月出生，青海省民和县人，回族，中共党员，经济日报社驻青海记者站站长。

马玉宏于4月14日24时出发前往灾区，15日中午到达结古镇。在抗震救灾最紧张的15天，他带领战友们走遍震中灾区的各个角落，先后采写、拍摄《只要有一线希望，我们就不会放弃》《拯救生命的神鹰》《因为我们有温暖的祖国》《帐篷学校开课了》《我们的责任就是保障群众生活》《攻坚克难保畅通——各方有效保障灾区通路、通电、通信纪实》《为抗震救灾提供有力保障——青海玉树巴塘机场担当灾区生命救援和物资快运重任纪实》等来自抗震救灾一线的报道和新闻照片 100 多篇（幅），充分发挥了抗震救灾新闻报道排头兵作用。

2010 年 8 月，中共中央、国务院、中央军委授予马玉宏“全国抗震救灾模范”称号。

刘龙　1975 年 4 月出生，山西省临汾市人，中共党员，中央电视台新闻中心记者。

地震发生后，刘龙立即组织由 8 人组成的包括卫星车在内的直播队伍直奔灾区。到达灾区后，在震后短短的 20 多个小时内为中央电视台多个频道、栏目完成近 25 场直播，受到台领导多次表扬和肯定。抗震救灾期间，他和他的小分队带来最快的现场直播 38 场，独立完成近 30 条新闻。

2010 年 8 月，中共中央、国务院、中央军委授予刘龙“全国抗震救灾模范”称号。

任杰　1982 年 5 月出生，天津市人，中共党员，中国国际广播电台新闻中心记者。

地震发生后，中国国际广播电台迅速启动应急报道机制，任杰作为首批 3 名特派记者之一，于 4 月 15 日 23 时抵达西宁，并于次日凌晨 1 点驱车赶往震区。抵达灾区的第二天，连夜发出录音特写《一分希望万分努力——青海玉树地震 72 小时救援现场》。在灾区的日子里，几乎每天清晨 7 点，他都要在早间广播节目中做连线，向听众介绍抗震救灾最新动态，在灾区七天六夜共完成近 20 条现场连线和口播。

2010 年 8 月，中共中央、国务院、中央军委授予任杰“全国抗震救灾模范”称号。

张进　1980 年 2 月出生，江苏省扬州市人，中共党员，中国日报社国际部副主任。

在抗震救灾第一线，张进突出《中国日报》及早策划、深度报道的优势，针对海外媒体的不实或者偏颇报道予以坚决驳斥，让国际社会倾听到真实的声音。他在每次采访安置点、接触灾区群众时，都会客观地告诉他们最新的伤亡情况、余震情况和救灾的进展情况，满足群众对信息的需求，让他们燃起生活的渴望，鼓足抗震救灾的勇气。他积极宣传卫生防疫和地震知识，帮助群众解除思想顾虑。

2010 年 8 月，中共中央、国务院、中央军委授予张进“全国抗震救灾模范”称号。

黄书元　1956年10月出生，安徽省舒城县人，中共党员，人民出版社党委书记、社长。

地震发生后，黄书元紧急调拨《地震灾害自救互救防疫》等一批普及地震常识的图书紧急运往灾区；将中国地震局宣传教育中心编写的《抗震救灾实用手册》，以最快的速度出版印刷，发往地震灾区。抗震救灾期间，人民出版社先后捐赠救灾款200万元及帐篷50顶、棉被1000床、图书价值达100万元。

2010年8月，中共中央、国务院、中央军委授予黄书元“全国抗震救灾模范”称号。中国红十字会授予黄书元“中国红十字会博爱奖”。

郭晓光　1969年1月出生，辽宁省北票市人，中共党员，国务院应急管理办公室副主任。

郭晓光在严重高原反应的情况下，多次深入灾区，了解灾情，慰问受灾群众，精心做好服务工作。共起草会议纪要、内部情况通报、抗震救灾情况专报等文字材料100多份，办理抗震救灾各类文件1000余件，为国务院领导指挥救灾起到参谋助手作用。由他起草的《玉树地震灾区特点及其对恢复重建的影响》，从玉树自然条件、社会经济环境和恢复重建面临问题等方面全面分析地震的特点，为抗震救灾和恢复重建工作提供有益参考，受到国务院领导的表扬。

2010年8月，中共中央、国务院、中央军委授予郭晓光“全国抗震救灾模范”称号。

王万平　1956年2月出生，甘肃省古浪县人，中共党员，国家发展和改革委员会经济运行调节局调研员。

抗震救灾期间，他迅速完成保障组组建、会商会议组织等准备工作，及时起草应急值守、信息报告、文件流转等工作制度，及时收集、整理汇总保障组各成员单位每日报送的现场抢险抗灾保障任务进展和后方支援保障动态，编写多期“基础设施保障和生产恢复组专报消息”，参与灾区电力、煤炭、成品油等基本要素保障，协调落实青海省提出的2批24种应急物资，及时将2万余套学生用床、课桌椅及黑板讲台、实验室设备等运往灾区。

2010年8月，中共中央、国务院、中央军委授予王万平“全国抗震救灾模范”称号。

陈东升　1976年12月出生，河南省方城县人，中共党员，教育部基础教育一司专项工作处副处长。

灾后7天内，陈东升组织人员把教育部为灾区学生准备的千余套学习、生活用品迅速运至灾区，把教育部补贴高三学生的生活费和为灾区学生编写的藏汉双语心理辅导读本发放到每一个学生手中。他加紧与部分省份协调沟通转移安置灾区受灾学生，多次到天津、四川等省考察接收灾区学生的学校，确定由天津、四川等7个省负责接收中学生5000余名。他加班加点，为各省与青海省具体落实对接商谈及最终制订方案倾注大量的精力，涉及吃、住、行等许多繁杂的工作。

2010年8月，中共中央、国务院、中央军委授予陈东升“全国抗震救灾模范”称号。

章建良　1959年10月出生，浙江省人，中共党员，青海省通信管理局党组书记、局长。

4月14日上午，章建良立即组织召开紧急会议，迅速成立由他担任组长的通信抢险救灾工作领导小组，研究部署抢险救灾保障通信工作。在灾区现场指挥通信线路抢修工作，震发当晚开通总指挥部的应急指挥电话，为抗震救灾指挥打通了第一条通信生命线。震后第二天上午，他组织抢通玉树机场的移动通信网络，使通信成为灾区第一时间抢通的基础设施。下午抢通玉树州所辖的6个县的全部通信，并开始向乡镇延伸，为抗震救灾指挥提供了强有力的保障。

2010年8月，中共中央、国务院、中央军委授予章建良“全国抗震救灾模范”称号。

吉太才让　1979年3月出生，青海省共和县人，藏族，中共党员，西北民族大学藏语言文化学院政治辅导员。

地震发生后，吉太才让带领由西北民族大学40名熟练掌握康巴藏语方言的师生组成的志愿者队伍，随兰州军区抗震救灾部队紧急赶赴灾区，为抗震救灾部队担任志愿翻译工作。他在灾区坚持16天，和志愿者一起，英勇无畏，克服困难，努力工作，出色完成各项工作任务，得到兰州军区和地震灾区有关方面的充分肯定，受到社会各界的广泛关注和好评。

2010年8月，中共中央、国务院、中央军委授予吉太才让“全国抗震救灾模范”称号。

邹铭　1964年11月出生，新疆维吾尔自治区乌鲁木齐市人，中共党员，民政部救灾司司长，国家减灾中心主任。

地震发生后，他紧急启动与铁路、航空、交通、军队的应急联动机制，紧急调运帐篷、棉衣棉被、方便食品。灾后2小时即向灾区起运2万顶棉帐篷、5万件棉大衣、5万床棉被、500套简易厕所，

15日晚首批救灾物资运抵玉树灾区。抗震救灾期间，他组织人员先后向灾区运抵帐篷8.45万顶、棉被25.69万床、棉大衣14.98万件、大米2746吨、面粉1897吨、食用油342吨、青稞5000吨、方便食品和矿泉水1670吨、野战食品10万份、取暖煤炉1.3万个、活动板房4.8万平方米等，为受灾群众提供了基本物质保障。

2010年8月，中共中央、国务院、中央军委授予邹铭“全国抗震救灾模范”称号。

张永双 1968年12月出生，山东省龙口市人，中共党员，中国地质科学院地质力学研究所地质灾害研究室副主任、研究员。

地震发生后，张永双于15日就加入国土资源部玉树地震应急专家组奔赴灾区。4月16日到达灾区后，他们组成地震破裂调查小组，独立承担玉树地震断裂和地震地表破裂的应急调查任务。17日，他们率先发现典型的地震地表破裂带，扭转了前期人们认为玉树地震没有地表破裂的看法。在短短的4天时间内，他们基本查清玉树地震地表破裂的地质结构，并进行精细的实地测量，提交《玉树地震地表破裂应急调查报告》，为玉树地震灾情快速评估及灾后重建规划提供了重要依据。

2010年8月，中共中央、国务院、中央军委授予张永双“全国抗震救灾模范”称号。

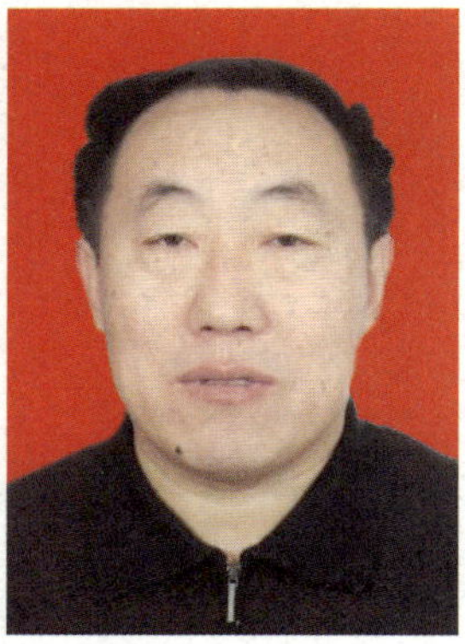

张志敏 1956年3月出生，河北省唐县人，九三学社社员，环境保护部环境应急与事故调查中心副主任。

地震发生后，张志敏带领环境保护部抗震救灾工作组有关人员立即赶赴灾区。他现场组织应急救援和风险排查工作，确保环境应急监测组在第一时间迅速真实地向灾区指挥部提供了第一手环境监测数据；指导地方政府制定《玉树地震灾区环境监测预警方案》《玉树地震灾区水污染处置预案》《玉树地震灾区应急监测方案》，为开展抗震救灾及灾后重建工作提供了科学决策依据。

2010年8月，中共中央、国务院、中央军委授予张志敏“全国抗震救灾模范”称号。

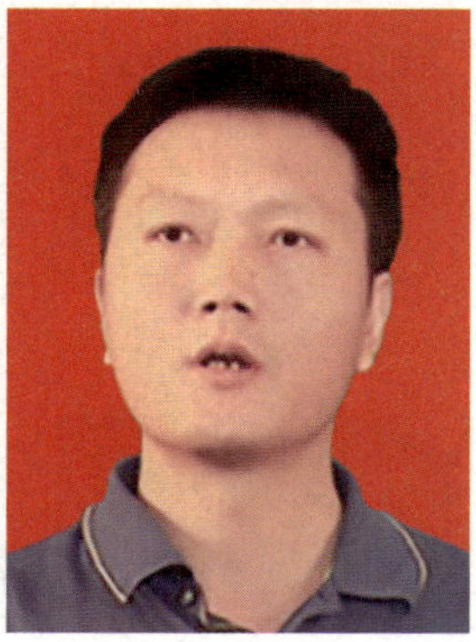

蔡团结 1972年1月出生，河南省人，中共党员，交通运输部道路运输司城乡客运处处长。

为确保玉树灾后重建运输保障工作有序、高效进行，蔡团结深入灾区进行现场调研，实地考察通往灾区的1500余千米主要运输通道、运力储备、客货运站场、维修装卸网点等情况，提出《青海省玉树灾后重建道路运输应急保障方案》。协调地方交通运输部门调派货运车辆2531辆次，运送钢材、水泥等灾后重建物资71.2万吨，运送木材

2977 立方米；协调客运车辆 67 辆次，运送 847 名伤愈人员返乡，转运灾区师生 2765 人。

2010 年 8 月，中共中央、国务院、中央军委授予蔡团结“全国抗震救灾模范”称号。

刘勇　1971 年 10 月出生，辽宁省铁岭市人，中共党员，交通运输部综合规划司公路规划处处长。

作为国家玉树地震灾后恢复重建总体规划编写组成员、城乡规划建设组联络员和交通运输部灾后公路恢复重建专项规划人员，刘勇多次赴地震灾区调研，累计行程 1200 千米，全程参与灾后恢复重建工作，完成灾后重建规划编制任务。拟订灾后公路恢复重建方案，提出的有关内容纳入国务院《玉树地震灾后恢复重建总体规划》。参与研究《国务院关于做好玉树地震灾后恢复重建工作的指导意见》《国务院关于支持玉树地震灾后恢复重建政策措施的意见》以及青海省一系列相关保障方案。

2010 年 8 月，中共中央、国务院、中央军委授予刘勇“全国抗震救灾模范”称号。

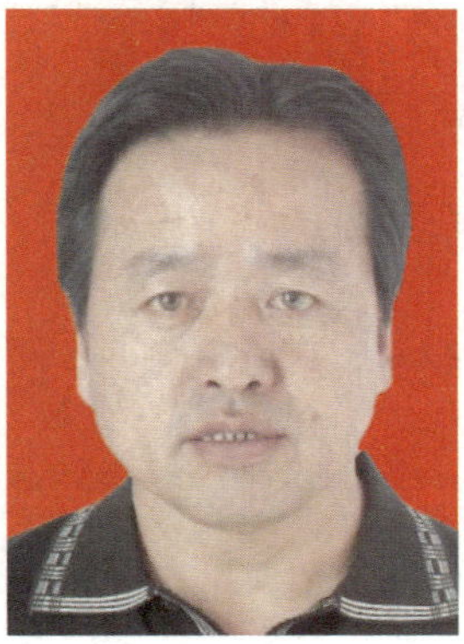

刘明芳　1958 年 1 月出生，青海省西宁市人，中共党员，青藏铁路公司辅业资产管理中心西宁装卸车间主任、助理工程师。

地震发生后，刘明芳将 30 多台装卸机械全部启用，快卸快装，确保抗震救灾物资送往灾区。他克服本车间装卸机械不足的困难，组织性能好的叉车和业务强的 3 名叉车司机支援西宁机场。连夜从乐都、西站、北站组织 240 名装卸人员集结西宁货场，确保救灾物资集中到达期间有足够的装卸劳力。抗震救灾期间，他组织带领西宁装卸车间全体员工，抢卸抗震救灾物资专列 1000 余车，抢卸抢装抗震救灾物资 6 万余吨。

2010 年 8 月，中共中央、国务院、中央军委授予刘明芳“全国抗震救灾模范”称号。

宋树立（女）　1964 年 3 月出生，北京市人，中共党员，卫生部办公厅新闻办公室主任。

抗震救灾期间，宋树立编发新闻稿件近 400 篇，被中央主要媒体和各门户网站广泛采用，较好地向社会宣传卫生工作的决策部署和进展成效，世界卫生组织驻华代表处对卫生部网站抗震救灾信息的公开、丰富和及时做了高度评价。她组织中央新闻单位开展专题采访，发表各类报道 300 多篇，通过电视、广播、报纸、网络等多种媒体形式，持续宣传报道医疗救治和卫生防疫工作。其中，《七朵雪莲花》被中宣部列入“抗震救灾英雄谱”，中央各大媒体进行集中报道，新华社还刊发内参。

2010 年 8 月，中共中央、国务院、中央军委授予宋树立“全国抗震救灾模范”称号。

梁万年 1961 年 1 月出生，安徽省明光市人，中共党员，卫生部卫生应急办公室主任。

地震发生后，梁万年赶赴灾区指导协调开展紧急医学救援工作。抗震救灾期间，他协调解放军、武警、铁路、民航等部队和政府部门，在重症伤员转运、高原病防治、鼠疫防控、统筹军地医疗卫生援助等方面发挥了重要的作用。组织分析灾区鼠疫防控形势，提出具体防控措施建议，制订落实鼠疫防控工作方案。指导组建专业鼠疫防治灭獭队伍，开展动物鼠疫疫情监测、保护性灭獭、鼠疫防治知识健康宣教以及医疗卫生人员鼠疫防治知识专业培训等工作。

2010 年 8 月，中共中央、国务院、中央军委授予梁万年“全国抗震救灾模范”称号。

李群 1969 年 7 月出生，安徽省阜南县人，中共党员，中国疾病预防控制中心疾病控制与应急处理办公室副主任、研究员。

地震发生后，李群先后组织 60 余人次前往灾区，持续开展救灾防病工作。抗震救灾期间，他组织和协助现场各工作队完成安置点公共卫生状况快速评估、灾区疾病监测和报告系统恢复、食品安全、饮水卫生、环境卫生和媒介生物监测、免疫规划工作恢复、救援人员和大众高原病、鼠疫等预防知识健康教育等多项任务。组织专家会同青海省制定《玉树灾区鼠疫监测防控工作方案》，全面启动灾区鼠疫监测、灭獭、医务人员培训和健康教育工作。组织启动移动生物安全检测实验室，经过一天一夜的测试，检测结果排除鼠疫菌感染的可能，移动生物安全检测实验室首次实战即取得成功。

2010 年 8 月，中共中央、国务院、中央军委授予李群“全国抗震救灾模范”称号。

魏平 1963 年 3 月出生，四川省新津县人，中共党员，中国人民银行玉树藏族自治州中心支行党委书记、行长。

地震发生的前一天，魏平的父亲因病去世。地震发生后，他毅然决定赶赴灾区，并作出“保安全、保支出、保稳定”的工作安排。到达灾区后，立即组建业务组、安保组、后勤组和信息组 4 个小组，带领全体职工，严守金库安全，挖掘被埋人员，抢救设备资料，清理建筑废墟，确保抗震救灾工作有序开展。逐一安排落实救灾物资的发放和业务工作的开展，三天三夜没合眼，保证了灾后第一天恢复支付系统，第二天 7 个帐篷银行开业，第三天金融系统武装保卫到位，第五天人民银行及玉树地区金融系统抗震救灾从应急转入有序，第六天开展抢救客户信息、系统设备和资料档案工作，金融机构在第一时间恢复运营，为抗震救灾工作的顺利进行奠定了基础。

2010 年 8 月，中共中央、国务院、中央军委授予魏平“全国抗震救灾模范”称号。

田有山　1974 年 6 月出生，青海省大通县人，中共党员，青海省玉树藏族自治州国家税务局办公室主任。

地震发生时，田有山刚好走到州国税局大院，强烈的地震波使院内的楼房先是剧烈摇晃，继而扭曲倒塌。面对这一情景，他一边大声喊同志们不要怕，一边向被废墟掩埋人员最密集的接待室冲去。在他奋不顾身的精神感召下，其他生还的人员也加入救援队伍当中，爬进废墟，用手刨，用肩扛，用木棒撬，在第一时间将被埋人员一一救出。抢险救灾期间，他经常加班加点，抢运物资，3 天时间完成半个月的工作量。由于超负荷工作，他的腿虽然肿了，但他始终奋战在第一线。

2010 年 8 月，中共中央、国务院、中央军委授予田有山“全国抗震救灾模范”称号。

刘超　1972 年 9 月出生，山东省泰安市人，中共党员，国家安全生产应急救援指挥中心指挥协调部协调处副处长。

地震发生后，刘超带领全体队员在灾区坚持九天九夜，从废墟中抢救出 46 名幸存者，清理出 71 具遇难者遗体，救助和转运受伤人员 241 人，抢运生活物资 320 余吨，抢运出包括佛经、佛像在内的贵重物资价值 940 余万元、现金 100 余万元，发放价值 6 万余元的救灾物资，搭建帐篷 91 顶，为玉树抗震救灾工作做出了积极的贡献。

2010 年 8 月，中共中央、国务院、中央军委授予刘超“全国抗震救灾模范”称号。

谢武　1967 年 12 月出生，四川省巴中市人，中共党员，四川煤矿安全监察局信息调度中心副主任。

地震发生后，他带领 179 名矿山救援队员前往灾区，主要承担伤员的转运工作。在转运一批伤员的途中，他根据伤情果断决定将其中 20 多名重伤员及时改乘飞机运往医院。当一批伤员转运到医疗队后，他帮助寻找翻译，及时组织开展急救，为抢救伤员赢得宝贵时间。在又一次转运伤员的过程中，多名伤员情况危急，他和队员一起迅速赶到前线救灾医疗点，及时领取急救药品，并带上急救车辆前去支援，使伤员及时得到救治。

2010 年 8 月，中共中央、国务院、中央军委授予谢武“全国抗震救灾模范”称号。

尹光辉 1960年5月出生，河北省肃宁县人，中共党员，国家地震灾害紧急救援队重大事项联席会议办公室副主任。

抗震救灾期间，尹光辉与某工兵团、武警总医院的领导共同指挥救援队成功救出7名幸存者，并派出450人次对灾区倒塌建筑物埋压人员进行拉网式、地毯式排查，共救出300名伤员。先后转战208个作业点，重点对以土木结构为主的居民区组织专家进行科学研判、设备搜索和犬搜索。协助受灾群众从废墟中挖出存折5个，搬运物资100余吨，抢救机密档案室2处、建筑物鉴定机构3处，搭建帐篷3顶。组织救援队流动医院接诊1457人，巡诊292人次。

2010年8月，中共中央、国务院、中央军委授予尹光辉“全国抗震救灾模范”称号。

沙成宁 1975年2月出生，青海省西宁市人，中共党员，青海省地震局监测中心测震台网室主任、工程师。

地震发生后，沙成宁作为玉树现场工作队流动观测组组长，带领组员在震区架起第一台强震仪，并在短短的5天内架设了43台地震流动观测仪器，观测面积覆盖整个玉树灾区。在地震发生后的10天内，共监测余震1412次。为保证这些观测数据能够及时准确的传输，他尽力克服灾区通信条件极差的困难，协调有关部门确保观测数据传输渠道的稳定和畅通，为抗震救灾提供了科学研判依据。

2010年8月，中共青海省委、青海省人民政府、青海省军区授予沙成宁“全省抗震救灾模范”称号。当月，中共中央、国务院、中央军委授予沙成宁“全国抗震救灾模范”称号。

严兴起 1965年4月出生，青海省互助县人，青海省玉树藏族自治州气象台工程师。

地震发生后，严兴起从废墟中爬出，有两根肋骨断裂，但他迅速赶到单位，投入抢救气象仪器、设备的战斗中。他顾不上身体的疼痛坚持安装设备，在电脑上调出当日卫星云图进行认真分析，3小时后他编发出第一份手工气象预报，上报省气象台和玉树州委、州政府抗震救灾指挥部。他带病工作23天，按时参加每日的天气预报会商和发布，一份份气象信息、天气预报从他手中送出。

2010年8月，中共中央、国务院、中央军委授予严兴起“全国抗震救灾模范”称号。

童光毅　1969 年 1 月出生，湖北省蕲春县人，中共党员，国家电力监管委员会南方监管局安全处处长。

地震发生后，童光毅立即赶赴灾区，一方面及时向国家电监会和南方电监会报告灾情，一方面协调安排抢修队伍、设备安装、抢修材料等事宜，确保应急指挥中心、医院、安置点的用电。抗震救灾期间，他协调成都电监办与四川省电力公司支援灾区 1700 个灯泡、1900 个灯头；协调国家电网公司的 60 人抢险队伍和两台发电机运抵玉树；协调南方电监局和南方电力公司的 110 台应急发电机运抵灾区，确保了抗震救灾的应急用电。他发动长江商学院同学为灾区捐款 500 余万元。

2010 年 8 月，中共中央、国务院、中央军委授予童光毅“全国抗震救灾模范”称号。

多杰　1965 年 6 月出生，青海省祁连县人，藏族，中共党员，中国民用航空青海安全监督管理局副局长。

抢险救灾期间，多杰带领全体参战人员保障抗震救灾飞行 1027 架次，其中专机、重要飞行及包机 30 余架次；运送人员 3.31 万人次，其中伤员 4459 人次；运送救灾物资 4233 吨。他会同相关部门及时制定印发《关于加强玉树、西宁机场抗震救灾期间安全运行的十七项监管措施》，保证“空中生命线”的畅通。

2010 年 8 月，中共中央、国务院、中央军委授予多杰“全国抗震救灾模范”称号。

朱立国　1961 年 9 月出生，天津市人，中共党员，中国中医科学院望京医院副院长、主任医师。

他 3 次赴灾区参加抗震救灾。抗震救灾期间，他带领的专家组共会诊及救治伤员 100 余名，对其中 20 余例疑难重症患者制订了详细的治疗方案；开展重症伤员手术 8 台，其中由他主持的严重脊柱损伤手术 4 台。结合汶川抗震救灾康复诊治经验，主动提出玉树地震灾后伤员康复计划，组织医疗专家组成员和当地专家一起讨论制订具有传统医药特色的灾后伤员康复计划。

2010 年 8 月，中共中央、国务院、中央军委授予朱立国“全国抗震救灾模范”称号。

吴天一 1934年11月出生，新疆维吾尔自治区伊犁哈萨克自治州人，塔吉克族，中共党员，青海高原医学科学研究院院长、研究员。

地震发生后，75岁高龄的吴天一坚决要求奔赴灾区并担任高原急救专家医疗队队长，被誉为抗震救灾队伍中学识最高、适应最强、年龄最大的“三最院长”。他在灾区奋战7天，发放《高原保健手册》1万册，帮助救援人员掌握保障生命的安全知识。现场参与和指导大量急性高山病的治疗，对36例高原肺水肿采取就地抢救治疗获得成功。协助卫生部制定《青海省玉树县地震灾区救援人员高原病医疗保障方案》，主持召开全国“玉树地震医疗救援和灾后重建高原卫生保障论坛会”，建立100万元研究基金用于高原病的研究和防治。

2010年8月，中共中央、国务院、中央军委授予吴天一“全国抗震救灾模范”称号。

黄国满 1966年5月出生，湖南省汨罗市人，中国测绘科学研究院研究员。

黄国满在玉树抗震救灾测绘应急保障工作中，用新研制技术获取地震灾区影像数据，制作提供地震灾区灾情雷达影像解译图及有关信息。抗震救灾期间，他克服高原反应强烈等困难，坚持走在前面，干在前面，快速响应、科技救灾，准确提供灾情信息，服务决策指挥、救灾抢险、灾情评估等工作，为玉树抗震救灾做出突出贡献。

2010年8月，中共中央、国务院、中央军委授予黄国满“全国抗震救灾模范”称号。

陈军勇 1963年6月出生，广东省兴宁市人，中共党员，青海省玉树藏族自治州邮政局党委书记、局长。

地震发生后，陈军勇迅速查看灾情、清点人员，组织10多辆车疏散州、县邮政局职工及其家属，并妥善安置。组织成立搜救小组，成功救出1名幸存的职工家属。他组织职工抢救、转移本局的人事、财务、业务、行政档案4万余卷（册）。及时组织成立抗震救灾指挥部，确保食品、药品、帐篷等生活必需品的及时发放到位。在灾后第三天建起“临时邮局”，恢复正常营业，将机要邮件以及党报党刊准确投递到位。

2010年8月，中共中央、国务院、中央军委授予陈军勇“全国抗震救灾模范”称号。

四、国务院国资委管理的中央企业全国抗震救灾模范

（一）名单（15 名）

白瑞杰	中国航天科技集团公司中国四维测绘技术总公司四维航空遥感有限公司总经理助理
高卫军	中国航天科工集团公司第一研究院北京航天科工世纪卫星科技有限公司项目主管、高级工程师
窦学松	中国兵器工业集团公司北京北方车辆集团有限公司兴燕公司售后服务员
宋江华	中国兵器装备集团公司武汉滨湖电子有限责任公司售后服务员
孙　龙	中国电子科技集团公司第三十八研究所工程师
杜丽学	中国石油天然气集团公司中国石油天然气股份有限公司青海销售分公司总经理、高级经济师
祁太元	国家电网公司青海省电力公司总工程师
王新元	中国华电集团公司青海华电大通发电有限公司副总经理、党委委员
钟　敏	中国航空集团公司中国国际航空股份有限公司西南分公司飞行部飞行五大队副大队长
孙雪松	中国东方航空集团公司中国东方航空股份有限公司西北分公司副总经理
马旌升	中国储备粮管理总公司兰州分公司中央储备粮西宁直属库党支部书记、主任
包瑞昌	中国冶金科工集团有限公司中冶天工集团有限公司项目部车队队长
布才仁（藏族）	中国电信集团公司青海省电信有限公司玉树州分公司副总经理、经济师
阿克明	中国联合网络通信集团有限公司玉树藏族自治州分公司网络部员工
王　勇	中国移动通信集团公司青海有限公司网络部技术支援主管、工程师

（二）事迹

白瑞杰　1979 年 10 月出生，河北省唐山市人，中共党员，中国航天科技集团公司中国四维测绘技术总公司四维航空遥感有限公司总经理助理。

4 月 14 日下午，白瑞杰主动请缨，亲自带队，选拔 15 名工程师，抽调 4 套无人机设备，分 4 路向玉树进发。抢险救灾期间，他经过认真分析，决定为无人机换装大功率动力系统，成功实施了航摄作业，获取重灾区 30 平方千米左右、0.1 米高分辨率的影像数据。先后完成

对玉树州、县政府驻地结古镇、下拉秀镇等地区的 1∶1000 比例尺航摄数据采集工作，实现国内首次高海拔地区无人机成功作业，为抗震救灾工作提供有力支持。

2010 年 8 月，中共中央、国务院、中央军委授予白瑞杰“全国抗震救灾模范”称号。

高卫军　1972 年 11 月出生，安徽省六安市人，中共党员，中国航天科工集团公司第一研究院北京航天科工世纪卫星科技有限公司项目主管、高级工程师。

在抗震救灾中，高卫军与其他同事紧密合作，出色地完成 8 个可承载 600 多路电话同时通信的基站建立和测试工作，为余震等一切后续紧急情况扫清通信障碍，有力保证了灾区应急通信畅通。为中国移动 5 辆应急通信车和总后勤部 4 辆远程医疗会诊车提供通信技术保障服务，对灾区恢复通信和医疗会诊做出积极的贡献。为济南军区方舱医院远程医疗会诊车及时解决使用中出现的许多技术难题，保证了医疗会诊车更好地为灾区人民开展医疗服务。

2010 年 8 月，中共中央、国务院、中央军委授予高卫军“全国抗震救灾模范”称号。

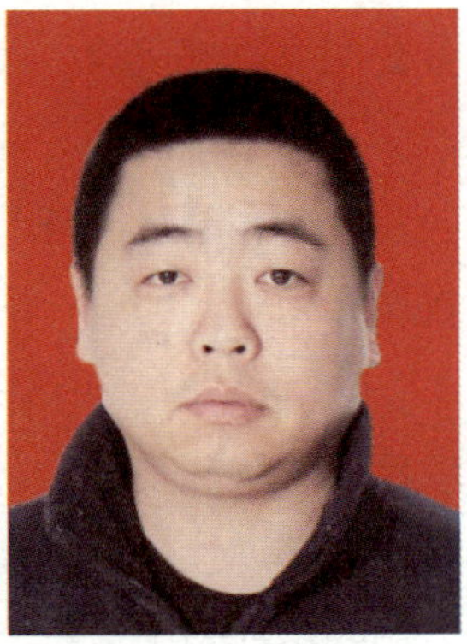

窦学松　1981 年 10 月出生，北京市人，中共党员，中国兵器工业集团公司北京北方车辆集团有限公司兴燕公司售后服务员。

地震发生后，窦学松和工程兵军代表一起赶赴灾区，现场指导救援箱组使用方法，协助搜救幸存者，参与灾后抢险救援工作。在受灾最严重的玉树民族综合学校救灾现场，进行技术培训和现场指导开展救援箱组安装、调试工作。他和培训小组的成员们向救援部队受训官兵就救援箱组的结构、用途、使用方法进行操作演示和实地作业，帮助官兵们很快掌握使用技巧，大大提高了部队的救援效率，为救援部队紧急救援赢得宝贵的时间。

2010 年 8 月，中共中央、国务院、中央军委授予窦学松“全国抗震救灾模范”称号。

宋江华　1963 年 3 月出生，湖南省长沙市人，中共党员，中国兵器装备集团公司武汉滨湖电子有限责任公司售后服务员。

抗震救灾期间，宋江华承担繁重的空情保障任务，每天连续开机十几个小时，保障空情 100 多个批次。由于驻扎在该雷达站的雷达设备陈旧，运行状态极不稳定，接连出现好几次故障。通过几天抢修排除了雷达故障，并对装备性能作了精细的调试，使装备各项性能达到指标要求，在保障直升机的各项飞行任务中做到数据准确可靠，保障抗震救灾空中生命线的安全通畅。

2010年8月，中共中央、国务院、中央军委授予宋江华“全国抗震救灾模范”称号。

孙龙　1980年12月出生，安徽省安庆市人，中共党员，中国电子科技集团公司第三十八研究所工程师。

4月14日，作为P波段全极化测绘系统项目总负责人，孙龙临危受命，带领项目组克服灾区交通受阻的困难辗转千里紧急奔赴灾区。到达灾区后，他在5天中休息不超过20个小时，成功完成两个架次飞行探测，及时获取重灾区结古镇及其周边地区近1万平方千米全极化高分辨率SAR图像，并交付国土资源部、国资委、抗震救灾指挥中心、中国红十字会等部门用于抗震救灾指挥决策、集中安置、灾情评估和灾后重建等工作。

2010年8月，中共中央、国务院、中央军委授予孙龙“全国抗震救灾模范”称号。

杜丽学　1969年11月出生，内蒙古自治区包头市人，中共党员，中国石油天然气集团公司中国石油天然气股份有限公司青海销售分公司总经理、高级经济师。

震后第一时间，杜丽学调集1000多名员工、110辆油罐车、2000余吨救灾油品驰援灾区。在通往灾区的生命通道上开设100个加油绿色通道，坚持24小时不间断为救援车辆加油，确保救灾用油的随时供给。他带头建立领导干部日巡查制以及安全运行、员工健康、人员清点、市场保供、资金安全日报告等制度，确保抗震救灾保供工作有序有效。

2010年8月，中共中央、国务院、中央军委授予杜丽学“全国抗震救灾模范”称号。

祁太元　1965年4月出生，青海省平安县人，中共党员，国家电网公司青海省电力公司总工程师。

地震发生后，祁太元带领600多名国家电网员工坚守抗震救灾工作一线，在灾后25小时为抗震保电指挥中心供电。灾后48小时，对主要医疗救助和安置点全部实现应急供电。第四天，结古镇至玉树飞机场35千伏线路恢复供电。第五天，玉树地区4条10千伏线路和35千伏主干线全部恢复。第七天，实现结古镇10千伏和35千伏线路主干线路的贯通，党政机关、医院、通信机站、安置点等重要负荷恢复电网供电。他在灾区坚持15天，抢修线路165千米，安装投运30个变压器，保证了抗震救灾工作的顺利推进。

2010年8月，中共中央、国务院、中央军委授予祁太元“全国抗震救灾模范”称号。

王新元　1972年8月出生，陕西省渭南市人，中共党员，中国华电集团公司青海华电大通发电有限公司副总经理、党委委员。

地震发生后，王新元立即组织成立以他为队长的抗震抢险突击队，对有缺陷的设备，进行逐个分析，采取蹲点方法，一组一个点，24小时全面监控。对严重影响机组稳定运行的重大设备隐患，他坚守现场，时刻掌握设备运行状况，确保设备的安全稳定运行，为抗震救灾提供电力保障。他代表中国华电集团公司捐款500万元，组织公司职工捐款8.38万元。

2010年8月，中共中央、国务院、中央军委授予王新元“全国抗震救灾模范”称号。

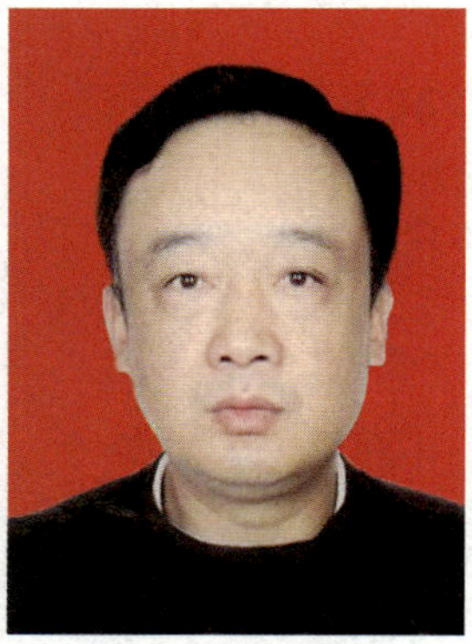

钟敏　1967年9月出生，四川省郫县人，中共党员，中国航空集团公司中国国际航空股份有限公司西南分公司飞行部飞行五大队副大队长。

抢险救灾期间，钟敏先后7次执行救灾飞行任务，飞行时间达到23天。他高质量完成4班专机和包机飞行任务。他始终把确保专机的绝对安全放在首位，严格按照专机工作单逐一进行准备、检查、确认，绝不放过任何一个疑点，绝不漏掉任何一个项目。

2010年8月，中共中央、国务院、中央军委授予钟敏“全国抗震救灾模范”称号。

孙雪松　1966年4月出生，山东省泰安市人，中共党员，中国东方航空集团公司中国东方航空股份有限公司西北分公司副总经理。

孙雪松于地震发生当日中午将首架救援飞机调至西宁机场，并亲自带队飞往玉树机场，投入抗震救灾空中运输工作中。在抗震救灾一线的11个日夜，他每天坚持在塔台上帮助指挥、掌握天气动态、协调管制，组织安排航班、机组以及现场安全管理工作。

2010年8月，中共中央、国务院、中央军委授予孙雪松“全国抗震救灾模范”称号。

马旌升　1963 年 1 月出生，河南省南阳市人，中共党员，中国储备粮管理总公司兰州分公司中央储备粮西宁直属库党支部书记、主任。

地震刚刚发生两个小时，马旌升在第一时间组建突击队、通信队、安全保卫队、后勤服务队、救护队等待命。抢险救灾期间，他带领全体干部员工出色地完成灾区救济粮油供应任务。出库加工中央储备粮 436.6 万千克、中央储备油 17.3 万千克。特别是震后第二天，他迅速动员干部员工家属和当地群众，连续奋战三天三夜，将 10 万个油饼紧急运往灾区。

2010 年 8 月，中共中央、国务院、中央军委授予马旌升“全国抗震救灾模范”称号。

包瑞昌　1963 年 10 月出生，山东省人，中国冶金科工集团有限公司中冶天工集团有限公司项目部车队队长。

地震发生后，包瑞昌立即跑到中冶天工工业安装炉窑分公司青海项目部办公室向组织捐出了自己随身携带的 200 余元现金。随后，紧急调集 6 辆拖板车、2 辆挖掘机、5 辆装载机参加救援行动。在长达 15 天的救援行动中，包瑞昌带领救援队共挖出 9 具遇难者遗体，为当地村民在废墟中挖出祖传古物、家具、衣服、现金、金银首饰等，其中仅现金就 30 余万元。他带领队员高效拆除一座小学教学楼和一座职业学校电教楼。

2010 年 8 月，中共中央、国务院、中央军委授予包瑞昌“全国抗震救灾模范”称号。

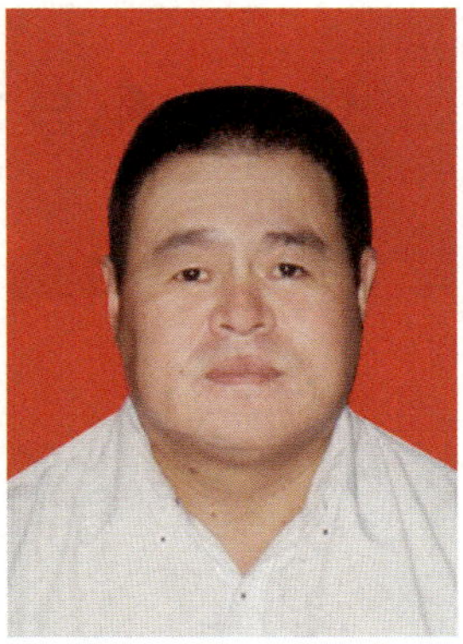

布才仁　1967 年 10 月出生，青海省玉树藏族自治州人，藏族，中共党员，中国电信集团公司青海省电信有限公司玉树州分公司副总经理、经济师。

地震发生后的 20 多天时间里，从抗震救灾应急通信抢修到应急过渡机房建设，从联系政府建设员工安置点到所有员工的吃、穿、住、行步入正常，从临时帐篷办公、临时帐篷营业室到分公司业务正常经营，他始终奋战在抗震救灾第一线。他带领的抢险人员会同省公司派来的抢修队伍仅用 17 个小时即将杂多、囊谦、玉树机场等多处光缆抢通，全面恢复曲麻莱、治多光缆通信。实现中国电信率先恢复玉树机场移动通信，顺利连接起州府所在地至机场这条最重要的“通信生命线”。

2010 年 8 月，中共中央、国务院、中央军委授予布才仁“全国抗震救灾模范”称号。

阿克明 1984年5月出生，青海省共和县人，中共党员，中国联合网络通信集团有限公司玉树藏族自治州分公司网络部员工。

地震发生后，阿克明第一时间冲进随时有倒塌危险的公司大楼，抢救出熔接机、OTDR等光缆障碍处理工具并转移到安全地带。紧接着与同事一起抢救出发电车，开始为基站设备供电。当他得知距公司5千米处光缆中断，即火速赶到故障点，经过一昼夜的努力，光缆线路抢通，业务得以恢复。

2010年8月，中共中央、国务院、中央军委授予阿克明“全国抗震救灾模范”称号。

王勇 1972年1月出生，江苏省沛县人，中共党员，中国移动通信集团公司青海有限公司网络部技术支援主管、工程师。

地震发生后，王勇两次赶赴灾区，先后在灾区通信保障最需要的地方顽强坚守19天。他和专业技术人员一起，采取优先抢通二干光缆线路纤芯、其次抢通本地网光缆线路纤芯、再抢通基站引接光缆线路纤芯、最后抢通光缆线路空余纤芯的技术措施，以迅速、高效、出色的工作抢通灾区玉树机场和6个县的全部光缆，在抗震救灾通信保障工作中做出了突出的贡献。

2010年8月，中共中央、国务院、中央军委授予王勇“全国抗震救灾模范”称号。

五、公安消防、特警、边防部队全国抗震救灾模范

（一）名单（55名）

康自福（藏族）	青海省公安消防总队玉树藏族自治州支队支队长
任开锋	青海省公安消防总队玉树藏族自治州支队玉树中队副中队长
韩蒙蒙	青海省公安消防总队玉树藏族自治州支队玉树中队上等兵
杜仕海	青海省公安消防总队西宁市支队城北二中队四级警士长
胡海涛	青海省公安消防总队西宁市支队城西中队中士
霍昌强	青海省公安消防总队海东地区支队搜救犬分队下士
许　翔	青海省公安消防总队海南藏族自治州支队共和中队上等兵
冯生荣	青海省公安消防总队海北藏族自治州支队门源中队上士
曹玉福	青海省公安消防总队海西蒙古族藏族自治州支队德令哈二中队上士
李学良（藏族）	青海省公安消防总队格尔木市支队支队长

罗　东	青海省公安消防总队果洛藏族自治州支队玛沁中队中队长
尼　玛（藏族）	青海省玉树藏族自治州公安局特警支队支队长
索文明（藏族）	青海省玉树藏族自治州公安局特警支队副支队长
张海奇	青海省西宁市公安局特警支队政委
东主才让（藏族）	青海省海南藏族自治州公安局特警支队支队长
杨智慧（藏族）	青海省海北藏族自治州公安局特警大队民警
黄建明（藏族）	青海省黄南藏族自治州公安局特警大队大队长
白少云	青海省果洛藏族自治州公安局特警支队民警
刘江民	青海省公安消防总队总队长
张玉升	山东省公安消防总队副参谋长
邓　樑	广东省公安消防总队司令部战训处处长
周　妥	广东省公安消防总队广州市支队珠江东中队中士
马　莉（女）	广东省公安边防总队医院副院长、副主任医师
张云高	广东省公安边防总队医院门诊部主任医师
高晓波	广东省公安边防总队中山边防检查站政委
张　奇	重庆市公安消防总队南岸区支队第一中队中士
李金勇	重庆市公安消防总队九龙坡区支队特勤中队下士
王　建	四川省公安消防总队成都市支队四级警士长
曹正宇	四川省公安消防总队成都市支队下士
王　波	四川省公安消防总队乐山市支队市中区中队中队长
李　明	四川省成都市公安局特警支队政委
兰　茜	四川省成都市公安局特警支队政工科副科长
王勇哲	四川省成都市公安局特警支队装备财务科科长
罗忠义	四川省成都市公安局特警支队三大队二中队副中队长
杜建华	四川省成都市公安局特警支队四大队大队长
张晓星	四川省成都市公安局特警支队五大队民警
刘松清（藏族）	四川省阿坝藏族羌族自治州公安局特警支队战训大队副大队长
黄剑峰（藏族）	四川省阿坝藏族羌族自治州公安局特警支队民警
向学马（藏族）	四川省甘孜藏族自治州公安局特警支队支队长
吴康林（藏族）	四川省甘孜藏族自治州公安局特警支队一大队民警
扎　西（藏族）	四川省甘孜藏族自治州公安局特警支队二大队民警
尹福利	四川省甘孜藏族自治州公安局特警支队二大队民警
李俊烈	西藏自治区公安消防总队司令部战训处参谋
胡　勇	西藏自治区公安消防总队昌都地区支队特勤中队中队长
班玛南加（藏族）	甘肃省公安消防总队兰州市支队东岗中队四级警士长

李海峰	甘肃省公安消防总队白银市支队特勤中队代理副中队长
何全意	甘肃省兰州市公安局副局长
柴长久	甘肃省兰州市公安局特警支队后勤处保障科副科长
杨文海	甘肃省兰州市公安局特警支队一大队教导员
刘　鹏	甘肃省兰州市公安局特警支队一大队民警
仲英杰	甘肃省兰州市公安局特警支队二大队大队长
张　华	云南省公安边防总队后勤部军械处助理员
付先平	云南省公安边防总队医院医务处主任、主治医师
黄江平	公安部治安管理局副巡视员
赖世雄	公安部消防局办公室参谋

（二）事迹

康自福　1965年2月出生，甘肃省天祝县人，藏族，中共党员，青海省公安消防总队玉树藏族自治州支队支队长。

抗震救灾中，康自福科学指挥、果断决策，带领支队官兵解救被困群众332人，抢救幸存者40人，扑救地震引发的大火41起。增援部队抵达灾区后，他组织部队及时寻找饮用水水源、搭建临时帐篷，搞好驻地消防安全保卫工作，出色完成了消防增援人员在灾区期间的各项后勤保障任务。

2010年8月，中共中央、国务院、中央军委授予康自福“全国抗震救灾模范”称号。

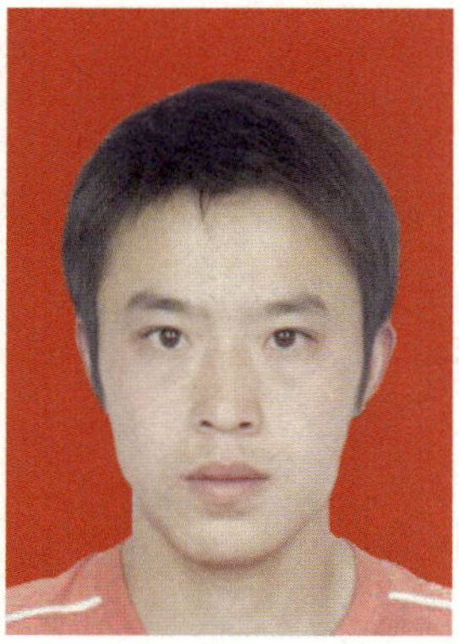

任开锋　1986年10月出生，四川省射洪县人，中共党员，青海省公安消防总队玉树藏族自治州支队玉树中队副中队长。

地震发生10分钟后，任开锋立即带领中队官兵投入搜救被困群众和抢救财产的战斗中。抗震救灾期间，他带领官兵先后救出幸存者21人，抢救物资财产价值50余万元，扑救因地震引发的各类火灾多起。他还带领官兵为灾区群众送水，解决了灾区群众吃水、用水难的问题。

2010年8月，中共中央、国务院、中央军委授予任开锋“全国抗震救灾模范”称号。

韩蒙蒙　1988 年 10 月出生，山东省阳信县人，中共党员，青海省公安消防总队玉树藏族自治州支队玉树中队上等兵。

抗震救灾期间，韩蒙蒙先后在玉树州第三完全小学、民族师范学校、结古寺宾馆等受灾最严重的现场，参与抢救受灾群众 28 人，扑救地震引发的火灾 9 起。在开展后勤医疗保障工作期间，他配合军医治疗高原反应患者 200 余人次、感冒发烧患者 50 余人次，给伤员处理伤口 30 余人次，为群众医疗救助 80 余人次，分发药品 500 余种，喷洒消毒药剂 1000 多升，确保救援部队驻地内没有发生任何疫情。

2010 年 8 月，中共中央、国务院、中央军委授予韩蒙蒙“全国抗震救灾模范”称号。

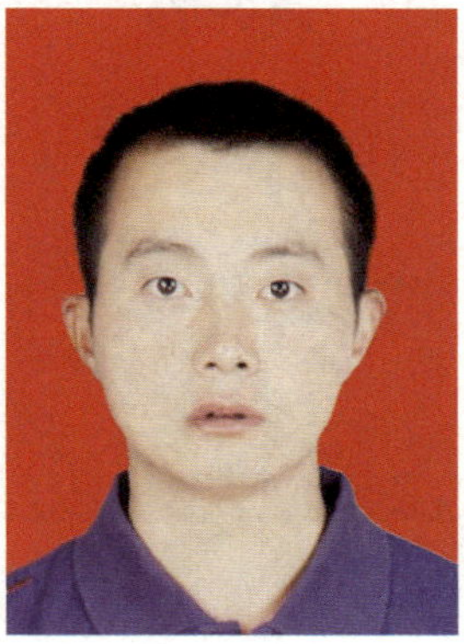

杜仕海　1981 年 6 月出生，四川省南部县人，中共党员，青海省公安消防总队西宁市支队城北二中队四级警士长。

在抗震救灾中，杜仕海充分发挥骨干作用，从废墟中成功营救出 1 名幸存者，挖出遇难者遗体 10 具，抢救财产价值 20 余万元。特别是在玉树县公安局坍塌现场，多次冒着生命危险，冲进还在燃烧的废墟，用铁锹刨和用手挖，打通一条 3 米长的通道，成功将一名幸存者救出。

2010 年 8 月，中共中央、国务院、中央军委授予杜仕海“全国抗震救灾模范”称号。

胡海涛　1984 年 6 月出生，河北省武安市人，中共党员，青海省公安消防总队西宁市支队城西中队中士。

在抗震救灾中，胡海涛积极发挥表率作用，带领战友徒步在灾区大街小巷、偏远牧区行进 200 余千米，搜救坍塌现场 150 多处，解救幸存者 11 人，疏散被困群众 40 余人，抢救财产价值 30 万余元。执行任务期间，他每天往返各个安置点，为灾区运送生活饮用水 300 余吨。

2010 年 8 月，中共中央、国务院、中央军委授予胡海涛“全国抗震救灾模范”称号。

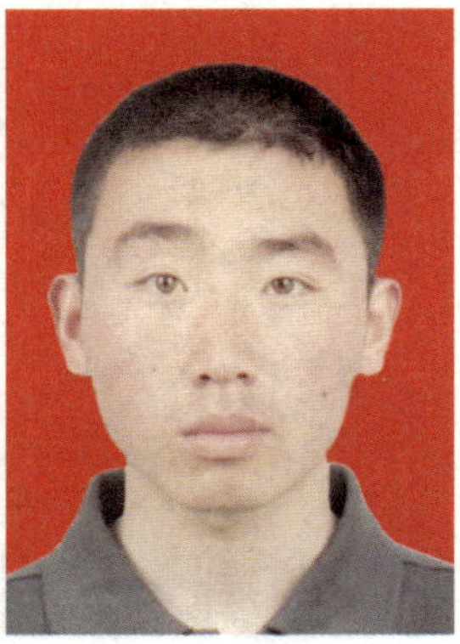

霍昌强 1988 年 11 月出生，山东省德州市人，共青团员，青海省公安消防总队海东地区支队搜救犬分队下士。

在抗震救灾中，霍昌强随救援组第一批飞赴灾区。到达灾区后，他引导搜救犬辗转玉树州民族师范学校女生宿舍、玉树州交通局办公楼、结古镇等十几处受灾现场，连续搜救 12 个昼夜，累计搜救面积 8000 多平方米，从废墟中准确定位生命迹象 16 处，搜寻出遇难者遗体 9 具。

2010 年 8 月，中共中央、国务院、中央军委授予霍昌强“全国抗震救灾模范”称号。

许翔 1990 年 4 月出生，内蒙古自治区乌海市人，中共党员，青海省公安消防总队海南藏族自治州支队共和中队上等兵。

在抗震救灾中，许翔勇挑重担，同战友们一起向安置点转移受灾群众 181 人，为受灾群众搭建帐篷 47 顶，搜救遇难者遗体 7 具，抢救财产价值 26 万余元。特别是在搜寻香港义工黄富荣遗物过程中，与战友们一起连续奋战 12 个小时，将 7 万元现金及笔记本电脑、手机、照相机、身份证件、教学书籍等全部找到。

2010 年 8 月，中共中央、国务院、中央军委授予许翔“全国抗震救灾模范”称号。

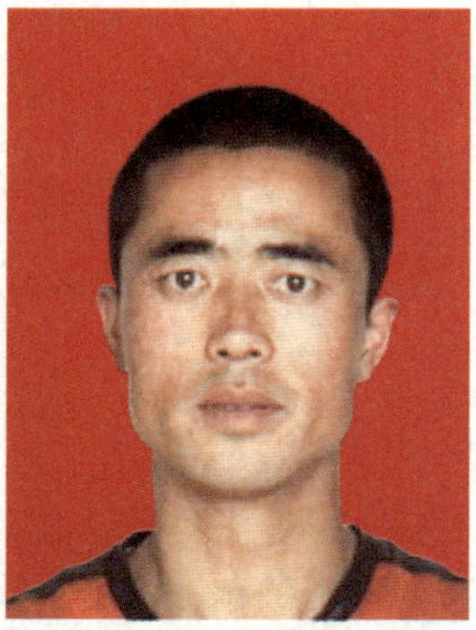

冯生荣 1983 年 6 月出生，宁夏回族自治区同心县人，中共党员，青海省公安消防总队海北藏族自治州支队门源中队上士。

在抗震救灾战斗中，冯生荣勇于面对余震、缺氧等挑战，带领队员连续奋战 11 个昼夜，共疏散群众 120 余人，抢救物资 2000 余件，从废墟中挖出遇难者遗体 19 具。

2010 年 8 月，中共中央、国务院、中央军委授予冯生荣“全国抗震救灾模范”称号。

曹玉福 1984 年 5 月出生，宁夏回族自治区海原县人，中共党员，青海省公安消防总队海西蒙古族藏族自治州支队德令哈二中队上士。

地震发生后，曹玉福在关键时刻挺身而出，舍生忘死，不畏艰险，克服余震频发、高寒缺氧等各种困难，带领救援分队共转移疏散群众 22 人，挖出遇难者遗体 7 具，抢救物资价值 150 余万元，帮助灾区群众搭建帐篷 15 顶，转运物资 73 件（套）。

2010 年 8 月，中共中央、国务院、中央军委授予曹玉福“全国抗震救灾模范”称号。

李学良 1971年11月出生，甘肃省临潭县人，藏族，中共党员，青海省公安消防总队格尔木市支队支队长。

接到救灾命令的第一时间，李学良带领支队19名救援队员，穿越海拔4000米以上的可可西里无人区，急行26小时到达灾区。在救灾行动中，他身先士卒，指挥有力，连续11天坚守在抗震救灾第一线，带领官兵在结古镇周边村落和大部队难以到达的山区进行大面积搜救，共挖出遇难者遗体16具，抢救各类财产价值540余万元。

2010年8月，中共中央、国务院、中央军委授予李学良“全国抗震救灾模范”称号。

罗东 1979年11月出生，四川省南部县人，藏族，中共党员，青海省公安消防总队果洛藏族自治州支队玛沁中队中队长。

罗东作为一线指挥员，英勇顽强、攻坚克难，带领中队官兵先后从玉树州职业技术学校、结古镇西杭村等重灾区成功营救出6名幸存者，其中包括一名被压129小时的藏族妇女，创造了高原生命搜救的奇迹。

2010年8月，中共中央、国务院、中央军委授予罗东“全国抗震救灾模范”称号。

尼玛 1964年5月出生，青海省玉树县人，藏族，中共党员，青海省玉树藏族自治州公安局特警支队支队长。

地震发生后，尼玛不顾自己刚从废墟中被抢救出来、身体多处受伤，带领民警迅速投入抢险救援战斗中，先后成功救出幸存者10名。他还组织警力开展治安防控、交通疏导、安全警卫等工作，先后抓获犯罪嫌疑人27名，运送伤员1300余人次，并出色完成玉树州最大的物资转运站安全保卫任务。

2010年8月，中共中央、国务院、中央军委授予尼玛“全国抗震救灾模范”称号。

索文明　1979年11月出生，青海省囊谦县人，藏族，中共党员，青海省玉树藏族自治州公安局特警支队副支队长。

地震发生后，索文明不顾个人安危，第一时间投入抢险救援，成功救出幸存者6人，带领队员救出幸存者118人。在看守所发生倒塌危险时，及时安排警力控制嫌疑犯，并带领队员大力加强治安防控，出色完成维护社会秩序的任务，确保抗震救灾工作顺利进行。

2010年8月，中共中央、国务院、中央军委授予索文明“全国抗震救灾模范”称号。

张海奇　1960年6月出生，陕西省蒲城县人，中共党员，青海省西宁市公安局特警支队政委。

地震发生当日，张海奇仅用两个小时紧急集结队伍，15个小时抵达灾区投入救援。抗震救灾期间，他身先士卒、一线指挥，带领战友圆满完成结古镇最大安置点的治安防范任务以及21次一、二级警卫任务。发放救灾物资208车，帮助群众搭建帐篷207顶，救助重症伤员9人次。抓获盗窃嫌疑人5名，解决各类纠纷380余起，协助当地交警处理交通事故73起，疏通车辆2.93万台次。

2010年8月，中共中央、国务院、中央军委授予张海奇“全国抗震救灾模范”称号。

东主才让　1969年9月出生，青海省共和县人，藏族，中共党员，青海省海南藏族自治州公安局特警支队支队长。

抗震救灾期间，东主才让率领队员日夜奋战在救灾第一线，不顾自己数次在现场昏倒、咯血，坚持和队员每天徒步15千米疏导道路交通，维护灾区治安秩序。先后安全转运、发放救灾物资1373车，抢救运送伤员358人、财产价值150余万元，抓获各类违法犯罪嫌疑人83名，疏导清理车辆3万余台次。

2010年8月，中共青海省委、青海省人民政府、青海省军区授予东主才让“全省抗震救灾模范”称号。当月，中共中央、国务院、中央军委授予东主才让“全国抗震救灾模范”称号。

杨智慧　1979年8月出生，青海省祁连县人，藏族，中共党员，青海省海北藏族自治州公安局特警大队民警。

抗震救灾期间，杨智慧帮助灾区群众恢复生产、生活秩序，先后帮助群众搭建帐篷11顶、抢救群众生活物资100余件、清理生活垃圾近18吨，并与队友为灾区群众铺设了一条长1.5千米的砂石路。

2010年8月，中共青海省委、青海省人民政府、青海省军区授予杨智慧“全省抗震救灾模范”称号。当月，中共中央、国务院、中央军委授予杨智慧“全国抗震救灾模范”称号。

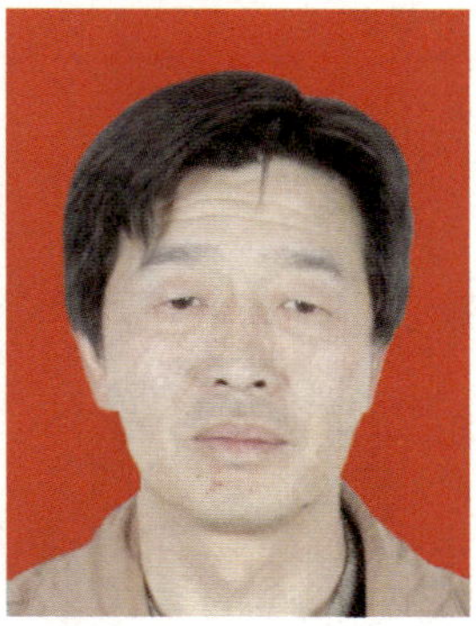

黄建明　1971年12月出生，湖北省黄陂县人，藏族，中共党员，青海省黄南藏族自治州公安局特警大队大队长。

抗震救灾期间，黄建明带领队员积极开展维稳处突、治安防控、交通疏导等工作，出色完成一、二级警卫和大型活动安保任务3次，救助受灾群众521名，疏导车辆6700余台次，并成功处置案件、事件10余起，抓获犯罪嫌疑人5名。

2010年8月，中共中央、国务院、中央军委授予黄建明“全国抗震救灾模范”称号。

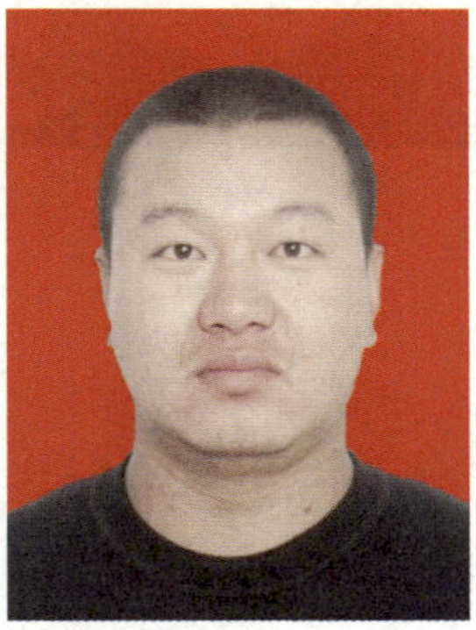

白少云　1985年8月出生，青海省互助县人，共青团员，青海省果洛藏族自治州公安局特警支队民警。

地震发生后，白少云在右膝半月板急需手术的情况下，主动请缨奔赴灾区。抗震救灾期间，他全力投入治安防控、抢险救援等工作，日均步行巡逻20余千米，先后与队友成功抢救出幸存者10余人，运送伤员近60名，为群众抢救被埋压财产价值近30万元。

2010年8月，中共中央、国务院、中央军委授予白少云“全国抗震救灾模范”称号。

刘江民　1957年7月出生，陕西省铜川市耀州区人，中共党员，青海省公安消防总队总队长。

地震发生后，刘江民带领由总队机关和7个支队434名官兵组成的第一批增援部队，仅用9个小时就到达灾区，成为首批抵达灾区的增援力量。救援过程中，他精心组织、靠前指挥，带领官兵在第一时间救出幸存者44人，挖掘遇难者遗体208具，疏散被困群众4105人，抢救物资价值1000余万元。及时向总指挥部提供灾区情况，为总指挥部正确判断、科学决策提供了准确的依据。

2010 年 8 月，中共中央、国务院、中央军委授予刘江民“全国抗震救灾模范”称号。

张玉升　1964 年 8 月出生，山东省烟台市人，中共党员，山东省公安消防总队副参谋长。

地震发生后，张玉升主动请缨担任救援队指挥员，连夜集结 193 名官兵，携带 26 只搜救犬、530 件（套）器材装备奔赴灾区展开救援。在灾区，他克服困难，科学组织，靠前指挥，充分发挥领导带头作用，带领官兵连续奋战 3 天，组织对 7 平方千米责任区开展拉网式搜索，救出被困群众 1 人，挖出 10 具遇难者遗体和大量财物。

2010 年 8 月，中共中央、国务院、中央军委授予张玉升“全国抗震救灾模范”称号。

邓樑　1970 年 10 月出生，广东省高州市人，中共党员，广东省公安消防总队司令部战训处处长。

邓樑作为总队抗震救灾救援队作战指挥长，在接到救援命令后，争分夺秒，主动协调、调动、指挥参战部队，及时汇总信息、研究对策、制订方案、辅助决策，落实飞机和运兵车辆，确保了部队抢险救灾行动的顺利进行。在救灾前线，他协助总指挥科学部署警力，严密组织施救，参与多次营救行动。

2010 年 8 月，中共中央、国务院、中央军委授予邓樑“全国抗震救灾模范”称号。

周妥　1982 年 8 月出生，广东省河源市人，中共党员，广东省公安消防总队广州市支队珠江东中队中士。

周妥先后参与搜救玉树州民族职业技术学校等 8 个重灾点，挖出遇难者遗体 6 具。当他在救援中发现一处倒塌居民楼内有生命迹象时，不顾个人安危深入废墟缝隙，在队友协助下成功救出 1 名被埋压的幸存者，这是全国公安消防部队增援队员中成功救出生还者的第一人。

2010 年 8 月，中共中央、国务院、中央军委授予周妥“全国抗震救灾模范”称号。

马莉（女） 1952 年 10 月出生，安徽省金寨县人，中共党员，广东省公安边防总队医院副院长、副主任医师。

马莉不顾年高体弱，勇挑医疗救援队副总指挥、医疗队队长、临时党支部书记重担，带领参战医护人员连续作战、科学救援，共参与诊治灾区伤病员 800 余人次，实施手术 80 余台次，抢救危重病人 24 人次，协助转送危重病人 62 人次，巡诊 200 余人次，出色完成医疗救援任务。

2010 年 8 月，中共中央、国务院、中央军委授予马莉“全国抗震救灾模范”称号。

张云高 1963 年 6 月出生，湖北省黄梅县人，中共党员，广东省公安边防总队医院门诊部主任医师。

张云高作为广东边防医疗救援队外科组负责人，克服高血压、心肌缺血以及高原反应带来的不适，以身作则、不怕苦累，顽强奋战在救灾第一线。在玉树机场参与转运重症伤病员 30 余人次；在结古镇任务区参与诊治伤病员 200 余人次，巡诊 30 余人次，及时救助 1 名藏族孕妇顺利生产。

2010 年 8 月，中共中央、国务院、中央军委授予张云高“全国抗震救灾模范”称号。

高晓波 1968 年 3 月出生，湖北省孝感市人，中共党员，广东省公安边防总队中山边防检查站政委。

接到抢险救援任务后，高晓波及时对救灾应急保障物资进行全面组织和统筹，筹备各类给养物资 500 多箱（包），紧急运往灾区。抗震救灾期间，他在深圳、西宁、玉树 3 个机场高效、及时、无误地完成 3 批次 20 余吨救灾应急保障物资的转运和接收。他还全程做好医疗队在途中和救灾期间的衣、食、住、行、医等各项保障工作。

2010 年 8 月，中共中央、国务院、中央军委授予高晓波“全国抗震救灾模范”称号。

张奇 1985 年 6 月出生，陕西省米脂县人，中共党员，重庆市公安消防总队南岸区支队第一中队中士。

在救灾过程中，张奇发现废墟下有 1 名幸存者，在无法联系队友的情况下，只身展开救援，冒着生命危险钻进废墟，搬移压在被困者身上的一根横梁，成功将被困者救出，随后，忍着不慎被钢钉扎伤脚掌的疼痛，背着被救者艰难步行300多米将其安全送到救护站。抗震救灾期间，他与战友共从废墟中挖出遇难者遗体7具，转移疏散群众328名。

2010年8月，中共中央、国务院、中央军委授予张奇“全国抗震救灾模范”称号。

李金勇 1988年11月出生，四川省广元市人，中共党员，重庆市公安消防总队九龙坡区支队特勤中队下士。

李金勇在震后第一时间向党组织递交了请战书，被批准后随队火速驰援灾区。在灾区，他克服高原反应，勇挑险重任务，连续奋战5天，与战友一起从废墟下抢救出1名幸存者、挖出遇难者遗体4具，紧急疏散受灾群众100余名，帮助受灾群众搭建帐篷30多顶，多次成功转运受伤人员。

2010年8月，中共中央、国务院、中央军委授予李金勇“全国抗震救灾模范”称号。李金勇被公安部消防局评为“玉树抗震救灾先进个人”。

王建 1976年12月出生，重庆市武隆县人，中共党员，四川省公安消防总队成都市支队四级警士长。

在抗震救灾中，王建不顾个人安危，始终战斗在救灾第一线，在海拔4000多米的高原山区步行搜索近20千米，仔细搜寻被困人员相对集中的禅古寺、日瓦弋巷、汽车站宾馆、草棚大宅、扎西大同村以及距结古镇75千米、海拔4000多米的重灾区隆宝镇、仲达乡，成功救出1名幸存者，挖出11具遇难者遗体。

2010年8月，中共中央、国务院、中央军委授予王建“全国抗震救灾模范”称号。

曹正宇 1987年2月出生，四川省乐山市人，中共党员，四川省公安消防总队成都市支队下士。

曹正宇抵达灾区后，顾不上疲劳、饥饿和高原反应，立即投入紧张有序的救援中。他在灾区连续奋战4天，携带雷达生命探测仪等搜索救援装备，来回奔波于结古镇和75千米外、海拔4000多米的重灾区隆宝镇、仲达乡，冒险钻进各个可能存在生命迹象的角落，准确探明1名幸存者，发现多名遇难者遗体。

2010年8月，中共中央、国务院、中央军委授予曹正宇“全国抗震救灾模范”称号。

王波　1981年12月出生，四川省蓬溪县人，中共党员，四川省公安消防总队乐山市支队市中区中队中队长。

救灾过程中，王波强忍着强烈的高原反应和小腿受伤的疼痛，带领23名战士来回奔波在结古镇交通宾馆、扎西岗、汽车站宾馆、草棚大宅等搜救点，连续奋战4个昼夜，搜寻距离长达20千米，共搜寻遇难者遗体10余具，物资价值数十万元。

2010年8月，中共中央、国务院、中央军委授予王波“全国抗震救灾模范”称号。

李明　1962年11月出生，河南省南阳市人，中共党员，四川省成都市公安局特警支队政委。

抗震救灾期间，李明先后协助营救被困人员9名，为受灾群众抢挖出价值数十万元的财产，并帮助两所学校搭建校舍，恢复正常教学秩序。他带领民警全力开展社会治安防控，严厉打击违法犯罪活动，先后抓获各类违法犯罪嫌疑人12名，有力地维护了灾区社会治安稳定。

2010年8月，中共中央、国务院、中央军委授予李明“全国抗震救灾模范”称号。

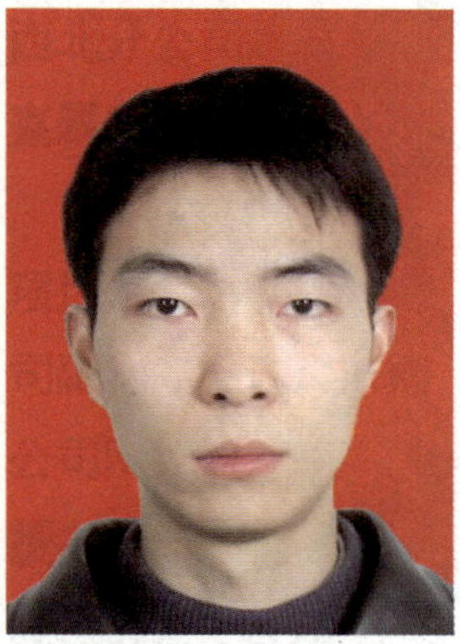

兰茜　1980年12月出生，四川省成都市人，中共党员，四川省成都市公安局特警支队政工科副科长。

地震发生后，兰茜主动请缨，第一时间随队赶赴灾区，全力投入救灾工作。抗震救灾期间，兰茜先后为失学儿童搭建帐篷学校2所、板房学校1所，帮助4户受灾群众搭起了帐篷家园，对62名特困群众进行了紧急救助，并对口帮扶了5名困难学生，为上百名群众送去了急需药品。他还组织有关新闻媒体做采访报道150余次。

2010年8月，中共中央、国务院、中央军委授予兰茜“全国抗震救灾模范”称号。

王勇哲　1965年8月出生，山东省济南市人，中共党员，四川省成都市公安局特警支队装备财务科科长。

抗震救灾期间，王勇哲不顾身患高血压和强烈的高原反应，连续32天坚守一线，积极开展物资采购、运输、分发、维护等后勤保障工作。先后组织协调5支保障队伍，运送14台特种车辆和30余吨价值百万元的后勤保障物资到达灾区，有力地保障了抗震救灾工作的顺利进行。

2010 年 8 月，中共中央、国务院、中央军委授予王勇哲“全国抗震救灾模范”称号。

罗忠义 1981 年 6 月出生，四川省中江县人，中共党员，四川省成都市公安局特警支队三大队二中队副中队长。

地震发生后，罗忠义来不及告别即将分娩的妻子，义无反顾地随队驰援玉树灾区。他在灾区连续坚守 33 天，参与成功营救被困人员 2 名，完成警卫任务 11 次，协助发放救灾物资 360 台次，为群众搭建帐篷 21 顶，给帐篷小学上课 30 余课时。

2010 年 8 月，中共中央、国务院、中央军委授予罗忠义“全国抗震救灾模范”称号。

杜建华 1969 年 3 月出生，陕西省汉中市人，中共党员，四川省成都市公安局特警支队四大队大队长。

地震发生后，杜建华迅速集结队伍，千里驰援，紧急赶赴地震灾区，全力投入抗震救灾工作。他连续 33 天坚持奋战在抢险救援第一线，带领全队民警全力开展社会治安防控，有力地维护灾区治安秩序，确保 40 余吨救灾物资顺利发放，并帮助当地中学搬运物资 30 余吨，为群众搭建帐篷 11 顶。

2010 年 8 月，中共中央、国务院、中央军委授予杜建华“全国抗震救灾模范”称号。

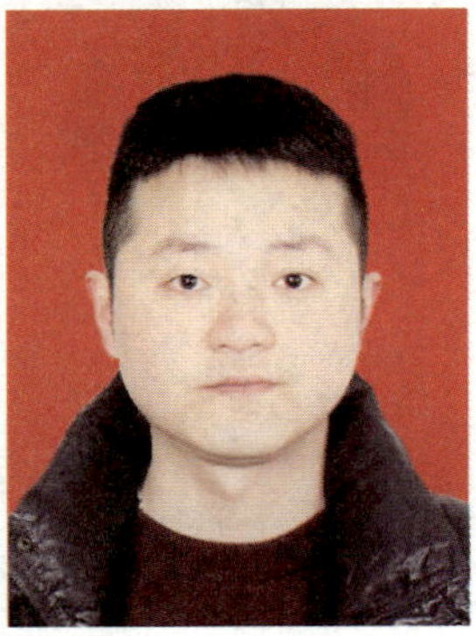

张晓星 1984 年 3 月出生，四川省成都市人，中共党员，四川省成都市公安局特警支队五大队民警。

地震发生后，张晓星不顾刚刚因公负伤致残、尚未完全康复，主动请缨赶赴灾区。他坚守在救灾第一线连续奋战 24 天，出色地完成治安卡点盘查、交通疏导和安全警卫等各项工作任务，并帮助群众搭建帐篷 13 顶，搬运救灾物资 1 吨多，救助受灾群众 6 人。

2010 年 8 月，中共中央、国务院、中央军委授予张晓星“全国抗震救灾模范”称号。

刘松清 1974 年 4 月出生，四川省金川县人，藏族，中共党员，四川省阿坝藏族羌族自治州公安局特警支队战训大队副大队长。

在灾区期间，刘松清克服高原缺氧、水土不服等困难，带领战友积极帮助灾区群众挖掘、清理、转运大量生活物资，全力加强社会治安管理、防控，多次出色完成中央领导人在灾区视察慰问期间的道路交通疏导、社会秩序维护、重点部位警卫防控等工作任务。

2010年8月，中共中央、国务院、中央军委授予刘松清“全国抗震救灾模范”称号。

黄剑峰　1985年5月出生，四川省炉霍县人，藏族，中共党员，四川省阿坝藏族羌族自治州公安局特警支队民警。

抗震救灾期间，黄剑峰充分发挥个人语言优势，深入走访群众，广泛收集治安情况和人口信息等资料，在15天时间内与队员们完成结古镇3个村2899户居民的信息采集工作，建立基层治安台账8大类27份，为当地开展灾后重建和警务工作提供第一手资料。

2010年8月，中共中央、国务院、中央军委授予黄剑峰“全国抗震救灾模范”称号。

向学马　1966年7月出生，四川省乡城县人，藏族，中共党员，四川省甘孜藏族自治州公安局特警支队支队长。

地震发生后，向学马带领70名公安特警火速驰援灾区，于4月15日5时15分抵达震中结古镇，迅速投入抢险救援，成为第一支抵达灾区的外省公安特警队。抗震救灾期间，他身先士卒、率先垂范，带领战友积极开展被困人员搜救，先后成功营救被困人员7名，并出色地完成各项社会治安防控工作。

2010年8月，中共中央、国务院、中央军委授予向学马“全国抗震救灾模范”称号。

吴康林　1983年3月出生，四川省雅江县人，藏族，中共党员，四川省甘孜藏族自治州公安局特警支队一大队民警。

地震发生后，吴康林主动请战，第一时间赶赴救援一线，争分夺秒、全力搜救，与队友成功抢救出被困人员7名。积极参与救援现场秩序维护、交通疏导和灾区治安防控等工作，并帮助50余家商铺清理废墟、恢复营业，出色完成各项工作任务。

2010年8月，中共中央、国务院、中央军委授予吴康林“全国抗震救灾模范”称号。

扎西　1984年8月出生，四川省成都市人，藏族，中共党员，四川省甘孜藏族自治州公安局特警支队二大队民警。

抗震救灾期间，扎西在缺少救援工具的情况下，用手刨、用肩扛，从废墟中成功救出1名幸存者。他坚守一线，全力投入治安巡逻和社会秩序维护工作，并充分利用自身语言优势，参与组织藏语法制宣传小分队，积极发动群众开展互助自救。

2010年8月，中共中央、国务院、中央军委授予扎西“全国抗震救灾模范”称号。

尹福利 1985年5月出生，四川省岳池县人，共青团员，四川省甘孜藏族自治州公安局特警支队二大队民警。

尹福利随队抵达灾区后，第一时间投入抢险救援，与队友协作配合，成功营救出1名幸存者。之后，他夜以继日地奋战在治安防范和交通疏导第一线，全力维护救灾物资运输和大型物资集散中心秩序，有力地保障了救灾物资安全运输和及时发放。

2010年8月，中共中央、国务院、中央军委授予尹福利“全国抗震救灾模范”称号。

李俊烈 1978年7月出生，四川省通江县人，中共党员，西藏自治区公安消防总队司令部战训处参谋。

救灾过程中，李俊烈担任救援队作战参谋，科学制订现场作战方案5份，与队员一起积极展开搜索、破拆、转运、现场急救等工作，从废墟中搜寻出1名重伤人员和8具遇难者遗体，挖出保险柜6个，抢救佛像、唐卡等数十件，挖掘及转移青稞、清油、大米、面粉等10余吨，抢救出冰箱等家用物品价值500余万元。

2010年8月，中共中央、国务院、中央军委授予李俊烈“全国抗震救灾模范”称号。

胡勇 1977年10月出生，四川省资中县人，中共党员，西藏自治区公安消防总队昌都地区支队直属特勤中队中队长。

抗震救灾期间，胡勇带领52名官兵在灾区连续奋战7天，转战于结古镇建筑公司职工宿舍、扎西大同村等多处坍塌现场，冒着余震和可能发生二次坍塌的危险，与队员一起成功挖出遇难者遗体4具。

2010年8月，中共中央、国务院、中央军委授予胡勇“全国抗震救灾模范”称号。

班玛南加 1979年12月出生，青海省共和县人，藏族，中共党员，甘肃省公安消防总队兰州市支队东岗中队四级警士长。

救援中，班玛南加利用懂藏语的优势，主动担当救援队翻译，并与战友从废墟中挖出遇难者遗体7具。深入海拔近4600米的结古镇果青村，救助2名受伤老人和儿童，协助友邻部队救出2名重伤员。

2010年8月，中共中央、国务院、中央军委授予班玛南加“全国抗震救灾模范”称号。

李海峰　1980年7月出生，河北省张家口市人，中共党员，甘肃省公安消防总队白银市支队特勤中队代理副中队长。

李海峰在右手多处骨折尚未痊愈的情况下，主动请缨参加抗震救灾，带领战友搜救挖出遇难者遗体10具。在海拔4900米的雪山上，奋战5个多小时成功解救受伤被困藏族牧民9人，为及时救治伤者赢得了宝贵时间。

2010年8月，中共中央、国务院、中央军委授予李海峰“全国抗震救灾模范”称号。

何全意　1954年3月出生，甘肃省玉门市人，中共党员，甘肃省兰州市公安局副局长。

地震发生后，何全意主动请战，带领162名特警队员紧急驰援灾区。在救援过程中，他身先士卒、以身作则，克服强烈的高原反应等困难，始终坚持奋战在救灾第一线，先后组织指挥全队战友救出受伤群众4人，完成一、二级警卫任务11次，疏导分流车辆9万余台次，调解纠纷100余次，盘查可疑人员4000余人次，转移救灾物资50余吨，为灾区群众提供救助服务1800余次。

2010年8月，中共中央、国务院、中央军委授予何全意“全国抗震救灾模范”称号。

柴长久　1969年7月出生，河南省洛阳市人，中共党员，甘肃省兰州市公安局特警支队后勤处保障科副科长。

地震发生后，柴长久主动请缨、积极参战，以最快速度完成物资准备工作。到达灾区后，他克服各种困难，连续49天坚守一线，全力筹备油料、采购物资、联系车辆等，同时带领后勤保障人员全力做好供暖供电、伙食准备等工作，有力地保障了抗震救灾工作的顺利进行。

2010年8月，中共中央、国务院、中央军委授予柴长久“全国抗震救灾模范”称号。

杨文海　1966年11月出生，陕西省乾县人，中共党员，甘肃省兰州市公安局特警支队一大队教导员。

地震发生后，杨文海带领大队民警，迅速奔赴抗震救灾一线，全力投入社会治安防控、安全保卫和受灾群众救助等工作，出色地完成工作任务。因连续工作劳累过度、高原反应等原因，杨文海突然晕倒，陷入重度昏迷，生命垂危，经过10多个小时的抢救脱离危险后，他再次请求继续工作。

2010年8月，中共中央、国务院、中央军委授予杨文海“全国抗震救灾模范”称号。

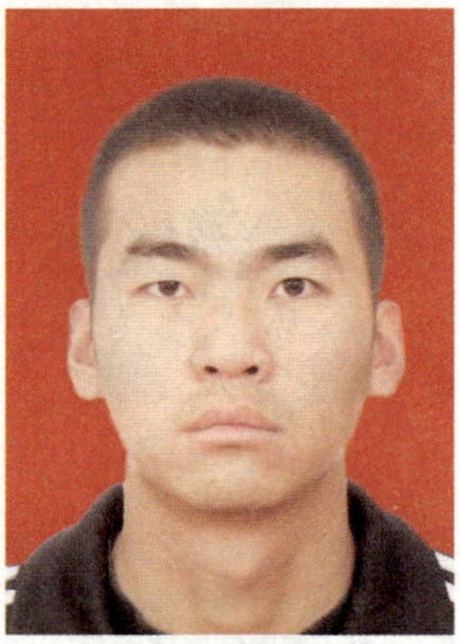

刘鹏 1980年12月出生，河北省涞水县人，中共党员，甘肃省兰州市公安局特警支队一大队民警。

地震发生后，刘鹏立即随队奔赴救灾一线，不畏艰险、冲锋在前，全身心投入巡逻防控、疏导交通等工作。他在灾区连续奋战40余天，参与执行一、二级警卫任务11次，疏导车辆1800余台次，执行巡逻防控任务60多次。

2010年8月，中共中央、国务院、中央军委授予刘鹏“全国抗震救灾模范”称号。

仲英杰 1964年1月出生，辽宁省沈阳市人，中共党员，甘肃省兰州市公安局特警支队二大队大队长。

抗震救灾期间，仲英杰克服强烈高原反应等困难，始终坚持奋战在一线，先后参与执行一、二级警卫任务5次，成功抢救幸存者1人，帮助群众抢挖粮食5000余千克，调解纠纷8次，为群众做好事30余件。在一次执行任务中，他突然昏迷休克，出现重度脑水肿和肺部感染，经送医院抢救脱离生命危险。

2010年8月，中共中央、国务院、中央军委授予仲英杰“全国抗震救灾模范”称号。

张华 1974年9月出生，云南省会泽县人，中共党员，云南省公安边防总队后勤部军械处助理员。

张华担任医疗救援队后勤保障组组长和战地参谋，在时间紧、任务重的情况下，高效完成各类医疗救援和后勤保障物资的筹集、装机、转运任务，并及时做好医疗队在灾区的衣、食、住、行等后勤保障工作，确保医疗队顺利开展工作。参与运送重伤员46名，转移伤病员30名。

2010年8月，中共中央、国务院、中央军委授予张华“全国抗震救灾模范”称号。

付先平　1967 年 9 月出生，云南省龙陵县人，中共党员，云南省公安边防总队医院医务处主任、主治医师。

执行任务期间，付先平担任医疗救援队医务组组长，他及时调配应急医疗救援物资，并克服高原反应，带领队员救治伤病员 1000 余人次，救治危重病人 30 余人，组织巡诊 1800 余人次，煎煮大锅药供 800 余人服用，帮助群众搭建帐篷 30 余顶，参与转运救灾药品和物资 30 余吨。

2010 年 8 月，中共中央、国务院、中央军委授予付先平“全国抗震救灾模范”称号。

黄江平　1954 年 1 月出生，江苏省盱眙市人，中共党员，公安部治安管理局副巡视员。

地震发生后，黄江平迅速赶赴灾区。他在一线连续奋战 50 天，全力协调组织各地公安特警队，出色地完成抢险救援、灾区封控、巡逻防范、警卫安保、维稳处突等任务，并积极组织特警队为群众搭建帐篷、搬运物资，帮助灾区群众恢复生产生活秩序。

2010 年 8 月，中共中央、国务院、中央军委授予黄江平“全国抗震救灾模范”称号。

赖世雄　1971 年 8 月出生，四川省成都市人，中共党员，公安部消防局办公室参谋。

赖世雄作为公安部消防局玉树抗震救灾前线指挥部成员，通宵达旦参与值守，及时起草各类文稿信息，加强协调联络和督促检查，确保各项命令、指示迅速贯彻落实，为救援行动有序高效进行做出突出贡献。

2010 年 8 月，中共中央、国务院、中央军委授予赖世雄“全国抗震救灾模范”称号。

六、中国人民解放军全国抗震救灾模范

（一）名单（65 名）

刘希华	解放军第 309 医院院长、主任医师
张　锋	解放军报社互联网络宣传部副主任、主任编辑
李晓康	第四军医大学第一附属医院医教部副主任、副主任医师

王　岩	解放军总医院外科临床部骨科主任、主任医师
赵彤言（女）	62035 部队研究员
金　霞（女）	解放军第 22 医院护理部主任、主管护师
李高元	解放军第 22 医院心肺内科副主任、主治医师
任明明	总后勤部司令部参谋
李林南	总装备部综合计划部参谋
丁　毅	95118 部队副部队长
李　龙	93856 部队 18 分队报务员
马凯明	93811 部队 86 分队办公室主任
潘　涛	空军司令部作战部副处长
李保弟	96361 部队部队长
高玉强	96361 部队参谋长
胡建民	96351 部队 59 分队政治教导员
才吉拉毛（女，藏族）	96351 部队政治部文化工作站列兵
李　涛	解放军第 536 医院院长、主治医师
任　玲（女）	解放军第 536 医院医防科护士长、护师
王然江	96657 部队 5 室副主任、工程师
王会峰	第二炮兵司令部作战部参谋
乔　林	第二炮兵总医院骨科主治医师
刘建军	解放军第 255 医院院长、主任医师
朱为民	北京军区联勤部卫生部助理员
李勇俊	69008 部队副部队长
艾正文	68211 部队 56 分队分队长
路开彬	68211 部队 63 分队班长
李景玉	68210 部队装备部处长
李德强	68303 部队副部队长
王宪东	68303 部队 47 分队班长
石自福	68303 部队 52 分队主治医师
王贵刚	68303 部队 58 分队分队长
吴文杰	68303 部队 69 分队上等兵
王永强	68303 部队 75 分队班长
梁永红	68303 部队后勤部科长
许尔瑞	68313 部队政治委员
王万华	68313 部队 13 分队班长
田红宝	68313 部队 59 分队分队长
沈方敏	68313 部队 83 分队政治指导员

华清杰（藏族）	68313 部队 84 分队上等兵
王明生	68310 部队政治部干事
吴　勇	青海省玉树军分区司令员
马胜强	青海省玉树军分区后勤部部长
闫新明	青海省玉树县人民武装部后勤科士官
杨传征	青海省军区政治部干事
王波涛	68710 部队部队长
张继福	68710 部队 58 分队分队长
王育龙	68710 部队 72 分队班长
朱发强	兰州军区司令部作战部参谋
王晓涛	兰州军区司令部军务部参谋
高思远	兰州军区政治部宣传部干事
王若军	68060 部队军需物资处助理员
张　凡	68062 部队勤务队士官
何　敏（女，满族）	解放军第 4 医院外科副主任、副主任医师
吴永胜	解放军第 1 医院医务处主任、副主任医师
魏敦宏	68090 部队卫生处处长
朱自清	兰州军区兰州总医院政治委员
宋英武	兰州军区联勤部司令部处长
李震宇	兰州军区装备部汽车修理所所长
张红娟（女）	解放军第 153 医院妇产科副主任医师
次翁扎西（藏族）	72865 部队副部队长
李仲荣	77128 部队后勤处处长
刘文利	四川省成都市龙泉驿区人民武装部参谋
崔广成	四川省色达县人民武装部部长
陈润泉	内江预备役防化团汽车连连长

（二）事迹

刘希华　1957 年 3 月出生，黑龙江省齐齐哈尔市人，中共党员，解放军第 309 医院院长、主任医师。

抗震救灾期间，刘希华带领 60 名队员迅速搭建“帐篷医院”展开营救。他们深入现场，走村串户，为藏族同胞开辟“生命通道”。他在灾区坚持 26 天，接诊救治伤病员 350 名，为 1300 余名群众查体、诊治，为 500 余名抗震部队指战员提供医疗服务。深入救灾现场指导抗震部队科学应对高原反应，组织心理专家到部队营区开展心理服务。

2010 年 8 月，中共中央、国务院、中央军委授予刘希华“全国抗震救灾模范”称号。

张锋 1962 年 4 月出生，陕西省岐山县人，中共党员，解放军报社互联网络宣传部副主任、主任编辑。

在灾区期间，张锋每天工作 20 多个小时，共采写稿件 23 篇，与同事合作采写内参 3 篇，组织策划《解放军和武警部队玉树抗震救灾实录》系列报道等一批有分量、有特色、有亮点的报道。在灾区展开中国军网现场访谈和直播报道，在《解放军报》等新闻媒体刊发抗震救灾文字稿上千篇。组织嘉宾访谈、新闻专访和现场报道 109 场次，其中直播报道 50 场次，创下中国军网在野战条件下单日连续 8 个多小时直播 22 场现场报道的纪录。

2010 年 8 月，中共中央、国务院、中央军委授予张锋“全国抗震救灾模范”称号。

李晓康 1970 年 2 月出生，陕西省咸阳市人，中共党员，第四军医大学第一附属医院医教部副主任、副主任医师。

地震发生后，李晓康连夜组织制订救援方案，抽调人员组成医疗队，筹集药品、设备等物资赶赴灾区。执行任务期间，他先后直接参与救治伤病员 43 人，巡诊、会诊 35 次，组织灾后防疫科普知识讲座 10 余场。他带领的医疗队先后救治伤员 1200 余人次，巡诊 400 余人次。及时为周边驻军部队 800 余名医护骨干和战士进行灾后防疫科普知识讲座，指导他们如何适应高原环境、科学组织施救、有效预防疾病。《光明日报》、《中国青年报》、新华网、中国新闻网、中国军网等多家媒体先后报道他的先进事迹。

2010 年 8 月，中共中央、国务院、中央军委授予李晓康“全国抗震救灾模范”称号。

王岩 1962 年 2 月出生，江苏省镇江市人，中共党员，解放军总医院外科临床部骨科主任、主任医师。

接到救灾命令后，王岩带领 13 名专家飞赴灾区。执行任务期间，他带领医疗队专家连续奋战 16 天，救治伤病员 820 余人次，开展手术 140 多台。先后在解放军第 1、第 4 医院指导、协助救治伤员 200 余人。组织开设灾区第一家“心灵乐园”心理治疗诊室，开展心理疏导和干预治疗 150 人次。

2010 年 8 月，中共中央、国务院、中央军委授予王岩“全国抗震救灾模范”称号。

赵彤言（女） 1964年3月出生，河北省任丘市人，中共党员，62035部队研究员。

赵彤言走遍震区的每一处废墟，特别是受灾最严重的结古镇，从牧区到城区垃圾场、水沟，从受灾群众安置点到救灾部队集结区，认真记录数据，了解各种传染病的潜在危险。她和其他专家撰写的《加强灾区鼠疫防控》和《尽快建立救灾部队传染病症候群和食物中毒应急直报网络》等10余份专家建议案，为防疫工作的决策指挥提供了科学依据。为恢复灾区疾病防控体系，她采取集中讲解与个别交流相结合的办法，培训100余名卫生防疫骨干。

2010年8月，中共中央、国务院、中央军委授予赵彤言“全国抗震救灾模范”称号。

金霞（女） 1973年6月出生，山东省安丘县人，中共党员，解放军第22医院护理部主任、主管护师。

地震发生后，金霞带领22名医疗队员，于地震发生第三天抵达灾区。她深入救灾部队和地方救援人员中，开展高原病防治宣讲70多场次，发放《高原病防护须知》800多册，救治高原病患者380人，收治22人。执行任务期间，她带领的医疗队门诊伤病员2729人次，收治伤病员209人，巡诊5037人次，发放药品3000余人次，抢救危重伤员27人次，手术30台次，占军队体系医院手术量的15%，赢得抗震救灾“22朵格桑花”的美誉。

2010年8月，中共中央、国务院、中央军委授予金霞“全国抗震救灾模范”称号。

李高元 1971年10月出生，河南省固始县人，中共党员，解放军第22医院心肺内科副主任、主治医师。

接到救灾命令后，李高元立即召集人员准备高原病防治救治的器材、药品，筹备清点、装箱加固药品器械，奔赴灾区进行紧急救援。执行任务期间，他组织编发《高原病防治手册》《常见病的预防与救治》《野战救护、自救互救手册》1800余份。先后5次带领医疗小分队，深入结古镇、隆宝镇、禅古村、甘达村进行巡诊救治，检查和护理2000余人次，发放药品3000余人次，为官兵巡诊1900余人次，诊治各类高原病63例，成功抢救高原肺水肿4例、脑水肿2例，发放价值2万余元高原病防治药品，提出高原病防治建议12条，为在高原高寒地区开展高强度的生命救援行动提供有力保障。

2010年8月，中共中央、国务院、中央军委授予李高元“全国抗震救灾模范”称号。

任明明　1976年12月出生，山西省吕梁市人，中共党员，总后勤部司令部参谋。

地震发生后，任明明先后到19个任务片区的团以上救灾部队、后勤保障分队以及国道214线、玉树机场等物资运输通道和分发集散地，实地了解掌握救灾后勤保障情况，及时指导部队修订后勤保障方案、调整后勤力量部署，积极协调解决救灾部队输送、装备物资补充、保障关系调整等重点难点问题。及时制订后勤装备物资供应与回补计划，协调落实军地运输力量，跟踪指导部队管理使用物资，以最快速度协调物资送达灾区，先后参与承办13批后勤装备物资调拨，向灾区调运各类物资94万台（套、件）、价值2.3亿元，对妥善安置受灾群众、高效组织救灾保障发挥至关重要的作用。

2010年8月，中共中央、国务院、中央军委授予任明明“全国抗震救灾模范”称号。

李林南　1968年10月出生，湖南省长沙市人，中共党员，总装备部综合计划部参谋。

李林南先后两次赶赴灾区坚持奋战14天。针对救灾部队隶属关系不同、装备保障需求多样、联指装备指挥力量弱等实际情况，他主动协调上级机关建立装备保障指挥体制，理顺领导关系和保障渠道。同时，联系协调各任务部队，深入了解掌握部队装备情况，研究分析灾情救援需求，牵头制订装备保障基地组建方案，仅用两天时间就在灾区设立保障基地，为圆满完成救灾任务提供有力支撑。

2010年8月，中共中央、国务院、中央军委授予李林南“全国抗震救灾模范”称号。

丁毅　1972年10月出生，安徽省安庆市人，中共党员，95118部队副部队长。

接到命令后，丁毅迅速了解任务详情，协助军政主官对部队领导力量、飞行骨干进行合理分工调配，科学编排11个任务机组，在不到7个小时便将首批救援人员和救灾物资运抵灾区。在历时19天的执行任务中，他平均每天在场时间达18小时，最长的达20小时，一天的休息时间不足5小时。他带领机组成员连续飞行45架次65小时38分，运送物资311.45吨、人员935名，为救灾工作的顺利进行做出突出贡献。

2010年8月，中共中央、国务院、中央军委授予丁毅“全国抗震救灾模范”称号。

李龙 1986年1月出生，新疆维吾尔自治区和静县人，中共党员，93856部队18分队报务员。

地震发生后，他第一时间主动请战，作为第一批抗震救灾应急机动雷达分队成员，奔赴青海玛多地区展开雷达情报保障任务。抵达阵地后，他立即投入紧张的工作当中，和战友们一起卸物资、架天线、支帐篷，累得脸色蜡黄，差点晕倒在现场，最终使雷达恢复正常。他每天值班12个小时以上，最多的达到18个小时，日均报记空情30批左右、每批最少报记300多点，情报优质率始终保持100%。

2010年8月，中共中央、国务院、中央军委授予李龙“全国抗震救灾模范”称号。

马凯明 1976年7月出生，甘肃省天水市人，中共党员，93811部队86分队办公室主任。

到达灾区后，马凯明立即与有关部门建立协同保障机制，取得技术支持；共同研究制定工作流程，为高质量完成气象保障任务奠定坚实基础。针对保障中可能遇到的特殊情况，制订完善特情处置预案，建立“三级”天气会商制度，每天将玉树机场天气情况向民航气象部门和兰州军区空军气象处进行通报，共同研究分析天气变化情况，提高气象保障的及时性、准确性。执行任务期间，他每天工作都在20个小时以上，共保障专机飞行28架次、航拍飞行28架次和空运任务飞行1008架次，为保证抗震救灾空中生命线畅通做出重要贡献。

2010年8月，中共中央、国务院、中央军委授予马凯明“全国抗震救灾模范”称号。

潘涛 1971年2月出生，山东省济南市人，中共党员，空军司令部作战部副处长。

地震发生当日，潘涛与空军临时指挥小组的同志连夜召开紧急会议，研究制订空运救援方案预案和计划措施。到达灾区后，他研究制订军地互动组织指挥体制和加强空军运输机玉树机场登机和卸载安全、军地一体安全防范等方案，协调成立军地抗震救灾空运联合指挥部等紧要事宜。为确保“空中生命绿色通道”畅通，他坚持每个架次都在现场组织指挥，协调处理各种突发情况，确保物资装卸载和人员登机的安全顺畅。特别是面对候机的受伤群众，他坚持靠前指挥，每晚都要工作至深夜，成功转送伤病员1900余名。

2010年8月，中共中央、国务院、中央军委授予潘涛“全国抗震救灾模范”称号。

李保弟　1963年5月出生，陕西省白水县人，中共党员，96361部队部队长。

为确保部队赢得救灾的黄金时间，李保弟率领人员深入前线勘察灾情，兵分19路展开搜救行动，将人员搜救延伸至交通不便、通信不畅的上拉秀乡等10余个救援重点上，成功搜救幸存者6人。他指挥兵力400余人，受领禅古寺文物救援任务，经过9天的连续奋战，抢救各类珍贵文物1.5万件，存折、现金共计120余万元，输送生活物资220余吨，医治伤员45人次。转入清理废墟阶段后，他和指战员坚持奋战10多天，疏通道路13.14千米，输送物资577.5吨，清理清运废墟12.33万立方米，平整场地5万余平方米。

2010年8月，中共中央、国务院、中央军委授予李保弟“全国抗震救灾模范”称号。

高玉强　1974年9月出生，甘肃省秦安县人，中共党员，96361部队参谋长。

接到命令后，他带领500余名指战员、60多台车辆组成第二批救援队伍紧急奔赴灾区。在西航一巷、赛马场、扎西棱巷一带的救援中，他带领指战员采取“一线部署、整体推进”的方法迅速搜救幸存者和伤员。执行任务期间，他带领部队共救治重伤人员27人，帮助伤病群众2000余人次。部队进入红卫村后，他们采取手工与机械相结合、军队与地方协同开展工作的方式，边排除险情、边抢救财产、边清查登记和移交户主，共抢救存折、现金合计45万元，清理、疏通道路13.14千米。在扎西大同村带领分队轮班作业、连续奋战，紧急输送物资233吨，清运废墟12.35万立方米，平整场地5万余平方米。

2010年8月，中共中央、国务院、中央军委授予高玉强“全国抗震救灾模范”称号。

胡建民　1977年10月出生，河南省方城县人，中共党员，96351部队59分队政治教导员。

地震发生的第二天，胡建民顾不上长途驰援的劳累，迅速投入清理路障的攻坚战中。在工程机械无法展开的情况下，带领指战员奋战近5个小时，清理废墟30余立方米，清理路障3.5千米，打通通往结古镇的“生命通道”。历经27天的日夜奋战，他们先后平整场地1.21万平方米，调整土石方2.5万立方米，浇筑混凝土650立方米，搭建活动板房136间。他还带领战士在扎西大同片区拆除危房32户，清理废墟10余万立方米，分发食品1万余份，转运伤员87人。

2010年8月，中共中央、国务院、中央军委授予胡建明“全国抗震救灾模范”称号。

才吉拉毛（女） 1989 年 2 月出生，青海省玉树州人，藏族，中共党员，96351 部队政治部文化工作站列兵。

抵达灾区后，才吉拉毛立刻随同救援部队指战员前往格萨尔广场搭建帐篷、安置受灾群众。在帐篷缺、受灾群众多的情况下，她主动给群众做工作，帮助救援部队搭建帐篷、搬运物资。她主动给领导当翻译，给乡亲们讲党和国家对家乡人民的亲切关怀和对抗震救灾工作的坚强领导，讲人民军队全力抗震救灾、誓死为民的坚定信念，坚定了灾区群众战胜困难的信心。

2010 年 8 月，中共中央、国务院、中央军委授予才吉拉毛“全国抗震救灾模范”称号。

李涛 1969 年 9 月出生，江苏省泗阳县人，中共党员，解放军第 536 医院院长、主治医师。

地震发生后，李涛立即召开党委会议，认真谋划救灾工作，迅速收拢人员、补充物资、组建医疗队、完善出动方案。接到命令后，李涛带领医疗人员在 3 个小时内装载医疗仪器设备 30 多个品种、46 台（件），耗材 180 余种 200 余箱，药品 350 余种 400 余箱。执行任务期间，他带领医疗分队共接诊伤员 4585 人次，门诊处置 487 人次、特诊检查 232 人，手术 431 例，救治的伤员无一例感染、无一人死亡，受到地方党委、政府和广大人民群众的广泛赞誉。

2010 年 8 月，中共中央、国务院、中央军委授予李涛“全国抗震救灾模范”称号。

任玲（女） 1976 年 5 月出生，陕西省大荔县人，中共党员，解放军第 536 医院医防科护士长、护师。

接到任务命令后，任玲没来得及向丈夫和孩子告别，只是悄悄写下一份遗书，做好了随时牺牲的准备。在救灾前线，她每天工作 20 个小时以上，为伤病员吸氧、吸痰、静脉输液、清创、消毒、包扎救护。救援队外诊小组在废墟上巡诊时抱回 2 名新生女婴，任玲迅速对两个小生命的受伤部位进行消毒清洗、敷药包扎，晚上一直陪伴着两个婴儿入睡。在随后的日子里，她一边收治护理病人，一边精心照料着这两个幼小的生命直到她离开灾区的那天。她用爱心捧起新的希望，灾区的孩子亲切地叫她“兵妈妈”。在 17 个昼夜的连续奋战中，任玲全身心投入救援工作，护理病人上千例，没有和家人通过一次电话。

2010 年 8 月，中共中央、国务院、中央军委授予任玲“全国抗震救灾模范”称号。

王然江　1975年4月出生，山东省沂水县人，中共党员，96657部队5室副主任、工程师。

地震发生后，王然江放弃正在进行的计算机专业职称考试，主动请战前往灾区，并在灾区坚持奋战20天。在对灾区周边山体滑坡、道桥毁损、房屋垮塌、供电排水等情况进行深入勘察后，他撰写上报技术勘察报告，为开展灾后安置提供第一手资料。受灾群众安置工作任务重、时间紧，他独立承担起板房安置规划和造价估算等工作，在短短两天时间内完成玉树州孤儿学校和玉树县巴塘乡寄宿学校等6个临时过渡板房规划方案。

2010年8月，中共中央、国务院、中央军委授予王然江“全国抗震救灾模范”称号。

王会峰　1976年2月出生，山东省东阿县人，中共党员，第二炮兵司令部作战部参谋。

地震发生后，王会峰就近协调某部240名指战员携带工程机械，连夜驰援灾区。执行任务期间，他和指战员一起完成111名后送伤员收治和13.4万立方米废墟清运，以及4080.5吨救灾物资装卸转运等任务。他主动协调部队应急救援玉树州孤儿学校、巴塘乡寄宿学校和禅古寺，使1473名学生复课、260余名僧人恢复正常宗教活动。他同专家一起研究提出对禅古寺科学的施救方案，抢救珍贵文物8365件。为灾区协调筹集棉衣棉被等生活物资60余吨。统筹调度军地资源，就地租赁装卸工程机械81台。

2010年8月，中共中央、国务院、中央军委授予王会峰“全国抗震救灾模范”称号。

乔林　1971年1月出生，山东省庆云县人，中共党员，第二炮兵总医院骨科主治医师。

乔林到达灾区当日就接诊一例地震重伤员，他立即会同其他科室专家研究制订最佳手术方案，经过8个小时两次连续手术，使患者锁骨骨折合并臂丛神经损伤得到有效治疗，创造了医院在高原连续开展此类手术并一次性取得成功的先例。他会同解放军第536医院医护人员，对50多名伤员进行联合会诊，3天内共主刀手术9例，参加并指导手术19例。执行任务期间，他成功实施主刀手术12例，参加手术23例，无一例截肢，无一例感染。

2010年8月，中共中央、国务院、中央军委授予乔林“全国抗震救灾模范”称号。

刘建军　1959 年 12 月出生，中共党员，山东省莱州市人，解放军第 255 医院院长、主任医师。

执行任务期间，刘建军带领的医院创造了“三个第一”：第一个展开救治的野战方舱医院、第一个成系统规模的全科医院、第一个灾后医疗重建签约医院。他率先修订门急诊工作、危重疑难病例讨论等 7 项制度，规范收入院、医疗后送等工作流程，实现工作规范化、管理制度化、治疗科学化。他们累计实施救治数万名病例，抢救危重病人成功率达 100%，实现零事故、零纠纷、零差错，并成功救治灾区第一例重度高原肺水肿合并脑水肿病患者，创造灾区原地抢救危重高原病的奇迹。他主动联系香港红十字会资助玉树县医院建设 1000 平方米板房，协调中国扶贫基金会扩建县医院 1000 平方米病区、建设独立传染病区，为当地群众在灾后重建的过渡期提供比较完备的医疗条件。

2010 年 8 月，中共中央、国务院、中央军委授予刘建军“全国抗震救灾模范”称号。

朱为民　1972 年 11 月出生，江苏省通州市人，中共党员，北京军区联勤部卫生部助理员。

在灾区，朱为民连续 5 天战斗在濒临倒塌的玉树县人民医院大楼内，抢运医疗设备和药材，挽回经济损失 30 余万元。带领任务分队人员，连续奋战 20 多天搭建板房。与医疗人员一起协助方舱医院成立专家组，开启远程会诊系统，成功实施灾区第一例眼科显微手术，成功救治第一例危重高原病患者，实施 567 例剖宫产、胆囊切除等大中手术，成功率、住院治愈率均达到 100%。协调玉树县人民医院派 31 名藏族医务人员，采取“一对一”“结对子”的形式，与军队医务人员一起接诊、一起手术，大大提升了救援效率。

2010 年 8 月，中共中央、国务院、中央军委授予朱为民“全国抗震救灾模范”称号。

李勇俊　1968 年 3 月出生，山西省原平县人，中共党员，69008 部队副部队长。

接到救援命令后，李勇俊迅速召集任务机组人员召开作战会议，对任务进行详细部署，完成出动的各项准备工作。震后第二天，他带领 3 架直升机，连续高强度飞行 7 小时 12 分钟，转场 2000 余千米，第一时间到达灾区展开救援。4 月 16 日下午抢运伤员快到西宁时，机组突遇沙尘暴。他立即拉高机位，掉转方位，迂回、折转。10 分钟后，直升机成功穿越沙尘区，将最后一批伤员安全送抵兰州。这次执行任务飞行，他将气象条件、飞机性能和飞行技术都运用到了极限，创造了直升机在 4200 米高原救灾等我军陆航史上的多项纪录，为执行同类型任务提供了宝贵经验。

2010年8月，中共中央、国务院、中央军委授予李勇俊“全国抗震救灾模范”称号。

艾正文 1974年10月出生，湖南省南县人，中共党员，68211部队56分队分队长。

地震发生后，艾正文组织抗震救援队采取空中输送和摩托化行军相结合的方式，分批次昼夜兼程赶赴灾区。在72小时黄金救援期内，连续作战三天三夜，带领救援队先后营救出受伤群众4名，挖掘遇难者遗体8具，抢救群众埋压财物总价值1960余万元。接到为玉树职业技术学校高三学生搭建帐篷学校的任务后，他又带领23名指战员加班加点、连续奋战40余小时，搭建12顶大型帐篷，准备180套课桌椅等教学生活设施，确保了该校144名学生及时复课。之后，他带领救援队搭建了由74顶帐篷组成的扎西大同村首个“示范社区”。

2010年8月，中共中央、国务院、中央军委授予艾正文“全国抗震救灾模范”称号。

路开彬 1989年2月出生，河南省淇县人，中共党员，68211部队63分队班长。

在玉树职业技术学校救援过程中，路开彬与5名队友一起动手，用液压钳剪开钢筋，将通道上的水泥板支撑起来，发现并挖出一具遇难者遗体。救援队对任务区展开最后一次生命搜索时，他将光学生命探测仪的探头伸进废墟内部，突然一只手出现在了仪器的屏幕上。经过6个多小时的艰苦努力，遇难者遗体完整地清理出来。在执行“示范社区”建设任务中，当得知一位老太太除了老伴，其他亲人全被埋在废墟之中无一幸免的情况后，他将随身携带的320元现金全部捐给她，又向战友借了300元钱，跑遍县城买到一个炉子送到老人帐篷里。

2010年8月，中共中央、国务院、中央军委授予路开彬“全国抗震救灾模范”称号。

李景玉 1968年9月出生，山东省平度市人，中共党员，68210部队装备部处长。

地震发生后，李景玉奉命带领2台指挥车、1台通信车从宝鸡出发向灾区紧急开进。进入灾区后，他及时向总部请领月光灯、切割机等560件专业救援器材，协调空运配发到指战员手中，提高了救援效率。他带领指战员完成禅古寺、扎木东、先锋岗木材厂等352个点位的搜救工作，营救幸存者5名，抢救重伤群众20名，清理出现金1300万余元。紧急调配和采购16顶大型帐篷、180张桌椅，搭建7个教室、5个学生宿舍，解决140多名高考学生复学备考问题。为救援部队运送炊事方舱、野战厕所、帐篷等物资器材119件，补充救援及保障装备366部，满足救援部队行动需要。

2010 年 8 月，中共中央、国务院、中央军委授予李景玉“全国抗震救灾模范”称号。

李德强　1972 年 4 月出生，河南省杞县人，中共党员，68303 部队副部队长。

抵达灾区后，李德强立即带领部队开进结古镇新寨村和当代村。他和营连主官先后深入 3 个村（社区）逐片逐户对灾情进行排查，及时掌握第一手资料。带领 2 个分队指战员，救治伤员 216 名，卸载发放物资 210 余吨，搭建帐篷 240 余顶，安置受灾群众 4300 余人，援助“三孤一特”人员 76 人，清理出家具、保险柜、药材、唐卡等物品 3 万余件（套），挽回经济损失近 6000 万元。在执行废墟清理任务中，他与营连干部深入现场、反复论证，采取“全面布点、人机结合、多头并进”的方式展开清理，完成 43 万立方米的废墟清理任务。

2010 年 8 月，中共中央、国务院、中央军委授予李德强“全国抗震救灾模范”称号。

王宪东　1982 年 8 月出生，陕西省渭南市人，中共党员，68303 部队 47 分队班长。

在连续两天、长达 1500 千米的车辆收拢保障任务中，他充分发挥个人过硬的修理技能，先后共维修各种故障车辆 30 余台，确保了掉队车辆及时赶到灾区。接到为军区装备部车辆进行检修的任务后，面对以前从未修理过的越野车，他结合平时所学的理论知识和实践经验，仅用 1 个小时就完成了任务，受到了军区首长充分肯定。在执行清理废墟任务中，他主动帮助灾区群众修理车辆 20 余台。

2010 年 8 月，中共中央、国务院、中央军委授予王宪东“全国抗震救灾模范”称号。

石自福　1971 年 11 月出生，甘肃省永登县人，中共党员，68303 部队 52 分队主治医师。

到达灾区后，石自福迅速与玉树药监局取得联系，请领常用药品器材和高原药品器材 118 个品种，为指战员配发单兵吸氧器和必备的高原常用药品，举办高原病防治常识、心理疏导讲座 18 场次。指导各营建立 4 个卫生所，组织医疗小分队巡诊救治 85 批次，诊治伤病官兵 1600 余人次，收住 36 人次，运送危重病号 180 余人。与战友们组成 3 个医疗小分队进村入户，救治受伤群众 4271 人、重危伤病员 26 人，发放药品 190 箱。带领 3 名心理医生、137 名心理疏导骨干和 26 名藏语骨干，开展心理教育、传授常见心理疾病预防常识 20 余场次，受众达 5000 多人。

2010 年 8 月，中共中央、国务院、中央军委授予石自福“全国抗震救灾模范”称号。

王贵刚 1975年1月出生，山东省莒县人，中共党员，68303部队58分队分队长。

到达灾区后，王贵刚把分队党员编成28个党（团）员突击队和8个青年先锋队，提出“每个支委包一片、每个党员带一组、每个小组搜十户”的排查搜救方案。带领小分队深入27个村社，走访1700余户。组织分队援建“少云帐篷学校”6所，与107名孤寡老人、33名孤儿、6名孤残和355名特困户结成帮扶对子，为灾区群众捐钱赠物。执行任务期间，他带领分队指战员先后深入任务区内5个乡镇、13个村社，坚持每天顶风冒雪步行20余千米，手刨肩扛搜救2278户，排查3656户，搭建帐篷1171顶，装卸拉运发放物资2786吨，清理733户，清理废墟49.6万余立方米，抢救财产计6500余万元，挽回经济损失近亿元。

2010年8月，中共中央、国务院、中央军委授予王贵刚“全国抗震救灾模范”称号。

吴文杰 1989年9月出生，四川省内江市人，中共党员，68303部队69分队上等兵。

地震发生后，在班长不在位的情况下，他带领全班人员连续奋战10余天，排查搜救上百户，转移群众上千人，搭建帐篷上百顶，装卸（载）和发放物资上百吨，清理废墟上万平方米，为受灾群众抢救出金佛、唐卡等贵重物品，价值百万余元。在西杭社区看到一间间倒塌的房屋、一张张憔悴的面容，联想到四川家乡那场惊天动地的大地震，他有感而发，创作歌曲《一切为了你》，用歌声将军心民心紧紧连在一起。在与当代村党支部进行联建联创活动中，得知格来老阿妈在地震中失去亲人的消息后，他带领本班2名战士徒步8千米到老阿妈家中，送去药品和水、米、面等生活物资。

2010年8月，中共中央、国务院、中央军委授予吴文杰“全国抗震救灾模范”称号。

王永强 1985年1月出生，甘肃省通渭县人，中共党员，68303部队75分队班长。

作为邱少云生前所在部队的一员，他带领全班人员深入2个乡镇、4个村社，搜救人员、清理废墟，先后排查清查517户，清理出唐卡12幅、保险柜17个、米面和牛羊肉等食品2万余千克、木料9500余根、空心砖1.2万块、家具620余件、衣物800余件、金银首饰20余件、轿车1辆、摩托车5辆及虫草、鹿茸等贵重物品，为受灾群众挽回经济损失近百万元。在执行任务的间隙，主动承担起照顾72岁的藏族孤寡老人才仁的生活起居任务，坚持每天为老人送水送饭，并把自己仅有的300元现金留给老人。

2010年8月，中共中央、国务院、中央军委授予王永强“全国抗震救灾模范”称号。

梁永红 1974年10月出生，重庆市南川区人，中共党员，68303部队后勤部科长。

地震发生后，梁永红迅速带领所属人员完善机动方案，协调分配保障力量，在6个小时内组织完成190多台车辆的紧急启封、油料加注、梯队编成等工作，确保3002人、251台车、11个行军梯队安全准时抵达灾区。到达灾区后，他对30多处复杂、特殊、险要路段进行勘察分析，制作成录像，向驾驶员详细介绍，有效保障了排查搜救、拉运物资、清理废墟等任务的顺利展开。他先后利用近1个月时间，3次组织46名新毕业和不能单放的驾驶员复训，确保抗震救灾一线运输力量充足。

2010年8月，中共中央、国务院、中央军委授予梁永红“全国抗震救灾模范”称号。

许尔瑞 1966年5月出生，甘肃省民勤县人，中共党员，68313部队政治委员。

执行任务期间，他带领全体指战员先后营救、转移受灾群众600多户，运送分发帐篷、食品等各类救灾物资2000余吨，清理废墟120户，搬运帐篷125户，清理现金16.5万元，搭建帐篷1500多顶，安置受灾群众2万余人，挖出佛像、唐卡等800余件，价值800余万元。安排营连党委、支部与结古镇、巴塘镇等5个乡镇党委、支部结成对子，与6个村、56户家庭建立帮扶联系点，组织开展联建共创、重点帮扶工作。协调各方为玉树州孤儿学校搭建帐篷学校，捐助课桌椅1300余套、书包及学习用品500余套、被褥400余套。坚持48天为208名孤儿每日三餐供应藏族风味食品，精心选派3名大学生干部、2名藏族大学生士兵、3名心理疏导骨干担任课外辅导员，为56名孤儿建立心理档案、进行心理干预。

2010年8月，中共中央、国务院、中央军委授予许尔瑞“全国抗震救灾模范”称号。

王万华 1984年2月出生，甘肃省景泰县人，中共党员，68313部队13分队班长。

在救援过程中，王万华时刻坚守自己岗位，想方设法解决各种问题。因为机动距离远，时限要求急，每天连续行车都在20小时以上，只能利用临时停车、部队就餐等时机给车辆补充油料。在3天的行军途中，他和战友们一起拉运油料20余吨，为4300台次车辆补给油料。驾驶主食加工车为受灾群众提供伙食保障，坚持46天同战友一起给灾区群众和孤儿做饭。从玉树机场向灾区转运救灾物资20余吨、棉衣被200余套，协助北京军区255野战医院卸载各类药品、医疗器械、生活物资10余吨。

2010年8月，中共中央、国务院、中央军委授予王万华“全国抗震救灾模范”称号。

田红宝　1974年1月出生，河南省杞县人，中共党员，68313部队59分队分队长。

地震发生后，他及时组织分队展开人员、物资等各项准备，迅速赶赴灾区。在他的带领下，经过艰苦努力，圆满完成拉运物资、搭建帐篷、清理废墟、警戒执勤等各项任务。他们摸索总结出的“锄、架、接、盖、固”快速搭建帐篷“五步法”被抗震救灾联合指挥部推广运用。在拆除危房和清理废墟中，带领指战员共拆除危房600多间，清理唐卡、法器等贵重物品和现金1000万余元。

2010年8月，中共中央、国务院、中央军委授予田红宝“全国抗震救灾模范”称号。

沈方敏　1981年10月出生，江苏省句容市人，中共党员，68313部队83分队政治指导员。

为解决救灾帐篷结构不同以及搭建方法不一、速度较慢、质量不高的难题，沈方敏通过认真研究，摸索出“6人助锄固根搭建法”，按照“架、粘、固、整”的简易步骤，将之前8人搭建帐篷需20分钟缩短到6人搭建只需6分钟，创下日搭建帐篷300顶的纪录。执行任务期间，他组织指战员与果青村党支部开展联建联创活动，为果青小学和扎芒小学搭建帐篷20余顶，捐赠桌椅110余套、被褥120套、学习用具180余套。与8户家庭建立帮扶联系点，签订连班排帮扶联系卡，帮助困难群众重建家园。帮助藏族群众清理出金佛、唐卡等价值100万余元的贵重物品。先后救助5名藏族孤儿，个人捐资超过5000元。

2010年8月，中共中央、国务院、中央军委授予沈方敏“全国抗震救灾模范”称号。

华清杰　1987年3月出生，青海省同德县人，藏族，中共党员，68313部队84分队上等兵。

在清墟过程中，华清杰不顾个人安危冲进废墟，最大限度地抢救人民的生命财产，他和突击队员先后清挖出保险柜、金佛、唐卡等贵重物品价值100余万元。针对玉树州孤儿学校师资力量极为匮乏的实际，他还担任玉树孤儿学校语文、英语老师。他注重发挥自身心理疏导的特长，与震后孤儿谈心聊天，进行心理疏导，主动替学生打扫卫生、整理内务、清洗衣物，被学生们亲切地称为“金珠玛米老师”。

2010年8月，中共中央、国务院、中央军委授予华清杰“全国抗震救灾模范”称号。

王明生 1978年12月出生，甘肃省兰州市人，中共党员，68310部队政治部干事。

到达灾区后，王明生直奔扎西科赛马场受灾群众临时安置点展开报道工作，于当日通过卫星直播车发出任务部队在灾区的第一条新闻，把解放军一支人数最多的救援力量已投入抗震救灾之中的信息传递给外界。为及时准确地报道邱少云生前所在部队援建的“少云帐篷小学”开学情况，他赶往小学所在地玉树县隆宝镇措美村采访，稿件在当日的中央电视台播出。在灾区救援的45天当中，他采写并刊发新闻稿件120多篇。

2010年8月，中共中央、国务院、中央军委授予王明生“全国抗震救灾模范”称号。

吴勇 1960年6月出生，安徽省淮北市人，中共党员，青海省玉树军分区司令员。

地震发生后，吴勇仅用10分钟时间即对在位指战员进行集合清点，分组编排，明确责任，并立即组织开展自救互救，共抢救出军马108匹。组织指战员迅速驰援玉树州民族综合职业学校、玉树州石油公司，先后组成4个救援小组，投入兵力1430余人次，抢救出幸存者125人。组织人员对弹药库、油库、银行等重要部位和重点目标进行警戒，确保绝对安全。协调组织人员搭建帐篷350多顶，开通地方专线26部，军用电话33部，架设电线1万余米。指挥玉树州所辖6个县人武部组织民兵2800余人次在救援部队没有进入的其他地区进行奋力救援。平均每天安排部署100多项工作，与军地人员汇报协调200余人次。

2010年8月，中共青海省委、青海省人民政府、青海省军区授予吴勇“全省抗震救灾模范”称号。当月，中共中央、国务院、中央军委授予吴勇“全国抗震救灾模范”称号。

马胜强 1963年4月出生，河南省睢县人，中共党员，青海省玉树军分区后勤部部长。

地震发生后，马胜强带领后勤机关19名干部、战士和职工，第一时间在一处倒塌的民房废墟下抢救出7名藏族同胞。组织军分区后勤保障力量紧急支援地方救灾帐篷20顶、担架10副、急救药品3000多支（盒）、氧气100多瓶。组织发放应急保障物资2万件（套）而无一差错，连续20天为1100多人提供24小时不间断饮食饮水保障，提供200余吨油料保障，供水3000余吨，供电4万余千瓦时。带领指战员完成70台车次的保障物资和2789件（套）床铺等生活用具的卸载任务及136间（套）活动板房内生活用具的摆放任务。

2010年8月，中共中央、国务院、中央军委授予马胜强“全国抗震救灾模范”称号。

闫新明 1979年8月出生，山东省招远市人，中共党员，青海省玉树县人民武装部后勤科士官。

地震发生时，闫新明被狠狠地摔倒在地上，但他忍受着疼痛，不顾个人安危，迅速跑到已垮塌的办公楼前，抢救被埋的县人武部后勤科科长杨朝阳。经过2个多小时的努力，杨朝阳终于被救出。随后，他立即带着几名群众冲进人武部家属院营救被埋人员，经过近1小时艰苦努力，5名幸存者被安全救出。带领人武部2名职工，冒着生命危险冲到食堂将大米、面粉、蔬菜转移到安全地带。

2010年8月，中共中央、国务院、中央军委授予闫新明“全国抗震救灾模范”称号。

杨传征 1973年8月出生，山东省博兴县人，中共党员，青海省军区政治部干事。

在抗震救灾的40天，杨传征根据各个救援阶段工作特点，每天徒步奔波于各部队救援任务点，积极捕捉新闻热点。环境和工作双重艰苦，高强度超负荷工作，使他精神和体力严重透支，几次晕倒在采访现场。他先后在青海电视台和其他省级电视台新闻栏目刊播部队指战员抗震救灾的新闻专题160多条（部），在中央电视台《新闻联播》《朝闻天下》《晚间新闻》等栏目采制播发反映一线指战员抗震救灾的新闻专题264条（部）。其中，《青海省军区某团千里驰援玉树灾区》获2010年全军电视新闻节目二等奖。

2010年8月，中共中央、国务院、中央军委授予杨传征“全国抗震救灾模范”称号。

王波涛 1966年10月出生，陕西省泾阳县人，中共党员，68710部队部队长。

地震发生后，王波涛立即组织1002名官兵不分昼夜驰援灾区。执行任务期间，他带领参战人员先后救助重伤病员168人，转运伤病员1540人，卸载各类物资1360余吨，搭建救灾安置帐篷1300余顶，协助搭建活动板房120间，帮助6所学校及时复课。协同开展鼠疫防控工作，投放药剂氯化苦5388千克，填堵旱獭洞7.2万个，完成防控总面积1万余公顷。在执行清墟任务中，他带领官兵共清运废料19万立方米，回填土石10万立方米，清理各类物资2万余件。抢救群众财产现金710余万元、贵重物品4万余件和大量生活物品，受到群众的普遍赞誉。

2010年8月，中共中央、国务院、中央军委授予王波涛“全国抗震救灾模范”称号。

张继福　1973年9月出生，甘肃省甘谷县人，中共党员，68710部队58分队分队长。

到达灾区后，张继福将指战员搜救任务落实到分队，既保证对任务区能够进行地毯式搜救不留死角盲区，又保证关键时刻能够集中兵力集体攻关。执行任务期间，他带领党员突击队、团员先锋队搜救出遇险群众65人，其中生还群众8人；抢救现金240余万元、金佛89尊、贵重物品8200余件和大量家用物资，帮助搭建帐篷120顶。

2010年8月，中共中央、国务院、中央军委授予张继福“全国抗震救灾模范”称号。

王育龙　1988年7月出生，甘肃省武山县人，中共党员，68710部队72分队班长。

在抗震救灾中，王育龙始终冲锋在前、吃苦在先，带领战士先后搜救被困群众13人，清理房屋120余间，抢救价值400余万元的财物。带领战士成功抢救出被掩埋在废墟下24小时的60岁藏族群众扎西才让。带领全班连续奋战2个多小时，终于抢救出藏族群众价值达70万元的传家宝——玛瑙项链。为了表达感谢之情，老乡想送他价值4万元的金腰带，他婉言谢绝，受到群众的高度赞誉。他的事迹在中央电视台滚动播放，引起较大反响。

2010年6月，中共青海省委授予王育龙“玉树抗震救灾优秀共产党员”称号。8月，中共中央、国务院、中央军委授予王育龙“全国抗震救灾模范”称号。

朱发强　1971年11月出生，陕西省扶风县人，中共党员，兰州军区司令部作战部参谋。

朱发强两次赴玉树震区参战，时间长达40余天。他带领一名参谋人员坚守值班室，承担抗震救灾组织协调工作，保持与玉树抗震救灾联合指挥部的联系。每天及时向总部报告情况，组织应急指挥所值班交班、情况收集、报告反馈、督导落实等一系列工作，协调灾区急需的通信指挥装备、部队保障装备和救灾物资，采取空运和公路运输相结合的方式快速运到灾区，高标准、高质量地完成了各项指挥任务。

2010年8月，中共中央、国务院、中央军委授予朱发强“全国抗震救灾模范”称号。

王晓涛　1976年4月出生，宁夏回族自治区隆德县人，中共党员，兰州军区司令部军务部参谋。

在应急救援阶段，王晓涛向联指首长建议，既要强调救人第一，又要指导部队加强指挥控制，尽可能避免意外伤亡。转入灾后安置后，他深入任务一线和部队驻地，调研评估部队自身安全管理形势，先后起草下发电报12份，指导部队严格执行《战时管理条例》。他连续7天蹲守在废墟清理现场，和指战员一起研究探索废墟清理、危房拆除、垃圾清运安全作业的方法程序、兵力编组模式、工作标准规范和特情处置办法，形成《废墟清理工作手册》，制定《废墟清理清运安全管理细则》，编印《玉树高原安全行车手册》。

2010年8月，中共中央、国务院、中央军委授予王晓涛“全国抗震救灾模范”称号。

高思远　1975年8月出生，甘肃省环县人，中共党员，兰州军区政治部宣传部干事。

青海省军区独立团指战员在结古镇废墟中发现生命迹象，高思远作为唯一在场的新闻记者，用摄像机生动完整地记录下指战员救出藏族母女索囊才措、才旦拉毛的全过程。他以“青海省军区某团千里机动，第一时间赶往灾区展开救援”为题制作新闻，在中央电视台《新闻联播》等栏目滚动播出，成为中央媒体报道灾区抗震救灾部队救出生还群众的第一条新闻。他在灾区以直播连线、现场特写、记者亲历等形式，先后采访播出120余条新闻报道，宣传吴勇、旦增等一大批抗震救灾先进典型，成为军队在灾区工作时间最长的新闻记者，为抗震救灾的新闻宣传工作做出突出贡献。

2010年8月，中共中央、国务院、中央军委授予高思远“全国抗震救灾模范”称号。

王若军　1972年11月出生，陕西省凤翔县人，中共党员，68060部队军需物资处助理员。

地震发生后，王若军按照军需物资应急保障预案，主动与各单位核对库存物资，迅速测算各部队军需物资保障需求，协调落实备装物资22.21万件（套）、单兵自热食品3000份和价值15万元的主副食品。随着大批任务部队连夜抵达灾区，他组织炊事人员24小时连续工作赶制热食，为任务部队提供热食保障1.2万余份。及时了解各部队人员编成，筹措调运寒区备装，累计发放寒区备装17.63万套（件）。他从兰州、西宁等地抢运安全帽等防护用品4万余件，发放到救灾一线指战员手中。先后供应部队副食品268吨、大肉2.2万千克、清油9000千克。

2010年8月，中共中央、国务院、中央军委授予王若军“全国抗震救灾模范”称号。

张凡　1989 年 3 月出生，湖北省黄冈市人，中共党员，68062 部队勤务队士官。

到达灾区后，张凡主要负责军地抗震救灾指挥部、各路记者、志愿者以及过往部队的饮食保障。每天清晨不到 5 点，他就开始一天的忙碌，和其他 3 名战友加班加点赶做饭菜，保障一批又一批前来救灾的人员和受灾群众伙食，经常工作到凌晨一两点，平均每天休息不到 5 个小时。在任务最繁重时，最多一天要做 700 多人的饭菜，做 2000 多个馒头。带领本组人员主动帮助受灾群众搬运物资、搭设帐篷、分发救济的生活用品。在看到当地群众缺少御寒衣物时，他毫不犹豫地将自己新发的棉被、衣服及鞋子捐给藏族同胞。

2010 年 8 月，中共中央、国务院、中央军委授予张凡“全国抗震救灾模范”称号。

何敏（女）　1972 年 11 月出生，辽宁省开原市人，满族，中共党员，解放军第 4 医院外科副主任、副主任医师。

地震发生时，何敏身患乳腺癌正准备进行手术，她毅然决定推迟手术日期，迅速赶到灾区。在为一位产妇做产前检查时发现产妇有癫痫症状，而当时灾区的条件难以保障保暖问题，一旦产后出现大出血等并发症，后果不敢想象。面对这一情况，何敏立即请求转运实施剖宫产。20 分钟后，产妇被紧急送往西宁。执行任务期间，她每天徒步到十几千米以外的偏远村庄送医送药、讲解卫生保健知识、开展岗位培训，为夺取抗震救灾胜利做出积极贡献。她的事迹经媒体报道后，在军地引起强烈反响。

2010 年 8 月，中共中央、国务院、中央军委授予何敏“全国抗震救灾模范”称号。

吴永胜　1968 年 4 月出生，山西省大同市人，中共党员，解放军第 1 医院医务处主任、副主任医师。

执行任务期间，吴永胜指导医疗队开展“1123”救治模式，即在地震中心跑马场建立一个中心医疗点，负责收治所有后送的伤员；在格萨尔广场建立一个高原氧站，为各类救援人员进行氧疗；在主镇区开设两个接诊点，救治附近安置点的受灾群众；成立防疫洗消、入村进户巡诊和任务部队巡诊等 3 支小分队，为灾区群众和任务部队服务，有效提高了救治效果。他坚持每天前往各巡诊分队检查指导，及时调整工作重点和措施，使各分队医疗救治工作安全、有序开展。有一次，他徒步前往 30 千米外的山村进行医疗巡诊，成功抢救一名被困 189 小时的藏族妇女，中央电视台等多家媒体对此进行专题报道。

2010 年 8 月，中共中央、国务院、中央军委授予吴永胜“全国抗震救灾模范”称号。

魏敦宏 1969 年 5 月出生，甘肃省兰州市人，中共党员，68090 部队卫生处处长。

抗震救灾期间，魏敦宏每天和队员一起进村入户，深入边远村寨送医送药、救治伤员，开展防疫洗消。在 15 天时间里，带领医疗队巡诊 4000 余人次。主动与青海省民政厅、卫生厅及民航西北管理局、玉树机场、空军前线指挥部等军地单位加强联系，密切配合，科学配置飞行运力，合理安排伤员运送地点，转送危重伤病员 100 余名。协调军地航空运力，运送解放军和武警部队高原病患者 190 余名。执行任务期间，他带领医疗队成功组织抢救并安全后送危重伤员 1185 名，飞行 140 余架次，实现后送伤病员“零死亡”。

2010 年 8 月，中共中央、国务院、中央军委授予魏敦宏“全国抗震救灾模范”称号。

朱自清 1956 年 4 月出生，陕西省兴平市人，中共党员，兰州军区兰州总医院政治委员。

地震发生时，朱自清的父亲恰好去世，他顾不上回家料理家事，立即带领医院野战应急医疗队赶到灾区。执行任务期间，他带领医疗队员到重灾区下拉秀镇巡诊，先后救治危重病号 153 人。在一次巡诊中，他发现两位藏族老人生活困难，把身上仅有的 1000 多元现金全部留给老人。抢险救灾结束后，他主动与下拉秀镇卫生院签订帮扶协议，捐赠价值 50 余万元的医疗器械设备和 1 台发电机。同时为玉树州妇幼保健院送去价值近 100 万元的 B 超机、心电图监护仪和 10 顶帐篷、20 张病床。

2010 年 8 月，中共中央、国务院、中央军委授予朱自清“全国抗震救灾模范”称号。

宋英武 1968 年 9 月出生，河南省许昌市人，中共党员，兰州军区联勤部司令部处长。

抗震救灾伊始，宋英武及时向联合指挥部后勤保障组建议，建立联指后勤保障组——救灾部队两级保障体制，将军区联勤部、青海省军区和玉树军分区后勤部的同志划分为组织计划、生活保障、医疗卫生、运输保障 4 个组，统一组织指挥后勤保障行动。执行任务期间，多方沟通协调车辆，申请总部前方指导组安排青藏兵站部汽车部队提供支援，有效组织空运物资和医疗装备器材运输保障。协调总部和后方紧急调运净水车、淋浴车等保障装备，组织指导并帮助应急兵站开设净水站、淋浴站，及时调运配发物资器材，高效组织救灾后勤保障。

2010 年 8 月，中共中央、国务院、中央军委授予宋英武“全国抗震救灾模范”称号。

李震宇　1973 年 8 月出生，四川省绵阳市人，中共党员，兰州军区装备部汽车修理所所长。

地震发生后，李震宇迅速组织车辆检修技术骨干，协调车辆维修器材，采购补充生活物资，共筹措 15 种车型、200 类 1 万余件器材，还自购 2 万余元生活保障物资奔赴灾区。在灾区，他带领专业技术人员连续奋战 71 天，先后出动 2600 余人次，定点维修车辆 548 台，占任务部队受损车辆总数的近 80%，并为解放军第 255 医院、武警青海省总队、第二炮兵等 28 个单位巡修受损车辆 867 台，为顺利展开救灾工作提供强有力的技术支撑。

2010 年 8 月，中共中央、国务院、中央军委授予李震宇“全国抗震救灾模范”称号。

张红娟（女）　1972 年 1 月出生，河南省漯河市人，中共党员，解放军第 153 医院妇产科副主任医师。

执行任务期间，张红娟和她的战友们舍生忘死救治灾区群众，用真情挚爱传播党的温暖。在高寒条件下，她连续超负荷工作 62 个昼夜，接诊患者 2000 余例，创下接生 73 个“玉树宝宝”无一死亡、做妇科手术 27 例无一感染的奇迹。返回部队后，她时刻牵挂着“玉树宝宝”，先后 3 次回访玉树，累计行程 1.6 万余千米，寻访到 33 名由她亲手接生的“玉树宝宝”，并和他们的家庭建立帮扶关系，帮助他们健康成长，被灾区群众誉为“天使妈”“高原格桑花”。

2010 年 8 月，中共中央、国务院、中央军委授予张红娟“全国抗震救灾模范”称号。

次翁扎西　1975 年 6 月出生，四川省木里县人，藏族，中共党员，72865 部队副部队长。

执行任务期间，次翁扎西和医护人员每天徒步跋涉 20 多千米，先后走访受灾群众 67 户，为灾区 520 名群众提供心理服务和医疗救助，发放藏语心理自助资料 400 余份，把 12 名伤情、病情较重的群众接到方舱医院进行治疗。针对受灾群众普遍存在恐惧和焦虑心理，他和心理专家组研究制定应急干预措施，对心理反应较重的群众实施心理干预 120 余次。一名 14 岁的小姑娘公吉拉毛头部受重伤，整日不言不语，笃信藏传佛教的家人不请医生，而是请喇嘛诵经祈祷。他得知这一情况后，立即带救援分队赶到公吉拉毛家中，一边医治和安抚孩子，一边发动战友捐助。孩子母亲感动地讲：“扎西是藏族的好儿子，贴心的金珠玛米。”

2010 年 8 月，中共中央、国务院、中央军委授予次翁扎西“全国抗震救灾模范”称号。

李仲荣　1977年10月出生，陕西省清涧县人，中共党员，77128部队后勤处处长。

执行任务期间，李仲荣组织指战员安全行驶6435千米，先后运送人员2.34万人次、物资1283吨。带领医疗人员到任务点巡诊，先后救治受伤群众和救灾指战员323人。在救灾的不同阶段，他科学合理安排伙食保障，全力做好住宿、医疗等后勤工作，部队热食保障率达100%。带领全体指战员先后搭设帐篷89顶，安置转移受灾群众329人，发放各类药品83箱，向灾区群众提供热食2万余份，检修过往救灾车辆73台。由于高原反应强烈，加之过度劳累，他3次晕倒在救灾现场。

2010年8月，中共中央、国务院、中央军委授予李仲荣“全国抗震救灾模范”称号。

刘文利　1975年3月出生，陕西省宝鸡市人，中共党员，四川省成都市龙泉驿区人民武装部参谋。

地震发生后，刘文利迅速补充装载保障物资，昼夜行军42小时，安全到达灾区。在灾区18天的救援行动中，他带领全队指战员先后排查受灾群众638户，营救被困群众4人，挖出遇难者遗体11具，清理出现金2000余万元、贵重金银饰400余件、文物80余件、有价证券500余万元，清理废墟1.6万余平方米，组织防疫洗消6000余平方米，搭建帐篷学校3所，卸载各类抗震救灾物资810吨。

2010年8月，中共中央、国务院、中央军委授予刘文利“全国抗震救灾模范”称号。

崔广成　1963年11月出生，辽宁省鞍山市人，中共党员，四川省色达县人民武装部部长。

地震发生后，崔广成迅速启动抢险救灾应急预案，快速组建起8个由专业民兵组成的医疗救护分队赶赴灾区。他带领救援人员在灾区连续奋战15天，共救治伤病员711人，转运伤员64人，挖出遇难者遗体2具，转移救灾物资138吨，搭建帐篷30顶，修建板房2间，清理垃圾12吨，消毒14万平方米。从废墟中挖出天珠2颗、黄金30克、金佛9尊、银佛1尊、珊瑚项链7串、金戒指3枚、金耳环11对、蜜蜡1个、唐卡17幅、现金48万元以及价值约69万元的其他物品，减少了受灾群众的财产损失。

2010年8月，中共中央、国务院、中央军委授予崔广成“全国抗震救灾模范”称号。

陈润泉　1983年8月出生，四川省遂宁县人，中共党员，内江预备役防化团汽车连连长。

到达灾区后，陈润泉率领连队战士进村入户搜救生命、挖掘遗体、抢运物资、拆除危房、清理废墟，从一座倒塌的寺庙中成功抢救出金佛9尊。在拆除一处危房时，正在作业的一台挖掘机挖出两罐液化气，其中一罐正往外喷煤气。面对如此危急的情况，他立即穿戴好防护服，冲上前去对煤气泄漏处实施封堵，并将其搬运到安全地带。在执行消毒防疫任务中，他带领的洗消分队共出动喷洒车40余台次，洗消道路8千米，消毒面积10万余平方米。

2010年8月，中共中央、国务院、中央军委授予陈润泉"全国抗震救灾模范"称号。

七、中国人民武装警察部队全国抗震救灾模范

（一）名单（26名）

安大钧	武警青海省总队第1支队支队长
漆爱民	武警青海省总队第1支队1大队大队长
屈明刚	武警青海省总队第4支队支队长
辜　勇	武警青海省总队第4支队装甲车中队班长
卜　玮	武警青海省总队西宁市支队4大队13中队班长
贾振雄	武警青海省总队玉树藏族自治州支队政治委员
崔　站	武警青海省总队玉树藏族自治州支队直属大队2中队中队长
陈光强	武警青海省总队玉树藏族自治州支队直属大队3中队班长
安华轩	武警青海省总队医院门（急）诊部主治医师
石华杰	武警青海省总队副参谋长兼玉树藏族自治州支队支队长
吕清平	武警青海省总队司令部参谋
赵杰书	武警青海省总队政治部干事
吴小二	武警青海省总队后勤部参谋
李进良	武警四川省总队甘孜藏族自治州支队石渠县中队政治指导员
张亚斌	武警甘肃省总队第3支队2大队5中队政治指导员
孔　新	武警8653部队部队长
李延明	武警8653部队2大队23分队分队长
石念锋	武警8653部队1大队13分队班长
李晓楠	武警8650部队政治部干事
易道勇	武警水电第2总队8支队1大队政治教导员

董　林　　武警交通第1总队1支队教导队政治教导员
侯世科　　武警总医院医务部主任、主任医师
杨建勇　　武警部队司令部作战勤务指挥中心参谋
韩季池　　武警部队心理工作办公室主任
赵　鑫　　人民武警报社军事后勤编辑室编辑
周冲武　　武警部队后勤部军需物资部处长

（二）事迹

安大钧　1971年6月出生，甘肃省天水市人，中共党员，武警青海省总队第1支队支队长。

到达灾区后，安大钧带领400名官兵赶赴民族路地带搭建救灾帐篷60顶，转移安置受伤群众376人，搬运遇难者遗体46具。将支队1000名官兵科学配置在扎西科、扎西大同村、果青、新寨4个任务片区，组织指挥部队持续6天，从废墟中抢救出幸存者2人，救护重伤员14人，转移群众283人，救治受伤群众127人，发放价值3万余元的药品。受领甘达村救援任务之后，他将200名官兵科学编成10个搜救小组，救治伤员105人，安置转移群众526人，搭建帐篷159顶。

2010年8月，中共中央、国务院、中央军委授予安大钧“全国抗震救灾模范”称号。

漆爱民　1973年7月出生，甘肃省漳县人，中共党员，武警青海省总队第1支队1大队大队长。

在执行搜救任务时，发现一名妇女被卡在两块水泥预制板中间动弹不得，在战士们的协助下，漆爱民顺着废墟上的一处空隙，挤进预制板，用铁棒将预制板慢慢撬开，把妇女从废墟中拽了出来。执行清理废墟任务时，他带领官兵先后为受灾群众搭建帐篷100多顶，抢救幸存者13名，清理民宅766户，从废墟中搜挖现金23.43万元，转移佛像10多尊、唐卡21幅、经卷200余卷，回填建筑垃圾97立方米，清理废墟面积7.6万平方米，归整可利用建筑材料8744立方米。

2010年8月，中共中央、国务院、中央军委授予漆爱民“全国抗震救灾模范”称号。

屈明刚 1965年2月出生，陕西省蓝田县人，中共党员，武警青海省总队第4支队支队长。

执行任务期间，屈明刚带领官兵日夜奋战，先后抢救出遇险群众935人，搬运遇难者遗体58具，搬迁转移群众62户，装卸物资8452吨，运送物资1539吨，抢通道路16千米，搭设帐篷951顶，维修围墙500米，拆除危房151间，清理废墟面积111万平方米，搜挖现金94.12万元，救助群众120户，开展便民服务11次。

2010年8月，中共中央、国务院、中央军委授予屈明刚“全国抗震救灾模范”称号。

辜勇 1987年1月出生，四川省眉山市人，中共党员，武警青海省总队第4支队装甲车中队班长。

在结曲河南岸抢险救灾时，应受灾群众请求，辜勇带领2名战士进入危房搬运食品以及虫草、金银等贵重物品时，突然发生余震，致使隔墙倒塌。在这生死攸关的瞬间，他毫不犹豫地将2名战士推出房外。当他正要离开时，一根横梁从右上方滑落下来砸在他的身上，致使左臂脱臼。执行任务期间，他带领全班人员连续奋战50天，出色完成遇难同胞搜救、武装巡逻、交通管制、清理废墟和物资储备站守护等任务，先后抢救出被掩埋群众34人，搜出群众财产3万余元，转运物资232吨，转运伤员30人。

2010年8月，中共中央、国务院、中央军委授予辜勇“全国抗震救灾模范”称号。

卜玮 1987年11月出生，河南省南阳市人，中共党员，武警青海省总队西宁市支队4大队13中队班长。

在赛马场安置点，卜玮连续奋战20多个昼夜，先后处置打架斗殴事件8起、盗窃案件3起、交通事故2起，抓获犯罪嫌疑人3人；救助受伤群众7人。执行废墟清理任务期间，他和战友连续奋战10余天，先后帮助13户群众清理废墟4.2万平方米，归整可利用建筑材料2330立方米，拆除危房16余间，挖出贵重物品14件。组织战友为受灾群众搭建帐篷35顶，搬运物资6000余千克，拉运饮用水3吨，搭建临时围墙180余米，发放救灾物资10余吨，自发为灾区群众捐款3000余元。修复驻地损坏水利设施，解决200多人的饮水问题。

2010年8月，中共中央、国务院、中央军委授予卜玮“全国抗震救灾模范”称号。

贾振雄 1968 年 12 月出生，河北省望都县人，中共党员，武警青海省总队玉树藏族自治州支队政治委员。

抗震救灾期间，贾振雄带领参战官兵解救被困人员 350 余人，转移群众 2100 余人，运送伤病员 430 人，转移遇难者遗体 87 具，抢运物资 94 吨，挖出 150 余万元现金以及虫草、有价证券、金银、佛像、文物和电器等贵重物品，转移结古寺千年镇寺之宝“黑金刚护法神”1 尊、金佛 305 尊、法器 1000 余件、东仓《大藏经》3500 余卷。在支队营区搭建临时帐篷 138 顶，接纳群众 3000 余人次，医治救治群众达 2876 人，发放药品价值 5.4 万余元。

2010 年 8 月，中共中央、国务院、中央军委授予贾振雄“全国抗震救灾模范”称号。

崔站 1980 年 3 月出生，河南省驻马店市人，中共党员，武警青海省总队玉树藏族自治州支队直属大队 2 中队中队长。

地震发生后，崔站迅速组织中队 50 名官兵，急行军至 8 千米之外的玉树县看守所，在看守所监墙全部倒塌的情况下，确保无一在押人犯脱逃。带领战士赶到受灾严重的玉树州职业技术学校进行生命搜救，在救援一名高二女学生时，由于余震发生，一块木横梁塌陷下来，砸在他脚上，但他不顾疼痛，直到救出这位女孩。地震当日，带领全中队官兵连续 15 个小时奋战在最危险的一线，抢救幸存者 337 人，转移伤员 425 人，搬运遇难者遗体 29 具。当凌晨 3 点返回营区时，他累倒在营区路旁，被战友背回帐篷。

2010 年 8 月，中共中央、国务院、中央军委授予崔站“全国抗震救灾模范”称号。

陈光强 1988 年 2 月出生，四川省内江市人，中共党员，武警青海省总队玉树藏族自治州支队直属大队 3 中队班长。

地震发生后，陈光强带领 10 名战士迅速冲向营区旁边的受灾点，发现 1 名老人被压在木梁下后，立即与战友们用手刨去土石，利用勉强能容身的缝隙，将老人成功救出。与战友们奋战两个多小时，将 1 名藏族小伙子从一座倒塌的楼房救出。地震当日，在没有任何大型救援工具的情况下，他带领战士用手刨肩扛，成功救出 21 名幸存者，转移遇难者遗体 7 具。

2010 年 8 月，中共中央、国务院、中央军委授予陈光强“全国抗震救灾模范”称号。

安华轩　1978 年 4 月出生，河南省南阳市人，中共党员，武警青海省总队医院门（急）诊部主治医师。

一名从废墟中抢救出的 4 岁藏族女孩拉毛被紧急送到医疗队后，安华轩立即组织医护人员实施抢救。在随医疗队赴赛马场安置点巡诊时，发现一名叫尕玛措的藏族妇女伤势严重，在现有条件无法实施有效救治的情况下，他将尕玛措专车护送到玉树机场，使其通过生命绿色通道顺利得到转移。在坚守抗震救灾一线 1 个月的时间里，他接诊病患 470 余人，完成清创缝合、骨折手法复位固定、异物清除等手术 41 台次，抢救重伤群众 12 人。

2010 年 8 月，中共中央、国务院、中央军委授予安华轩“全国抗震救灾模范”称号。

石华杰　1966 年 1 月出生，河南省新郑市人，中共党员，武警青海省总队副参谋长兼玉树藏族自治州支队支队长。

地震发生后，石华杰迅速带领 50 名官兵驰援玉树县看守所，实施严密管控后，在押 108 名人犯无一脱逃。随后，他将 350 名官兵编成 40 个搜救小组，分赴西杭路、民主路、环城路 3 条重灾街道，以居民区、银行为重点展开搜救。执行任务期间，指挥官兵先后挖出幸存者 1300 人，转移救治群众 5189 人，运送伤病员 540 人，搬运遇难者遗体 155 具，搭建帐篷 450 顶，抢运卸载救灾物资 140 吨，挖出 5 万元现金和价值 480 余万元的贵重物品。设立医疗救助点，派出 3 个救护医疗队巡诊。设立 2 个救灾助民就餐点，每天为 5000 人次供餐。

2010 年 8 月，中共中央、国务院、中央军委授予石华杰“全国抗震救灾模范”称号。

吕清平　1971 年 8 月出生，湖南省邵阳县人，中共党员，武警青海省总队司令部参谋。

执行任务期间，吕清平迅速建立总队前线指挥通信枢纽，指导协调各救援部队开展通信保障工作。主动协调玉树州军分区、电信局等单位，开通有线电话 30 余部、军线电话 20 余部，为军地首长指挥武警部队开展救援行动提供强有力的通信保障。他在灾区坚持奋战 46 天，和战友一起先后抢修通信线路 50 余千米，制作和下发通信联络文件 500 余份，为任务部队调配各类通信装备和保障器材 2000 部（件），确保军地联合指挥和总队前线指挥对救灾部队的有效指挥。他们还帮助玉树州支队抢挖通信装备价值 500 余万元。

2010 年 8 月，中共中央、国务院、中央军委授予吕清平“全国抗震救灾模范”称号。

赵杰书 1975年2月出生，内蒙古自治区丰镇市人，中共党员，武警青海省总队政治部干事。

执行任务期间，赵杰书撰写《抗震救灾任务政治动员令》《抗震救灾政治工作指示》《抗震救灾宣传口号》等文书材料80余份，制作《战地快报》21期，发动官兵捐款12万余元。他先后6次深入救灾一线了解官兵思想，与基层官兵谈话190余人次，协调帮助12名基层官兵解决个人和家庭实际困难。指导部队与甘达村结成共建对子，建立“帐篷党员之家”，并赠送1000余册学习资料。协调部队为受灾群众和小学搭建帐篷425顶，清理垃圾30余吨，送去棉被、棉褥、床单、书包各100件。

2010年8月，中共中央、国务院、中央军委授予赵杰书“全国抗震救灾模范”称号。

吴小二 1980年6月出生，江苏省泗阳县人，中共党员，武警青海省总队后勤部参谋。

执行任务期间，吴小二深入一线任务部队，及时为任务部队请领调配急需物资，先后接收配发战备物资9类2312件、卫生器材等6.72万件（套）、营房物资50余吨，为任务部队全力搜救受灾群众提供有力保障。组织官兵搭设各类帐篷207顶、临时伙房22个、简易厕所4座、餐厅帐篷30顶，建成集吃、住、行、医、修于一体，临时指挥、通信、训练和生活、文化设施集成配套，能保障4000人的武警野营村。为防止官兵睡地铺受潮生病，他组织配发充气床垫1720张、床板400张、燃煤炉62个，确保抗震救灾后勤保障的坚强有力和持续高效。

2010年8月，中共中央、国务院、中央军委授予吴小二“全国抗震救灾模范”称号。

李进良 1978年3月出生，云南省盐津县人，中共党员，武警四川总队甘孜藏族自治州支队石渠县中队政治指导员。

执行任务期间，李进良带领官兵先后为受灾群众搭建帐篷300余顶，转移伤病员1000余名，发放救灾物资60余吨，安置受灾群众2000余人，装卸救灾物资200余吨，拆除危房6栋，加固房屋26间，为群众挽回经济损失170余万元，并先后两次动员救援现场和中队留守官兵为灾区捐款8125元。他所率领的小分队抗震救灾的事迹，先后被中央电视台等20家新闻媒体报道，得到各级领导的高度称赞。

2010年8月，中共中央、国务院、中央军委授予李进良“全国抗震救灾模范”称号。

张亚斌 1981年11月出生，陕西省兴平市人，中共党员，武警甘肃省总队第3支队2大队5中队政治指导员。

执行任务期间，张亚斌带领官兵夜以继日奋战10天，深入4条街道，拆除危房386间，解救被困群众3人，抢救重伤员25人，协助地方安置群众900多人，挖出遇难者遗体4具，抢挖出51.5万元现金、8.5千克黄金、27千克藏银和各类珠宝，以及价值1300余万元的家用电器、名贵药材、粮食等，帮助受灾群众排除险情107处，搭建帐篷85顶。组织官兵开展爱民助民活动，帮助受灾群众清运垃圾19立方米、清扫街道院落2960平方米，为困难群众捐款4万余元，受到当地政府和人民群众的称赞。

2010年8月，中共中央、国务院、中央军委授予张亚斌“全国抗震救灾模范”称号。

孔新 1971年5月出生，山西省昔阳县人，中共党员，武警8653部队部队长。

在灾后搜救中，孔新和全体指战员连续8天坚守在第一线，挖出幸存者49人，搬运遇难者遗体87具，转移安置群众1310人，救助受伤群众388人，帮助群众搜寻现金389.9万元和价值4300余万元的虫草等贵重物资。在赴禅古寺施救中，他带领官兵经过两天连续艰苦奋战，抢救金佛1200余尊、经书400余册，为寺院挽回直接经济损失1000余万元。带领医疗救助队为受灾群众发放4万余元的卫生药品，接诊620名伤病群众，受到当地政府和灾区群众的赞誉。

2010年8月，中共中央、国务院、中央军委授予孔新“全国抗震救灾模范”称号。

李延明 1978年8月出生，山东省栖霞市人，中共党员，武警8653部队2大队23分队分队长。

在禅古寺担负清理废墟、抢救生命等任务中，李延明和战友们一起经过6天连续奋战，搜寻遇难者遗体4具、现金1万余元、保险柜1个、藏药250余千克；挖掘转运金佛1100尊、400余册经书和20幅唐卡，为寺院挽回直接经济损失1000余万元。在转战加吉娘社区等区域担负机动备勤、清理街道、搜寻财物等任务中，他和战友们一起清理木料2000余立方米，帮助群众搜寻粮食等生活物资价值500余万元，搭建救灾帐篷100余顶，发放救灾物资5.2吨。

2010年8月，中共中央、国务院、中央军委授予李延明“全国抗震救灾模范”称号。

石念锋　1987年5月出生，陕西省旬阳县人，中共党员，武警8653部队1大队13分队班长。

在得知某废墟有生命迹象时，石念锋带领战友经过6个多小时的奋力挖掘，成功救出1名藏族小姑娘。在禅古寺执行搜救任务中，他和战友们先后从废墟中挖出80多尊小金佛和数百件经书，受到当地群众和寺院僧侣的好评。执行任务期间，他带领战友共挖出幸存者6人，挖出遇难者遗体9具，转移安置受伤群众75人，抢挖出粮食2000多千克、现金8万余元，抢救出金银玛瑙等财物价值20余万元。

2010年8月，中共中央、国务院、中央军委授予石念锋“全国抗震救灾模范”称号。

李晓楠　1984年1月出生，山西省永济市人，中共党员，武警8650部队政治部干事。

地震发生后，李晓楠奉命从山西驻地出发辗转奔赴灾区。途中，用手机向《解放军报》、《人民武警报》、新华网等媒体编发稿件6条，同时与新华社记者进行两次现场连线。在黄金救援期内，他在中央各重要媒体发稿50多篇，其中《快些、快些、再快些——武警8650部队72小时救援侧记》《武警8650部队舍生忘死保文物》在《人民日报》等重要报刊和新华网首页刊登。他还协调中央电视台记者进行现场采访，录制一期“武警某部官兵抗震救灾注重保护藏族文化遗产”的《焦点访谈》节目，在中央电视台新闻频道、凤凰卫视等多家电视台进行报道。

2010年8月，中共中央、国务院、中央军委授予李晓楠“全国抗震救灾模范”称号。

易道勇　1974年9月出生，安徽省金寨县人，中共党员，武警水电第2总队8支队1大队政治教导员。

4月17日8时，接到青海海南州电力公司请求部队支援格萨尔广场电力抢建的救援电话后，易道勇立即带领16名应急分队官兵赶往格萨尔广场。在简单察看现场后，迅速召集技术骨干碰头，研究制定抢通方案。22时许，广场用电线路全线抢通，受到国家联合指挥部、武警总部首长及驻地藏族群众的高度赞扬。由于连日超强度的工作，加之严重的高原反应，易道勇多次昏倒在现场。

2010年8月，中共中央、国务院、中央军委授予易道勇“全国抗震救灾模范”称号。

董林 1972年8月出生，河南省平舆县人，中共党员，武警交通第1总队1支队教导队政治教导员。

接到命令后，董林立即抽调23名兵力，携带4台装载机、2台挖掘机、6台自卸车，从囊谦县项目施工工地向重灾区结古镇紧急开进。途中得知结古公路段有一女监理工程师被压埋在倒塌房屋中的消息后，他立即带领1台挖掘机和10名战士赶往现场，同现场人员一起将女工程师从废墟中救出。抵达重灾区后，他指挥23名官兵用大型机械在结古镇西杭村展开救援，当发现西杭村藏族青年丹增被埋在废墟时，组织人员用铁锹、镐头刨出一个小洞，10多次冒死爬进废墟将丹增救出。执行任务期间，他组织官兵抢救转移出32名幸存者。

2010年8月，中共中央、国务院、中央军委授予董林“全国抗震救灾模范”称号。

侯世科 1966年12月出生，河南省杞县人，中共党员，武警总医院医务部主任、主任医师。

侯世科带领医疗队在玉树州体育场搭建起第一所流动医院，承担中型以上手术和其他危重伤员的收治工作。他结合医学理论和实际病例，提出“适当吸氧、防寒保暖、补充水分、劳逸结合、对症治疗”的高原救援作业五大要点，得到一线医疗人员的广泛认同。执行任务期间，他3次晕倒在救援一线，先后救治伤病员1507人，开展清创缝合手术65例，救治危重病人58人。

2010年8月，中共中央、国务院、中央军委授予侯世科“全国抗震救灾模范”称号。

杨建勇 1972年5月出生，江西省樟树市人，中共党员，武警部队司令部作战勤务指挥中心参谋。

地震发生后，杨建勇从北京紧急赶赴灾区参加抗震救灾行动，主要负责组织部队调动、指导救灾行动等任务。他全程跟踪掌握部队救灾行动动态，准确做到上情下达、下情上传，为指挥部科学指挥、果断决策提供依据。主动加强与总部机关和空军等单位沟通协调，及时汇总有关数据和情况，推动形成救灾的整体合力。他在灾区坚持奋战56天，先后起草抗震救灾指示、领导讲话材料、救援情况报告等各类文字材料33份，为高效组织指挥部队行动发挥了重要作用。

2010年8月，中共中央、国务院、中央军委授予杨建勇“全国抗震救灾模范”称号。

韩季池　1970年8月出生，陕西省咸阳市人，中共党员，武警部队心理工作办公室主任。

地震发生后，他顾不上怀孕8个月的妻子，连夜飞往灾区。他与新华社、《人民日报》等中央媒体沟通联系，及时向全国人民报道武警救灾官兵连续作战、无私奉献的感人事迹。他不顾强烈的高原反应，和战友们连夜搭建野战帐篷，保证结古镇帐篷小学如期开学。他坚持在灾区奋战3个多月，带领青海总队“阳光心理”小分队3名心理专家，为官兵进行心理咨询疏导，维护身心健康，确保战友们以饱满的战斗热情投入抗震救灾和废墟清理的任务中。

2010年8月，中共中央、国务院、中央军委授予韩季池“全国抗震救灾模范”称号。

赵鑫　1980年12月出生，内蒙古自治区鄂尔多斯市人，中共党员，人民武警报社军事后勤编辑室编辑。

接到前往灾区执行采访任务的命令后，赵鑫辞别当日过生日的妻子和刚刚满月的儿子，火速赶往玉树。在到达灾区的第一天就采写出《4200名武警官兵奋战玉树抗震第一线》《武警总医院建立震后第一座“帐篷医院”》等7篇稿件，并于第二天发表，极大地鼓舞了救灾官兵的士气。在抗震救灾的11天里，他先后在《人民武警报》发稿19篇（其中头版头条7篇），在新华网“人民武警”频道发稿21篇、图片95幅，先后推出玉树支队、石华杰等8个重大典型。在后方，赵鑫组织力量做好人民武警报星期特刊组稿工作，一周内共编发文字稿34篇和原创图片93幅。

2010年8月，中共中央、国务院、中央军委授予赵鑫“全国抗震救灾模范”称号。

周冲武　1967年5月出生，山西省寿阳县人，中共党员，武警部队后勤部军需物资部处长。

地震发生后，周冲武于当日到达灾区。在灾区断水、断电、断粮，资源极度匮乏的情况下承担起军需保障任务。执行任务期间，他负责调运主、副食193吨，被装物资4.9万件（套），野战食品2500箱，及时满足任务部队的生活急需。按照属地保障与建制保障相结合的原则，成立生活保障组，调拨5台炊事拖车、30顶餐厅帐篷，在受灾群众集居地开设3个便民就餐点，免费救助受灾群众4.2万人次。为官兵配发作战靴4200双，手套和口罩各5万只。

2010年8月，中共中央、国务院、中央军委授予周冲武“全国抗震救灾模范”称号。

八、民兵预备役全国抗震救灾模范

（一）名单（4名）

旦尼玛（藏族）　青海省称多县民兵应急连一排三班班长
邢仁平　　　　　青海省陆军预备役步兵旅通信营政治教导员
龙　斌（藏族）　四川省石渠县民兵应急分队民兵
泽里王（藏族）　四川省黑水县芦花镇民兵连连长

（二）事迹

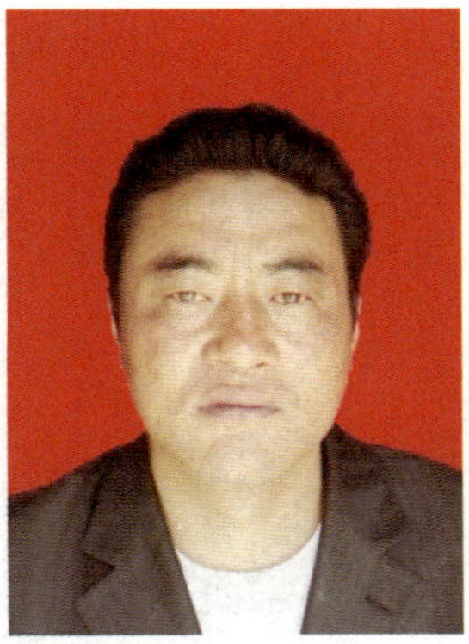

旦尼玛　1979年8月出生，青海省称多县人，藏族，中共党员，青海省称多县民兵应急连一排三班班长。

地震导致旦尼玛家中房屋全部倒塌，姐姐在地震中不幸遇难，家中3名亲人受重伤，但他毅然投入抗震救灾工作中。在结古镇，他建议把民兵分成3批，直接带到人员居住相对密集且已经坍塌的玉树州民族师范学校、玉树宾馆、玉树汽车站等区域开展救援工作。经过10多个小时的努力，成功抢救出6名幸存者、32具遇难者遗体。在结古寺搜救时，他和战友们一起经过20多个小时的努力，救出幸存者58人，挖出被埋文物140余件。受领物资发放任务后，他带领参战人员卸载和发放救灾物资30余车、700余吨，转运救灾物资12车、240吨。组织民兵清理废墟20余立方米、疏导车辆5000余台次。执勤巡逻200人次，转移受灾群众30余户、100余人次，搭建帐篷53顶。

2010年8月，中共中央、国务院、中央军委授予旦尼玛"全国抗震救灾模范"称号。

邢仁平　1963年4月出生，山东省禹城市人，中共党员，青海省陆军预备役步兵旅通信营政治教导员。

地震发生后，邢仁平在不到1小时的时间里完成队伍集结和抢险设备器材的准备工作。抗震救灾期间，他带领通信营抢修人员布放抢修光缆245千米、光缆接头50个，修复基站34个，不仅实现恢复43个通信全阻乡镇的目标，而且创造了多个第一：第一个开通玉树机场CDMA网络基站，第一个恢复治多、曲麻莱、杂多、囊谦和玉树机场通信，第一个实现救灾生命线——玉树机场公路CDMA网络全线覆盖，第一个通过CDMA手机彩信发出灾区照片，第一个通过恢复的全球眼监控让省委、省政府看到灾区画面。

2010 年 8 月，中共中央、国务院、中央军委授予邢仁平“全国抗震救灾模范”称号。

龙斌　1978 年 10 月出生，四川省石渠县人，藏族，中共党员，四川省石渠县民兵应急分队民兵。

地震使距离震中仅 140 千米的石渠县同样受到强烈冲击，致使他家严重受损，80 多岁的老父亲摔伤，妻子和 6 岁的小女儿均不同程度受伤。在灾区与家庭灾难面前，他舍小家为大家，第一个向人武部领导请战赴玉树灾区抗震救灾。在救灾现场的 15 天，他三天三夜没有睡觉，和战友一道从废墟里救出被困群众 2 人、挖出遇难者遗体 5 具、转移伤员 15 人、挖出贵重物品价值 300 余万元，搭建帐篷 14 顶、搬运救灾物资 30 余吨、清理垃圾 10 吨、清理废墟 70 立方米。

2010 年 8 月，中共中央、国务院、中央军委授予龙斌“全国抗震救灾模范”称号。

泽里王　1984 年 8 月出生，四川省黑水县人，藏族，共青团员，四川省黑水县芦花镇民兵连连长。

地震发生后，泽里王迅速集结 20 名民兵组成抢险小分队昼夜奔赴灾区。执行任务期间，他带领民兵小分队先后参加大小行动 40 余次，转移群众 300 余人、搬运物资 20 余吨、搭建帐篷 30 余顶。执行禅古寺抢险任务时，他带头冲进废墟，组织民兵用铁锹挖、绳索拉、肩挑背扛，历时 4 个多小时成功从废墟中挖出价值 150 余万元的唐卡等物品。他们在禅古村开展拉网式搜寻，抢运粮食 1500 余千克、衣物 300 余件，挖出被埋唐卡 12 幅、珊瑚 2 根、现金 1600 余元。

2010 年 8 月，中共中央、国务院、中央军委授予泽里王“全国抗震救灾模范”称号。

第二节　全省抗震救灾模范

2010 年 8 月 11 日，中共青海省委、青海省人民政府、青海省军区表彰 307 名全省抗震救灾模范。

一、名单（307 名）

王玉虎（藏族）　　　　玉树州委副书记、州长

东坝阿宝（藏族）	玉树州委副书记
王　勇	玉树州常务副州长
邓尔平	玉树州委常委、秘书长
才仁丁沛（藏族）	玉树州副州长
布达哇（藏族）	玉树州人大常委会副主任
昂　嘎（藏族）	玉树州政协副主席
东　嘎（藏族）	玉树州农牧局局长
文江才（藏族）	玉树州交通局局长
才仁公保（藏族）	玉树县委副书记、县长
尕玛朋措（藏族）	玉树州建设局局长
南　阳（藏族）	玉树州政府副秘书长、办公室主任
洛　阳（藏族）	玉树州民政局局长
卓华夏（藏族）	玉树州委宣传部副部长
旦争才仁（藏族）	玉树州教育局副局长
扎西措毛（女，藏族）	玉树州档案局副局长
李学文（藏族）	玉树州纪委综合室主任
林中立	玉树州委政法委办公室副主任
鲍成林才仁（藏族）	共青团玉树州委干部
李海燕（女，藏族）	玉树州财政局农财科科长
葛旭磊	玉树州法院法警支队副支队长
尼　夏（藏族）	玉树州国土资源局科员
宋仁德	玉树州畜牧兽医站站长
尕玛多杰（藏族）	玉树州疾病预防控制中心主任
冯海峰（女，藏族）	玉树州妇幼保健院院长
格　扎（藏族）	玉树州红十字会副秘书长
林小莉（女）	玉树州红旗学校教师
仁　青（藏族）	玉树县副县长
李　昊	玉树县政府办公室副主任
马福良（藏族）	玉树县下拉秀镇党委书记
桑丁尼玛（藏族）	玉树县老干部局主任科员
王文涛	玉树县委组织部组织员
田世国	玉树县结古镇干部
扎普措（藏族）	玉树县结古镇当代社区党支部书记
周玉华（藏族）	玉树县第一完全小学教师
松　尕（藏族）	玉树县巴塘乡岔来村党支部书记

尕玛文次（藏族）	玉树县结古镇扎西大同村委会主任
才　哇（藏族）	玉树县结古镇扎西大同村三社社长
伊西代青（女，藏族）	玉树县妇幼综合医院护士
金巴东周（藏族）	称多县政府办公室副主任
仁青多丁（藏族）	囊谦县吉尼赛乡拉翁村党支部书记
加哇才仁（藏族）	杂多县扎青乡兽医站站长
贾　瑛（女，藏族）	治多县人民医院主治医师
内美文次（藏族）	曲麻莱县人民检察院公诉科副科长
罗永跃	结古镇华龙超市个体户
叶　青（藏族）	玉树县结古镇甘达村党支部书记
马青海（回族）	西宁人民广播电台记者
李国发	湟中县江源给排水有限责任公司队长
王森林	西宁市城乡建设委员会主任
侯迎生	华罗庚试验学校西宁分校校长
祁化仍（藏族）	西宁市供销联社党委副书记
闫立平	西宁泰欣出租车行队长
胡　薇（女，满族）	西宁电视台记者
石泉霖	西宁市疾病预防控制中心副主任
祁永清（回族）	西宁市第二人民医院副院长
马宝祥（回族）	湟中县大才乡前沟村村民
韩　进（撒拉族）	青海欣路建设工程有限公司循化工程队队长
阿克明（蒙古族）	乐都县委办公室主任
苏昂欠才让（藏族）	西海农民报社采编部主任
王　伟	海东地区疾病预防控制中心副主任
杨林海（藏族）	互助县加定镇镇长
马晓川	民和县水务局局长
张　鸣	青海金吉（集团）草原钢网制造有限公司董事长
任宗高	海西州委副秘书长、办公室主任
潘立清（蒙古族）	德令哈市尕海镇党委副书记、镇长
钱东去（藏族）	海西州人民医院急诊科主任
肖永明	青海中浩天然气化工有限公司董事长兼总经理
龚国庆（蒙古族）	都兰县巴隆乡党委副书记、乡长
文　君（藏族）	格尔木市唐古拉山镇人大主席
沈小文	青海庆华集团总经理助理
陈有文（藏族）	海南州畜牧兽医工作站站长

马志明（回族）	贵德县水务局局长
苑丹坚措（藏族）	海南州委组织部副县级组织员
东　雷（藏族）	海南州同德县人民医院院长
关却才让（藏族）	海南州民政局副科长
陈芝正（藏族）	祁连县疾病预防控制保健中心副主任
马志俊（回族）	海北州健康教育所所长
麻叶拉（蒙古族）	门源县青石嘴镇党委书记
杨智慧（藏族）	海北州公安局特警大队民警
张玉福	海北州安全生产监督管理局副局长
岁　多（藏族）	黄南州民族语文工作委员会办公室副主任
才让多杰（藏族）	同仁县隆务镇居民
索南达吉（藏族）	黄南州职业技术学校副校长
马克勤（回族）	尖扎县疾病预防控制保健中心副主任
才多加（藏族）	黄南州民政局救灾救济科副科长
班玛闹吾（藏族）	共青团果洛州委副书记
吴　敏（女）	达日县人民医院医师
沙　吉（女，藏族）	甘德县柯曲镇卫生院主管护理师
冶　政（回族）	久治县卫生和计划生育局副局长
张晓丽（女，藏族）	班玛县人民医院护理部主任
金河清（回族）	省广播电视局副局长、青海电视台台长
郑太红	青海电视台记者
刘端强	青海日报社新闻摄影中心记者
王海咏（女）	青海人民广播电台主任编辑
蒙景辉	工人日报社青海记者站站长
宋江涛	青海新闻网主任
杨汝坤	省委副秘书长
王　俊	省委办公厅信息处主任科员
吴庆生	省政府副秘书长
董　海	省政府办公厅行政处副处长
张生禄	省政府办公厅秘书三处主任科员
李艳萍（女）	省纪委党风廉政建设室主任科员
葛文平	省委组织部副部长
罗德拉（藏族）	省委统战部二处处长
高存福	省委副秘书长、省委政策研究室主任
沈传立	省发展和改革委员会副主任

杨　扬（满族）	省发展和改革委员会固定资产投资处处长
董继忠	省经济委员会包装和食品工业办公室主任科员
他扎西（藏族）	省教育厅副厅长
杜玉雄（回族）	青海大学附属医院副院长
圈启章（藏族）	省民族宗教事务委员会宗教一处处长
更　阳（藏族）	省民政厅厅长
窦　强	省民政厅救灾处主任科员
肖玉海	省财政厅副厅长
竺向东	省财政厅办公室主任
吴国禄	省环境地质勘查局局长
窦　超	省测绘局第一测绘院工程师
匡　湧	省住房和城乡建设厅厅长
胡　军	省建设工程质量监督总站站长
田明有	省交通厅收费公路管理处副处长
于丛乐	省水利厅厅长
吕　强	省水利水电勘测设计院设计中心主任
曹　宏	省农牧厅厅长
孙应祥	省兽医局副局长
苏　宁（女）	省卫生厅厅长、省食品药品监督管理局局长
吴世政	省第五人民医院院长
郭　鹏	省疾病预防控制中心科长
李晓峰	省妇联妇女发展部副主任科员
李建军	省统计局记者站副调研员
夏学平	省委宣传部副部长
李卫东	省登山协会副秘书长、高原户外救援队队长
杨占泉	省人大办公厅后勤服务中心高级工
何晓军	民建青海省委办公室副主任
马永成（回族）	青海桥头铝电股份有限公司保卫部部长
张国裕	西宁特殊钢集团有限责任公司铁钢轧分厂副厂长
苑　钢	青海盐湖工业集团股份有限公司团委书记、工会副主席
尹　磊	西部矿业股份有限公司锡铁山分公司办公室主任
唐增科	省水利水电集团有限公司董事长
张建国	省汽车运输集团有限公司董事长、总经理
王存儒	青海煤业集团矿山救护队指导员
张永厚	青海路桥建设机械工程有限公司项目经理

唐海忠	黄河上游水电公司黄河电力检修工程有限公司检修工
鲍永龙	黄河上游水电公司黄河公司工程建设分公司辅企专责
白玛然丁（藏族）	玉树电力公司副总经理
周世学	青海第三路桥建设有限公司项目经理
江永茸保（藏族）	玉树农村信用合作联社理事长
张玉海	西宁供电公司副经理
杨志良	省电力公司生产部主任
李积雄	青海油田井下作业公司运输大队驾驶员
任锡林	青海油田井下作业公司职工
保广才	中国农业银行股份有限公司玉树分行党委委员、副行长
乔新山	民航西北地区管理局局长、党委副书记
程珠祖	西部机场集团青海机场有限公司总经理
李卫国	青海机场有限公司玉树机场分公司副总经理
魏岳风（女）	青海机场有限公司运行保障部急救中心主任
李　力	青藏铁路公司党委常务副书记
李　栋	青藏铁路公司西宁站主任助理
孙言京	青藏铁路公安局西宁公安局副主任科员
刘建平（回族）	中国石油青海销售公司党群工作处处长
恒庆贤	中国石油青海玉树销售分公司经理
刘运尧	中国联通青海省分公司总经理
张崇誉	中国联通玉树州分公司副总经理
余红霞（女，满族）	中国水利水电四局有限公司医院主管护理师
杨金龙	中国水利水电四局有限公司副主任
秦学寿	中国电信集团青海分公司总经理
党成忠	中国电信玉树分公司网络管理部主任
颜忠宏	中国移动青海分公司网络部总经理
高振明	中国移动青海公司玉树分公司总经理
丁志军	青海赛迪会议会展有限公司总经理
李连生	青海红十字医院普外科副主任
李　欣	北京博万科技发展有限责任公司总经理
严晓玲（女）	青海卫生职业技术学院团委副书记
洛才仁（藏族）	玉树州地方税务局工会副主席
李锦川	玉树县国家税务局局长
石天刚	玉树州气象局气象台副台长
沙成宁	省地震局监测中心测震台网室主任

冀国栋	省公路局结古公路段段长
杜金玉	青海火电工程公司送电线路班班长
李德业	青海省正平公路桥梁工程集团有限公司班长
张建华	青海兴华医院
杨朝阳	青海省玉树县人民武装部后勤科科长
王景超	青海消防总队玉树州支队参谋长
袁立军	青海消防总队防火部宣传处处长
杨永刚	青海消防总队玉树州支队参谋
栗　兆	青海消防总队玉树州支队参谋
玛尼坚	青海消防总队西宁支队下士
刘玉斌	青海消防总队玉树州支队上等兵
邹根队	省公安厅警卫局后勤处车队队长
周　磊	省公安厅警卫局参谋
连　捷	省公安边防总队后勤部助理员
徐学成	省公安边防总队政治部干事
张海平	黄南州公安局交警支队副支队长
杨峰业（藏族）	黄南州公安局交警支队车辆管理所所长
东主才让（藏族）	海南州公安局特警支队支队长
徐　黎	海南州公安局特警支队大队长
马　骏（回族）	化隆县公安局公路巡警大队副大队长
徐小明（藏族）	果洛州公安局特警大队大队长
热　旦（藏族）	玛多县公安局看守所所长
熊　海	海西州公安局交警支队政委
王成元	玉树州公安局副局长
才巴德（藏族）	玉树州公安局治安支队支队长
才仁扎西（藏族）	玉树州公安局国保支队副支队长
普布才仁（藏族）	玉树州公安局治安支队副支队长
桑丁才仁（藏族）	玉树州公安局交警支队大队长
拉巴东周（藏族）	玉树州公安局政治处科员
张　飞（藏族）	玉树州公安局交警支队副主任
索南战斗（藏族）	玉树州公安局特警支队科员
青　鹰（藏族）	玉树县公安局局长
才旦多杰（藏族）	玉树县公安局主任科员
普布才仁（藏族）	玉树县公安局民警
才仁文次（藏族）	玉树县公安局小苏莽派出所所长

更　然（藏族）	玉树县公安局新建路派出所民警
多杰才江（藏族）	玉树县公安局巡防大队大队长
周　伟	玉树县公安局扎西科派出所所长
郭定彧	西宁市公安局特警支队四大队教导员
张进斌	西宁市公安局交警支队主任科员
刘天海	省公安厅副厅长
朱运军	省公安厅办公室主任
王正强	中国人民解放军 68709 部队班长
王振宇	兰州军区青海军事法院院长
陈国瑞	青海省军区后勤部战勤处干事
吴　勇	青海省玉树军分区司令员
旦　增（藏族）	青海省玉树军分区副政治委员
多　杰（藏族）	青海省玉树军分区副参谋长
崔月立	中国人民解放军 93987 部队训练处副处长
王千水	青海省玉树军分区助理员
范文秀（土族）	青海省玉树军分区独立骑兵连代理排长
扎西旺加（藏族）	囊谦县民兵应急连副指导员
久美朋措（藏族）	杂多县阿多乡人民武装部部长
达　哇（藏族）	曲麻莱县政府办公室干部
王　超（回族）	青海陆军预备役步兵旅营长
吉海波	青海陆军预备役步兵旅修理所所长
沈廷树	青海陆军预备役步兵旅工兵营地爆连预备役指导员
李仁峰	青海陆军预备役步兵旅政治部科长
刘晓明	中国人民解放军 68710 部队政治委员
班玉宝（回族）	中国人民解放军 68710 部队副部队长
邵学军	中国人民解放军 68710 部队 10 分队分队长
田江华	中国人民解放军 68710 部队 64 分队分队长
冯益生	中国人民解放军 68710 部队 52 分队医师
王　兵	中国人民解放军 68710 部队 68 分队副班长
毛鹏德	中国人民解放军 96361 部队副部队长
牛福全	中国人民解放军 96361 部队政治教导员
李建龙	中国人民解放军 96351 部队政治部宣传处干事
吴　亮	中国人民解放军 96351 部队司令部军务处副处长
何汉林	中国人民解放军 96375 部队 72 分队分队长
秦传锋	中国人民解放军 96374 部队 4 分队政治教导员

周建平（回族）	中国人民解放军第 536 医院主治医师
康玉萍（女）	中国人民解放军第 536 医院主管护师
孙　胜	中国人民解放军第 22 医院院长
闫军青（女）	中国人民解放军第 22 医院护师
李大元	中国人民解放军 62201 部队副部队长
陈才国	中国人民解放军 62213 部队部队长
孙晓鹏	中国人民解放军 62213 部队 20 分队分队长
江积让	中国人民解放军 62270 部队业务处参谋
王先锋	中国人民解放军 62201 部队政治部干事
罗贤兵	中国人民解放军 62201 部队业务处助理员
李　群	中国人民解放军 62201 部队司令部参谋
镡　磊	中国人民解放军 68060 部队政治部宣传科干事
田新宇	中国人民解放军 68060 部队基建营房处助理员
李友谊	中国人民解放军 68063 部队二队队长
陈柏林	中国人民解放军 68068 部队保管队班长
胡志光	中国人民解放军第 10 医院院务处处长
杨吉祥	中国人民解放军第 25 医院政治委员
司建华	中国人民解放军 93987 部队副政治委员
段鸿江	中国人民解放军 93987 部队后勤处处长
杨全刚	武警青海总队副总队长
李海敏	武警青海总队副参谋长
石风华	武警第一支队副支队长
潘　磊	武警第一支队二中队班长
郑　伟	武警第一支队五中队班长
侯泽华	武警第一支队八中队中队长
杨　东	武警第一支队九中队中队长
周大伟	武警第一支队特勤中队政治指导员
宋　斌	武警第一支队运输中队副班长
陈学龙	武警第一支队司令部参谋
刘彦斌	武警第四支队副支队长
王士华	武警第四支队一大队二中队班长
童占平	武警第四支队二大队四中队排长
齐瑞军	武警第四支队三大队八中队中队长
卢小峰	武警第四支队四大队工化中队司务长
刘遗领	武警第四支队运输中队班长
夏晓斌	武警第四支队司令部作训股参谋

袁志奇	武警第四支队政治处组织股股长
田跃雨	武警第四支队政治处宣传股报道员
陶恒茂	武警第四支队后勤处营房股股长
蔡永铭	武警西宁支队政治部主任
范　斌	武警西宁支队作训科参谋
王喜平	武警西宁支队战勤科参谋
宫振荣	武警玉树支队副支队长
陈太斌	武警玉树支队直属大队政治教导员
刘新勇	武警玉树支队一中队中队长
金英钧	武警玉树支队玉树县中队排长
陈　博	武警青海总队司令部机要处处长
高　鹏	武警青海总队政治部宣传处副处长
何　礼	武警青海总队政治部秘群处干事
党满平	武警青海总队后勤部军需处助理员
柏天龙	武警第 187 师政治部宣传科干事
闫旺鹏	武警第 187 师 561 团政治处主任
张晓强	武警第 187 师 561 团 1 营政治教导员
朱振虎	武警第 187 师 561 团 2 营营长
张春林	武警第 187 师 561 团 3 营政治指导员
张　斌	武警第 187 师 561 团政治处政治指导员
谈爱勇	武警第 187 师 561 团司令部股长
姜　海	武警第 187 师 561 团政治处股长
刘新刚	武警第 187 师 561 团后勤处股长
廖敬光	武警水电二总队副参谋长
于晓东	武警交通第一支队副参谋长

二、事迹[①]

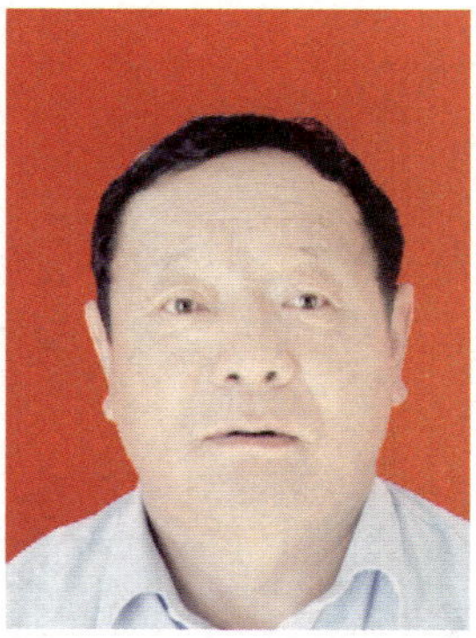

东坝阿宝　1959 年 5 月出生，青海省玉树县人，藏族，中共党员，玉树州委副书记。

抗震救灾期间，东坝阿宝想方设法紧急调运大量帐篷、青稞等急需物资，缓解群众生活困难。加强救灾物资管理，对哄抢和违规使用救灾物资的人员，加大监督和处罚力度，确保救灾物资及时有序发

① 已在“全国抗震救灾模范”中简介事迹的个人不再重复记述。

放到位。积极与卫生医疗、交通运输等部门加强协调，将重伤群众尽快转运救治。协调解放军、武警部队、公安干警和消防部队共同开展抗震救灾工作。抗震救灾期间，他连续工作十几个昼夜，每天平均休息时间不足3个小时。

2010年8月，中共青海省委、青海省人民政府、青海省军区授予东坝阿宝“全省抗震救灾模范”称号。

王勇　1964年6月出生，河北省冀县人，中共党员，玉树州常务副州长。

地震发生后，他统筹协调救援队伍开展生命搜救。及时与机场、交通、卫生等救援单位衔接，安排运输设备，为紧急运送救援队伍和转移伤员创造条件。组织驻州单位和救援力量，保障搜救抢险工作的供给服务。组织安排帐篷、食品、药品等救灾物资的接受发放工作。紧急协调抢险人员和设备，突击抢修损毁水、电、路、通信等基础设施，确保重点部位和集中安置地区的需要。

2010年8月，中共青海省委、青海省人民政府、青海省军区授予王勇“全省抗震救灾模范”称号。

邓尔平　1963年8月出生，青海省湟中县人，中共党员，玉树州委常委、秘书长。

地震发生当日，邓尔平组建7个工作组，开展搜救伤员、了解灾情、疏通交通、安置伤员、维护秩序等主要工作。他夜以继日负责协调联络，参与组织并成功举办结古地区“4·21”悼念活动、万人誓师大会等重要活动。为近500名外来记者协调解决食宿和党群系统干部职工办公、生活问题。安排人力及时转移机要文件，保障机要通信线路畅通，保证密件安全。组织搭建档案馆活动板房，安全完整地转移档案。制定出台信访工作制度，亲自接待上访群众。

2010年8月，中共青海省委、青海省人民政府、青海省军区授予邓尔平“全省抗震救灾模范”称号。

才仁丁沛　1957年6月出生，青海省玉树县人，藏族，中共党员，玉树州副州长。

抗震救灾期间，才仁丁沛组织动员党员干部快速响应、迅速投入搜救生命、救治伤员、安抚群众、恢复秩序的工作中，充分发挥领导核心、战斗堡垒和先锋模范作用。在灾情最严重的地方，他主动承担起最艰苦的工作，深入村组、农户，安抚群众、搜集灾情、排查隐患，组织群众开展自救，把党的温暖送到每户受灾群众。在受灾群众的帐篷中，他为受灾群众送来水米充饥、拿来衣被御寒、捧来爱心送暖，确保受灾群众有饭吃、有衣穿、有水喝、有帐篷住、有病能及时医治。

2010 年 8 月，中共青海省委、青海省人民政府、青海省军区授予才仁丁沛“全省抗震救灾模范”称号。

布达哇　1952 年 10 月出生，青海省杂多县人，藏族，中共党员，玉树州人大常委会副主任。

地震发生后，他顾不上自己和家人的安危，迅速联系医疗救援队和部队救援队在扎西大同村开展搜救和挖掘工作。带领干部群众了解灾情、安置群众、发放物资，责成工作人员建立详细的受灾群众登记和物资发放情况表格，全面准确地掌握扎西大同村的受灾情况。在抗震救灾工作从应急状态转入常态后，他和干部群众一起，谋划并着手组建服务功能比较齐全、管理体制较为完善的过渡集中安置点，为群众提供有效的管理和服务。

2010 年 8 月，中共青海省委、青海省人民政府、青海省军区授予布达哇“全省抗震救灾模范”称号。

昂嘎　1950 年 5 月出生，青海省玉树县人，藏族，中共党员，玉树州政协副主席。

为有效保障甘达、果青村受灾群众领取急需的救灾物资，昂嘎带领干部群众坚守在物资发放现场，确保物资发放的及时和准确。对各社人口户数和房屋受损等情况逐户逐人进行缜密调查，保证各项调查、统计数据准确无误。带领干部群众搬运帐篷、粮食等救灾物资上百吨，积极协调联系救灾部队挖掘财产和清理废墟。

2010 年 8 月，中共青海省委、青海省人民政府、青海省军区授予昂嘎“全省抗震救灾模范”称号。

卓华夏　1962 年 11 月出生，青海省互助县人，藏族，中共党员，玉树州委宣传部副部长。

地震发生后，卓华夏以最快的速度联系媒体，协调指挥采访报道工作，使玉树电视台在地震发生 10 分钟后就与中央电视台、青海卫视等媒体电话连线，把受灾情况准确及时地报道出去，使外界真实客观地了解地震发生的准确信息。特别是在抗震救灾的关键时刻，组织《三江源报》复刊，开通玉树州网站，使玉树州文联迅速转入正常工作。

2010年8月，中共青海省委、青海省人民政府、青海省军区授予卓华夏“全省抗震救灾模范”称号。

旦争才仁 1959年11月出生，青海省称多县人，藏族，中共党员，玉树州教育局副局长。

地震发生后，旦争才仁不顾家人安危，迅速奔赴学校疏散学生，稳定师生情绪、抢救伤员，查清结古地区学校受灾和伤亡情况。为尽快打通受损学校道路，他请求救援人员及时赶赴救灾。他时刻坚守岗位，履行职责，全力投身救灾，为全州教育工作者树立了榜样。

2010年8月，中共青海省委、青海省人民政府、青海省军区授予旦争才仁“全省抗震救灾模范”称号。

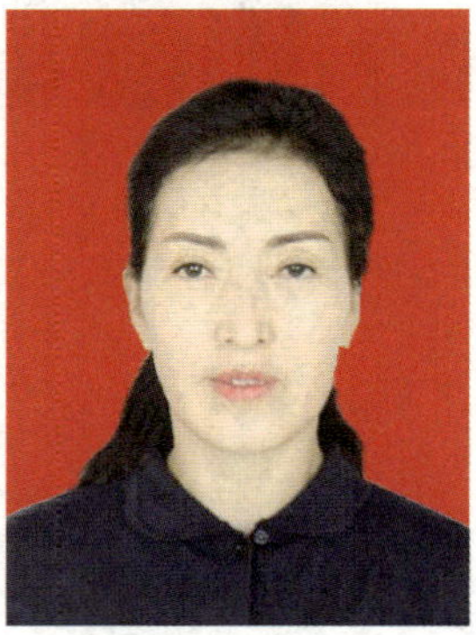

扎西措毛（女） 1967年7月出生，青海省玉树县人，藏族，中共党员，玉树州档案局副局长。

抗震救灾期间，扎西措毛在没有任何办公设施的情况下，及时编写34期玉树档案信息、4期情况反映，起草23份文件、7份汇报材料，上报8种统计报表，向有关部门提供灾区最新的档案受损及抢救工作情况。组织人员做好州直70余家单位、玉树县档案馆及所属机关和州档案馆馆藏4万卷档案资料以及州属单位的20余万卷档案的抢救转移工作。协调各方，在震后一个月完成馆库板房的搭建和搬迁工作，确保档案工作在短时间内步入正轨。

2010年8月，中共青海省委、青海省人民政府、青海省军区授予扎西措毛“全省抗震救灾模范”称号。

林中立 1977年12月出生，重庆市人，中共党员，玉树州委政法委办公室副主任。

在抗震救灾的90天中，林中立与广大政法干警一起搜救群众30余人，转移安置受灾群众120多户、600余人。起草各类文书材料80多份，筹备各种会议50多次，整理上报相关动态信息100多期。全面负责各项政法综治业务工作，按时完成领导交办的各项任务，全力保证机关工作有序、高效运转。

2010年8月，中共青海省委、青海省人民政府、青海省军区授予林中立“全省抗震救灾模范”称号。

鲍成林才仁　1977年5月出生，青海省乐都县人，藏族，中共党员，共青团玉树州委干部。

地震发生后，鲍成林才仁组织团员青年和志愿者成立应急救灾志愿突击队，先后搭建335间、2万余平方米的过渡性活动板房教室，基本满足部分学校的复课需求。先后争取社会资助资金320万元，落实贫困少年儿童温暖物资价值约620万元。协同中华少年儿童慈善救助基金会启动实施5000万元的8所希望小学改扩建项目。

2010年8月，中共青海省委、青海省人民政府、青海省军区授予鲍成林才仁“全省抗震救灾模范”称号。

尕玛多杰　1963年4月出生，青海省玉树县人，藏族，中共党员，玉树州疾病预防控制中心主任。

地震发生后，尕玛多杰积极组织人员开展灾后防病工作。在负责体育场、赛马场、指挥部和综合职业学校等地区的防疫工作期间，带领职工迅速摸底调查，收集现场资料，制定科学有效的防治方案，积极开展卫生知识和消杀技术培训、饮用水消毒、环境消杀、卫生宣传教育（张贴宣传画、下发宣传单、现场宣讲等）和灾后重点传染病监测等工作。每天连续工作10多个小时，始终奋战在防疫工作的第一线。

2010年8月，中共青海省委、青海省人民政府、青海省军区授予尕玛多杰“全省抗震救灾模范”称号。

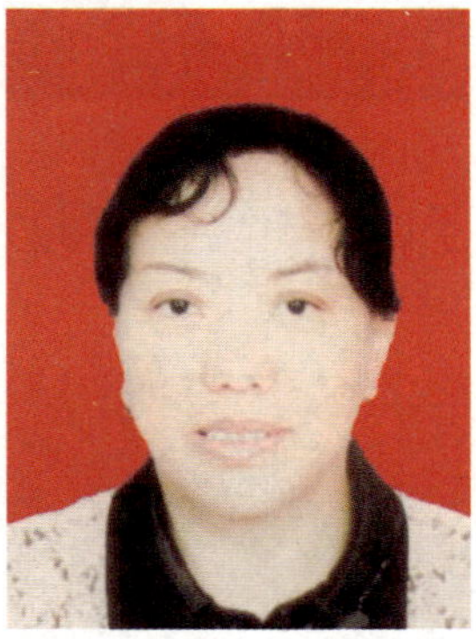

冯海峰（女）　1961年12月出生，青海省玉树县人，中共党员，玉树州妇幼保健院院长。

地震发生后，冯海峰不顾个人安危，冒着余震紧急赶往单位开展自救，将22名患者及家属转移到安全地带，并从危房中抢运出大量药品。随后紧急集合队伍，迅速进驻州体育场搭建帐篷，设立临时医疗救助点，进行伤员救治。

2010年8月，中共青海省委、青海省人民政府、青海省军区授予冯海峰“全省抗震救灾模范”称号。

格扎　1978年12月出生，青海省称多县人，藏族，中共党员，玉树州红十字会副秘书长。

地震发生后，格扎召集工作人员迅速集结，开展搜救工作。他和工作人员一起成功搜救出幸存者28人，帮助280名伤员进行伤口包扎和清理，挖出几十具遇难者遗体。玉树州红十字会先后募集和接收到价值 1.8 亿元的救灾物资和 13 亿元的救灾款。组织志愿者 1000 多名及时发放救灾物资，受到社会各界的一致好评。

2010 年 8 月，中共青海省委、青海省人民政府、青海省军区授予格扎“全省抗震救灾模范”称号。

林小莉（女） 1965 年 10 月出生，重庆市人，中共党员，玉树州红旗学校教师。

地震发生后，林小莉始终坚持奋战在抗震一线，千方百计抓好学生复课的各项准备工作。为做好制订方案、统计学生、搬运教材、布置教室以及制表、绘图、汇总、核实、写材料等工作，她常常通宵达旦。

2010 年 8 月，中共青海省委、青海省人民政府、青海省军区授予林小莉“全省抗震救灾模范”称号。

仁青 1966 年 9 月出生，青海省称多县人，藏族，中共党员，玉树县副县长。

地震发生后，仁青在最短时间内落实抢险队伍、医务人员、急需药品等。组织协调有关建设单位，对山体滑坡及公路断裂造成的严重交通堵塞进行疏通，为营救受灾群众提供强有力的交通保障。他有效稳定群众情绪，发放救灾物资，保障受灾群众有饭吃、有衣穿。会同省、州国土部门技术人员开展地质结构普查，协调州、县城建部门和拆迁施工单位，有力保证了清墟工作的顺利开展。

2010 年 8 月，中共青海省委、青海省人民政府、青海省军区授予仁青“全省抗震救灾模范”称号。

桑丁尼玛 1954 年 9 月出生，青海省玉树县人，藏族，中共党员，玉树县老干部局主任科员。

地震发生当日，桑丁尼玛从废墟里爬出来以后，先后挖出幸存者 11 人、遇难者遗体 3 具。连续 6 天为老干部发放帐篷等救灾物资，为 227 名老干部搭建帐篷，为他们解决眼前最要紧的困难。组织干部从各渠道争取救灾物资，先后发放棉被等救灾物资等上千件。组织成立老干部义务志愿队，深入废墟清理现场做群众工作。

2010 年 8 月，中共青海省委、青海省人民政府、青海省军区授予桑丁尼玛“全省抗震救灾模范”称号。

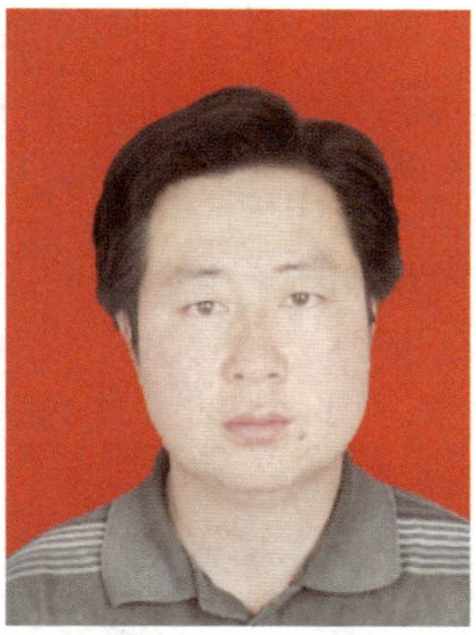

王文涛　1977 年 11 月出生，陕西省西乡县人，中共党员，玉树县委组织部组织员。

地震发生后，王文涛带领同事冒着余震不断的危险，冲上已成为危楼内的档案室，将包括 200 余份干部人事档案在内的 17 箱重要资料及时转移到安全地方。将省委组织部调配的 3000 多面党旗、国旗和 2000 多个共产党员标牌分发给各级党组织和广大党员。积极参与成立 25 个帐篷社区党支部的各项筹备工作，起草和充实完善《玉树县机关工作人员考勤考纪办法》等 10 余个规章制度。

2010 年 8 月，中共青海省委、青海省人民政府、青海省军区授予王文涛“全省抗震救灾模范”称号。

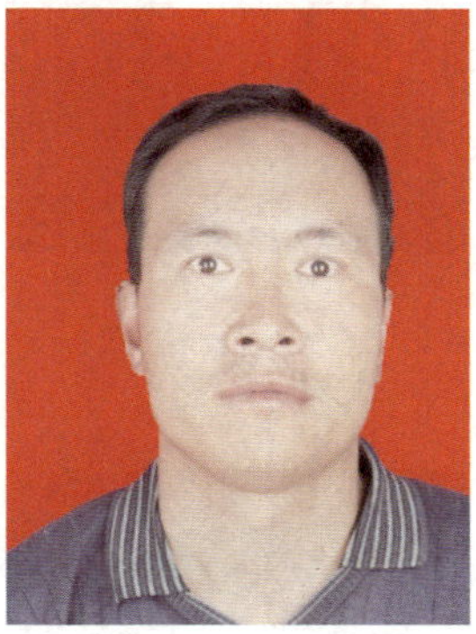

田世国　1973 年 1 月出生，青海省乐都县人，玉树县结古镇干部。

地震发生后，田世国不顾个人和家人的安危，迅速解救 2 名被埋群众，扑救火灾 1 起。抗震救灾期间，他每天骑自己的摩托车跑 80 ~ 110 千米，深入救灾现场救灾，亲手将救灾物资发放到每家每户。

2010 年 8 月，中共青海省委、青海省人民政府、青海省军区授予田世国“全省抗震救灾模范”称号。

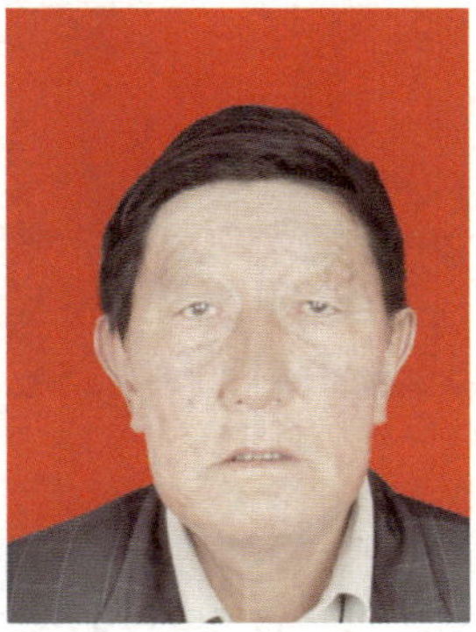

扎普措　1948 年 8 月出生，青海省玉树县人，藏族，中共党员，玉树县结古镇当代社区党支部书记。

地震发生后，扎普措奋不顾身投入抗震救灾工作当中，带领党员和群众从废墟中先后救出 12 人。冒着随时发生余震的危险，深入红卫、当代社区逐户对受灾群众进行登记和物资发放。无论是领取分发救灾物资，还是登记工作，都做到井然有序、有条不紊。协调开展与 68303 部队 69 分队联建联创党员活动室工作，为当代社区党支部抗震救灾工作的有序开展创造了有利条件。

2010 年 8 月，中共青海省委、青海省人民政府、青海省军区授予扎普措“全省抗震救灾模范”称号。

尕玛文次　1963 年 6 月出生，青海省玉树县人，藏族，玉树县结古镇扎西大同村村委会主任。

地震发生后，尕玛文次带领自己的妻子、儿子，全力投入救援行动中，以最快的速度将抢救出的 12 名幸存群众安置在安全区域。父亲震亡，他擦掉眼泪，将处理后事的任务交给哥哥后继续投入抢救生命的第一线。用通俗的语言宣传防震避灾知识，及时准确地分发救灾物资，维护村里的治安秩序。他还为群众排忧解难，向老弱病残嘘寒问暖，确保受灾群众有饭吃、有衣穿、有干净水喝、有帐篷住。

2010 年 8 月，中共青海省委、青海省人民政府、青海省军区授予尕玛文次“全省抗震救灾模范”称号。

叶青　1949 年 8 月出生，青海省玉树县人，藏族，中共党员，玉树县结古镇甘达村党支部书记。

叶青不顾妻子不幸遇难、自己被震塌的房梁砸断三根肋骨的严重伤势，组织带领党员、干部和群众救出 116 名村民，挖出遇难者遗体 37 具，领取和发放救灾物品，清理、安葬遇难村民遗体。组织村民搭建帐篷，安置受灾群众。在他的感召下，全体党员坚守在救灾第一线，确保全村救灾工作有序进行。

2010 年 8 月，中共青海省委、青海省人民政府、青海省军区授予叶青“全省抗震救灾模范”称号。

马青海　1984 年 2 月出生，青海省海东地区人，回族，中共党员，西宁人民广播电台记者。

地震发生后，马青海主动前往灾区开展抗震救灾报道。在灾区一线坚持采访 10 天，发送现场直播报道和新闻稿件达 90 多条。向沈阳、济宁、福建等全国其他 5 家省（市）电台发送连线报道，将最新情况传递出去，让他们同步感受来自灾区的感动，在灾区人民面前竖起西宁新闻媒体记者的良好形象。

2010 年 8 月，中共青海省委、青海省人民政府、青海省军区授予马青海“全省抗震救灾模范”称号。

李国发　1971 年 7 月出生，青海省湟中县人，湟中县江源给排水有限责任公司队长。

抗震救灾期间，李国发带领抢险队员在结古镇抢修 25 处供水管网主管道，保证主管道恢复供水。灾后重建工作中，他和抢险队的成员一起先后完成结古镇两项防洪工程和一项供水工程，工程质量和进度得到青海省水利厅、玉树灾后重建指挥部的肯定和好评。

2010 年 8 月，中共青海省委、青海省人民政府、青海省军区授予李国发“全省抗震救灾模范”称号。

王森林　1960 年 11 月出生，青海省平安县人，中共党员，西宁市城乡建设委员会主任。

地震发生后，王森林迅速组织成立西宁市赴玉树房屋安全鉴定专家组，前往灾区展开房屋鉴定工作。配合中国城市规划研究院和青海省住房和城乡建设厅开展恢复重建规划编制工作。认真踏勘现场，摸清实际情况，认真分析研究重建分区、城乡布局和城乡居民住房等重点内容，积极为重建工作出谋划策，确保重建工作顺利推进。

2010 年 8 月，中共青海省委、青海省人民政府、青海省军区授予王森林“全省抗震救灾模范”称号。

侯迎生　1962 年 6 月出生，青海省西宁市人，中共党员，华罗庚试验学校西宁分校校长。

地震发生后，侯迎生向全校师生发出捐款倡议，一次性捐款达到 2 万元。为安置 300 名灾区孩子来校就读，侯迎生带领全校师生准备 50 多间宿舍、300 张床、300 套被褥，并对 50 多间宿舍墙面全部进行粉刷。同时，他精心安排他们的吃饭问题，保证学生的饮食安全。加强学生管理，特别注重做好心理辅导工作，消除学生的心理障碍，赢得了学生家长的放心和称赞。

2010 年 8 月，中共青海省委、青海省人民政府、青海省军区授予侯迎生“全省抗震救灾模范”称号。

杨林海　1974 年 7 月出生，青海省互助县人，藏族，中共党员，互助县加定镇镇长。

抗震救灾期间，杨林海组织人员装卸救灾物资 7 吨，协助分发捐款 9 万元。为受援村党支部购置价值 1.3 万元的电脑等办公设施。为贫困党员、重灾户发放慰问金 7000 元。为 330 多名互助籍受灾群众发放慰问金，协调解决帐篷，安排生活物资，并动员 70 多名互助籍受灾群众返乡。完成受灾群众建档立卡 400 余户。

2010 年 8 月，中共青海省委、青海省人民政府、青海省军区授予杨林海“全省抗震救灾模范”称号。

张鸣　1960 年 9 月出生，江苏省人，中共党员，青海金吉（集团）草原钢网制造有限公司董事长。

地震发生后，张鸣迅速召开公司中层干部会议，紧急安排部署支援玉树灾区工作，并号召全体干部职工踊跃向灾区群众伸出援助之手，为灾区人民重建家园奉献爱心。在他的精心组织下，全体员工捐款 10 万元，捐赠军用棉被、发电机、药品、食品和柴油等价值 10 万元。

2010 年 8 月，中共青海省委、青海省人民政府、青海省军区授予张鸣“全省抗震救灾模范”称号。

龚国庆 1978 年 10 月出生，青海省都兰县人，蒙古族，中共党员，都兰县巴隆乡党委副书记、乡长。

龚国庆在灾区坚持奋战两个月，把全部精力投入灾情调查、发放物资、表册登记中。特别是对负责片区的受灾情况做了全面系统的调查，包括家庭人口、死亡人员、受伤人员、家庭类别、户籍所在地、身份证号码、职业类别、房屋受损、财产损失等，他一家一户地调查、一项一件地核实、一表一册地登记，为抚恤金、补助金的发放等提供了基本依据，也为领导机关及时做出准确判断和指挥提供了数据支持。

2010 年 8 月，中共青海省委、青海省人民政府、青海省军区授予龚国庆“全省抗震救灾模范”称号。

文君 1968 年 7 月出生，青海省玉树县人，藏族，中共党员，格尔木市唐古拉山镇人大主席。

抗震救灾期间，他与安冲村干部群众一起组建帐篷社区基层组织，健全完善《社区党支部工作职责》等 16 项制度，确保支部在抗震救灾和灾后重建中发挥战斗堡垒作用。组织广大党员开展优秀共产党员、党员志愿服务、党员公开承诺、党员设岗定责、党员与困难群众结对帮扶等活动，为灾区捐款 5000 元，为 3 名结对帮扶孤儿送去 3 顶帐篷和 3000 元慰问金。

2010 年 8 月，中共青海省委、青海省人民政府、青海省军区授予文君“全省抗震救灾模范”称号。

沈小文 1976 年 5 月出生，青海省乐都县人，中共党员，青海庆华集团总经理助理。

地震发生后，沈小文组织挖掘机、装载机、铲车和各种运输车辆等 22 台、救援物资 11 卡车和 46 名救援人员紧急赶往灾区展开救援工作。在灾区，他通过现场走访，具体分析，合理安排人力和机械，先后在民族中学、第二民族中学、职业技术学校、孤儿学校抢救群众财产近百万元，从废墟下挖出 2 名幸存者。组织员工进行“向灾区人民奉献爱心”捐款活动，并带头捐款 1000 元。

2010 年 8 月，中共青海省委、青海省人民政府、青海省军区授予沈小文“全省抗震救灾模范”称号。

苑丹坚措 1971年12月出生，青海省共和县人，藏族，中共党员，海南州委组织部副县级组织员。

到达灾区后，他组织人员向群众分发帐篷735顶、被褥521床、方便面2666箱、牛奶1553箱、面包524件、煤炭801.56吨、救灾床200张、太阳灶42台、棉衣590件、大衣1368件。他带领队员在扎西大同村逐户开展灾情调查、登记工作，完成入户调查1048户、3280人，核实遇难者75人。在此基础上，发放相关证件145户357人、生活补助32万余元、应急转移费5.4万元、死亡抚恤金3.2万元、孤儿生活补助费1万余元。

2010年8月，中共青海省委、青海省人民政府、青海省军区授予苑丹坚措“全省抗震救灾模范”称号。

东雷 1973年6月出生，青海省同德县人，藏族，中共党员，海南州同德县人民医院院长。

地震发生后，东雷带领由13名医疗救护队员组成的医疗救护队，组织调配价值13万余元的药品以及2辆救护车赶赴灾区。抗震救灾期间，医疗救护队完成眼部及耳鼻外伤手术12例，救治伤员1030余名。其中，眼科及面部手术12台，清创缝合327例，各种骨折固定以及其他伤员691例。带头组织党员干部职工捐款1.2万余元。

2010年8月，中共青海省委、青海省人民政府、青海省军区授予东雷“全省抗震救灾模范”称号。

关却才让 1973年12月出生，青海省兴海县人，藏族，中共党员，海南州民政局副科长。

地震发生后，关却才让先后3次将价值达53.5万元、600余吨的救灾物资紧急送往灾区。根据省玉树抗震救灾现场指挥部《关于在海南州共和县尕海滩设立军地地面物资导运中心》的安排，协助省民政厅完成选址、标牌制作等工作。在尕海滩物资转运中心工作的一个月中，积极为过往司乘人员当翻译，提供茶水、方便食品、急用药品，配合省民政厅完成了救灾物资的接受、储存及夜间值班等任务。

2010年8月，中共青海省委、青海省人民政府、青海省军区授予关却才让“全省抗震救灾模范”称号。

马志俊 1964年6月出生，青海省门源县人，回族，海北州健康教育所所长。

地震发生后，马志俊担负起海北州第一批卫生防疫队队长、临时党支部书记的重任，紧急带领17名队员奔赴灾区开展抗震救灾卫生防疫工作。抗震救灾期间，防疫队累计消毒面积达552万平方米，开展健康教育9085人次，监测水井水质264口，消毒厕所471所（次），处理动物尸体164具，并在当地及时开展麻疹、腮腺炎、风疹三联减毒活疫苗和甲肝减毒活疫苗的群体性预防接种工作，为实现灾后无疫情的目标打下了坚实的基础。

2010年8月，中共青海省委、青海省人民政府、青海省军区授予马志俊“全省抗震救灾模范”称号。

张玉福 1970年11月出生，青海省贵德县人，中共党员，海北州安全生产监督管理局副局长。

地震发生后，张玉福立即组织西海煤炭、西海煤电矿山救护队的两个小分队组成海北州抗震救援队迅速赶往灾区。经过11天的连续作战，共搜救出遇难者遗体12具，为8户受灾群众清理废墟，抢救出价值约200万元的汽车、民族服饰、佛教用品、摄像机等贵重物品和生产生活用具。运送帐篷293顶，发放棉衣850件、棉被700床、方便面1200箱、罐头1.58万听，搭建帐篷21顶。

2010年8月，中共青海省委、青海省人民政府、青海省军区授予张玉福“全省抗震救灾模范”称号。

岁多 1968年7月出生，青海省泽库县人，藏族，中共党员，黄南州民族语文工作委员会办公室副主任。

抗震救灾期间，岁多作为黄南州赴玉树支援灾区工作组领队，带领工作组成员在做好装卸、登记和发放救灾物资的同时，组建帐篷社区党支部，安抚受灾群众，开展军地支部联建等工作。特别是在组织社区党员开展“深入灾区，帮困解难”主题活动中，先后帮扶特困户1户，援助贫困群众1名，捐款2000元，自愿多缴纳党费500元。

2010年8月，中共青海省委、青海省人民政府、青海省军区授予岁多“全省抗震救灾模范”称号。

马克勤 1964 年 2 月出生，青海省尖扎县人，回族，中共党员，尖扎县疾病预防控制保健中心副主任。

地震发生后，马克勤随黄南州鼠疫防控队赶赴灾区开展鼠疫防控灭獭工作。在灾区的 42 天里，他带领队员累计灭獭面积 1067 公顷，堵洞 3.24 万个，使用氯化苦 3000 千克，健康教育 4000 人次，实现了“大灾之后无大疫”的阶段性目标，为灾区人民和救灾队伍铸造了坚实的防控屏障。

2010 年 8 月，中共青海省委、青海省人民政府、青海省军区授予马克勤“全省抗震救灾模范”称号。

才多加 1975 年 12 月出生，青海省乐都县人，藏族，中共党员，黄南州民政局救灾救济科副科长。

才多加在地震发生的第二天迅速向社会公布捐赠账号、开通捐赠热线，组织开展抗震救灾募捐活动，先后共收到捐款 429.33 万元，捐赠物资价值 148.61 万元，并及时将筹集到的 50 万元现金和 100 顶帐篷、300 件羽绒衣、750 箱矿泉水、750 箱方便面等物资运往灾区。之后，他再次赶赴灾区为玉树县第二完小、孤儿学校等安装 4500 余套课桌椅。协助灾区民政部门开展受灾群众核查以及救灾物资的清点登记和调运发放等工作。

2010 年 8 月，中共青海省委、青海省人民政府、青海省军区授予才多加“全省抗震救灾模范”称号。

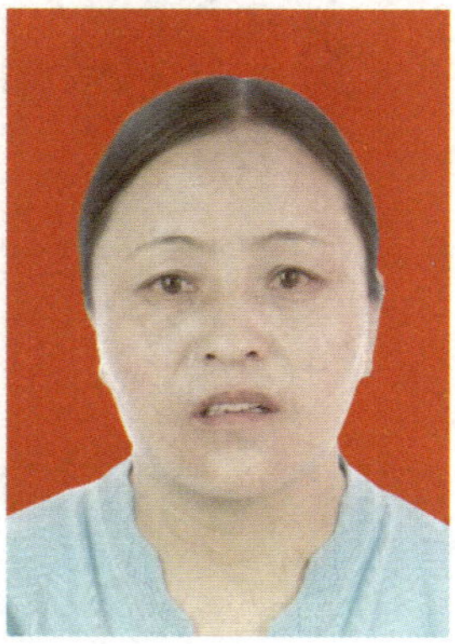

沙吉（女） 1969 年 12 月出生，青海省甘德县人，藏族，甘德县柯曲镇卫生院主管护理师。

作为一名医务工作者，沙吉和医疗队其他人主动请缨到偏远艰苦的灾区救治伤员。她每天接诊病人 250 余人次，在短短的几天时间内，共救治伤病员 1300 余人次。利用空闲时间帮助医疗队搬运物资 15 次，为受灾群众搭建帐篷 50 多顶，帮助 30 多户受灾群众清理垃圾，抢救出贵重物品 30 多件。

2010 年 8 月，中共青海省委、青海省人民政府、青海省军区授予沙吉“全省抗震救灾模范”称号。

冶政 1965年6月出生，青海省化隆县人，回族，中共党员，久治县卫生和计划生育局副局长。

抗震救灾期间，冶政救治危重病人3人、轻微病人910人次，开展B超检查25人、X光机透视检查9人，巡回出诊270人次，转诊危重病人3人，接受咨询人数500余人次。组织人员帮助外地救灾医疗队搭建帐篷6顶，参与帮助陕西省卫生厅卫生监督所开展水质检测基本调查两次，组织防疫人员赴玉树县结古镇、小苏莽乡开展水质检测两次。

2010年8月，中共青海省委、青海省人民政府、青海省军区授予冶政“全省抗震救灾模范”称号。

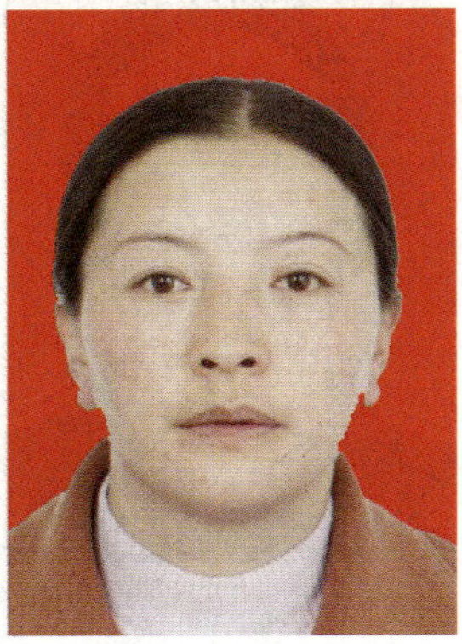

张晓丽（女） 1971年11月出生，青海省玛多县人，藏族，班玛县人民医院护理部主任。

灾情发生后，张晓丽自愿参加抗震救灾卫生医疗队，全身心地投入救治伤员的工作中。当得知一位83岁高龄的老奶奶无依无靠的消息后，她主动担负起照顾老人的生活责任，并将自己身上仅有的800元钱捐给这位老人。

2010年8月，中共青海省委、青海省人民政府、青海省军区授予张晓丽“全省抗震救灾模范”称号。

金河清 1957年5月出生，北京市人，回族，中共党员，青海省广播电视局副局长、青海电视台台长。

地震当日，金河清组织安排首批记者4人乘飞机前往灾区采访，并安排42名记者连同卫星转播车分批次迅速开展抗震救灾报道工作。第二天又分两批派出10名后勤人员携带30余万元的各类物资，前往灾区为前方记者提供后勤保障。在震后的一个月时间里，派赴灾区的新闻工作者近180人次。他3次带队亲赴玉树前线。组织的《永不放弃 向生命致意——青海玉树地震赈灾特别节目》播出后共募得善款及物资折值9亿多元。

2010年8月，中共青海省委、青海省人民政府、青海省军区授予金河清“全省抗震救灾模范”称号。

蒙景辉　1952年6月出生，甘肃省通渭县人，中共党员，工人日报社青海记者站站长。

蒙景辉在地震当日采写的《玉树发生7.1级地震》一稿被《工人日报》于地震后第二天头版刊发。抗震救灾期间，他采写并刊发消息、通讯和纪实性散文等稿件80多篇。其中，《用生命谱写人生壮歌——记以身殉职在抗震救灾一线的革命烈士李德业》的长篇通讯刊发在《工人日报》5月4日头版，成为省内外新闻媒体报道李德业事迹的重头稿。

2010年8月，中共青海省委、青海省人民政府、青海省军区授予蒙景辉“全省抗震救灾模范”称号。

宋江涛　1965年11月出生，青海省西宁市人，中共党员，青海新闻网主任。

灾情发生一个小时后，青海新闻网开始在网上发布首条地震消息。宋江涛精心组织稿件在青海卫视网做24小时直播。仅地震当日就发稿千余条、图片200多张、视频40多条。抗震救灾期间，青海新闻网播报抗震救灾新闻1.8万余条、图片870多幅，视频新闻530多条。他还承担大型画册《大爱无疆——纪念青海玉树抗震救灾大型摄影展》的编辑出版和大型摄影作品展览的筹备工作。

2010年8月，中共青海省委、青海省人民政府、青海省军区授予宋江涛“全省抗震救灾模范”称号。

杨汝坤　1965年1月出生，山东省滕州市人，中共党员，省委副秘书长。

地震发生后，杨汝坤跟随领导赶赴灾区，全身心地投入抗震救灾主战场。抗震救灾期间，他先后协调处理各类请示300余次、具体工作200多件，组织起草汇报、讲话10余篇。组织起草《青海省玉树抗震救灾指挥部关于切实做好玉树抗震救灾工作中档案收集抢救保管工作的紧急通知》，对一批重要文字、图片、录像等资料及时收集和保存，对地震遗迹、遗址及时划定和保护。

2010年8月，中共青海省委、青海省人民政府、青海省军区授予杨汝坤“全省抗震救灾模范”称号。

王俊　1972年12月出生，山东省博兴县人，中共党员，省委办公厅信息处主任科员。

地震发生后，王俊在第一时间以《青海信息》为载体向中央和省委领导报告地震情况。在灾区期间，他加强与抗灾一线的地震、交通、民政、卫生、国土、水利等省直部门的联系，及时报送抢险救灾、医疗救治、学校复课、商品供应、社会治安、物资调运、基础设施恢复、基层党组织和广大党员发挥作用等情况的第一手信息。他每天从各方面报来的大量材料中，快速捕捉有用信息，进行编辑、传递，为领导总揽全局、科学决策、指导工作提供优质高效服务。

2010年8月，中共青海省委、青海省人民政府、青海省军区授予王俊“全省抗震救灾模范”称号。

吴庆生　1957年2月出生，中共党员，省政府副秘书长。

地震发生后，吴庆生组织相关机构和人员对结古镇等18个重灾区和一般灾区乡镇所在地以及87座寺院地震受损房屋建筑的安全性进行鉴定。积极搭建地方政府、援建地区和企业之间的“桥梁”，做好建材、交通、通信、施工保障等工作。建立健全矛盾纠纷排查调处和信访工作体系，加大对灾后重建时期各类矛盾纠纷的排查化解工作力度。参与和协调四大央企援助单位周边治安联防及内部安全保卫工作，进一步落实内部治安联防和安保措施，确保灾区治安秩序稳定。

2010年8月，中共青海省委、青海省人民政府、青海省军区授予吴庆生“全省抗震救灾模范”称号。

董海　1966年6月出生，山西省忻州市人，中共党员，省政府办公厅行政处副处长。

董海在灾区坚持工作90多天，先后采购16吨物资运送到灾区，并完成大量灾区急需救灾物资的紧急采购、货物配送。协助指挥部领导协调部队保障了近200名工作人员的日常住宿、就餐及用水用电等，为指挥部工作的正常运转提供了及时、有效的服务。顺利完成等级警卫接待任务4次，接待数量达到700余人次。

2010年8月，中共青海省委、青海省人民政府、青海省军区授予董海“全省抗震救灾模范”称号。

葛文平　1965年4月出生，青海省西宁市人，中共党员，省委组织部副部长。

抗震救灾期间，葛文平带领工作组将310面党旗、100面国旗和330面印有“党员突击队”“党员救援队”的旗帜分发到各级灾区党组织和抢险队伍。主持起草《关于要求广大党员干部尽快到岗的通知》等重要文件，指导新建21个帐篷社区临时党支部，指导制订玉树州干部配备建议方案，从非受灾地区和省直机关单位抽调60名县科级干部到玉树灾区帮助工作，挑选32名懂藏语和汉语的干部配备到各抢险救灾队伍中。

2010年8月，中共青海省委、青海省人民政府、青海省军区授予葛文平“全省抗震救灾模范”称号。

高存福　1957年5月出生，青海省乐都县人，中共党员，省委副秘书长、省委政策研究室主任。

地震发生当日，高存福组织全体干部职工捐款近2万元。第二天赶赴抗震救灾第一线。他在灾区一线奋战17天，从布置会场、起草文件到落实接待任务等各个环节做到万无一失，确保各项工作保障有力、落实到位。先后负责接待党和国家领导人7人次，及时处理信息、会议纪要等各类文字材料20多期，编发简报100多期，起草办理大量文件、电报等文稿。及时提出“玉树州城镇基础设施建设规划调整研究”等14个调研课题和调研方案。

2010年8月，中共青海省委、青海省人民政府、青海省军区授予高存福“全省抗震救灾模范”称号。

沈传立　1962年7月出生，河北省保定市人，中共党员，省发展和改革委员会副主任。

地震发生后，沈传立第一时间向国家发展和改革委员会汇报灾情。当日下午，国家发改委向玉树地震灾区紧急下达5000万元应急救灾中央预算内资金。随后，他紧急赶赴灾区，深入一线，逐一了解情况，并进行现场查勘、选择过渡安置点，及时起草《青海省玉树藏族自治州玉树县结古镇抗震救灾过渡安置用房和应急设施建设方案》《青海省玉树地震灾后重建工作方案》和《青海省玉树地震灾后重建规划工作实施方案》等重要文件，为地震灾区开展救援及灾后恢复重建工作打下坚实基础。

2010年8月，中共青海省委、青海省人民政府、青海省军区授予沈传立“全省抗震救灾模范”称号。

他扎西 1952年10月出生，青海省门源县人，藏族，中共党员，省教育厅副厅长。

地震发生后，他扎西率领教育厅全体救援人员开展救灾物资的组织、转运工作，紧急采购调运学校复课急需的课桌凳、黑板、学习用具等物资，统筹安排社会各界捐赠的板房、帐篷等，积极为学校复课工作创造条件。经过努力，震后15日之内灾区80%的学生实现复课。组织人员向省内外转移学生8605名，得到教育部和省委、省政府的充分肯定和赞扬。

2010年8月，中共青海省委、青海省人民政府、青海省军区授予他扎西“全省抗震救灾模范”称号。

曹宏 1955年3月出生，河北省张家口市人，中共党员，省农牧厅厅长。

4月15日，曹宏带领应急救援工作组赶赴灾区。在长达13天的时间里，组织救援工作组进行无害化处理死亡犬獒3107只、牛羊近4万头（只），免疫犬獒4.32万条，牛羊炭疽、口蹄疫等58.71万头（只）。两次赶赴结古镇甘达村看望全国劳动模范、村党支部书记叶青，慰问州、县农牧系统因灾失去亲人的干部职工20余户，发放慰问金3.5万元。带头捐款，组织农牧厅系统干部职工为灾区捐款31万元，缴纳“特殊党费”近23万元。

2010年8月，中共青海省委、青海省人民政府、青海省军区授予曹宏“全省抗震救灾模范”称号。

李建军 1967年6月出生，甘肃省平凉市人，中共党员，省统计局记者站副调研员。

抗震救灾期间，李建军与甘达村干部群众一起，在精心统计和核实灾情的基础上，紧急转移群众1700余人次，协调安置受灾群众242户、1032人，抢救粮食2.5万余千克，清理倒塌房屋1340余间，搭建救灾帐篷115顶。发放补助金98万元，使全村1032人和遇难的58户家庭领到救灾补助金。

2010年8月，中共青海省委、青海省人民政府、青海省军区授予李建军“全省抗震救灾模范”称号。

夏学平　1964年4月出生，中共党员，省委宣传部副部长。

地震发生后，夏学平及时成立新闻报道应急新闻中心，组建青海省玉树抗震救灾指挥部宣传组，装备两台流动广播车，以汉语、藏语康巴方言在街道巡回广播。在青海省玉树抗震救灾指挥部设立新闻中心，成功组织3场新闻发布会，就有关抢险救灾、地震监测、医疗救治、道路修复、人员搜救、电力保障等情况向中外媒体记者进行权威新闻发布，引起国内外广泛的关注和外界舆论好评。组织接待180多家中外媒体、600多名记者的采访报道，特别是为境内外媒体记者采访提供车辆保障，协调专题采访，保证记者对重点采访线、采访点、采访对象的采访需求，提高采访报道效率。

2010年8月，中共青海省委、青海省人民政府、青海省军区授予夏学平“全省抗震救灾模范”称号。

李卫东　1967年8月出生，中共党员，省登山协会副秘书长、高原户外救援队队长。

地震发生后，李卫东同其他11名救援队成员组成救援组奔赴灾区，参加一线的抗震救灾工作。他与深圳高路户外俱乐部、长江商学院徒步队取得联系，联合向全国户外运动爱好者发起募捐活动，将募捐资金近20万元及14.6万元的食品、231张双人课桌、110张单人课桌、572把椅子分4批运抵灾区。

2010年8月，中共青海省委、青海省人民政府、青海省军区授予李卫东“全省抗震救灾模范”称号。

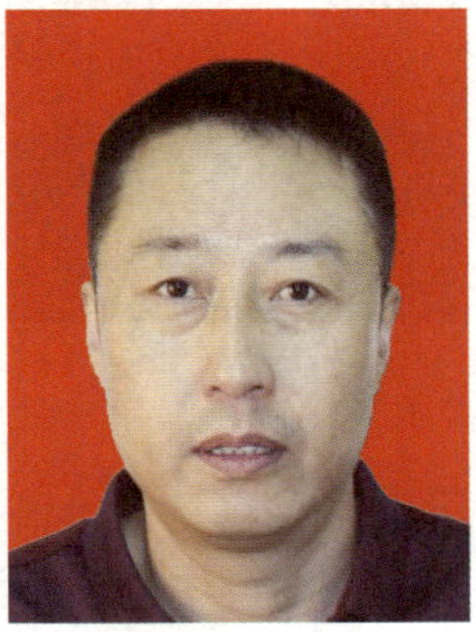

杨占泉　1975年4月出生，青海省湟源县人，中共党员，省人大办公厅后勤服务中心高级工。

杨占泉在灾区连续奋战7天，顺利完成四川省公安消防总队领导指挥车的保障任务。连续驾车18个小时，运送四川公安消防总队官兵318名救灾人员安全到达灾区，为抢险救援赢得宝贵时间。

2010年8月，中共青海省委、青海省人民政府、青海省军区授予杨占泉“全省抗震救灾模范”称号。

何晓军 1969年8月出生，青海省湟源县人，民建会员，民建青海省委办公室副主任。

地震发生后，何晓军在省垣各民主党派中率先成立救援队，组织价值126万元的急救药品、发电机、食品及棉衣棉被等救灾物资送到灾区。他几上玉树，和中华思源基金会、新浪网代表将价值620余万元的物资送到受灾群众手中。

2010年8月，中共青海省委、青海省人民政府、青海省军区授予何晓军“全省抗震救灾模范”称号。

鲍永龙 1976年7月出生，青海省湟中县人，中共党员，黄河上游水电公司黄河公司工程建设分公司辅企专责。

地震发生后，鲍永龙和公司抢险队的22名人员，携带2台1000千瓦柴油发电机驰援灾区，以最快的速度固定、安装、检修、调试发电设备，于17日凌晨调试成功并网发电，满足结古镇和玉树机场的电力需求。抗震救灾期间，他和队员们始终确保2台1000千瓦柴油发电机运行正常，为抗震抢险提供坚强的电力保障。

2010年8月，中共青海省委、青海省人民政府、青海省军区授予鲍永龙“全省抗震救灾模范”称号。

白玛然丁 1966年6月出生，青海省玉树州人，藏族，中共党员，玉树电力公司副总经理。

抗震救灾期间，白玛然丁一方面指挥公司职工展开自救，另一方面安排应急队伍抢修电力设施。迅速组织人员按应急处置程序提闸放水，消除禅古水电站大坝隐患。带领抢险队不分昼夜抢修通往省玉树抗震救灾总指挥部的10千伏线路，于地震次日凌晨抢通并恢复供电。震后第七天，结古地区严重受损的10条高压输电线路主干全部重新投入运行，有效地满足了抗震救灾重要单位的电力需求。在灾区设立80多个便民插座，方便灾区人民临时用电、手机充电等救急用电。

2010年8月，中共青海省委、青海省人民政府、青海省军区授予白玛然丁“全省抗震救灾模范”称号。

周世学　1977 年 1 月出生，湖南省人，中共党员，青海第三路桥建设有限公司项目经理。

地震发生当日，周世学带领抢险队员赶往灾区投入抢险救灾。抗震救灾期间，他和抢险队员一起搜出遇难者遗体 8 具，抢运和搜挖出各类财物达 100 余万元，疏通和抢修道路 20 余千米，清理建筑垃圾近万立方米，清除山体塌方 2000 余立方米。当他坚持救灾到第八天时，终因劳累过度，病倒在抢险现场，被抢险队员强行送回西宁医治。

2010 年 8 月，中共青海省委、青海省人民政府、青海省军区授予周世学“全省抗震救灾模范”称号。

江永茸保　1963 年 8 月出生，青海省称多县人，藏族，中共党员，玉树农村信用合作联社理事长。

地震发生后，江永茸保带领员工全力开展人员搜救、灾情察看和办公楼、金库的守卫等工作，同时向省联社报告灾情。两批救灾物资到达后，他与员工一同卸载救灾物资 12 吨，有序分发分配。同救援人员一起在临时搭建的帐篷里恢复部分业务，成为灾后第一家恢复营业的金融机构，为维护灾区金融稳定提供有力支持。

2010 年 8 月，中共青海省委、青海省人民政府、青海省军区授予江永茸保“全省抗震救灾模范”称号。

张玉海　1963 年 8 月出生，山东省泰安市人，中共党员，西宁供电公司副经理。

地震发生后，张玉海带领由 23 名专业人员和 3 辆大型发电车组成的抗震救灾抢险突击队奔赴灾区。到达灾区后，他将发电车分别布置在受灾群众安置点、医疗救治点，于 17 日凌晨开始供电。在赛马场受灾群众安置点，他和队员们仅用 20 多个小时就完成向 2000 顶帐篷、50 基电线杆、62 盏广场灯的供电。带领队员对通往“空中生命线”的 10 千伏、全长 23 千米线路进行全面巡检，消除缺陷 60 多处，立杆塔 100 多基，架线 45 千米，装设配电盘 100 多面。

2010 年 8 月，中共青海省委、青海省人民政府、青海省军区授予张玉海“全省抗震救灾模范”称号。

杨志良 1966年1月出生，河北省石家庄市人，中共党员，省电力公司生产部主任。

地震发生后，杨志良紧急赶赴灾区，进行现场勘查，及时准确掌握玉树电网受灾情况，组织制订应急供电方案、抢修方案，协调抢修工作中出现的管理、技术等问题。带领抢险队员，经过艰苦努力，在灾后第三天恢复主网供电，第四天恢复玉树机场供电，第六天结古镇35千伏、10千伏主干线全面贯通。

2010年8月，中共青海省委、青海省人民政府、青海省军区授予杨志良"全省抗震救灾模范"称号。

李积雄 1983年1月出生，青海省乐都县人，中共党员，青海油田井下作业公司运输大队驾驶员。

地震发生后，李积雄担负从格尔木至玉树灾区的柴油运输任务，经过数小时的艰难行进，以最快的速度将15吨柴油安全运抵救灾一线。配合发电人员第一时间保障玉树冷库的用电，最终使冷库内存放的500余吨牛羊肉得以及时冷冻，确保价值1500余万元的食用肉没有腐烂变质。

2010年8月，中共青海省委、青海省人民政府、青海省军区授予李积雄"全省抗震救灾模范"称号。

任锡林 1973年3月出生，青海省大通县人，中共党员，青海油田井下作业公司职工。

到达灾区后，任锡林和救援人员一起仅用45分钟就为灾区供上电，仅用1小时就保障了医疗急救队救助工作的正常开展。为保障玉树州肉食品有限责任公司500吨牛羊肉的储存保鲜，他和救援队员以最快的速度将大型冷冻箱的线路连接好，在最短时间内启动该公司的大型冷冻设备。在为赛马场14家医疗急救队和周围受灾群众供电期间，他主动为周围的受灾群众接电，安装灯头、灯泡，受到受灾群众的一致好评。

2010年8月，中共青海省委、青海省人民政府、青海省军区授予任锡林"全省抗震救灾模范"称号。

保广才　1966 年 11 月出生，青海省互助土族自治县人，土族，中共党员，中国农业银行股份有限公司玉树分行党委委员、副行长。

地震发生后，保广才第一个冲进岌岌可危的办公楼，和员工一起抢出分行中心机房的路由器、交换器及视频会议的重要网络设备，最大程度地减少地震造成的损失。组织员工搭建起灾区震后第一家“帐篷银行”，顺利连通分行及辖属各县支行网络中心与农行青海分行数据中心通信网络，第一时间恢复办理业务。

2010 年 8 月，中共青海省委、青海省人民政府、青海省军区授予保广才“全省抗震救灾模范”称号。

乔新山　1950 年 11 月出生，山西省运城市人，中共党员，民航西北地区管理局局长、党委副书记。

地震发生当日，乔新山带领现场指挥组前往玉树机场指挥灾区一线飞行保障。在他的指挥下，西北民航各单位迅速行动，投入救灾当中，确保地方和军队的抗震救灾指挥机构和救援力量第一时间进入灾区。在大批伤员急需转运的情况下，他果断决定所有伤员不用安检、直接登机，确保抢运高峰的顺利度过。抗震救灾期间，他多次主持召开民航、地方和军队等多方参加的协调会，现场研究解决航空运输中遇到的问题，形成高效的工作机制。

2010 年 8 月，中共青海省委、青海省人民政府、青海省军区授予乔新山“全省抗震救灾模范”称号。

李卫国　1969 年 11 月出生，河南省人，中共党员，青海机场有限公司玉树机场分公司副总经理。

地震发生后，李卫国迅速组织人员对场区整个基础设施和设备运行情况进行检查，并将检查情况向玉树州委、州政府汇报，保障第一班救援飞机安全抵达玉树机场，为灾区人民打开了“绿色生命通道”。抗震救灾期间，他既当机务指挥的“协助员”，又当特车队队员的“指挥员”，及时帮助指挥驾驶人员准确停放、准确出行，为抗震救灾工作做出积极的贡献。

2010 年 8 月，中共青海省委、青海省人民政府、青海省军区授予李卫国“全省抗震救灾模范”称号。

魏岳风（女） 1964 年 3 月出生，河南省人，中共党员，青海机场有限公司运行保障部急救中心主任。

魏岳风于 4 月 14 日到达玉树机场，在反复检查、调试救护设备后，立即开展伤员救治与转运的各项准备工作。带领玉树机场医务人员紧急展开消毒、包扎、固定等各项医疗救治工作，并将伤员送上救援飞机。16 日晚上，超负荷的劳作致使她体力不支晕倒在地。在西宁机场，魏岳风和其他医务人员一起转运伤员 1586 人。

2010 年 8 月，中共青海省委、青海省人民政府、青海省军区授予魏岳风“全省抗震救灾模范”称号。

李力 1962 年 12 月出生，北京市人，中共党员，青藏铁路公司党委常务副书记。

地震发生后，李力组织制定路地协调联动机制，组建由 193 人组成的铁路抗震救灾突击队奔赴灾区。抗震救灾期间，他带领的突击队转运救灾人员 1111 人、伤员 968 人、学生 2238 人，抢运救灾物资 224 列 8.1 万吨，没有发生一起积压、滞留、被盗、损坏、丢失等安全问题。他组织撰写的长篇通讯《玉树，我们和你在一起》被《人民日报》等各大媒体采用，引起强烈社会反响。

2010 年 8 月，中共青海省委、青海省人民政府、青海省军区授予李力“全省抗震救灾模范”称号。

李栋 1982 年 3 月出生，辽宁省本溪市人，青藏铁路公司西宁站主任助理。

地震发生后，李栋立即投入救灾物资转运工作当中，彻夜在货场巡视检查道路平整、消防以及场区卫生情况，对发现的问题及时进行整改和处理。在之后的 86 天里，他坚守物资转运岗位，认真负责地做好物资转运工作相关数据的统计整理和上报。在活动板房设施的施工、维修以及各类揭挂的装设、更换作业过程中，他责任到人、一丝不苟，有效地保证了工程质量。

2010 年 8 月，中共青海省委、青海省人民政府、青海省军区授予李栋“全省抗震救灾模范”称号。

孙言京　1958年7月出生，河南省清丰县人，中共党员，青藏铁路公安局西宁公安局副主任科员。

地震发生后，孙言京在救灾物资运输安保一线度过十几个不眠之夜，全程落实救灾物资列车装、运、卸、入库过程的监控和安全防范措施，并把搜集、分析信息的工作融入监控中心，为做好救灾物资运输安全保卫奠定了基础。抗震救灾期间，他累计接送救灾物资列车45列698辆，没有发生一起问题，保障了一趟趟满载救灾物资列车在货场的安全装卸、外运，赢得了各级领导的好评。

2010年8月，中共青海省委、青海省人民政府、青海省军区授予孙言京"全省抗震救灾模范"称号。

刘建平　1964年5月出生，河北省人，回族，中共党员，中国石油青海销售公司党群工作处处长。

地震发生后，刘建平于4月14日带领公司宣传报道组押送6车成品油赶赴灾区，保障黄金救援时段的油品供应。他在灾区坚持15天，和宣传报道组成员一起开展采访、接卸货物、维持加油站秩序。他采写的西杭加油站藏族女经理才仁吉藏在失去5位亲人、4位亲人失踪的情况下毅然坚守在加油现场的事迹，被中央电视台《新闻联播》、《中国石油报》等国内70多家媒体纷纷报道。

2010年8月，中共青海省委、青海省人民政府、青海省军区授予刘建平"全省抗震救灾模范"称号。

恒庆贤　1974年6月出生，河南省洛阳市人，中国石油青海玉树销售分公司经理。

地震发生后，恒庆贤迅速查看结古镇3座加油站的运行情况，向州政府领导汇报分公司油品库存情况，成为第一个向州政府主动汇报工作、第一个主动提供联系方式、第一个提出油品保供的企业单位。抗震救灾期间，他带领油品工作人员，在震后黄金救援时间内及时向玉树机场、医疗救治、移动电信等用电机关和企业提供油品保障，保障了救灾工作的正常运转。

2010年8月，中共青海省委、青海省人民政府、青海省军区授予恒庆贤"全省抗震救灾模范"称号。

刘运尧 1961年10月出生，湖北省武汉市人，中共党员，中国联通青海省分公司总经理。

在刘运尧的精心指挥下，杂多、治多、囊谦、曲麻莱等县联通业务在灾后第二天全部恢复，第三天通信网络率先全面恢复，青海联通成为率先全面恢复通信的运营商。组织开通“寻亲热线”和“多方通话”业务，发起抗震救灾多方通话2019次，在集中安置点设置免费亲情电话服务点4个、电话20部、手机充电服务点5个，满足群众的通信需求。抗震救灾期间，他组织开展募捐义演活动，募捐资金23万余元。他还决定由公司出资50万元设立“春雨”赈灾助学基金，为玉树籍学生提供帮助。

2010年8月，中共青海省委、青海省人民政府、青海省军区授予刘运尧“全省抗震救灾模范”称号。

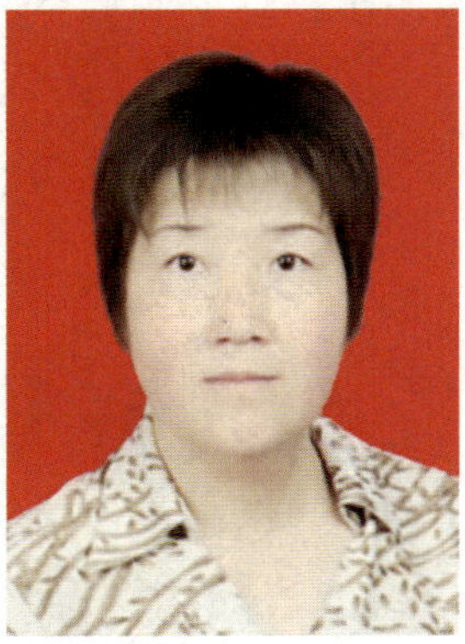

余红霞（女） 1968年3月出生，甘肃省庄浪县人，满族，中国水利水电四局有限公司医院主管护理师。

地震发生后，余红霞和医务人员一起快速到达灾区，立即投入医疗救治当中。抗震救灾期间，她和医疗队共救治伤员680余人次，输液35人次，清创包扎500余人次，向西宁转诊17人次。

2010年8月，中共青海省委、青海省人民政府、青海省军区授予余红霞“全省抗震救灾模范”称号。

杨金龙 1974年5月出生，甘肃省庄浪县人，中共党员，中国水利水电四局有限公司副主任。

地震发生后，杨金龙和公司救灾队员一起组织挖掘机、吊车、载重汽车和发电机等大型机械设备迅速奔赴灾区，全力展开挖掘抢救工作，搜寻遇难者遗体7具。为尽快恢复电力供应，他带领救援队和一辆25吨的吊车，将格萨尔广场一台1000千瓦、重达11吨的柴油发电机吊装就位，保证灾区重点部位及时恢复供电。救援工作转向废墟清理后，他带领救灾队员清理废墟4万余立方米。

2010年8月，中共青海省委、青海省人民政府、青海省军区授予杨金龙“全省抗震救灾模范”称号。

秦学寿　1962年8月出生，甘肃省高台县人，中共党员，中国电信集团青海分公司总经理。

震后10分钟，秦学寿果断作出派出4支通信抢险队伍急赴灾区的决定。随后，他紧急赶赴灾区，组织员工迅速为玉树党政军重要部门紧急提供固定电话、移动电话、有线宽带、无线上网等全套通信服务，为抗震救灾赢得宝贵时间。紧急协调集团公司从陕西、四川等电信公司调派应急通信车等救援设施驰援灾区，为全面抢通通信线路发挥了关键作用。震后第四天，中国电信率先实现玉树机场沿线信号全覆盖，第六天灾区县、乡、村固定电话全面恢复。

2010年8月，中共青海省委、青海省人民政府、青海省军区授予秦学寿“全省抗震救灾模范”称号。

党成忠　1968年9月出生，青海省乐都县人，中共党员，中国电信玉树分公司网络管理部主任。

在公司通信楼因地震严重受损的情况下，党成忠带领员工冲进去抢修通信设备，并在最短的时间内查清结古至玉树机场、治多方向通信断点，迅速组织进行光缆抢修。在他的带领下，经过全体员工的奋战，地震当晚结古至治多方向通信全部恢复，震后24小时恢复玉树机场以及杂多、囊谦、治多、曲麻莱4县的所有通信业务，为抗震救灾工作的顺利进行赢得了时间。

2010年6月，中共青海省委授予党成忠“玉树抗震救灾优秀共产党员”称号。8月，中共青海省委、青海省人民政府、青海省军区授予党成忠“全省抗震救灾模范”称号。

颜忠宏　1961年7月出生，青海省湟源县人，中共党员，中国移动青海公司网络部总经理。

地震发生后，颜忠宏随同公司领导第一批赶赴灾区，现场指挥抗震救灾保通信工作。在灾区，他和一线员工一起，发扬众志成城、齐心抢险的抗震救灾精神，全力投入网络保通信抢修保障工作中，为救灾通信保障做出重要贡献。

2010年8月，中共青海省委、青海省人民政府、青海省军区授予颜忠宏“全省抗震救灾模范”称号。

高振明 1965年4月出生，河北省人，中共党员，中国移动青海公司玉树分公司总经理。

地震发生后，高振明立即召集紧急会议，在第一时间作出通信抢险和物资保障的紧急安排。在他的指挥和公司全体员工的共同努力下，行业救灾工作井然有序，灾后24小时抢通重点部位，3天内完成全线恢复，10天内业务工作全面恢复，为全州十几万名客户交上了一份满意的答卷。

2010年8月，中共青海省委、青海省人民政府、青海省军区授予高振明“全省抗震救灾模范”称号。

严晓玲（女） 1984年11月出生，青海省西宁市人，青海卫生职业技术学院团委副书记。

地震发生后，严晓玲主动请缨，由她担任抗震救灾临时党支部书记、副队长，精心挑选22名学生党员和入党积极分子组成抗震救灾志愿者服务队。在灾区10天的救援中，他们共救治及随访各类患者2000余例，其中危重病例200余例，转出病人150余例。17名入党积极分子火线光荣入党。

2010年8月，中共青海省委、青海省人民政府、青海省军区授予严晓玲“全省抗震救灾模范”称号。

洛才仁 1964年6月出生，青海省称多县人，藏族，中共党员，玉树州地方税务局工会副主席。

地震发生之时，洛才仁不顾家人安危，第一个冲进坍塌的楼内，先后救出外地到玉树做生意的一家三口人，展现了党员干部的高尚情怀。他的事迹报道后，《人民日报》《解放军报》等10多家新闻媒体分别在《抗震救灾英雄谱》专栏进行了采访报道。

2010年8月，中共青海省委、青海省人民政府、青海省军区授予洛才仁“全省抗震救灾模范”称号。

李锦川 1969年8月出生，青海省乐都县人，中共党员，玉树县国家税务局局长。

地震发生后，李锦川第一时间带领数名干部成功救出7名幸存者，随后又想方设法解决机关干部及家属的吃住问题。他与后勤保障组人员一起冒着余震有可能导致办公楼倒塌的危险，从办公楼取出帐篷、枕头、被褥等，又从食堂取出米面、粮油、厨房用具，使从地震中逃生的干部、家属吃到了震后的第一餐。他带领应急分队将 64 箱方便面、60 箱矿泉水成功运送到加吉娘村。在玉树县孤儿院，他将募捐来的 3000 元慰问金交到校长手中。

2010 年 8 月，中共青海省委、青海省人民政府、青海省军区授予李锦川“全省抗震救灾模范”称号。

石天刚　1967 年 2 月出生，青海省乐都县人，玉树州气象局气象台副台长。

地震发生后，石天刚第一时间把电台、电话抢运到安全地带，与省气象台始终保持联系。他冒着生命危险，出入危险重重的值班室百余次，抢搬大量的气象仪器和观测资料。他让自己的爱人每天做好饭，供职工食用，供餐 50 余人次。得知玉树县新寨村一户群众家没有粮食，他毫不犹豫地将自己的一箱方便面和一袋面粉、大米送去。为保障业务用电，他又当起了电工，发电、维修发电机都成了他的拿手活。

2010 年 8 月，中共青海省委、青海省人民政府、青海省军区授予石天刚“全省抗震救灾模范”称号。

王景超　1974 年 3 月出生，陕西省户县人，中共党员，青海消防总队玉树州支队参谋长。

抗震救灾期间，王景超带领支队官兵坚持战斗在受灾最严重的震灾现场，先后指挥扑救 5 起因地震引发的火灾，疏散抢救被困群众 211 人，其中生还 24 人。组织官兵为受灾群众临时安置点送水 300 余吨，在结古镇主要道路降尘洒水 400 余吨，惠及受灾群众近 2 万人。

2010 年 8 月，中共青海省委、青海省人民政府、青海省军区授予王景超“全省抗震救灾模范”称号。

袁立军　1972 年 7 月出生，甘肃省榆中市人，中共党员，青海消防总队防火部宣传处处长。

地震发生后，袁立军全力开展宣传报道工作，形成广播、电视、报刊、网络齐头并进的立体化宣传模式。他和战友们组织的有关消防的画面、新闻、专题等稿件在中央电视台不同频道播出 380 余条（次），在青海卫视播放 127 篇。

2010 年 8 月，中共青海省委、青海省人民政府、青海省军区授予袁立军“全省抗震救灾模范”称号。

杨永刚 1981 年 3 月出生，青海省湟中县人，中共党员，青海消防总队玉树州支队参谋。

抗震救灾期间，杨永刚与战友们成功营救出 19 名幸存者，挖出 6 具遇难者遗体，扑灭火灾 15 起。先后检查帐篷 8200 余顶次，整改火灾隐患 186 条，张贴横幅、宣传画、防火公告 3445 处，发放消防宣传材料 6050 份，讲解消防常识 70 余次，受教育群众达 1.5 万余人。

2010 年 8 月，中共青海省委、青海省人民政府、青海省军区授予杨永刚“全省抗震救灾模范”称号。

栗兆 1981 年 9 月出生，山东省枣庄市人，中共党员，青海消防总队玉树州支队参谋。

抗震救灾期间，栗兆成功收集、整理、传达指挥部命令 1000 余条（次），调配车辆 600 余台次，疏通道路 10 余次，顺利将四川、重庆、山东、广东等 6 个总队上千名救援人员及救援器材安全运到救援现场，保障了各救援队伍在第一时间参加救援战斗。

2010 年 8 月，中共青海省委、青海省人民政府、青海省军区授予栗兆“全省抗震救灾模范”称号。

玛尼坚 1988 年 9 月出生，青海省化隆县人，藏族，中共党员，青海消防总队西宁支队下士。

在 12 天的救援任务中，他与战友们共同排查 50 余个救援现场，参加搜救 20 余次，营救被困群众 11 人，转移受灾群众 40 余人，抢救黄金、虫草等贵重物资价值 20 余万元。

2010 年 8 月，中共青海省委、青海省人民政府、青海省军区授予玛尼坚“全省抗震救灾模范”称号。

刘玉斌 1990 年 9 月出生，青海省西宁市人，中共党员，青海消防总队玉树州支队上等兵。

抗震救灾期间，刘玉斌与战友们一起解救 30 余名被困群众，其中幸存者 3 人；扑救各类火灾 40 余起，转运救灾物资 200 余吨。与 6 名战友起早贪黑，共同保障近 200 人的伙食。

2010 年 8 月，中共青海省委、青海省人民政府、青海省军区授予刘玉斌“全省抗震救灾模范”称号。

邹根队　1967 年 8 月出生，河北省文安县人，中共党员，省公安厅警卫局后勤处车队队长。

地震发生后，邹根队主动请缨，迅速带领省委应急通信车队赶赴抗震救灾一线，圆满完成党和国家领导人视察地震灾区的安全应急任务。因为使命特殊，他在中途对车辆进行仔细检查保养，及时消除车辆安全隐患，确保任务的圆满完成。

2010 年 8 月，中共青海省委、青海省人民政府、青海省军区授予邹根队“全省抗震救灾模范”称号。

周磊　1978 年 11 月出生，辽宁省桓仁县人，中共党员，省公安厅警卫局参谋。

地震发生后，周磊始终奋战在警卫执勤第一线，参与完成党和国家领导人赴灾区视察慰问警卫任务 11 批次。主动协调玉树军分区相关部门加强防范，检查、督促落实各项安全措施，安全顺利地完成驻地警卫工作。

2010 年 8 月，中共青海省委、青海省人民政府、青海省军区授予周磊“全省抗震救灾模范”称号。

连捷　1968 年 1 月出生，辽宁省昌图县人，中共党员，省公安边防总队后勤部助理员。

抗震救灾期间，连捷牵头负责总队后勤保障工作，千方百计完成紧急采购任务，协助总队抗震救灾指挥部安排落实运输车辆 240 台次、航空运力 19 架次、公路运力 266 吨。

2010 年 8 月，中共青海省委、青海省人民政府、青海省军区授予连捷“全省抗震救灾模范”称号。

徐学成　1984 年 11 月出生，甘肃省武威市人，中共党员，省公安边防总队政治部干事。

地震发生后，徐学成始终奋战在灾区救援第一线，和战友们一起协调安排航空运力 19 架次、运送人员 1844 人次，安排公路运力 266 吨、运输各类物资 73 吨，圆满完成医疗救援队后勤保障工作。在灾区一线采写和编发新闻稿件 20 多篇。

2010 年 8 月，中共青海省委、青海省人民政府、青海省军区授予徐学成“全省抗震救灾模范”称号。

张海平　1962年12月出生，青海省西宁市人，中共党员，黄南州公安局交警支队副支队长。

地震发生后，张海平带领45名干警，连夜开赴国道214线兴海县河卡山隧道重点路段，开展道路巡查和指挥疏导勤务，保障道路安全畅通。在执勤点，他带领干警昼夜为救援车辆司机提供水、电、食宿等基本保障。在灾区坚持20多天，安排勤务、疏导交通，保障管辖路段道路畅通。

2010年8月，中共青海省委、青海省人民政府、青海省军区授予张海平“全省抗震救灾模范”称号。

杨峰业　1970年5月出生，青海省贵德县人，藏族，中共党员，黄南州公安局交警支队车辆管理所所长。

地震发生后，杨峰业赶赴海南州兴海县河卡山收费站开展执勤疏导工作。为了保障干警的工作、生活，他想方设法解决执勤干警吃饭、住宿问题，解除他们的后顾之忧，使广大参战干警全身心投入交通安全保卫工作中。

2010年8月，中共青海省委、青海省人民政府、青海省军区授予杨峰业“全省抗震救灾模范”称号。

徐黎　1966年2月出生，青海省湟源县人，中共党员，海南州公安局特警支队大队长。

地震发生后，徐黎只身冲进即将倒塌的楼房，为抢救被埋压物资连续奋战20多个小时。抗震救灾期间，徐黎带领特警队员救助伤员110余人，帮助受灾群众搭建帐篷60余顶，挖出被埋压群众财物价值近40万元。在治安巡逻中抓获19名犯罪嫌疑人，缴获赃款赃物价值3.3万余元。

2010年8月，中共青海省委、青海省人民政府、青海省军区授予徐黎“全省抗震救灾模范”。

马骏　1976年7月出生，青海省化隆县人，回族，中共党员，化隆县公安局公路巡警大队副大队长。

地震发生后，马骏始终坚持在抗震救灾第一线，全力保障灾区生命通道的安全运行。他每天在4千米的执勤路段往返七八个来回，引领抗震救灾的人员和救灾物资车队安全通过，为灾区人民履行一名人民警察应尽的责任和义务。

2010年8月，中共青海省委、青海省人民政府、青海省军区授予马骏“全省抗震救灾模范”称号。

徐小明 1965年1月出生，青海省久治县人，藏族，中共党员，果洛州公安局特警大队大队长。

抗震救灾期间，徐小明带领队员先后转移群众80多人，抢救受伤群众17人，转移受伤群众42人，抢挖群众财产价值近3万元。同时，圆满完成中央领导视察灾区的安保任务。

2010年8月，中共青海省委、青海省人民政府、青海省军区授予徐小明“全省抗震救灾模范”称号。

热旦 1968年11月出生，青海省化隆县人，藏族，中共党员，玛多县公安局看守所所长。

抗震救灾期间，热旦与战友一起连续奋战12天，成功抢救出群众财产价值10万余元、遇难者遗体4具、被埋压伤员11人，为受灾群众搭建帐篷400顶，得到灾区群众的高度赞扬。

2010年8月，中共青海省委、青海省人民政府、青海省军区授予热旦“全省抗震救灾模范”称号。

熊海 1963年2月出生，四川省人，中共党员，海西州公安局交警支队政委。

熊海作为玉树灾区交通指挥部副总指挥，提出“以疏为主、以管为辅、分段管理、及时分流”的灾区交通管理十六字思路，在灾后警卫工作中发挥了重要作用。抗震救灾期间，他指挥协调完成一级警卫任务3次、二级警卫任务3次，创建了灾区警卫工作新模式。

2010年8月，中共青海省委、青海省人民政府、青海省军区授予熊海“全省抗震救灾模范”称号。

才巴德 1960年10月出生，青海省称多县人，藏族，中共党员，玉树州公安局治安支队支队长。

抗震救灾期间，才巴德组织查实冒领救灾物资、救灾款的“假灾民”179人，挽回直接经济损失160余万元。徒步跟车押运救灾物资车50余台次，行程300余千米。成功救出幸存者2名。借用库房4个，集中存放枪支弹药，未丢失一支枪、一发子弹；销毁受潮、过期炸药2500余千克。

2010年8月，中共青海省委、青海省人民政府、青海省军区授予才巴德“全省抗震救灾模范”称号。

才仁扎西 1976年10月出生，青海省杂多县人，藏族，中共党员，玉树州公安局国保支队副支队长。

地震发生后，才仁扎西立即奔赴单位，组织国保民警从摇摇欲坠的办公大楼中抢救出大量国保资料，无一份文件资料遗失。在安置受灾群众工作中，他主动装卸救灾物资、搭建帐篷、整理临时办公场地。在抢险救灾的30多天里，他带领支队民警搜集各类维稳情报400余条，整理维稳动态41期。

2010年8月，中共青海省委、青海省人民政府、青海省军区授予才仁扎西“全省抗震救灾模范”称号。

普布才仁 1977年1月出生，青海省玉树县人，藏族，玉树州公安局治安支队副支队长。

地震发生的关键时刻，普布才仁迅速带领56名保安前往红旗小学救人。在他的指挥下，所有学生被安全疏散到学校门外的马路上。随后，他又带领警员深入居民区抢救被埋压人员，挖出遇难者遗体113具，抢救被埋压人员103人，为21家受灾居民挖出大量的生活用品。抗震救灾期间，他和警员一起疏散、指引受灾人员近2万人。

2010年8月，中共青海省委、青海省人民政府、青海省军区授予普布才仁“全省抗震救灾模范”称号。

桑丁才仁 1963年6月出生，青海省称多县人，藏族，中共党员，玉树州公安局交警支队大队长。

地震发生当日，桑丁才仁在缺乏工具的情况下，毅然用手刨土、搬运石块、木料等，救出幸存者18名，挖出遇难者遗体5具。随后，他又投入维护交通秩序工作当中，指挥车辆，疏通交通，每天工作15小时以上，保障救灾队伍和救灾用品顺利到达灾区。

2010年8月，中共青海省委、青海省人民政府、青海省军区授予桑丁才仁“全省抗震救灾模范”称号。

拉巴东周 1980年3月出生，青海省囊谦县人，藏族，中共党员，玉树州公安局政治处科员。

地震中，拉巴东周的儿子和外婆不幸遇难，但他从地震发生到次日凌晨4点，整整18个小时内救出幸存者7名。此后，他连续两天两夜在街头巡逻，维护治安，每天行程50千米左右。他和战友们一起冒着余震冲进摇摇欲坠的办公楼，成功抢救出大量的通信设备及其他办公用品。

2010年8月,中共青海省委、青海省人民政府、青海省军区授予拉巴东周“全省抗震救灾模范”称号。

张飞 1971年8月出生，青海省杂多县人，藏族，中共党员，玉树州公安局交警支队副主任。

地震发生当日，张飞救出幸存者3名，运送伤员4名。由于耽误抢救时间，自己的女儿却不幸遇难。他强忍失去女儿的悲痛，主动承担起财产损失、人员伤亡以及各类材料的收集、申报工作，在第一时间将政府发放的有关证件及生活补助金发放到受灾群众手中。

2010年8月，中共青海省委、青海省人民政府、青海省军区授予张飞“全省抗震救灾模范”称号。

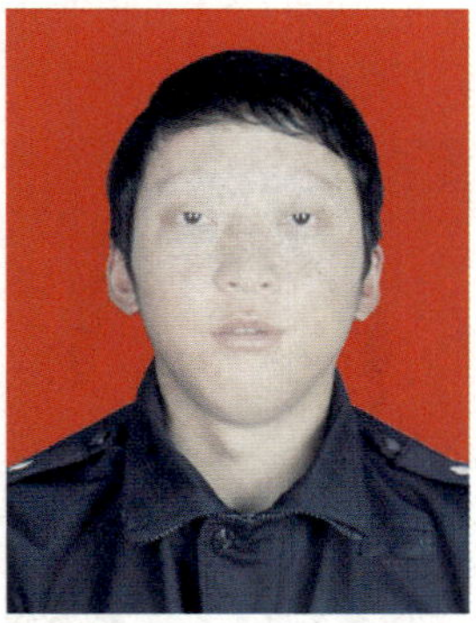

索南战斗 1989年9月出生，青海省玉树州人，藏族，玉树州公安局特警支队科员。

地震发生后，索南战斗全身心投入抗震救灾工作中。在救援工作中没有专业工具，他就用自己的双手去刨挖，双手被磨出血还在坚持。在他和队友们的努力下，先后救出被埋压群众118名。由于耽误了最佳救援时机，他的弟弟等3名亲人不幸遇难。

2010年8月，中共青海省委、青海省人民政府、青海省军区授予索南战斗“全省抗震救灾模范”称号。

青鹰 1963年10月出生，青海省杂多县人，藏族，中共党员，玉树县公安局局长。

在震后的20天里，青鹰组织全局民警共解救被困群众1675人，刨挖遇难者遗体395具，救助群众2154人，疏导交通673小时，发放救灾物资98车，帮助群众搭建临时帐篷805顶。动员全局民警为受灾群众捐款捐物价值35万余元。

2010年8月，中共青海省委、青海省人民政府、青海省军区授予青鹰“全省抗震救灾模范”称号。

普布才仁 1966年12月出生，青海省玉树县人，藏族，中共党员，玉树县公安局民警。

地震中，普布才仁失去6位亲人，但他化悲痛为力量，徒手从瓦砾下救出幸存者6名。随后，他又带领民警不顾生命危险，先后10余次从州公安局大楼抢救出各类枪支900余支(公务用枪200余支，收缴的民用枪支700余支)，子弹数千发。及时将往年收缴的非法枪支500余支、管制刀具100余把运往省公安厅。

2010年8月,中共青海省委、青海省人民政府、青海省军区授予普布才仁“全省抗震救灾模范”称号。

才仁文次　1978年10月出生，青海省玉树县人，藏族，中共党员，玉树县公安局小苏莽派出所所长。

地震中，才仁文次5岁的儿子遇难、自己又身负重伤，但他仍然组织干警迅速投入一线开展抗震救灾工作。其间，他紧紧围绕“保群众、促稳定”的原则和要求，将国家发放的救灾物资及时送交到受灾群众手中，有力地维护了党和政府的形象。组织帮助群众抢救、搬运财产，运送受伤人员29人。

2010年8月，中共青海省委、青海省人民政府、青海省军区授予才仁文次“全省抗震救灾模范”称号。

更然　1976年10月出生，青海省玉树县人，藏族，中共党员，玉树县公安局新建路派出所民警。

更然忍着妻子在地震中不幸遇难的悲痛，与协警员一起抢救出幸存者11名，挖出遇难者遗体39具。先后多次深入受灾群众家中，调查伤亡和财产损失情况，了解受灾群众面临的困难和问题。

2010年8月，中共青海省委、青海省人民政府、青海省军区授予更然“全省抗震救灾模范”称号。

多杰才江　1966年10月出生，青海省玉树州人，藏族，中共党员，玉树县公安局巡防大队大队长。

地震发生的紧急时刻，多杰才江集合全体干警迅速开展抢救群众生命及财产工作，成功救出幸存者57人，挖出遇难者遗体3具、现金3万元，抢救、搬运出唐卡等一些贵重物品。

2010年8月，中共青海省委、青海省人民政府、青海省军区授予多杰才江“全省抗震救灾模范”称号。

周伟　1972年12月出生，重庆市人，中共党员，玉树县公安局扎西科派出所所长。

在抢险救灾中，周伟带领民警在辖区内展开搜救行动，在地震发生当日救出40多名被困群众，往各医疗救助点运送受伤群众80余名。派出所辖区内的赛马场是灾后最大的受灾群众安置点，情况复杂、帐篷众多、治安隐患尤为突出，他带领民警深入每个帐篷，宣讲消防常识、法律常识，提高群众的防盗防火意识；组织治安联防队负责辖区的巡逻工作，辖区内没有发生一起治安案件及群体事件。

2010年8月，中共青海省委、青海省人民政府、青海省军区授予周伟“全省抗震救灾模范”称号。

郭定彧　1975年5月出生，陕西省城固县人，中共党员，西宁市公安局特警支队四大队教导员。

地震发生后，郭定彧不顾病危的父亲直接奔赴灾区。在得知父亲去世的消息后，他忍受了常人难以忍受的悲痛，继续与战友们一起奋战在抗震救灾第一线。抗震救灾期间，他带领干警对集中安置点开展24小时不间断巡逻，协助灾区政府发放80余车救灾物资，处置各类突发事件20余次，救助群众30余人次。

2010年8月，中共青海省委、青海省人民政府、青海省军区授予郭定彧“全省抗震救灾模范”称号。

张进斌　1955年9月出生，河北省清苑县人，中共党员，西宁市公安局交警支队主任科员。

张进斌是西宁市公安局前往灾区执行交通应急保障任务年龄最大的一人。到达灾区后，他立即投入保障灾区道路畅通的工作中，每天工作到深夜，主动承担民主路、胜利路、红卫路等主要交叉路口的交通疏导工作。出色完成党和国家领导人视察灾区的交通安全警卫任务。

2010年8月，中共青海省委、青海省人民政府、青海省军区授予张进斌“全省抗震救灾模范”称号。

朱运军　1965年3月出生，山东省金乡县人，中共党员，省公安厅办公室主任。

抗震救灾期间，朱运军先后审编《灾区治安简报》25期，向公安部专报灾区维稳情况3篇，向公安部公安网提供有关灾区治安信息67条。

2010年8月，中共青海省委、青海省人民政府、青海省军区授予朱运军“全省抗震救灾模范”称号。

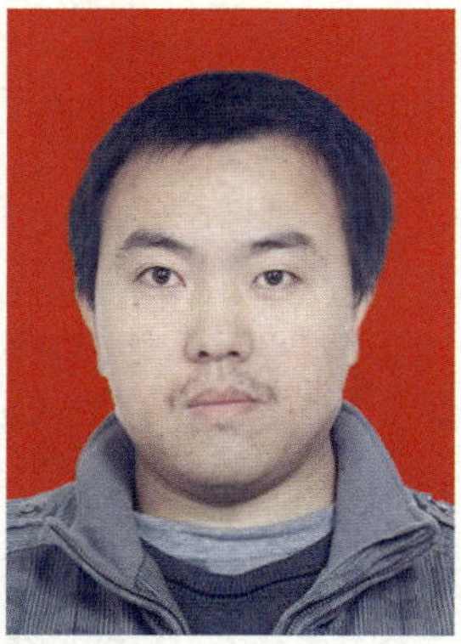

王正强　1981年12月出生，宁夏回族自治区西吉县人，中共党员，中国人民解放军68709部队班长。

地震发生后，王正强迅速带领全班人员进入库房查看统计救灾过程中所需装备物资的质量情况。由于救灾车辆维修器材短缺，他连夜前往兰州执行接收车辆器材任务。抗震救灾期间，他带领全班准备库房，接收大批量车辆、工程装备、防化器材，圆满完成救灾物资收发保障工作。

2010年8月，中共青海省委、青海省人民政府、青海省军区授予王正强“全省抗震救灾模范”称号。

王振宇　1964年12月出生，河南省郑州市人，中共党员，兰州军区青海军事法院院长。

王振宇率领第四批政工组到达灾区后，立即参加总政歌舞团到玉树灾区慰问演出的有关协调工作，保障演出的顺利进行。指导部队与当地党委开展联创共建，推动清墟任务更好的完成。采取调查问卷、座谈了解、个别谈话等方式，开展思想状况调查，形成调研报告，并及时反馈给任务部队党委，为有针对性做好官兵思想工作提供了科学依据。经常深入一线了解掌握政治工作动态，协助任务部队加强宣传报道工作。

2010年8月，中共青海省委、青海省人民政府、青海省军区授予王振宇“全省抗震救灾模范”称号。

陈国瑞　1975年8月出生，甘肃省通渭县人，中共党员，青海省军区后勤部战勤处干事。

地震发生后，陈国瑞作为当日省军区后勤部值班干部，及时将震情向后勤部首长、战勤处领导作了报告。随后，他将住宿帐篷、营房物资、生活必需品共9车45吨运往灾区，并将所有物资进行卸载、登记、配发到位，保障任务部队和新闻媒体单位1200余人次日热食供应。他还跟随医务人员深入任务部队进行巡诊服务。在灾区连续奋战25天，出色地完成各项后勤保障任务。

2010年8月，中共青海省委、青海省人民政府、青海省军区授予陈国瑞“全省抗震救灾模范”称号。

旦增　1956年9月出生，青海省玉树州人，藏族，中共党员，青海省玉树军分区副政治委员。

旦增在家中房屋全部倒塌、8位亲人遇难、10多位亲属受伤的情况下，顾不上回去照看家人和亲属，带领指战员先后救出20多名被困藏族群众。他充分发挥地形熟、语言通的优势，引导10多批外援部队顺利抵达任务区。及时向军分区党委和玉树州委提出合理化建议5条，为军地协力抗震救灾发挥了重要作用。

2010年8月，中共青海省委、青海省人民政府、青海省军区授予旦增“全省抗震救灾模范”称号。

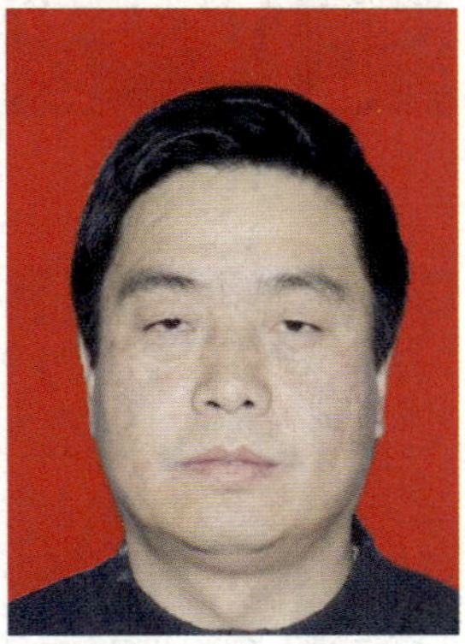

多杰　1976年8月出生，青海省同仁县人，藏族，中共党员，青海省玉树军分区副参谋长。

地震发生8分钟后，他组织机关和连队指战员，先后救出11名群众，其中6名群众幸存。随后，迅速带人抢救军马，将108匹军马全部挖出，对其中46匹死亡军马进行严格消毒处理和掩埋。组织指战员在营区为160户700多名受灾群众搭建183顶帐篷。先后3次奔赴80多千米外的重灾区，为“三孤”人员发放急需的生活物资和食品。

2010年8月，中共青海省委、青海省人民政府、青海省军区授予多杰“全省抗震救灾模范”称号。

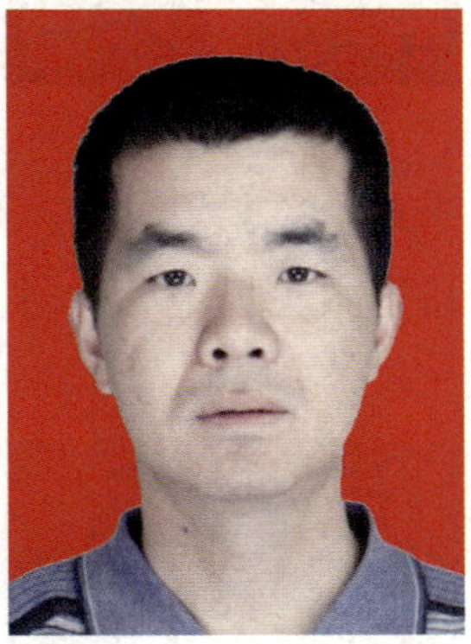

崔月立　1972年7月出生，山东省郓城县人，中共党员，中国人民解放军93987部队训练处副处长。

地震发生后，崔月立带领100名指战员连续奋战19天，抢运救灾物资2687吨，运送伤员510人，用自己的实际行动诠释了一位共产党员的人生价值追求。

2010年8月，中共青海省委、青海省人民政府、青海省军区授予崔月立“全省抗震救灾模范”称号。

王千水　1980年11月出生，江西省都昌县人，中共党员，青海省玉树军分区助理员。

在余震不断的紧急情况下，王千水带领战士、职工发放抗震救灾应急保障物资1600余件，搭建帐篷230顶。带领指战员架设供电线路1万余米，发电4万余千瓦时，抢修疏通供水管道千余米，开设临时供水点30多处。开设野战卫生厕所19个，开挖搭建旱厕11处，为救灾指挥机关和救援部队、新闻媒体机构6000多人提供住宿、供水等生活保障任务。

2010年8月,中共青海省委、青海省人民政府、青海省军区授予王千水“全省抗震救灾模范”称号。

范文秀 1987年12月出生，河南省项城县人，土族，中共党员，青海省玉树军分区独立骑兵连代理排长。

抗震救灾期间，范文秀带领全排人员不分昼夜挖掘废墟救人、搬运救灾物资、搭建救灾帐篷，救出18名被困群众，转移15名受伤群众，搭建救灾帐篷105顶，搬运救灾物资70余吨，帮助群众清理房屋废墟40余间，挖掘被埋财物价值40余万元。

2010年8月，中共青海省委、青海省人民政府、青海省军区授予范文秀“全省抗震救灾模范”称号。

扎西旺加 1987年12月出生，青海省玉树州人，藏族，囊谦县民兵应急连副指导员。

地震发生后，扎西旺加带领民兵应急连一排民兵率先进入灾区为囊谦县救援队打前站。他深入灾区，快速确定出几个重灾区，并向县委主要领导做汇报,提出自己的建议。囊谦县救援队到达灾区后，他立即成立17个突击队，进入重灾区开展搜救，当日就救出幸存者21名，挖出遇难者遗体83具。

2010年6月，中共青海省委授予扎西旺加“玉树抗震救灾优秀共产党员”称号。8月，中共青海省委、青海省人民政府、青海省军区授予扎西旺加“全省抗震救灾模范”称号。

久美朋措 1980年8月出生，青海省玉树州人，藏族，杂多县阿多乡人民武装部部长。

灾情发生后，久美朋措率先带领抗震救灾先遣突击队30人紧急赶赴灾区。抗震救灾期间，他带领民兵先后卸载各类救灾物资200余吨，搭建帐篷160余顶，发放生活补助款60余万元，发放粮油副食品50余吨。

2010年8月，中共青海省委、青海省人民政府、青海省军区授予久美朋措“全省抗震救灾模范”称号。

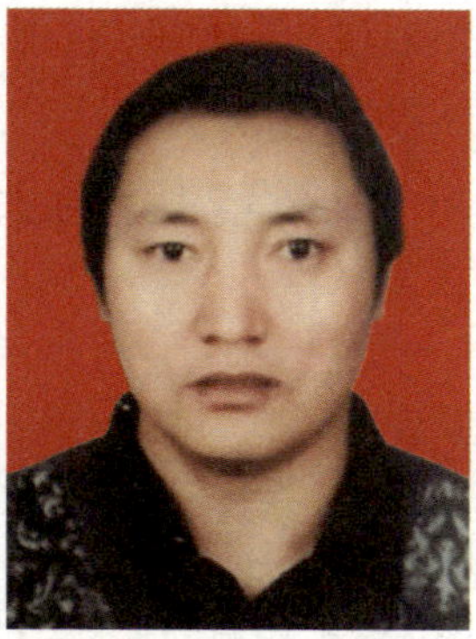

达哇　1980 年 3 月出生，青海省玉树州人，藏族，中共党员，曲麻莱县政府办公室干部。

当接到赴玉树县参加抗震救灾任务时，达哇和妻子来不及安排好孩子，匆忙开车赶往灾区。在扎西大同村，他徒手从废墟下抢救出 4 名幸存者。

2010 年 8 月，中共青海省委、青海省人民政府、青海省军区授予达哇“全省抗震救灾模范”称号。

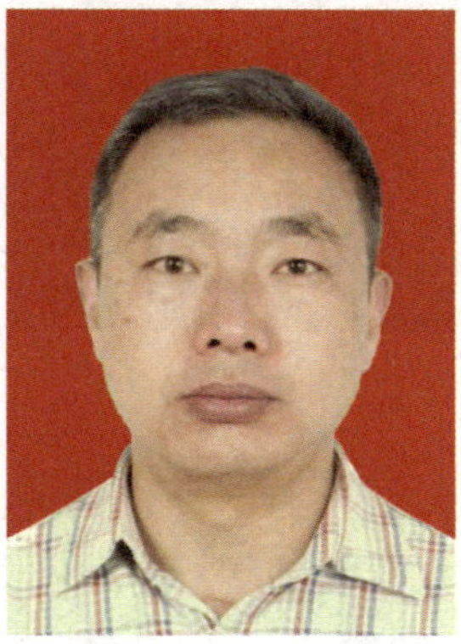

王超　1974 年 12 月出生，河南省南阳市人，回族，中共党员，青海陆军预备役步兵旅营长。

地震发生后，王超带领由 15 人组成的水网维修分队，组织 4 台指挥车、3 台抢险车前往灾区。抗震救灾期间，他带领战友检测水井 134 口，抢修受损水井 81 口，铺设供水管线 2170 米，更换阀门、接头 216 个，安装水龙头 73 个，切割焊接供水管线 163 米，建立临时供水点 13 处，解决了数万名受灾群众的饮水问题，被青海省水利厅授予“青海水利抢险第一分队”锦旗。

2010 年 8 月，中共青海省委、青海省人民政府、青海省军区授予王超“全省抗震救灾模范”称号。

吉海波　1975 年 7 月出生，山东省单县人，中共党员，青海陆军预备役步兵旅修理所所长。

地震发生后，吉海波带领预备役战友在国道 214 线为来往救灾车辆进行技术保障。在灾区的 20 多天，他和战友们抢修机械工程车、运输车、消防车等各类救灾车辆 234 台，为 917 台车辆进行检测保养，对 1102 台车辆进行伴随保障，免费检查、检修各类车辆达 1123 台次，使用配件 88 类 263 件，价值 15 万余元，为运送救灾物资做出了贡献。

2010 年 8 月，中共青海省委、青海省人民政府、青海省军区授予吉海波“全省抗震救灾模范”称号。

沈廷树　1963 年 4 月出生，青海省乐都县人，中共党员，青海陆军预备役步兵旅工兵营地爆连预备役指导员。

地震发生后，沈廷树带领 60 名救灾人员和 6 台工程机械赶赴灾区。在救援过程中，他和参战人员一起拆除 3 栋四层危楼，建筑面积达 1 万平方米。抢修道路 30 千米，工程量 600 立方米。清理山体滑坡路段 10 千米，工程量 1000 立方米。清理建筑垃圾 1.5 万立方米，在废墟中挖出遇难者遗体 10 具。抢挖出家具 20 套、灯具 400 件、车辆 2 部、保险柜 2 个，帮助受灾群众挽回经济损失近 100 万元。

2010 年 8 月，中共青海省委、青海省人民政府、青海省军区授予沈廷树“全省抗震救灾模范”称号。

李仁峰　1975 年 6 月出生，山东省临清市人，中共党员，青海陆军预备役步兵旅政治部科长。

地震发生的第二天晚上，李仁峰奋战一个通宵赶写 6 篇新闻稿件。在之后的采访中，他因连续奋战三天三夜而晕倒在现场。抗震救灾期间，他先后两次赴玉树灾区进行新闻报道工作，有 30 余篇反映抗震救灾工作的文字、图片和影视资料在军内外媒体刊发。

2010 年 8 月，中共青海省委、青海省人民政府、青海省军区授予李仁峰“全省抗震救灾模范”称号。

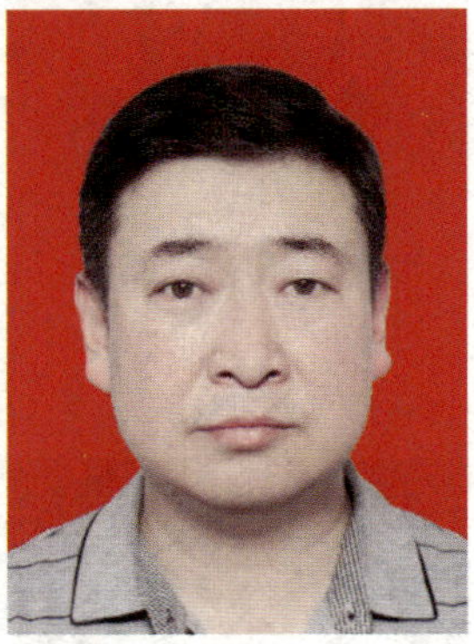

刘晓明　1971 年 10 月出生，甘肃省会宁县人，中共党员，中国人民解放军 68710 部队政治委员。

地震发生后，刘晓明组织 1002 名指战员昼夜连续机动 14 小时赶赴灾区。抗震救灾期间，他组织指挥全体指战员搜挖幸存者 19 人、遇难者遗体 167 具，转运伤病员 1540 人，提供医疗服务 254 人。在帮助群众清理财产中，搜寻出现金 719 万余元、贵重物品 4.46 万件和大量生活物资，受到任务区群众的普遍赞誉，收到灾区政府和群众锦旗 68 面。

2010 年 8 月，中共青海省委、青海省人民政府、青海省军区授予刘晓明“全省抗震救灾模范”称号。

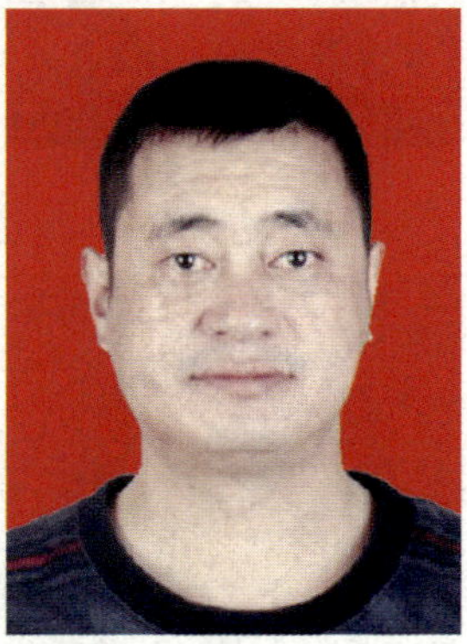

班玉宝　1973 年 12 月出生，陕西省镇安县人，回族，中共党员，中国人民解放军 68710 部队副部队长。

地震发生后，班玉宝带领 64 名指战员奔赴灾区，先后搜救幸存者 5 人，挖出遇难者遗体 48 具。连续 460 多个小时高强度作业，转运伤员 89 人，搭建救灾帐篷 300 余顶，安置受灾群众 570 余人，发放食品、大衣、被褥等救灾物资 700 余件，清理房屋 450 余间、现金 110 余万元和金佛、唐卡等贵重物品 7900 余件。带领 110 名指战员执行鼠疫防控任务，投放药剂 3000 余千克，填堵旱獭洞 3.3 万余个，防控面积 10 余平方千米。

2010 年 8 月，中共青海省委、青海省人民政府、青海省军区授予班玉宝“全省抗震救灾模范”称号。

邵学军　1980年7月出生，江苏省宝应县人，中共党员，中国人民解放军68710部队10分队分队长。

在执行任务中，邵学军带领分队指战员挖出遇难者遗体12具、清理出现金75万元、金银首饰等价值260万余元、木材789立方米、砖块1315立方米、家具4426件（套）、各类衣物380余件（套），搭设救灾帐篷300余顶，搬运各类档案4万余份，平整场地3000平方米。

2010年8月，中共青海省委、青海省人民政府、青海省军区授予邵学军“全省抗震救灾模范”称号。

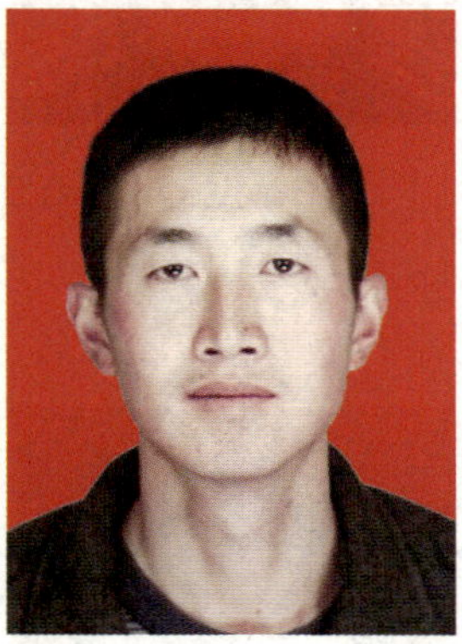

田江华　1985年1月出生，宁夏回族自治区中卫县人，中共党员，中国人民解放军68710部队64分队分队长。

在抢险救灾阶段，田江华带领分队指战员连续奋战90多个小时，先后搜救出幸存者3人、遇难者遗体19具，抢救出50余万元的贵重物品。为保障民族一中初三学生及时复课，他和全体指战员连续奋战30多个小时，搭建40多顶帐篷。在清理废墟阶段，他们清理出现金9万余元，佛经、唐卡、金佛等财物价值200余万元，为68户居民清理废墟796卡车1.5万立方米。

2010年8月，中共青海省委、青海省人民政府、青海省军区授予田江华“全省抗震救灾模范”称号。

冯益生　1975年5月出生，山东省临朐县人，中共党员，中国人民解放军68710部队52分队医师。

接到抗震救灾的命令后，冯益生跟随团第一梯队第一时间到达灾区。执行任务期间，他发扬抗震救灾精神，不畏艰险、克服困难、勇挑重担，先后义务巡诊800余次，抢救危重病号10余人，圆满完成抗震救灾工作任务。

2010年8月，口共青海省委、青海省人民政府、青海省军区授予冯益生“全省抗震救灾模范”称号。

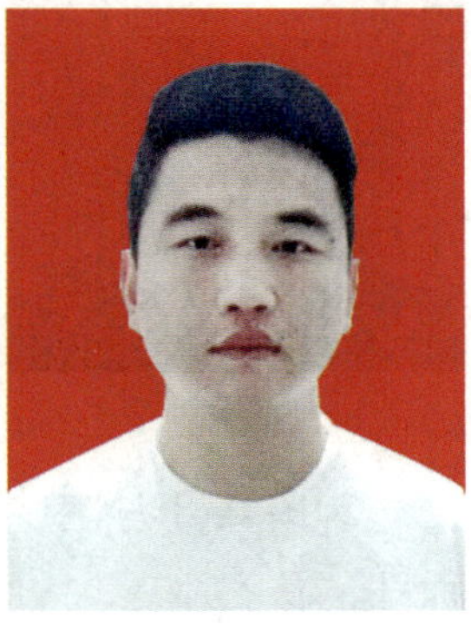

王兵　1991年4月出生，湖北省咸宁市人，共青团员，中国人民解放军68710部队68分队副班长。

4月15日8时40分，王兵带领全班人员在西航路附近搜索时，发现西北牛宾馆下面有几名受困群众，他钻进废墟把一名幸存者背了出来。接着第二个、第三个、第四个幸存者都被营救。执行任务期间，王兵带领全班战士先后搜救幸存者7人，为当地小学搭建帐篷12顶。

因工作成绩突出，荣立个人三等功。

2010年8月,中共青海省委、青海省人民政府、青海省军区授予王兵“全省抗震救灾模范”称号。

毛鹏德 1971年3月出生，陕西省周至县人，中共党员，中国人民解放军96361部队副部队长。

在抗震救灾中，毛鹏德带领广大指战员圆满完成人员搜救、文物挖掘、居民搬迁、鼠疫防控、便民服务、废墟清理清运等各项任务。执行任务期间,先后为僧侣医治45人次,为禅古寺输送搭建帐篷10顶，输送棉衣、棉被10余套，转运粮食、方便面、矿泉水、面粉、大米等生活物资约220吨，以实际行动赢得了僧侣和周边藏族群众的高度称赞。

2010年8月,中共青海省委、青海省人民政府、青海省军区授予毛鹏德“全省抗震救灾模范”称号。

牛福全 1978年2月出生，青海省湟中县人，中共党员，中国人民解放军96361部队政治教导员。

执行任务中，牛福全组织指战员先后在禅古寺抢救挖出经书5000余册、大小佛像800余尊、法器1500余件、唐卡30幅，搭建帐篷70余顶。向文成公主庙转运物资80余吨,排查受灾农户110余户，清运废墟8000立方米，成功解救出4名幸存者。带领指战员连续奋战7天，行程150多千米，堵塞旱獭洞3000多个，防疫面积5000公顷，为部队官兵和群众建起了可靠的防疫屏障。

2010年8月，中共青海省委、青海省人民政府、青海省军区授予牛福全“全省抗震救灾模范”称号。

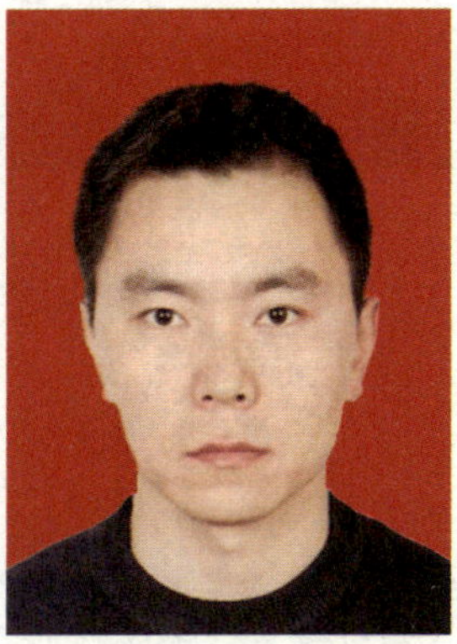

李建龙 1981年10月出生，甘肃省庆阳市人，中共党员，中国人民解放军96351部队政治部宣传处干事。

4月14日晚，李建龙随先遣部队奔赴灾区。抗震救灾期间，他主要负责部队宣传教育和文化工作。印发《抗震救灾任务教育动员提纲》，编印《党的民族宗教政策手册》《民族宗教知识50问》下发救灾部队。他撰写的《二炮野战宣传文化车开进玉树街道广场主动占领灾后舆论宣传制高点》《二炮部队着眼藏区社会稳定大局主动打好抗震救灾中民族团结政治仗》《二炮抗震救灾部队扎实做好任务转换阶段思想政治工作》等宣传材料，受到军委和总部首长的肯定。

2010年8月,中共青海省委、青海省人民政府、青海省军区授予李建龙“全省抗震救灾模范”称号。

吴亮　1977 年 5 月出生，四川省泸州市人，中共党员，中国人民解放军 96351 部队司令部军务处副处长。

地震发生后，吴亮坚守抗震救灾第一线 68 天，先后组织安全形势分析会、正规化管理观摩、专项教育整顿、综合安全隐患排查等大型活动 20 余项，拟制各类制度规定、资料 20 余份，编写《清墟安全十条措施》《哨兵执勤手册》《高原地区安全行车和带车干部手册》等有高度实用价值的指导资料。

2010 年 8 月，中共青海省委、青海省人民政府、青海省军区授予吴亮“全省抗震救灾模范”称号。

何汉林　1979 年 5 月出生，湖北省恩施州人，中共党员，中国人民解放军 96375 部队 72 分队分队长。

到达灾区后，何汉林和战士一起第一时间建立起通信枢纽 2 个，调用 2M 信道 8 个，架设野战光缆和野战被毁线路 60 余千米，安装军内电话 80 余部、地方电话 20 余部、传真保密机 2 部，建立起有线与无线、固定与机动、军队与地方相结合的通信保障模式。带领战士收发各类报文 300 余份、指挥文电 200 余份，收发新闻稿件和影像资料 1500 余份，保障视频指挥近 20 次。

2010 年 8 月，中共青海省委、青海省人民政府、青海省军区授予何汉林“全省抗震救灾模范”称号。

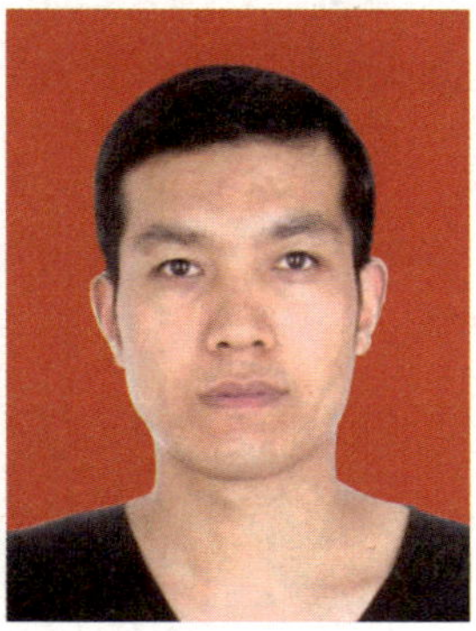

秦传锋　1979 年 6 月出生，安徽省利辛县人，中共党员，中国人民解放军 96374 部队 4 分队政治教导员。

秦传锋在灾区坚持奋战 60 天，和 30 余名战士检修维修车辆 1700 余辆，为抗震救灾任务的顺利进行提供了有力的车辆维修保障。接到为孤儿板房焊接书架和装修图书室的任务后，他对钣焊专业的 7 名人员进行分工动员，亲自带领人员前往现场，连续工作 16 个小时，切割 8 米长的三角铁 100 余根，焊接两个长 10 余米、高 6 米多的大书架。

2010 年 8 月，中共青海省委、青海省人民政府、青海省军区授予秦传锋“全省抗震救灾模范”称号。

周建平　1973 年 4 月出生，青海省大通县人，回族，中共党员，中国人民解放军第 536 医院主治医师。

到达灾区后，周建平连夜和战友们平整场地，展开手术车、X 线诊断车和医疗帐篷，卸载携带的医疗救援物资。在灾区工作期间，他先后参与完成灾区伤员救治手术 200 多例。在玉树县上拉秀乡和下拉秀镇先后诊治伤病员 62 人次，抢救危重病人 2 人，并为参战指战员进行高原防病知识授课，受到兰州军区指战员及当地群众的好评。

2010 年 8 月，中共青海省委、青海省人民政府、青海省军区授予周建平“全省抗震救灾模范”称号。

康玉萍（女） 1975 年 12 月出生，青海省西宁市人，中共党员，中国人民解放军第 536 医院主管护师。

地震发生后，康玉萍主动请缨，于第一时间奔赴灾区。抗震救灾期间，护理处置伤员 540 人次，其中危重抢救达 67 人，用精湛的医术和高尚的情操谱写出一曲忠诚为党、无私奉献的高原赞歌。

2010 年 8 月，中共青海省委、青海省人民政府、青海省军区授予康玉萍“全省抗震救灾模范”称号。

孙胜 1968 年 5 月出生，河北省任丘市人，中共党员，中国人民解放军第 22 医院院长。

孙胜作为抗震救灾医疗队党支部书记、医疗队长，带领医疗队全体成员累计门诊伤病员 2729 人次，收治伤病员 209 人，巡诊 5037 人次，发放药品 3000 余人次，抢救危重伤员 27 人次，手术 30 台次，占军队体系医院手术量的 15%。组织成立高原病防治小组，深入部队进行高原病常识及防治宣讲，有针对性地为体系部队传授有关高原病防治知识，编发《高原常见病预防与救治》等宣传手册 800 余份。

2010 年 8 月，中共青海省委、青海省人民政府、青海省军区授予孙胜“全省抗震救灾模范”称号。

闫军青（女） 1979 年 11 月出生，甘肃省靖远县人，中共党员，中国人民解放军第 22 医院护师。

地震发生后，闫军青作为灾区援助医疗队成员，迅速投入抢救灾区伤病员的工作中。她不顾个人安危，与死神赛跑，与时间竞争，让人民群众的损失降到最低处。她在救灾过程中不断寻找方法，总结经验，为在野战条件下如何救治伤病员积累了宝贵的经验。在灾区参与医院手术组 30 多例手术的护理工作。

2010 年 8 月，中共青海省委、青海省人民政府、青海省军区授予闫军青“全省抗震救灾模范”称号。

李大元　1964年4月出生，四川省南部县人，中共党员，中国人民解放军62201部队副部队长。

李大元在第一时间带领救援部队紧急奔赴灾区。在初到灾区的30余个小时，他不顾因重感冒导致的血压升高、剧烈头痛，顽强地奋战在抗震救灾一线。他在灾区坚持奋战十昼夜，用自己的实际行动体现了一名老共产党员心中时刻装着人民，关键时刻站得出、冲得上的优良品质，展现了一名老高原军人的优秀精神风貌，实践着一个军人服务人民的铮铮誓言。

2010年8月，中共青海省委、青海省人民政府、青海省军区授予李大元“全省抗震救灾模范”称号。

陈才国　1970年4月出生，湖北省安陆县人，中共党员，中国人民解放军62213部队部队长。

地震发生后，陈才国果断下达团队第一份抗震救灾命令。面对抗震救灾投入人多车多、任务区域分散、环境复杂恶劣、通信联络不畅、组织指挥难度大等诸多困难，他始终坚持亲临一线，用实际行动影响和带动广大指战员完成各项任务。车队紧急开进往往都是连续十几个小时，有时甚至一天只休息两三个小时，但他身先士卒，始终全身心地奋战在抗震救灾第一线，圆满完成抗震救灾任务。

2010年8月，中共青海省委、青海省人民政府、青海省军区授予陈才国“全省抗震救灾模范”称号。

孙晓鹏　1980年1月出生，四川省阆中市人，中共党员，中国人民解放军62213部队20分队分队长。

抗震救灾期间，孙晓鹏加强指战员思想政治教育，大幅度提高部队的士气，激发部队抗震救灾的热情。在他的带领下，分队官兵写下请战书，积极争取参加第一梯队，及时赶到灾区，参加抗震救灾。在开进途中和进村入户救灾期间，他始终全身心地奋战在第一线，时刻教育指战员严守纪律、树好形象，圆满完成抗震救灾任务。

2010年8月，中共青海省委、青海省人民政府、青海省军区授予孙晓鹏“全省抗震救灾模范”称号。

江积让 1972年8月出生，陕西省岐山县人，中共党员，中国人民解放军62270部队业务处参谋。

地震发生后，江积让和指战员一起赶往救灾物资装卸地点，负责装运救灾物资。他在装卸过程中一直冲在最前面，把最苦最累的活留给自己。特别是在震发当日，他带领的救援小组连续奋战12小时，顺利完成青海省民政厅5000顶救灾帐篷和1万件棉衣的抢装任务。

2010年8月，中共青海省委、青海省人民政府、青海省军区授予江积让“全省抗震救灾模范”称号。

王先锋 1984年8月出生，陕西省永寿县人，中共党员，中国人民解放军62201部队政治部干事。

王先锋第一时间赶赴震区，第一时间到达现场，第一时间发出报道。在灾区的25天里，他用笔和相机记录和传递着无数的感人故事。其中，《金珠玛米给灾区带来生命霞光》被新华社、《解放军报》、《光明日报》、《中国妇女报》等刊用。他在中央电视台、《人民日报》、《解放军报》等新闻媒体刊发关于抗震救灾的稿件、图片140余篇条。

2010年8月，中共青海省委、青海省人民政府、青海省军区授予王先锋“全省抗震救灾模范”称号。

罗贤兵 1979年12月出生，江苏省响水县人，中共党员，中国人民解放军62201部队业务处助理员。

地震发生后，罗贤兵主动请缨，全面准备，积极协调，出色地完成各项保障任务。在时间紧、任务重的情况下，他没有推诿，没有怨言，立即着手，争分夺秒，尽力做好各个环节的工作。针对抗震救灾人员体能消耗大的特点，提出适当增加动物性食品摄入量的建议，以提高抗震救灾指战员的身体素质。

2010年8月，中共青海省委、青海省人民政府、青海省军区授予罗贤兵“全省抗震救灾模范”称号。

李群 1978年3月出生，山东省肥城县人，中共党员，中国人民解放军62201部队司令部参谋。

灾情发生后，李群迅速带领机要通信车赶往灾区。进入任务区域后立即架设装备展开作业，把灾区讯息安全传回，确保政令军令畅通。由于震后通信基础设施受到严重破坏，他在机要通信车上连续作业18个小时，紧急完成4份电报的译办工作。在抗震救灾的23

天中，共收发电报 50 余份，计 500 余页，全部做到机密、及时、准确。

2010 年 8 月，中共青海省委、青海省人民政府、青海省军区授予李群“全省抗震救灾模范”称号。

镡磊　1982 年 11 月出生，山东省莱州市人，中共党员，中国人民解放军 68060 部队政治部宣传科干事。

地震发生后，镡磊随部队奔赴灾区一线，立即投入抗震救灾工作中去。他每天都背着沉重的设备，行走在灾区的大街小巷，用镜头记录下一个个感人的画面。抗震救灾期间，他和同事们一起采写的 40 多篇稿件，在军内外新闻媒体播发，5 幅摄影图片被青海省抗震救灾图片册选用。在甘达村采访时，由于连续工作 15 天，他突然昏倒在地，被随行医疗队送往救护点抢救。

2010 年 8 月，中共青海省委、青海省人民政府、青海省军区授予镡磊“全省抗震救灾模范”称号。

田新宇　1969 年 10 月出生，湖北省鹤峰县人，中共党员，中国人民解放军 68060 部队基建营房处助理员。

抗震救灾期间，由田新宇直接经手负责筹措和收发的各项营房物资、装备达 1 万余件，其中接受各类物资 7894 件、筹措各类物资 3174 件。在他的协调下，该部队为受灾群众发放各类野营物资 2481 件，保障本部队 976 件，保障外区部队 671 件。利用 3 台净水车和 1 台淋浴车开设应急兵站供水和淋浴服务站，为任务部队和灾区群众不分昼夜地保障热水，受到受灾群众和指战员的一致好评。

2010 年 8 月，中共青海省委、青海省人民政府、青海省军区授予田新宇“全省抗震救灾模范”称号。

李友谊　1974 年 1 月出生，湖南省平江县人，中共党员，中国人民解放军 68063 部队二队队长。

地震发生后，李友谊两次带领党员突击队拉运 200 余吨救灾物资送达灾区一线，圆满完成运送任务。他带领指战员在西宁机场昼夜执行救灾物资搬运任务，完成 10 余架次、600 吨救灾物资和 2000 余块床板、50 余个集装箱，以及棉帐篷、发电机、睡袋等 30 种 1000 余件（套）物资转载任务，以实际行动在指战员中树立共产党员的良好形象。

2010 年 8 月，中共青海省委、青海省人民政府、青海省军区授予李友谊“全省抗震救灾模范”称号。

陈柏林　1981年4月出生，山西省昔阳县人，中共党员，中国人民解放军68068部队保管队班长。

地震发生后，陈柏林在灾区执行保障任务85天，为过往车辆加注油料1200多台，收发油料1100余吨，排除故障10余次，做到了安全、及时、准确，没有出现任何事故，受到大家的一致好评。

2010年8月，中共青海省委、青海省人民政府、青海省军区授予陈柏林“全省抗震救灾模范”称号。

胡志光　1975年4月出生，四川省蓬溪县人，中共党员，中国人民解放军第10医院院务处处长。

地震发生后，胡志光立即组织后勤机关人员对车辆、财务、军需、营房等方面进行物资补充准备，为医疗队的顺利开进奠定了坚实基础。执行任务期间，他带领骨干检查排除各类车辆隐患10余起，为医疗队配属车辆补充燃油1000余升，确保5台车辆累计行驶6300余千米，无一起交通意外。为过往的救灾指战员提供伙食保障任务达200余人次，争取50余床棉被、40多件棉衣和其他各类防寒物资200余件（套）。

2010年8月，中共青海省委、青海省人民政府、青海省军区授予胡志光“全省抗震救灾模范”称号。

杨吉祥　1965年9月出生，甘肃省榆中市人，中共党员，中国人民解放军第25医院政治委员。

地震发生后，杨吉祥千方百计确保医疗队56名队员、6台车辆提前到达指定地域。医疗队到达灾区后，制定医疗队人员车辆管理等一系列规定，实施有效的组织管理。开展“火线入党”活动，深入开展谈心交心和“一对一”帮扶活动，大力开展新闻报道和宣传工作。执行任务期间，他坚持与医疗队队员实行“五同”，始终做到身在前线、冲在一线、干在前面，始终保持积极向上、奋发有为的精神状态，确保抗震救灾任务的圆满完成。

2010年8月，中共青海省委、青海省人民政府、青海省军区授予杨吉祥“全省抗震救灾模范”称号。

司建华　1974年2月出生，山东省郓城县人，中共党员，中国人民解放军93987部队副政治委员。

地震发生后，司建华始终战斗在机场一线，协调保障100余架次军航的飞行，空运救援物资700余吨，政审搭乘军航人员500人次，政审出入机场执行任务人员1500余人次，为机组人员和参战指战员开辟进入机场的“绿色通道”，用实际行动践行了当代革命军人的核心价值观。

2010 年 8 月，中共青海省委、青海省人民政府、青海省军区授予司建华“全省抗震救灾模范”称号。

段鸿江　1974 年 7 月出生，青海省西宁市人，中共党员，中国人民解放军 93987 部队后勤处处长。

地震发生后，段鸿江主动请缨赴玉树抗震救灾。在中转物资、抢运伤员一线，全力做好后勤保障工作。执行任务期间，带领后勤人员负责保障 29 个机组、26 名飞行人员和 438 人次的军内外记者、指挥部等人员的食宿和后勤补给，为空中生命线畅通做出了积极贡献。

2010 年 8 月，中共青海省委、青海省人民政府、青海省军区授予段鸿江“全省抗震救灾模范”称号。

杨全刚　1963 年 8 月出生，陕西省华阴县人，中共党员，武警青海总队副总队长。

抗震救灾期间，杨全刚指挥部队转移受灾群众 5427 人，救治受伤群众 1.94 万人次，装卸运送救灾物资 1.45 万吨，清理废墟 73 万平方米、生活垃圾 568 立方米，拆除危房 2474 间，清运回填建筑垃圾 48.3 万立方米，归整可利用建材 7423 立方米，挖出现金、贵重物品折合 9992.18 万元及炸药 225 千克、导火索 533 米、雷管 150 枚。

2010 年 8 月，中共青海省委、青海省人民政府、青海省军区授予杨全刚“全省抗震救灾模范”称号。

李海敏　1962 年 12 月出生，青海省民和县人，中共党员，武警青海总队副参谋长。

执行任务期间，李海敏在 11 个搜救区域的清理废墟、群众安置中提出合理化用兵建议，并迅速得到落实。对部队担负的 17 处重要民生目标，多次现场调研论证，科学部署兵力，不断完善组勤方式，为确保目标万无一失奠定了坚实基础。全程指导部队出色完成中央领导视察灾区期间的 6 次一级加强和 7 次二级警卫勤务。

2010 年 8 月，中共青海省委、青海省人民政府、青海省军区授予李海敏“全省抗震救灾模范”称号。

石风华　1971年3月出生，江苏省如东县人，中共党员，武警第一支队副支队长。

执行任务期间，石风华与400名官兵共同运送救灾物资68吨，装卸救灾物资64吨，并帮助当地政府发放救灾物资共计300余吨。率领指战员搭建救灾帐篷268顶，转移安置受伤群众76人。从废墟中挖出幸存者1人，救护重伤员14人，转移被困群众146人。挖出唐卡、金佛、经书、玛瑙及金银首饰等贵重物品1300余件。

2010年8月，中共青海省委、青海省人民政府、青海省军区授予石风华“全省抗震救灾模范”称号。

潘磊　1991年10月出生，陕西省大荔县人，中共党员，武警第一支队二中队班长。

执行任务期间，潘磊始终冲在救援第一线，为受灾群众搭建帐篷，抢救幸存者，及时转送伤员，通宵达旦抢救受灾群众的物资。以突击队的形式从废墟中挖出受灾群众的家用电器20余件、保险柜2个，挽回经济损失20余万元。

2010年8月，中共青海省委、青海省人民政府、青海省军区授予潘磊“全省抗震救灾模范”称号。

郑伟　1989年4月出生，山东省莱西市人，中共党员，武警第一支队五中队班长。

执行任务期间，郑伟带领全班战士完成急难险重任务5次，先后到扎西科村、扎西大同村、果青村、新寨村转移被困群众150人，抢救伤员12名，挖出遇难者遗体9具、现金8万余元、玛瑙首饰41件、各类生活用品价值10余万元。为灾区群众捐赠衣物12件，为3名受灾儿童捐款1000元。

2010年8月，中共青海省委、青海省人民政府、青海省军区授予郑伟“全省抗震救灾模范”称号。

侯泽华　1981年11月出生，陕西省乾县人，中共党员，武警第一支队八中队中队长。

执行任务期间，侯泽华带领中队官兵搜救出幸存者9人，挖掘搬运遇难者遗体46具，转移受灾群众123人。搭建帐篷42顶，挖出现金63万元、牛肉2470千克、羊肉3725千克、金银饰品972件、唐卡29幅，转移建筑材料50余吨。

2010 年 8 月，中共青海省委、青海省人民政府、青海省军区授予侯泽华“全省抗震救灾模范”称号。

杨东　1980 年 5 月出生，山东省鱼台县人，中共党员，武警第一支队九中队中队长。

执行任务期间，杨东率先进入废墟，动手搬运土方石块，成功救出被压群众 2 人。在一次执行任务中，他带领党员突击队在倒塌的民房搜救时，发现一名妇女被卡在两块预制板中间动弹不得。他立即顺着一条缝隙，挤到预制板前，用铁棒轻轻将预制板撬开，让战士把妇女从废墟中救了出来。人刚救出后，他却突然被预制板压在了下面，幸亏战士们抢救及时才脱离了危险。

2010 年 8 月，中共青海省委、青海省人民政府、青海省军区授予杨东“全省抗震救灾模范”称号。

周大伟　1980 年 4 月出生，甘肃省通渭县人，中共党员，武警第一支队特勤中队政治指导员。

执行任务期间，周大伟组织官兵搜救幸存者 1 人，挖掘搬运遇难者遗体 26 具，转移受灾群众 123 人。共同运送救灾物资 68 吨，装卸救灾物资 64 吨，搭建帐篷 102 顶，抢修道路 8 千米，清理废墟 7420 平方米，拆除危房 190 间，清理垃圾 75 吨。在废墟中挖出保险柜 6 个、现金 5 万余元、唐卡 2 幅、经书 5 卷、玛瑙首饰 21 件，帮助当地政府发放救灾物资 300 余吨。

2010 年 8 月，中共青海省委、青海省人民政府、青海省军区授予周大伟“全省抗震救灾模范”称号。

宋斌　1981 年 11 月出生，山东省济南市人，中共党员，武警第一支队运输中队副班长。

地震发生后，宋斌主动请缨，第一时间展开救援行动，安全及时地将救援物资送达灾区。执行任务期间，他和战友们累计行车 6000 余千米，运载物资 100 余吨，转运人员 2000 余人次，无一起事故发生，有力地保障了部队开展各项救援行动。

2010 年 8 月，中共青海省委、青海省人民政府、青海省军区授予宋斌“全省抗震救灾模范”称号。

陈学龙　1984年9月出生，青海省西宁市人，中共党员，武警第一支队司令部参谋。

执行任务期间，陈学龙带领官兵先后给受灾群众搭建帐篷100多顶，抢救幸存者3名，转移大量群众和物资。在甘达村希望小学及附近废墟中挖出自制火枪4支。在扎西科村寺院废墟中，挖出金佛1尊，转移佛像10多尊、唐卡21幅、经卷200余卷。救援工作转入清墟阶段后，他和战友们一起先后走访受灾群众2800多户，有力地推动了清墟工作的顺利进行。

2010年8月，中共青海省委、青海省人民政府、青海省军区授予陈学龙“全省抗震救灾模范”称号。

刘彦斌　1970年3月出生，陕西省高陵区人，中共党员，武警第四支队副支队长。

4月14日17时，刘彦斌带领支队第二梯队400名官兵从格尔木出发直奔灾区。15日17时15分到达结古镇并迅速投入救援行动，先后组织部队在结古镇西杭路、红卫路和禅古村等重灾区抢救出幸存者12人，挖出遇难者遗体34具及总价值33万余元的各类物资4500多件。

2010年8月，中共青海省委、青海省人民政府、青海省军区授予刘彦斌“全省抗震救灾模范”称号。

王士华　1987年1月出生，山东省平阴县人，中共党员，武警第四支队一大队二中队班长。

执行任务期间，王士华先后搜救出幸存者4人，挖出保险柜等贵重物品33件，抢救群众生活财产约13万元，为群众搬运生活用品11吨，搭设帐篷24顶。

2010年8月，中共青海省委、青海省人民政府、青海省军区授予王士华“全省抗震救灾模范”称号。

童占平　1983年8月出生，青海省互助县人，土族，中共党员，武警第四支队二大队四中队排长。

童占平带领全排战士在玉树机场装卸救灾物资，平均每天装卸20架次、百余吨。完成粮食储备库救灾粮食装运880吨。在担负赛马场巡逻任务当中，帮助群众搭建帐篷40余顶，找回丢失现金1000元。

2010年8月，中共青海省委、青海省人民政府、青海省军区授予童占平“全省抗震救灾模范”称号。

齐瑞军　1982 年 9 月出生，吉林省公主岭市人，中共党员，武警第四支队八中队中队长。

在震后 20 多个小时的搜救中，齐瑞军带领官兵从废墟里救出幸存者 47 人，搬运遇难者遗体 32 具，转移受灾群众 32 户 139 人，搭建帐篷 39 顶，搬运各类物资 110 余吨。担负玉树机场装卸任务后，他率领官兵先后搭设帐篷 51 顶，装卸空运救灾物资 212 架次、4000 余吨，转运重症伤员 2899 人。在禅古村出现山体滑坡后，搬迁群众 22 户，清理危房 380 间，清理废墟 264 处，挖出现金 43 万元和财物 1.7 万件。

2010 年 8 月，中共青海省委、青海省人民政府、青海省军区授予齐瑞军“全省抗震救灾模范”称号。

卢小峰　1986 年 11 月出生，甘肃省天水市人，中共党员，武警第四支队四大队工化中队司务长。

抗震救灾中，卢小峰既要搞好后勤保障，还要担负救灾维稳任务。在抢险清墟时，他挖出一个保险柜，发现内有现金 3800 元、一对金手镯和一个存折。虽然当时现场没有别人，但他如数上交，受到了支队领导的大力表扬。

2010 年 8 月，中共青海省委、青海省人民政府、青海省军区授予卢小峰“全省抗震救灾模范”称号。

刘遗领　1981 年 4 月出生，河南省柘城县人，中共党员，武警第四支队运输中队班长。

在执行玉树机场装运物资运输任务时，刘遗领连续 4 天每天休息时间不足 3 小时，和战友们一道运输抗震救灾物资 1321 吨，从未出现任何差错。

2010 年 8 月，中共青海省委、青海省人民政府、青海省军区授予刘遗领“全省抗震救灾模范”称号。

夏晓斌　1980 年 3 月出生，甘肃省武威市人，中共党员，武警第四支队司令部作训股参谋。

地震发生后，夏晓斌与担负驻训维稳任务的官兵第一时间赶赴灾区执行抗震救灾任务。他和官兵一起连续奋战 18 个小时，挖出幸存者 13 人，转移受伤群众 230 余人，清理民宅 1600 余户，拆除危房 1870 余间，清理（平整）废墟面积 13 万余平方米，归整可利用建材 3 万余立方米，搜挖现金 90 余万元，搜挖各类贵重物品价值 300 余万元。

2010年8月，中共青海省委、青海省人民政府、青海省军区授予夏晓斌“全省抗震救灾模范”称号。

袁志奇 1976年5月出生，湖北省黄梅县人，中共党员，武警第四支队政治处组织股股长。

5月7日，结古镇赛马场安置点突发一起火灾，担负该处武装巡逻任务的四中队官兵在袁志奇的带领下，快速增援、协助灭火，最短时间扑灭大火，挽回直接经济损失5万余元。执行任务期间，由他组织的战地《士兵小报》巡回展、战地歌咏比赛、抗灾图片展等，在部队反响强烈。他先后编写《战地快报》14期、《政工简报》8期、《政治宣传口号和提纲》12份，制作展图26块，还录制了大量的影视资料。

2010年8月，中共青海省委、青海省人民政府、青海省军区授予袁志奇“全省抗震救灾模范”称号。

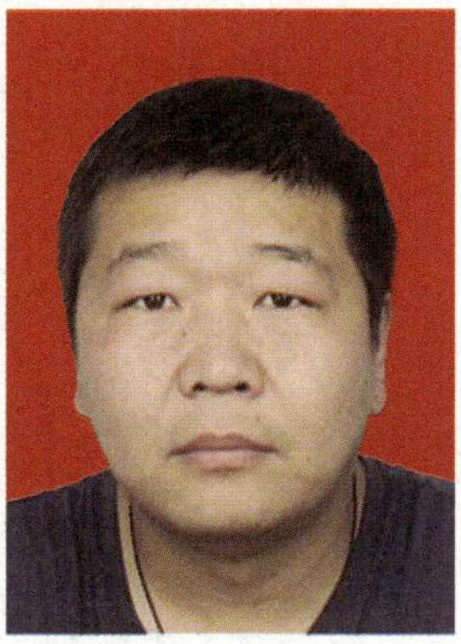

田跃雨 1986年3月出生，河南省唐河县人，中共党员，武警第四支队政治处宣传股报道员。

执行任务期间，田跃雨白天随部队一线采访、拍摄，为收集第一手资料，经常置自身安危于不顾，在废墟上、在危墙边抢拍照片，记录下抗震救灾中的点点滴滴。晚上加班加点，经常凌晨2点后还在伏案写作。他先后撰写稿件150余篇，在《人民武警报》、《解放军报》、新华网、《西海都市报》和《青海日报》上发稿18篇，在支队局域网上发稿98篇，其中有88篇被总队转发、25篇被总部转发。

2010年8月，中共青海省委、青海省人民政府、青海省军区授予田跃雨“全省抗震救灾模范”称号。

陶恒茂 1976年2月出生，甘肃省古浪县人，中共党员，武警第四支队后勤处营房股股长。

部队到达结古镇后，陶恒茂立即投入抗震救灾中。每到一个救灾点，他都会主动查看房屋损坏情况，详细了解人员伤亡情况，科学制定搜救措施，带领小组人员分头多路同时实施救援。4月25日，他带领分队赴隆宝镇救援时，路上遇到20多名无家可归的藏族群众，他将随身带的方便面、矿泉水、面包、罐头等食品分发给他们。在隆宝镇救援时看到两名因受灾而失学的儿童，他通过民政部门，为他们捐助1000元助学金。

2010年8月，中共青海省委、青海省人民政府、青海省军区授予陶恒茂“全省抗震救灾模范”称号。

蔡永铭　1969年5月出生，陕西省镇安县人，中共党员，武警西宁支队政治部主任。

蔡永铭在担负装卸拉运救灾物资和废墟清理任务中，组织官兵共装卸拉运物资200余吨，为63户灾区群众清理废墟4.8万余平方米，归整可利用建筑材料3310立方米，拆除危房24余间，挖出现金12万余元、贵重物品20余件。组织政工人员采取自己组稿和邀请地方媒体组稿相结合的方法，加班加点撰写新闻稿件，先后在各类媒体刊稿36篇。

2010年8月，中共青海省委、青海省人民政府、青海省军区授予蔡永铭“全省抗震救灾模范”称号。

范斌　1980年5月出生，青海省西宁市人，中共党员，武警西宁支队作训科参谋。

地震发生后，范斌迅速抽调460名官兵奔赴灾区，参加装卸拉运物资、灾区夜间武装巡逻、扎西科村西段废墟清理等任务。在执行任务期间，他和官兵共为灾区群众搭建救灾帐篷30余顶，救助伤员10余人，捐款4000余元，协调救灾物资300余件，指导部队清理废墟3000余立方米，挽回群众经济损失500余万元。

2010年8月，中共青海省委、青海省人民政府、青海省军区授予范斌“全省抗震救灾模范”称号。

王喜平　1977年5月出生，陕西省西乡县人，中共党员，武警西宁支队战勤科参谋。

为按时完成救灾保障准备，王喜平连夜制订保障计划，组织购买保障物资，积极协调启动战备资金6万元，紧急筹措物资19吨；及时督导检修车辆21台，紧急启动装备5800余件。带领医疗队诊治官兵136人次。为灾区群众搭建帐篷18顶，为14名学生补习功课，为驻地3所民族学校捐赠学习用品价值5000余元。走访慰问当地贫困受灾群众48户，共赠送米、面48袋和清油240千克，维修灶具26台，先后3次深入62户群众帐篷中义务巡诊120余人次，参与抢救群众106人次。

2010年8月，中共青海省委、青海省人民政府、青海省军区授予王喜平“全省抗震救灾模范”称号。

宫振荣 1970年1月出生，陕西省米脂县人，中共党员，武警玉树支队副支队长。

地震发生后，宫振荣带领官兵连续奋战15小时，救出被压埋群众960名，救治伤员908人，转移受灾群众1200余人。在玉树州职业学校紧急施救时，他带领5名战士经过1个多小时的努力，将4名学生从废墟中救出。之后，带领官兵奔赴更为严重的受灾区实施救援，救出幸存者29人，安全转移群众15人，挖出遇难者遗体11具。组织官兵搭设帐篷43顶，发放棉衣被600件，使2000名群众在震后第一夜顺利渡过了难关。

2010年8月，中共青海省委、青海省人民政府、青海省军区授予宫振荣“全省抗震救灾模范”称号。

陈太斌 1977年10月出生，陕西省西乡县人，中共党员，武警玉树支队直属大队政治指导员。

地震发生时，陈太斌迅速划分小组带领所属官兵奔赴一线实施救援。当日，在没有任何工具的情况下，他和战友们用人拉、肩扛、手刨的方式，成功救出幸存者18人，安全转移群众39人，挖出遇难者遗体17具。他们搭建帐篷26顶，使100多名无家可归的受灾群众住进帐篷。主动为受灾群众索南求措捐款2000元。

2010年8月，中共青海省委、青海省人民政府、青海省军区授予陈太斌“全省抗震救灾模范”称号。

刘新勇 1981年9月出生，中共党员，河南省鲁山县人，武警玉树支队一中队中队长。

4月14日早上强震刚过，刘新勇带领10名官兵连续奋战15个小时救出26名藏族群众。执行任务期间，他们成功处置各类突发事件10余起，配合公安机关抓捕、抓获各类犯罪分子10多人，收缴小口径步枪5支、匕首16把、管制刀具30余把，为震后灾区社会稳定、民族团结做出了应有贡献。

2010年8月，中共青海省委、青海省人民政府、青海省军区授予刘新勇“全省抗震救灾模范”称号。

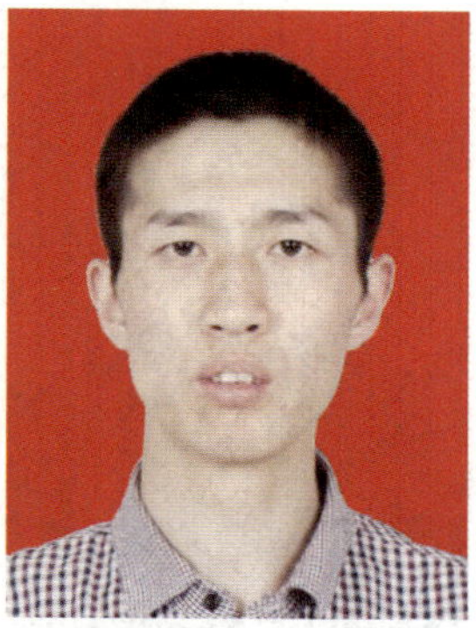

金英钧　1985年8月出生，青海省西宁市人，中共党员，武警玉树支队玉树县中队排长。

执行任务期间，金英钧带领官兵圆满完成100余名犯人的转移任务。组织12名官兵沿扎西科路搜救生还者，救出幸存者22人，安全转移群众26人，挖出遇难者遗体8具。在州博物馆，他带领官兵冒死将400余卷国宝《大藏经》顺利转移到安全地带。每天为受灾群众提供热食1000余分，赢得驻地群众的赞誉。

2010年8月，中共青海省委、青海省人民政府、青海省军区授予金英钧“全省抗震救灾模范”称号。

陈博　1972年8月出生，四川省南充县人，中共党员，武警青海总队司令部机要处处长。

地震发生后，陈博迅速奔赴灾区一线，展开密码及密码设备的抢救，全力保障抗震救灾密码通信安全畅通。先后6次冲入机要机房，抢救出密码设备19套43台，确保密码绝对安全。建立武警抗震救灾部队联合机要保障组，有效整合人力、装备资源，建立密码通报。组建武警野营村帐篷机要保障点，有效解决震区各单位间密码互联互通问题。向上级请领装备10余套（台），单位自筹资金12万余元，购置电脑等大量器材，用于玉树支队密码通信系统的恢复。

2010年8月，中共青海省委、青海省人民政府、青海省军区授予陈博“全省抗震救灾模范”称号。

高鹏　1971年11月出生，陕西省镇安县人，中共党员，武警青海总队政治部宣传处副处长。

高鹏先后两次奔赴灾区执行任务近两个月。他协调总队为武警三江源希望小学捐款10万元，开办第一所帐篷小学，搭建帐篷1300多顶，设立10个受灾群众就餐点，就餐人数每天达1.5万人次。对35户特困户进行走访慰问，为群众义诊巡诊6000人次。先后在《人民日报》等媒体发稿30余篇，有力地宣传抗震救灾官兵的战斗风貌和感人事迹。

2010年8月，中共青海省委、青海省人民政府、青海省军区授予高鹏“全省抗震救灾模范”称号。

何礼　1981年12月出生，青海省湟中县人，中共党员，武警青海总队政治部秘群处干事。

执行任务期间，何礼先后6次深入救灾一线了解官兵心理情况，为有效开展救灾任务中的思想政治工作提供大量第一手资料。与基层官兵谈话190余人次，协调帮助12名基层官兵解决了个人和家庭的实际困难。与甘达村、禅古村开展“警民共建民族团结村”和“帮困解难共建新家园”活动，为10名孤儿送去生活和学习用品。在清理废墟阶段，他7次到清墟现场、部队宿营地、执勤点发放武警部队执行群众纪律反馈卡100余张。

2010年8月，中共青海省委、青海省人民政府、青海省军区授予何礼“全省抗震救灾模范”称号。

党满平　1972年9月出生，陕西省镇安县人，中共党员，武警青海总队后勤部军需处助理员。

执行任务期间，党满平先后6次向受灾和救灾部队运送210顶帐篷、500吨油料燃煤、83套汽化炉取暖炉、5060张行军床床板床垫、31台发电机、10个水囊、12万件（套）被装、3700箱野战食品、48吨米面以及价值600余万元的药品器材，调配水车、淋浴车、野战炊事车、热食输送车，开设51个伙食保障点，为部队圆满完成各项任务提供了坚强有力的军需保障。

2010年8月，中共青海省委、青海省人民政府、青海省军区授予党满平“全省抗震救灾模范”称号。

柏天龙　1979年9月出生，山西省临汾市人，中共党员，武警第187师政治部宣传科干事。

执行任务期间，柏天龙坚持深入一线掌握官兵思想情况，及时收集挖掘先进典型事迹，多次随部队执行最艰苦、最危险的救援任务。他编写的《坚持把宣传鼓动贯穿始终持续激发官兵抗震救灾战斗热情》《187师参加抗震救灾情况报告》《针对“五种倾向性思想问题”搞引导，切实打牢官兵完成任务思想基础》《充分运用“四种途径”抓预防，确保部队内部安全稳定》等稿件，先后被武警总部摘要转发。

2010年8月，中共青海省委、青海省人民政府、青海省军区授予柏天龙“全省抗震救灾模范”称号。

闫旺鹏 1971年9月出生，河南省项城县人，中共党员，武警第187师561团政治处主任。

执行任务期间，闫旺鹏带领官兵连续奋战15天，挖出幸存者49人，搬运遇难者遗体87具，转移安置群众1310人，救助受伤群众388人，帮助群众搜寻现金389.9万元以及珍珠、玛瑙、服饰、金银玉器和虫草等价值4300余万元的贵重物资。多次带领医疗小分队进村入户，为灾区群众免费发放价值4万余元的药品，诊治620名伤病受灾群众。

2010年8月，中共青海省委、青海省人民政府、青海省军区授予闫旺鹏"全省抗震救灾模范"称号。

张晓强 1974年9月出生，山西省翼城县人，中共党员，武警第187师561团1营政治教导员。

张晓强带领全营官兵连续奋战14天，搜救787户群众，面积约8平方千米。在结古镇扎曲南路、西同路清理生活垃圾约70立方米，救出幸存者4名，挖出遇难者遗体37具，救助孤寡老人13名，挖掘保险柜、金佛等价值800余万元的贵重物品。安置工作展开后，带领官兵连续奋战近10天，帮助群众搭建25顶帐篷，搬家60余户，发放救灾物资80余吨，整修道路2.8千米，清理垃圾5.5吨。

2010年8月，中共青海省委、青海省人民政府、青海省军区授予张晓强"全省抗震救灾模范"称号。

朱振虎 1974年11月出生，山西省高平市人，中共党员，武警第187师561团2营营长。

执行任务期间，朱振虎带领有关人员先后购置价值近40万元的救灾应急物资，保障官兵就餐。抽调24名炊事骨干，设立3个就餐点，解决8600余名受灾群众的吃饭问题。设置3个受灾群众服务站，向3000多名受灾群众免费发放200多件方便面和100多件矿泉水。带队先后清理建筑垃圾3000余平方米，整理分类可用建筑材料1000余吨。

2010年8月，中共青海省委、青海省人民政府、青海省军区授予朱振虎"全省抗震救灾模范"称号。

张春林 1980年2月4日出生，陕西省宝鸡市人，中共党员，武警第187师561团3营政治指导员。

执行任务期间，张春林带领全连86名官兵挖出26名幸存者，转移遇难者遗体57具，挖掘现金1300余万元及金银饰品等贵重物品价值3700余万元。清理废墟阶段，他带领官兵拆除危房40多间，清理废墟400多立方米，挖掘财产500万元。

2010年8月，中共青海省委、青海省人民政府、青海省军区授予张春林“全省抗震救灾模范”称号。

张斌 1981年11月出生，山西省灵石县人，中共党员，武警第187师561团政治处政治指导员。

张斌带领官兵摩托化机动11个小时，行程700余千米，成为第一支到达救灾现场的外援部队。带领官兵在救灾现场连续奋战70多个小时，从废墟里成功救出一位藏族老大妈。执行任务期间，他带领官兵救出15名幸存者，帮助灾区群众抢救出金银首饰、保险柜和家用电器等价值1000余万元的财物。

2010年8月，中共青海省委、青海省人民政府、青海省军区授予张斌“全省抗震救灾模范”称号。

谈爱勇 1976年12月出生，湖南省常德市人，中共党员，武警第187师561团司令部股长。

地震发生后，谈爱勇坚决要求上一线、打头阵。救灾中，他带领官兵连续奋战60多个小时，两次晕倒在救灾现场。在他的行动感召和精神鼓舞下，官兵们抢救幸存者12人，转移安置群众200余人，救助受伤群众588人，帮助群众搜寻现金389.9万元以及珍珠、玛瑙、服饰、金银玉器和虫草等价值600余万元的贵重物资。

2010年8月，中共青海省委、青海省人民政府、青海省军区授予谈爱勇“全省抗震救灾模范”称号。

姜海 1976年11月出生，辽宁省昌图县人，中共党员，武警第187师561团政治处股长。

地震发生后，姜海带病毅然随部队奔赴抗震救灾第一线。执行任务期间，他先后撰写了《真正重视、真情抢救、真心关怀，努力做好抗震救灾群众工作》等4篇经验材料及《抗震救灾中的一对好主官》《武警第561团抗震救灾主要事迹》等10篇总结材料。

2010年8月，中共青海省委、青海省人民政府、青海省军区授予姜海“全省抗震救灾模范”称号。

刘新刚　1975 年 5 月出生，山东省青州市人，中共党员，武警第 187 师 561 团后勤处股长。

刘新刚在灾区坚持执行抗震救灾任务 90 天，协调出车 4000 余台次，行程 20 万千米，没有发生一起车辆事故。带领官兵连续奋战，先后抢救幸存者 5 人，挖出遇难者遗体 38 具，转移伤员 500 余人，疏散群众 1000 余人，抢修道路 6.7 千米，抢挖粮食 2000 多千克、现金 20 万余元及金银、玛瑙等财物价值 500 万余元。

2010 年 8 月，中共青海省委、青海省人民政府、青海省军区授予刘新刚“全省抗震救灾模范”称号。

廖敬光　1967 年 7 月出生，江西省万安县人，中共党员，武警水电二总队副参谋长。

廖敬光始终坚持战斗在抗震救援工作第一线，及时汇报战斗进展，谋划各阶段的战斗规划，为指挥部正确决策提供准确依据。执行任务期间，带领官兵在危险的搜救环境中逐户搜寻，特别是在牦牛广场地带，他亲自查看灾情，研究分析搜救方案，每次行动都十分成功，其耐心细致、英勇顽强的作风深受灾区群众的尊敬。

2010 年 8 月，中共青海省委、青海省人民政府、青海省军区授予廖敬光“全省抗震救灾模范”称号。

于晓东　1971 年 2 月出生，新疆维吾尔自治区克拉玛依市人，中共党员，武警交通第一支队副参谋长。

地震发生后，于晓东主动请缨参加抗震救灾，带领突击队投入搜救人员战斗中。在他的带领下，参战官兵共救出幸存者 5 人，挖出遇难者遗体 27 具，抢通道路 12 条，帮助灾区群众清理废墟 50 余处，从废墟中搜寻出价值 200 万元的财产，为夺取抗震救灾最后胜利做出了重要贡献。

2010 年 8 月，中共青海省委、青海省人民政府、青海省军区授予于晓东“全省抗震救灾模范”称号。

三、同时受到全国、青海省级表彰个人

王玉虎等 90 人同时受到中共中央、国务院、中央军委和中共青海省委、青海省人民政府、青海省军区表彰，获得“全国抗震救灾模范”和“全省抗震救灾模范”称号。

同时获得“全国抗震救灾模范”和“全省抗震救灾模范”称号的个人一览表

表 1-4

姓名	性别	民族	出生年月	政治面貌	籍贯	单位职务
王玉虎	男	藏族	1962.5	中共党员	青海囊谦	中共玉树州委副书记、州人民政府州长
李学文	男	藏族	1973.3	中共党员	青海玉树	中共玉树州纪委综合室主任
南　阳	男	藏族	1965.3	中共党员	青海玉树	玉树州人民政府副秘书长、办公室主任
王成元	男	汉族	1963.9	中共党员	青海互助	玉树州公安局副局长
洛　阳	男	藏族	1954.3	中共党员	青海玉树	玉树州民政局党组书记、局长
李海燕	女	藏族	1974.10	中共党员	青海玉树	玉树州财政局农财科科长
尼　夏	男	藏族	1968.12	中共党员	青海玉树	玉树州国土资源局矿产资源管理科科长
尕玛朋措	男	藏族	1968.11	中共党员	青海囊谦	玉树州建设局党组书记、局长
文江才	男	藏族	1957.10	中共党员	青海称多	玉树州交通局党组书记、局长
东　嘎	男	藏族	1958.7	中共党员	青海称多	玉树州农牧局党组书记、局长
宋仁德	男	汉族	1966.6	中共党员	青海门源	玉树州畜牧兽医工作站站长
葛旭磊	男	汉族	1972.12	中共党员	河南许昌	玉树州中级人民法院法警支队副支队长
才仁公保	男	藏族	1959.6	中共党员	青海治多	中共玉树县委副书记、县人民政府县长
李　昊	男	汉族	1972.12	中共党员	青海乐都	玉树县政府办公室副主任
才旦多杰	男	藏族	1962.2	中共党员	青海玉树	玉树县公安局主任科员
周玉华	男	藏族	1964.3	中共党员	青海玉树	玉树县第一完全小学教师
伊西代青	女	藏族	1972.6	群众	青海玉树	玉树县妇幼卫生综合医院护士长
马福良	男	藏族	1968.1	中共党员	青海玉树	玉树县下拉秀镇党委书记
才　哇	男	藏族	1963.6	中共党员	青海玉树	玉树县结古镇扎西大同村三社社长
罗永跃	男	汉族	1980.11	中共党员	四川洪雅	玉树县结古镇华龙超市个体户
金巴东周	男	藏族	1967.9	中共党员	青海称多	称多县人民政府办公室副主任
仁青多丁	男	藏族	1949.7	中共党员	青海囊谦	囊谦县吉尼赛乡拉翁村党支部书记
加哇才仁	男	藏族	1973.9	中共党员	青海玉树	杂多县扎青乡兽医站站长
贾　瑛	女	藏族	1980.11	中共党员	青海治多	治多县人民医院主治医师
内美文次	男	藏族	1978.11	中共党员	青海玉树	曲麻莱县人民检察院公诉科副科长
祁化仍	男	藏族	1971.10	中共党员	青海湟中	西宁市供销合作社联合社党委副书记、纪委书记
胡　薇	女	满族	1979.7	群众	陕西三原	西宁电视台记者
石泉霖	男	汉族	1957.7	中共党员	青海民和	西宁市疾病预防控制中心副主任
祁永清	男	回族	1967.7	中共党员	青海门源	西宁市第二人民医院副院长
闫立平	男	汉族	1968.9	中共党员	辽宁	西宁泰欣出租车行司机
马宝祥	男	回族	1967.12	中共党员	青海湟中	湟中县大才回族乡前沟村村民
苏昂欠才让	男	藏族	1971.7	中共党员	青海互助	西海农民报社采编部主任

续表 1-4

姓名	性别	民族	出生年月	政治面貌	籍贯	单位职务
王　伟	男	汉族	1963.11	中共党员	青海循化	青海省海东地区疾病预防控制中心副主任
阿克明	男	蒙古族	1969.12	中共党员	青海乐都	中共乐都县委办公室主任
韩　进	男	撒拉族	1946.5	中共党员	青海循化	青海欣路建设工程有限公司循化工程队队长
陈有文	男	藏族	1967.2	中共党员	青海化隆	海南州畜牧兽医工作站站长
马志明	男	回族	1968.10	中共党员	青海贵德	青海省贵德县水务局局长
陈芝正	男	藏族	1972.4	中共党员	青海门源	青海省祁连县疾病预防控制保健中心副主任
麻叶拉	男	蒙古族	1970.6	中共党员	青海门源	门源县青石嘴镇党委书记
任宗高	男	汉族	1961.9	中共党员	甘肃会宁	中共海西州委副秘书长、办公室主任
钱东去	男	藏族	1969.5	中共党员	青海乐都	海西州人民医院急诊科主任
潘立清	男	蒙古族	1976.7	中共党员	青海格尔木	德令哈市尕海镇党委副书记、镇长
肖永明	男	汉族	1964.7	群众	四川安岳	青海中浩天然气化工公司董事长
才让多杰	男	藏族	1971.7	群众	青海同仁	同仁县隆务镇居民
索南达吉	男	藏族	1964.1	中共党员	青海同仁	黄南州职业技术学校副校长
班玛闹吾	男	藏族	1974.5	中共党员	青海甘德	共青团果洛州委副书记
吴　敏	女	汉族	1979.6	中共党员	青海乐都	果洛州达日县人民医院医师
李艳萍	女	汉族	1975.3	中共党员	青海西宁	省纪委党风廉政建设室主任科员
罗德拉	男	藏族	1962.8	中共党员	青海乐都	中共青海省委统战部二处处长
张生禄	男	汉族	1974.8	中共党员	陕西横山	省政府办公厅秘书三处主任科员
杨　扬	男	满族	1966.3	中共党员	陕西西安	青海省发改委固定资产投资处处长
董继忠	男	汉族	1969.4	中共党员	陕西礼泉	省经委包装和食品工业办公室主任科员
圈启章	男	藏族	1961.9	中共党员	青海湟中	青海省民族宗教事务委员会宗教一处处长
更　阳	男	藏族	1954.6	中共党员	青海玉树	青海省民政厅党组书记、厅长
窦　强	男	汉族	1973.8	中共党员	青海湟中	青海省民政厅救灾处主任科员
竺向东	男	汉族	1967.11	中共党员	内蒙古凉城	青海省财政厅办公室主任
窦　超	男	汉族	1970.8	中共党员	山西兴县	青海省第一测绘院工程师
匡　湧	男	汉族	1963.6	群众	青海西宁	青海省住房和城乡建设厅厅长
胡　军	男	汉族	1959.5	中共党员	河北滦南	青海省建设工程质量监督总站站长
田明有	男	汉族	1970.5	中共党员	青海湟中	青海省收费公路管理处副处长
冀国栋	男	汉族	1960.8	中共党员	河南鲁山	青海省公路局结古公路段段长
于丛乐	男	汉族	1961.10	中共党员	河北清苑	青海省水利厅党组书记、厅长
吕　强	男	汉族	1968.5	中共党员	河南淮滨	青海省水利水电勘察设计研究院设计室主任
孙应祥	男	汉族	1964.10	中共党员	甘肃陇西	青海省兽医局副局长

续表 1-4

姓名	性别	民族	出生年月	政治面貌	籍贯	单位职务
苏　宁	女	汉族	1955.6	中共党员	陕西礼泉	青海省卫生厅党组书记、厅长
杜玉雄	男	回族	1957.3	中共党员	青海湟中	青海大学附属医院副院长
吴世政	男	汉族	1959.6	中共党员	青海乐都	青海省第五人民医院院长
郭　鹏	男	汉族	1973.10	中共党员	青海互助	青海省疾病预防控制中心科长
李连生	男	汉族	1966.12	中共党员	河南	青海红十字医院普外科副主任
李晓峰	男	汉族	1976.1	中共党员	甘肃镇原	青海省妇女联合会妇女发展部副主任科员
马永成	男	回族	1965.7	中共党员	青海大通	青海桥头铝电股份有限公司保卫部部长
张国裕	男	汉族	1969.8	中共党员	青海西宁	西宁特殊钢集团有限公司铁钢轧分厂副厂长
苑　钢	男	汉族	1972.1	中共党员	山东齐河	青海盐湖工业集团股份有限公司团委书记、工会副主席
尹　磊	男	汉族	1968.7	中共党员	山东济南	西部矿业集团有限公司锡铁山分公司办公室主任
唐增科	男	汉族	1957.10	中共党员	陕西	青海省水利水电（集团）有限责任公司董事长、党委书记
张建国	男	汉族	1954.5	中共党员	河北	青海省汽车运输集团有限公司董事长、党委书记、总经理
王存儒	男	汉族	1964.6	中共党员	山东莒南	青海煤业集团有限责任公司矿山救援队指导员
张永厚	男	汉族	1973.9	中共党员	青海西宁	青海省公路桥梁工程集团有限公司项目经理
唐海忠	男	汉族	1973.1	中共党员	青海西宁	中国电力投资集团公司黄河上游水电开发有限责任公司黄河电力检修工程公司检修工
张崇誉	男	汉族	1967.10	中共党员	青海共和	中国联通玉树州分公司副总经理
郑太红	男	汉族	1965.8	中共党员	湖南永州	青海电视台新闻中心采访部副主任
刘端强	男	汉族	1964.12	中共党员	天津	青海日报新闻摄影中心记者
王海咏	女	汉族	1970.7	中共党员	青海乌兰	青海人民广播电台主任编辑
程珠祖	男	汉族	1953.12	中共党员	湖南道县	西部机场集团青海机场有限公司总经理
李　欣	男	汉族	1978.6	群众	内蒙古丰镇	北京博万科技发展有限公司总经理
沙成宁	男	汉族	1975.2	中共党员	青海西宁	青海省地震局监测中心测震台网室主任
东主才让	男	藏族	1969.9	中共党员	青海共和	青海省海南州公安局特警支队支队长
杨智慧	男	藏族	1979.8	中共党员	青海祁连	青海省海北州公安局特警大队民警
吴　勇	男	汉族	1960.6	中共党员	安徽淮北	青海省玉树军分区司令员
丁志军	男	汉族	1971.12	共青团员	江苏	青海赛迪会议会展有限公司总经理

第三节　全省抗震救灾民族团结模范

2010 年 8 月 11 日，中共青海省委、青海省人民政府、青海省军区表彰 19 名全省抗震救灾民族团结模范个人。

一、名单（19 名）

马文忠（回族）	青海玖鹰国际虫草公司董事长
韩文成（撒拉族）	循化县仙红辣椒开发有限公司董事长
祁万有（蒙古族）	海南州民政局副局长
尕玛才旦（藏族）	海北州海晏县青海湖乡党委书记
孙玉库（藏族）	海西州民政局副局长
斯琴巴特（蒙古族）	海西州乌兰县疾病预防保健中心医士
索　南（蒙古族）	黄南州河南县赛尔龙乡尕庆村支部书记
周　杰（藏族）	达日县人大常委会主任
罗松仁青（藏族）	玉树州委统战部部长
索南多杰（藏族）	玉树州经贸委主任
索　江（藏族）	省卫生厅卫生监督所科员
王伟明	江苏伟业建设集团董事长
周卫军	青海汇吉实业集团有限责任公司董事长
当德江措（藏族）	青海民族大学法学院学生
马玉芳（女，藏族）	玉树县公安局法制科科长
坚赞昂旦（藏族）	塔尔寺民主管理委员会副主任
嘉仪·洛桑公却三排（土族）	互助县扎隆寺活佛、县政协常委
公　保（藏族）	玉树县当卡寺民主管理委员会主任
江　尕（藏族）	玉树县达杰寺民主管理委员会主任

二、事迹[①]

马文忠　1954 年 2 月出生，青海省西宁市人，回族，青海玖鹰国际虫草公司董事长。

地震发生后，马文忠迅速调集价值 100 余万元、能够搭建 100 间活动板房的材料，组织技术工人 116 名奔赴灾区。仅用 7 天时间完成第一期 3 间教室的搭建任务。仅用半个月时间，第二期教室工程圆满建成。从西宁购置 88 套高考资料、88 套书包和文具，分发给 88 名应届高考学生。

2010 年 8 月，中共青海省委、青海省人民政府、青海省军区授予马文忠“全省抗震救灾民族团结模范”称号。

祁万有　1964 年 1 月出生，青海省乐都县人，蒙古族，中共党员，海南州民政局副局长。

地震发生后，祁万有先后 3 次到灾区运送救灾物资、慰问受灾群众等，连续 10 多天没有休息。经常从灾区回来还没有来得及回家，就直接到单位协调有关工作。

2010 年 8 月，中共青海省委、青海省人民政府、青海省军区授予祁万有“全省抗震救灾民族团结模范”称号。

尕玛才旦　1974 年 12 月出生，青海省刚察县人，藏族，中共党员，海北州海晏县青海湖乡党委书记。

抗震救灾期间，尕玛才旦组织成立民主路北移民社区“帐篷党支部”、社区工作站和 3 个党小组。与海北州党员干部支援队积极协调，动用装载机 13 台（次）、挖掘机 21 辆（次）、吊车 17 辆（次）、卡车 63 辆（次），疏通道路 16 条 10 千米；清理废墟 120 余处，挖出现金、金银首饰及粮食等价值达百万元；发放救灾帐篷 2000 顶、棉大衣等 2800 余件、棉被 4200 床、燃煤 200 吨，发放炒面等食品 13 吨。

2010 年 8 月，中共青海省委、青海省人民政府、青海省军区授予尕玛才旦“全省抗震救灾民族团结模范”称号。

① 已在“全国抗震救灾模范”中简介事迹的个人不再重复记述。

孙玉库　1957 年 1 月出生，青海省湟源县人，藏族，中共党员，海西州民政局副局长。

地震发生后，孙玉库协调有关部门和驻军部队，组织 8 辆大货车，将帐篷、火炉等救灾物资送达灾区。协调省、州抗震救灾指挥部接收帐篷等救灾物资近 20 种，价值达 1300 万元，确保海西州救援物资安全移交、有序发放。

2010 年 8 月，中共青海省委、青海省人民政府、青海省军区授予孙玉库“全省抗震救灾民族团结模范”称号。

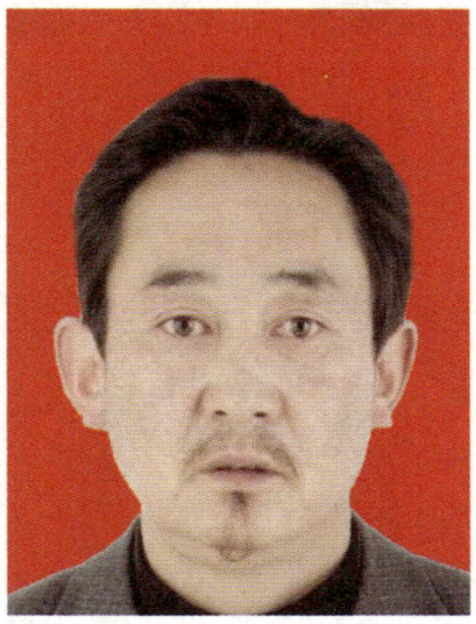

斯琴巴特　1962 年 10 月出生，青海省乌兰县人，蒙古族，海西州乌兰县疾病预防保健中心医士。

在灾区期间，斯琴巴特参加消毒防疫工作，防疫面积达到 1.5 万余平方米，深入群众宣传 100 余次，面对面宣传讲解传染病知识 50 多场。深入“五保户”、孤寡老人、孤儿、遇难者家属等困难群体进行慰问，仔细调查其在医疗防疫方面的需求，全力保障受灾群众身体健康。

2010 年 8 月，中共青海省委、青海省人民政府、青海省军区授予斯琴巴特“全省抗震救灾民族团结模范”称号。

索南　1953 年 6 月出生，青海省河南县人，蒙古族，中共党员，黄南州河南县赛尔龙乡尕庆村党支部书记。

当得知地震发生的消息后，作为一名村一级党支部书记，索南立即向灾区捐献 100 只羊和 600 元现金作为他自愿多缴纳的党费。在他的影响下，赛尔龙乡尕克村牧民旦增也向灾区捐献 30 只羊。

2010 年 6 月，中共青海省委授予索南“玉树抗震救灾优秀共产党员”称号。7 月，中共中央组织部授予索南“抗震救灾优秀共产党员”称号。8 月，中共青海省委、青海省人民政府、青海省军区授予索南“全省抗震救灾民族团结模范”称号。

周杰　1959 年 5 月出生，青海省甘德县人，藏族，中共党员，达日县人大常委会主任。

地震发生后，周杰带领第一批医疗应急救援队奔赴灾区，与各民族干部群众紧密团结，积极有效地开展各项救援任务，救助受灾群众 1749 人，捐款 4600 元。

2010 年 8 月，中共青海省委、青海省人民政府、青海省军区授予周杰“全省抗震救灾民族团结模范”称号。

罗松仁青 1955年12月出生，青海省曲麻莱县人，藏族，中共党员，中共玉树州委统战部部长。

抗震救灾期间，罗松仁青组织人员分发救灾物资，抢救有关寺院社会管理方面的上万份档案。在负责仲达乡和赛马场片区救灾物资分配、群众安置等工作中，他精心组织，合理安排，使片区群众得到及时有效的救助。带领玉树宗教界上层人士赴玉树县下拉秀镇和小苏莽乡实地察看采矿情况，及时通过电视等媒体公开辟谣，有力地回击了极少数人散布地震因挖矿引起的谣言。

2010年8月，中共青海省委、青海省人民政府、青海省军区授予罗松仁青“全省抗震救灾民族团结模范”称号。

索南多杰 1962年3月出生，青海省玉树县人，藏族，中共党员，玉树州经贸委主任。

地震发生后，索南多杰始终坚守在抗震救灾第一线，努力使灾区市场供应在震后3天内逐渐得到恢复，到5月中旬恢复营业的商户达到87户，商品零售总额超过100万元。及时给147名外地出租车营运人员发放补助，协调恢复运营，为他们解决临时住所和生活物资。

2010年8月，中共青海省委、青海省人民政府、青海省军区授予索南多杰“全省抗震救灾民族团结模范”称号。

索江 1981年11月出生，青海省玉树县人，藏族，中共党员，青海省卫生厅卫生监督所科员。

在地震中失去4位亲人的情况下，索江依然坚持奔走在救灾第一线，带领30名卫生监督员，巡查69个医疗救治点和130个集中供餐点、38处水源。每天对11个集中饮用水供应点进行巡检。向22个居民及受灾群众安置点发放宣传资料4900余份、张贴宣传画1200余张，集中宣讲19个点，入户宣传469户、受众达到2467人。

2010年6月，中共青海省委授予索江“玉树抗震救灾优秀共产党员”称号。8月，中共青海省委、青海省人民政府、青海省军区授予索江“全省抗震救灾民族团结模范”称号。

王伟明　1962年10月出生，江苏省常州市武进区人，中共党员，江苏伟业建设集团董事长。

地震发生后，王伟明先后3次向灾区运送救援物资并派出医疗队伍。在他的带领下，江苏伟业建设集团和江苏商会全体会员企业、企业家捐赠款物300万元。集团还向灾区捐赠价值280万元的医疗器械等。为救助灾区孤儿，集团还作出决定，在震后的5年间将向灾区孤儿捐助资金210万元。

2010年8月，中共青海省委、青海省人民政府、青海省军区授予王伟明“全省抗震救灾民族团结模范”称号。

周卫军　1965年6月出生，辽宁省人，青海汇吉实业集团有限责任公司董事长。

地震发生当日，周卫军就作出了向灾区捐赠300万元的决定，并迅速成立由他亲自挂帅的救援物资保障组，连夜筹集100万余元的救灾物资赶赴灾区。他倡议发起“手拉手、心连心”捐赠活动，公司所在地西宁的员工捐款6550元、捐物150件。

2010年8月，中共青海省委、青海省人民政府、青海省军区授予周卫军“全省抗震救灾民族团结模范”称号。

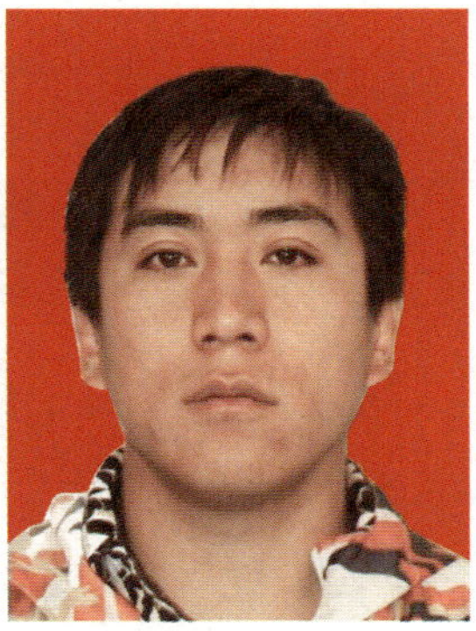

当德江措　1985年5月出生，青海省玉树县人，藏族，共青团员，青海民族大学法学院学生。

地震发生后，当德江措赶赴成都加入到志愿者队伍中。他主动承担伤员多、病情重、工作量大的四川大学附属华西医院的翻译和护送工作。在50多天的工作中，和其他志愿者一起，陪护和护送伤员463人，其中由他在华西医院陪护和护送的人数达166名。

2010年8月，中共青海省委、青海省人民政府、青海省军区授予当德江措“全省抗震救灾民族团结模范”称号。

马玉芳（女）　1969年3月出生，青海省玉树县人，藏族，中共党员，玉树县公安局法制科科长。

地震发生后，马玉芳第一时间赶到县公安局报到。听到群众呼救声后，她立刻带着6名民警向倒塌的旅社跑去。当时，一座二层楼房已完全倒塌，她迅速组织战友和周围群众，一边挖，一边联系有关单位调来一辆挖掘机，40分钟后，终于救出了5名被压的孩子。连续5天，她带领6名女民警，用帐篷搭起临时接待站，一面接待群众求助，一面给抢险救灾的特警烧开水、煮方便面，每天工作长达十几个小时。

2010 年 8 月，中共青海省委、青海省人民政府、青海省军区授予马玉芳“全省抗震救灾民族团结模范”称号。

嘉仪·洛藏公却三排 1967 年 10 月出生，甘肃省天祝县人，土族，互助县扎隆寺活佛、县政协常委。

地震发生后，嘉仪·洛藏公却三排立即驱车赴互助县辖藏传佛教寺院发动僧侣和信教群众捐款捐物。每到一处寺院，他带头捐款 1000 元，累计捐款 1 万元。在他的影响下，互助县藏传佛教界为灾区捐款 8.7 万元、捐物价值 12.64 万元。

2010 年 8 月，中共青海省委、青海省人民政府、青海省军区授予嘉仪·洛藏公却三排“全省抗震救灾民族团结模范”称号。

三、同时受到全国、青海省级表彰个人

韩文成等 4 人同时受到中共中央、国务院、中央军委和中共青海省委、青海省人民政府、青海省军区表彰，获得“全国抗震救灾模范”和“全省抗震救灾民族团结模范”称号。

同时获得“全国抗震救灾模范”和“全省抗震救灾民族团结模范”称号的个人一览表

表 1–5

姓名	性别	民族	出生年月	政治面貌	籍贯	单位职务
韩文成	男	撒拉族	1958.1	中共党员	青海循化	循化县仙红辣椒开发有限公司董事长
坚赞昂旦	男	藏族	1965.8	群众	青海贵德	塔尔寺民主管理委员会副主任
公保	男	藏族	1944.8	群众	青海玉树	玉树县当卡寺民主管理委员会主任
江尕	男	藏族	1960.10	群众	青海玉树	玉树县达杰寺民主管理委员会主任

第二篇
灾后重建先进集体、个人

玉树大地震发生后，党和国家在部署抢险救灾的同时，立即启动恢复重建工作。经过 3 年艰苦卓绝的恢复重建，一个崭新、美丽的玉树在地震废墟上脱颖重生。其间，涌现出的一大批地震灾后恢复重建先进集体和先进个人，用热忱和心血谱写了雄壮的奋斗史诗，为人间留下了大爱真情和不屈精神。他们的先进事迹受到人力资源社会保障部、国家发展改革委、国务院国资委、解放军总政治部的联合表彰，得到灾区和全国各族人民的广泛赞扬和学习传承。

众志成城　抗震救灾

第一章　先进集体

2014 年 1 月，人力资源社会保障部、国家发展改革委、国务院国资委、解放军总政治部表彰 100 个玉树地震灾后恢复重建先进集体。

第一节　青海省

青海省共有 64 个集体受到人力资源社会保障部、国家发展改革委、国务院国资委、解放军总政治部表彰，被授予“玉树地震灾后恢复重建先进集体”称号。

一、名单（64 个）

青海省环境地质勘查局
青海省教育厅发展规划处
青海省民族宗教事务委员会宗教业务一处
青海省公安厅交通警察总队
青海省财政厅经济建设处
青海省建设工程造价管理总站
青海省玉树公路总段
青海省文物管理局
青海省第三人民医院
青海省审计厅固定资产投资审计处

青海省总工会法律与保障部
青海省玉树灾后重建监督检查领导小组办公室
青海省工程咨询中心
西宁市援建杂多县地震灾后重建项目现场指挥部
海东地区玉树州灾后恢复重建援建办公室
化隆县驻称多县称文镇灾后重建办公室
海南州援建玉树灾区恢复重建现场指挥部
海西州支援玉树州治多县灾后恢复重建指挥部
海西州人民政府办公室
中共玉树州委员会办公室
玉树州人大常委会办公室
玉树州人民政府办公室
政协玉树州委员会办公室
中共玉树州委组织部
玉树州发展和改革委员会
玉树州公安局
玉树州公安消防支队
武警青海总队玉树支队
玉树州民政局
玉树州县矛盾纠纷大调解联合协调指挥中心
玉树地震灾后恢复重建资金管理办公室
玉树州环境保护局
玉树州住房和城乡建设局
玉树州文化体育局
玉树市发展和改革局
玉树市公安局防暴大队
玉树市灾后重建联合执法大队
玉树市城乡规划和住房建设局
玉树市灾后重建回迁安置领导小组办公室
玉树市结古街道办事处
玉树市琼龙街道办事处
玉树市西杭街道办事处
玉树市扎西科街道办事处
玉树市帮群寺民主管理委员会
中共称多县尕朵乡委员会

中共称多县拉布乡委员会
称多县人民武装部
称多县矛盾调解中心
称多县称文镇人民政府
中共治多县立新乡委员会
治多县住房和城乡建设局
杂多县灾后重建项目管理办公室
杂多县萨呼腾镇人民政府
中共囊谦县毛庄乡委员会
中共曲麻莱县巴干乡委员会
青海路桥建设股份有限公司
青海西部建业有限责任公司
青海聚盈建筑工程有限公司
青海盈吉建筑集团有限公司
青海省集协建筑工程有限公司
西宁房地产集团有限公司
海南州工程建设监理站
玉树农村商业银行股份有限公司
青海玉树电力公司

二、事迹

青海省环境地质勘查局　在灾后恢复重建过程中，青海省环境地质勘查局完成结古镇禅古寺拟建新址不稳定斜坡及泥石流勘查、结古镇孟宗沟泥石流灾害勘查、结古镇应急燃油电站西北侧不稳定斜坡工程地质勘查等30余项工程，完成18条泥石流沟治理主体工程，累计完成投资1.8亿元。通过玉树地质灾害防治工程的实施，在一定程度上消除了结古镇周边主要地质灾害隐患，得到了当地政府和群众的赞扬。

2012年5月，青海省环境地质勘查局被中华全国总工会授予“全国五一劳动奖状”。2014年1月，人力资源社会保障部、国家发展改革委、国务院国资委、解放军总政治部授予青海省环境地质勘查局“玉树地震灾后恢复重建先进集体”称号。

青海省教育厅发展规划处　在灾后恢复重建过程中，青海省教育厅发展规划处先后编制《关于对玉树灾后重建部分学校工程验收备案检查情况的报告》《关于玉树地震灾后重建幼儿园建设有关情况的报告》和《关于协调督促援建单位整改解决玉树州民族中学建设工程质量隐患的报告》。邀请省内外有关专家深入灾区6个县、20个乡镇、50余所项目学校（幼儿园），对省玉树地震灾后教育系统恢复重建项目进行中期评估，提出合理化意见和建议。

2014 年 1 月，人力资源社会保障部、国家发展改革委、国务院国资委、解放军总政治部授予青海省教育厅发展规划处“玉树地震灾后恢复重建先进集体”称号。

青海省民族宗教事务委员会宗教业务一处 在灾后恢复重建过程中，青海省民族宗教事务委员会宗教业务一处编印发放藏文、汉文《玉树灾后重建政策宣传提纲》。配合制定《玉树州地震灾后宗教活动场所恢复重建和维修加固建设标准及指导意见》《玉树州宗教活动场所灾后恢复重建工作实施方案》。完成 87 座寺院 100 多万平方米房屋安全鉴定工作。协调中国佛协在灾区成功举办“7·7”超度法会，协助中国佛协发放捐款 340 万元。配合有关方面调处各类矛盾纠纷 100 余起。

2014 年 1 月，人力资源社会保障部、国家发展改革委、国务院国资委、解放军总政治部授予青海省民族宗教事务委员会宗教业务一处“玉树地震灾后恢复重建先进集体”称号。

青海省公安厅交通警察总队 在灾后恢复重建过程中，青海省公安厅交通警察总队制定《玉树灾后重建道路交通管制实施方案》《抗震救灾和灾后重建交通安全保障方案》，从全省抽调 6 支救援队伍共 142 名警力赴玉树执勤。先后完成交通警卫任务 180 次，其中等级以上警卫任务 65 起。安全护送灾区赴省内外转移学习的师生 3 万余人次，开展各类交通环境专项整治行动 150 余次，保障近 9 万辆机动车安全行驶。

2010 年 8 月，中共青海省委、青海省人民政府、青海省军区授予青海省公安厅交通警察总队“全省抗震救灾模范集体”称号。2014 年 1 月，人力资源社会保障部、国家发展改革委、国务院国资委、解放军总政治部授予青海省公安厅交通警察总队“玉树地震灾后恢复重建先进集体”称号。

青海省财政厅经济建设处 结合重建工作实际，青海省财政厅经济建设处制定《玉树灾后重建资金管理办法》等，对重建资金使用情况定期和不定期进行检查，开展重建项目资金清算及竣工决算评审，保障重建资金安全运行。先后有 213 人次长期坚守玉树一线，较好地完成了灾后重建任务。

2014 年 1 月，人力资源社会保障部、国家发展改革委、国务院国资委、解放军总政治部授予青海省财政厅经济建设处“玉树地震灾后恢复重建先进集体”称号。

青海省建设工程造价管理总站 在灾后恢复重建过程中，青海省建设工程造价管理总站及时完善重建投资的一系列计价依据和指导意见，先后制订玉树灾区拆危清墟工程估价表、青海省建筑抗震加固工程定额与基价、玉树灾后重建房屋工程造价控制估算指标、重建房屋建筑和市政设施工程造价计价工作的指导意见、重建城乡住房工程建设指导标准和工程造价指导标准、城乡住房建设冬季施工费和运输成本增加费一次性补助的意见等计价控制指标和依据，为玉树重建提供了工程造价依据。

2014 年 1 月，人力资源社会保障部、国家发展改革委、国务院国资委、解放军总政治部授予青海省建设工程造价管理总站“玉树地震灾后恢复重建先进集体”称号。

青海省玉树公路总段　在灾后恢复重建过程中，青海省玉树公路总段在重灾区的结古公路区域清理淤塞边沟 28.96 万米、清扫路面 5433.38 万米，沙砾回填路面坑槽 9460 立方米，清理塌方 10.37 万立方米，整修便道 19 处，维修桥涵 45 座（道），修补沥青路面坑槽 1.84 万平方米，清理积雪 54.68 万立方米，清理积冰 3782 立方米，撒铺防滑砂料 3962 立方米，播撒融雪剂 245 吨。完成曲麻莱至曲麻河段 151 千米沙砾路 3 次路面铺装任务。

2011 年 4 月，青海省玉树公路总段获中华全国总工会授予“全国五一劳动奖状”。2014 年 1 月，人力资源社会保障部、国家发展改革委、国务院国资委、解放军总政治部授予青海省玉树公路总段“玉树地震灾后恢复重建先进集体”称号。

青海省文物管理局　在灾后恢复重建过程中，青海省文物管理局编制《玉树灾后文化遗产恢复抢救保护规划》，将玉树州 4 处全国重点文物保护单位、45 处省级及以下文物保护单位、4 处文博设施列入规划，争取灾后恢复重建文物保护资金 5 亿元。负责实施的 4 处全国重点文物保护工程和 57 处（重建过程中又新增 12 处）省级及以下文物保护工程没有出现一例安全、质量事故。

2012 年 5 月，青海省文物管理局获中华全国总工会授予“全国五一劳动奖状”。2014 年 1 月，人力资源社会保障部、国家发展改革委、国务院国资委、解放军总政治部授予青海省文物管理局“玉树地震灾后恢复重建先进集体”称号。

青海省第三人民医院　青在玉树大地震救灾和重建过程中，海省第三人民医院对 1.55 万名重灾区救灾高危人员进行心理疏导，培训精神心理医生、灾区医务人员、志愿者、外地转移学生、一线救援人员和寺院僧人 1.48 万人次。在省广播电台、省电视台等媒体制作灾后心理危机干预知识及心理访谈节目，印发藏、汉双语《灾后社会心理支持与心理卫生手册》《社会心理支持和精神卫生信息卡》等宣传资料，使灾区各类群体的心理问题得到明显改善。

2014 年 1 月，人力资源社会保障部、国家发展改革委、国务院国资委、解放军总政治部授予青海省第三人民医院“玉树地震灾后恢复重建先进集体”称号。

青海省审计厅固定资产投资审计处　在灾后恢复重建过程中，青海省审计厅固定资产投资审计处严格审核重建项目资金，确保灾后重建资金使用规范。先后参加灾后重建跟踪审计 109 轮，其中 63 轮赴玉树地震灾区开展现场审计工作，投入审计人员约 2840 人次，顺利完成灾后重建跟踪审计工作。

2012 年，青海省审计厅固定资产投资审计处被评为“全国创先争优先进基层党支部”。

2014 年 1 月，人力资源社会保障部、国家发展改革委、国务院国资委、解放军总政治部授予青海省审计厅固定资产投资审计处“玉树地震灾后恢复重建先进集体”称号。

青海省总工会法律与保障部 在玉树大地震救灾和重建过程中，青海省总工会法律与保障部先后争取中央财政专项帮扶资金 1644 万元，帮扶救助玉树受灾职工、困难职工 1.60 万人次；协调捐助资金 1000 万元；筹措资金 20 万元。先后 3 次组织医疗队开展免费义诊义疗、心理疏导工作。投入培训资金 343.6 万元，培训 3776 人次，帮助实现就业创业 1450 人次。争取资金 7300 余万元建设玉树州及各县职工综合服务中心。

2014 年 1 月，人力资源社会保障部、国家发展改革委、国务院国资委、解放军总政治部授予青海省总工会法律与保障部“玉树地震灾后恢复重建先进集体”称号。

青海省玉树灾后重建监督检查领导小组办公室 在灾后恢复重建过程中，青海省玉树灾后重建监督检查领导小组办公室及时建立联合监察机制，重点开展对灾后重建资金安全、工程质量安全、生态环境保护、干部廉洁履职情况的监督检查。重建期间，督促解决影响灾后重建的各类问题 3800 余件；向省玉树地震灾后重建指挥部上报督查专报 178 期、督办专报 160 份。下发督办通知 512 期、督查通报 132 期、提醒函 105 期。专题办理省委、省政府、指挥部领导批示件 160 余件。先后 6 次对《项目建设责任认定书》落实情况进行核实，下发督办通知 60 期、通报 30 期。

2014 年 1 月，人力资源社会保障部、国家发展改革委、国务院国资委、解放军总政治部授予青海省玉树灾后重建监督检查领导小组办公室“玉树地震灾后恢复重建先进集体”称号。

青海省工程咨询中心 在灾后恢复重建过程中，青海省工程咨询中心编制完成玉树灾区基础设施、公共服务、产业结构调整、生态修复等专项规划，印制各种版本的规划文本 10 余种 200 余册。编制防洪和地质灾害治理 2 个专项规划。编制完成玉树灾后恢复重建中期评估自评报告。相继完成上百项灾后重建项目的评审、审核以及十大标志性工程的可研编制工作。

2010 年 8 月，青海省工程咨询中心获“全国抗震救灾英雄集体”和“全省抗震救灾模范集体”称号。2014 年 1 月，人力资源社会保障部、国家发展改革委、国务院国资委、解放军总政治部授予青海省工程咨询中心“玉树地震灾后恢复重建先进集体”称号。

西宁市援建杂多县地震灾后重建项目现场指挥部 西宁市援建杂多县地震灾后重建项目现场指挥部在重建工作中承担杂多县萨呼腾镇灾后重建项目 58 个，援建建筑总面积 31.78 万平方米，3 年累计完成投资 12.04 亿元。与县相关部门建立联动机制，做好项目管理和后勤医疗保障工作，协调成立杂多县工程材料检测中心。

2012 年，西宁市援建杂多县地震灾后重建项目现场指挥部获“全国五一劳动奖状”。2014 年 1 月，人力资源社会保障部、国家发展改革委、国务院国资委、解放军总政治部授予西宁市援建杂多县地震灾后重建项目现场指挥部“玉树地震灾后恢复重建先进集体”称号。

海东地区玉树州灾后恢复重建援建办公室　在灾后恢复重建过程中，海东地区玉树州灾后恢复重建援建办公室先后抽调100多名管理人员和各类工程技术人员常驻称多县称文镇开展援建工作，规划称文镇“一带两心三片”功能结构布局，承建项目40项，计划总投资9.75亿元，投资50万元建立工程质量检测站。加强安全生产管理和监督检查力度，全面完成援建任务。

2014年1月，人力资源社会保障部、国家发展改革委、国务院国资委、解放军总政治部授予海东地区玉树州灾后恢复重建援建办公室“玉树地震灾后恢复重建先进集体”称号。

化隆县驻称多县称文镇灾后重建办公室　在灾后恢复重建过程中，化隆县驻称多县称文镇灾后重建办公室负责建设玉树州称多县称文镇民建和公建项目共15项。项目总投资1.42亿元，其中城乡居民住房建设280户，建筑面积2.24万平方米；公建项目13项，建筑面积2.5万平方米。

2014年1月，人力资源社会保障部、国家发展改革委、国务院国资委、解放军总政治部授予化隆县驻称多县称文镇灾后重建办公室“玉树地震灾后恢复重建先进集体”称号。

海南州援建玉树灾区恢复重建现场指挥部　在灾后恢复重建过程中，海南州援建玉树灾区恢复重建现场指挥部组织有关人员深入平均海拔4300多米的上拉秀乡，实地调查项目建设地区的地理环境、村庄布局、交通状况、地材（沙、石）分布等情况，监督检查和指导各施工队施工组织、质量保证、安全保障等情况，现场解决问题。2012年9月，重建的12类33个项目全部竣工验收，总投资3.21亿元。

2014年1月，人力资源社会保障部、国家发展改革委、国务院国资委、解放军总政治部授予海南州援建玉树灾区恢复重建现场指挥部“玉树地震灾后恢复重建先进集体”称号。

海西州支援玉树州治多县灾后恢复重建指挥部　在灾后恢复重建过程中，海西州支援玉树州治多县灾后恢复重建指挥部健全工程管理，制定工程设计变更及现场签证、财务管理、廉政建设等10项管理制度，组织工程管理设计相关人员和群众代表开展现场会商，提出4种设计户型供群众自主选择，满足和照顾当地群众的生活习惯。全面完成治多县1368户城乡居民住房建设任务。

2014年1月，人力资源社会保障部、国家发展改革委、国务院国资委、解放军总政治部授予海西州支援玉树州治多县灾后恢复重建指挥部“玉树地震灾后恢复重建先进集体”称号。

海西州人民政府办公室　海西州人民政府办公室承担援建治多县灾后恢复重建项目57个。在灾后恢复重建过程中，他们主动作为，加强协调，充分调动各方面的工作积极性；切实增强成本费用意识，控制会议、接待、差旅和公车使用支出，充分挖掘节支潜力，确保恢复重建工作全面完成。

2014年1月，人力资源社会保障部、国家发展改革委、国务院国资委、解放军总政治部授予海西州人民政府办公室“玉树地震灾后恢复重建先进集体”称号。

中共玉树州委员会办公室 中共玉树州委员会办公室把保障州委各项灾后重建政策落实作为工作的中心任务，及时起草各类文件通知，有效推进灾后重建各项工作。重建期间，共编发《玉树信息》1800多期，承办或参与承办州委常委会、四大班子联席会、书记办公会、工作汇报会等会议150多场次，起草涉及灾后重建的各类文件500余份，创办《新玉树》杂志39期。

2014年1月，人力资源社会保障部、国家发展改革委、国务院国资委、解放军总政治部授予中共玉树州委办公室“玉树地震灾后恢复重建先进集体”称号。

玉树州人大常委会办公室 玉树州人大常委会办公室坚持把推进灾后恢复重建作为依法履职的中心工作，找准依法履职与加快灾后重建的结合点、着力点和切入点，自觉围绕中心，服务大局，依法履职，确保人大工作与党委、政府中心工作合拍同步，共同推进灾后重建，全力维护灾后重建社会政治稳定，全力化解社会矛盾纠纷。

2014年1月，人力资源社会保障部、国家发展改革委、国务院国资委、解放军总政治部授予玉树州人大常委会办公室“玉树地震灾后恢复重建先进集体”称号。

玉树州人民政府办公室 重建期间，玉树州人民政府办公室克服办公条件差、人员不足等困难，积极开展调查研究，提供决策服务，不断优化工作程序、出台新的工作制度，充分发挥参谋助手、督促检查、综合协调作用，较好地完成州委、州政府交办的各项工作任务。

2014年1月，人力资源社会保障部、国家发展改革委、国务院国资委、解放军总政治部授予玉树州人民政府办公室“玉树地震灾后恢复重建先进集体”称号。

政协玉树州委员会办公室 在灾后恢复重建过程中，政协玉树州委员会办公室参与9个专项工作领导小组和11个建委会的工作，积极开展数据登记、物资发放、政策宣传、矛盾调处等工作；组织开展各类视察、调研，注重倾听民声、关注民情、体察民意、集中民智，经过反复论证，先后形成30多份调研、视察报告等。

2014年1月，人力资源社会保障部、国家发展改革委、国务院国资委、解放军总政治部授予政协玉树州委员会办公室“玉树地震灾后恢复重建先进集体”称号。

中共玉树州委组织部 在灾后恢复重建过程中，中共玉树州委组织部组建成立11个建委会，健全和完善了“条块分割、以条为主、横向到边、纵向到底、衔接紧密、运行顺畅、灵活高效”的工作机制，打造了“五片区”工作模式。圆满完成州、县、乡领导班子换届任务。制定《关于在基层党建工作中推行一线工作法的实施方案》，组建17个专项工作组和21个工作领导小组，对建委会干部实行月评月考制度，在县、乡领导班子换届中，从灾后恢复重建基层一线选拔任用干部162名。

2010年8月,中共玉树州委组织部获“全国抗震救灾英雄集体”和“全省抗震救灾模范集体”称号。2014年1月，人力资源社会保障部、国家发展改革委、国务院国资委、解放军总政治部授予中共玉树州委组织部“玉树地震灾后恢复重建先进集体”称号。

玉树州发展和改革委员会 在灾后恢复重建过程中，玉树州发展和改革委员会紧紧抓住国家支持青海等藏区经济社会发展的重大政策机遇，共争取落实非灾后重建常规项目建设资金近44.9亿元，项目480项，积极统筹非灾区经济社会协调可持续发展，大大改善灾区和非灾区基础设施条件。加强项目落实，推进“一线工作法”和“当面对接法”等措施，认真核实锁定项目数量，落实恢复重建项目资金，为顺利推进重建创造了有利条件。

2010年8月，玉树州发展和改革委员会获“全国抗震救灾英雄集体”和“全省抗震救灾模范集体”称号。2014年1月，人力资源社会保障部、国家发展改革委、国务院国资委、解放军总政治部授予玉树州发展和改革委员会“玉树地震灾后恢复重建先进集体”称号。

玉树州公安局 在灾后恢复重建过程中，玉树州公安局认真开展排查化解各类矛盾纠纷工作，共接待群众来访254批次，涉及1650户5174人。严厉打击各种违法行为，保证灾后重建工作有序进行。

2010年8月，中共中央、国务院、中央军委授予玉树州公安局“抗震救灾英雄集体”称号。2014年1月，人力资源社会保障部、国家发展改革委、国务院国资委、解放军总政治部授予玉树州公安局“玉树地震灾后恢复重建先进集体”称号。

玉树州公安消防支队 在灾后恢复重建过程中，玉树州公安消防支队全面加强灾区“防灭火一体化”和“网格化”体系建设，构建政府主导、部门联动、严防死守“三大体系”；建立联合执法、信息沟通、行业督导、联席会议“四项机制”；建立“十户联防”制度；组织开展“千名干部进万家”火灾隐患排查整治活动；实行重建工程“全审全验”，从源头上杜绝火灾隐患。

2010年8月，玉树州公安消防支队获得“全国抗震救灾英雄集体”称号。2014年1月，人力资源社会保障部、国家发展改革委、国务院国资委、解放军总政治部授予玉树州公安消防支队“玉树地震灾后恢复重建先进集体”称号。

武警青海总队玉树支队 在灾后恢复重建过程中，武警青海总队玉树支队担负日常巡逻、武装设卡等任务，圆满完成中央领导到玉树视察期间的警卫勤务、纪念玉树地震系列活动安保工作，针对突发事件实施专项活动，维护了灾后重建的良好秩序。

2010年8月，中共中央、国务院、中央军委授予武警青海总队玉树支队“全国抗震救灾英雄集体”称号。2014 年 1 月，人力资源社会保障部、国家发展改革委、国务院国资委、解放军总政治部授予武警青海总队玉树支队“玉树地震灾后恢复重建先进集体”称号。

玉树州民政局 在灾后恢复重建过程中，玉树州民政局共安排 104 个灾后重建项目，总投资 5.5 亿元。为确保工程质量，加快工程进度，州民政局成立灾后重建专项工作领导小组，建立重大事项协调工作制度，督促工程进度，验查工程质量，按期圆满完成灾后重建任务。

2014 年 1 月，人力资源社会保障部、国家发展改革委、国务院国资委、解放军总政治部授予玉树州民政局“玉树地震灾后恢复重建先进集体”称号。

玉树州县矛盾纠纷大调解联合协调指挥中心 面对灾后重建过程中出现的各种社会矛盾，玉树州县矛盾纠纷大调解联合协调指挥中心坚持实施“四级包案”责任制的矛盾化解方法，把各类矛盾纠纷及时处理在基层、化解在萌芽状态。重建期间，中心共接待涉及七省（区）的务工人员来访 7201 件，接待上访群众 38.3 万余人次。其中，涉及职权范围内的矛盾纠纷案 5341 件，劝返 3.2 万余名农民工。

2014 年 1 月，人力资源社会保障部、国家发展改革委、国务院国资委、解放军总政治部授予玉树州县矛盾纠纷大调解联合协调指挥中心“玉树地震灾后恢复重建先进集体”称号。

玉树地震灾后恢复重建资金管理办公室 为确保灾后恢复重建资金安全高效进行，玉树地震灾后恢复重建资金管理办公室先后制定 10 余项资金监督管理、资金公示、资金利息使用、贷款担保平台管理等制度。充分运用全省恢复重建资金管理的信息化平台，细化台账管理，强化基础工作。在州政府网站、玉树州电视台、《三江源报》等媒体上就全州灾后重建资金的拨付使用管理情况进行公示，主动接受社会公众监督。

2014 年 1 月，人力资源社会保障部、国家发展改革委、国务院国资委、解放军总政治部授予玉树地震灾后恢复重建资金管理办公室“玉树地震灾后恢复重建先进集体”称号。

玉树州环境保护局 重建期间，玉树州环境保护局切实加强与有关部门的衔接沟通，加大宣传力度，不断深化对生态环境保护重要性的认识。本着对环境负责、对历史负责和对子孙后代负责的态度，克服人员少、任务重、难度大、设备缺、范围广等困难，扎实开展环保工作。

2014 年 1 月，人力资源社会保障部、国家发展改革委、国务院国资委、解放军总政治部授予玉树州环境保护局“玉树地震灾后恢复重建先进集体”称号。

玉树州住房和城乡建设局 在灾后恢复重建过程中，玉树州住房和城乡建设局坚持全域全程搞规划，加强对灾区城镇和乡村重建规划的指导。强化建筑企业管理，对进州施工企业、监理企业及人员资格进行严格审查和备案登记。加大工程质量安全监督力度，注重群众来信来访，认真解决拖欠农民工工资问题。

2013 年 4 月，中华全国总工会授予玉树州住房和城乡建设局“全国五一劳动奖状”。2014 年 1 月，人力资源社会保障部、国家发展改革委、国务院国资委、解放军总政治部授予玉树州住房和城乡建设局“玉树地震灾后恢复重建先进集体”称号。

玉树州文化体育局 重建期间，经过玉树州文化体育局的积极努力，56 个文物修缮项目建设全面完成。启动寺院书屋建设工程，完成 10 个乡镇综合文化站配套项目，实施玉树康巴藏文化保护传承工程。

2014 年 1 月，人力资源社会保障部、国家发展改革委、国务院国资委、解放军总政治部授予玉树州文化体育局“玉树地震灾后恢复重建先进集体”称号。

玉树市发展和改革局 在灾后恢复重建过程中，玉树市发展和改革局认真抓好灾后重建项目的申报工作，科学编制、评估全市灾后恢复重建规划，加快推进项目前期工作，认真搞好项目实施与监管，在积极开展灾后重建规划宣传、解释和讲解的基础上，依法、有序、规范开展规划办证工作。对灾后结古镇市场进行联合检查，规范价格行为，杜绝经营者不正当的价格行为，为全市灾后恢复重建做出了积极的贡献。

2014 年 1 月，人力资源社会保障部、国家发展改革委、国务院国资委、解放军总政治部授予玉树市发展和改革局“玉树地震灾后恢复重建先进集体”称号。

玉树市公安局防暴大队 面对重建期间各类矛盾纠纷叠加、各类刑事治安案件持续高发、各类群体突发事件多、流动人口数量激增、社会治安秩序比较混乱的复杂局面，玉树市公安局防暴大队共处置群体性事件 95 次，涉及农民工近 2 万人，有效维护了各援建单位的施工环境，为灾后恢复重建起到了保驾护航的作用。

2014 年 1 月，人力资源社会保障部、国家发展改革委、国务院国资委、解放军总政治部授予玉树市公安局防暴大队“玉树地震灾后恢复重建先进集体”称号。

玉树市灾后重建联合执法大队 重建期间，玉树市灾后重建联合执法大队坚持严格执法，不怕得罪人，不顾及个人安危，经历了许多艰难险阻，经受了考验。执法过程中，经常有人威胁、恐吓、谩骂执法队员，有时还会遇到围殴执法人员事件，但队员们面对暴力抗法行为毫不畏缩、英勇顽强、临危不惧，与非理性行为作坚决斗争。

2014 年 1 月，人力资源社会保障部、国家发展改革委、国务院国资委、解放军总政治部授予玉树市灾后重建联合执法大队“玉树地震灾后恢复重建先进集体”称号。

玉树市城乡规划和住房建设局 重建期间，玉树市城乡规划和住房建设局加大项目监督力度，对市属 473 个项目进行质量整改复查及资产移交工作，做好结古镇规划区内涉及的项目拆迁工作，促进建设项目工程平稳落地。规划编制结合实际，考虑地方特色，切实提高了灾后重建规划质量。

2014 年 1 月，人力资源社会保障部、国家发展改革委、国务院国资委、解放军总政治部授予玉树市城乡规划和住房建设局“玉树地震灾后恢复重建先进集体”称号。

玉树市灾后重建回迁安置领导小组办公室 在灾后恢复重建过程中，玉树市灾后重建回迁安置领导小组办公室督促各援建单位、各建委会、各专项组按期完成规划设计施工，在征地拆迁工作中积极与相关部门和个人进行沟通协调，有力推进组团住房建设进度，与 5800 余户回迁、集资和空地换房户签订安置协议书。

2014 年 1 月，人力资源社会保障部、国家发展改革委、国务院国资委、解放军总政治部授予玉树市灾后重建回迁安置领导小组办公室“玉树地震灾后恢复重建先进集体”称号。

玉树市结古街道办事处 在灾后恢复重建过程中，玉树市结古街道办事处切实加强干部职工队伍管理，制定严格的考勤考绩管理办法，确保政令畅通，切实提高工作效率。全体工作人员深入一线开展拆违清墟、征地拆迁、民房重建、市政建设、资金收缴、环境整治、物业管理等工作，以强有力的组织保障，促进各项重建工作顺利进行。

2014 年 1 月，人力资源社会保障部、国家发展改革委、国务院国资委、解放军总政治部授予玉树市结古街道办事处“玉树地震灾后恢复重建先进集体”称号。

玉树市琼龙街道办事处 在灾后恢复重建过程中，玉树市琼龙街道办事处认真制定并严格执行“干部管理军事化，工作任务项目化，工作效率数字化，灾后重建科学化”的工作制度，切实加强对干部的管理；进一步厘清工作思路、创新工作方法，完成重建住房 2894 户、拆危清墟 2.37 万立方米、征地 293 户的任务。

2014 年 1 月，人力资源社会保障部、国家发展改革委、国务院国资委、解放军总政治部授予玉树市琼龙街道办事处“玉树地震灾后恢复重建先进集体”称号。

玉树市西杭街道办事处 在 3 年重建家园的艰苦岁月中，玉树市西杭街道办事处动员组织各级党组织、党员干部和群众投入灾后重建工作的最前沿，以“三比三看”活动为载体，确保“拆危清墟”“两政策一规划宣传”等各项工作顺利进行，赢得辖区广大居民的一致好评。

2014 年 1 月，人力资源社会保障部、国家发展改革委、国务院国资委、解放军总政治部授予玉树市西杭街道办事处“玉树地震灾后恢复重建先进集体”称号。

玉树市扎西科街道办事处 在灾后恢复重建过程中，玉树市扎西科街道办事处先后召开群众大会 300 余次、座谈会 160 余次，广泛宣传重建政策及措施，群众政策知晓率达到 100%。积极与援建单位对接、沟通、协调和配合，完成重建住房任务 2913 户、拆危清墟 12.78 万立方米、征地 2946 万平方米，为重建工作顺利推进奠定了坚实的基础。

2014 年 1 月，人力资源社会保障部、国家发展改革委、国务院国资委、解放军总政治部授予玉树市扎西科街道办事处“玉树地震灾后恢复重建先进集体”称号。

玉树市帮群寺民主管理委员会　在灾后恢复重建过程中，玉树市帮群寺民主管理委员会依法办理手续，严格工程质量，用好国拨资金，抓好工程质量的样板工程建设。引导周边信教群众积极投身重建工作中，引导僧众以投工投劳方式参与重建工作，加快了寺院灾后重建工作进度，完成国家投资重建资金 1447.72 万元，建设总规模 5722 平方米。

2014 年 1 月，人力资源社会保障部、国家发展改革委、国务院国资委、解放军总政治部授予玉树市帮群寺民主管理委员会“玉树地震灾后恢复重建先进集体”称号。

中共称多县尕朵乡委员会　在灾后恢复重建过程中，中共称多县尕朵乡委员会积极贯彻落实灾后重建各项政策，充分发挥“五支力量”的监督作用，确保监督贯穿住房建设的全过程；积极做好灾后重建资料的整理归档工作。经过 3 年的努力，圆满完成全乡 1738 户农牧民住房和公共建设项目。

2014 年 1 月，人力资源社会保障部、国家发展改革委、国务院国资委、解放军总政治部授予中共称多县尕朵乡委员会“玉树地震灾后恢复重建先进集体”称号。

中共称多县拉布乡委员会　重建期间，中共称多县拉布乡委员会立足乡情实际，超前规划，缜密研究，在确保全乡 4000 多农牧民群众全部乔迁新居的同时，成功打造了一个国家级 AAA 级旅游景区——拉司通民俗古藏村示范点。该民俗示范点的建成不仅保护了民俗，也为农牧民增收创造了一个新的增长点。

2014 年 1 月，人力资源社会保障部、国家发展改革委、国务院国资委、解放军总政治部授予中共称多县拉布乡委员会“玉树地震灾后恢复重建先进集体”称号。

称多县人民武装部　在灾后恢复重建过程中，称多县人民武装部先后对全县五镇二乡 57 个民兵组织进行系统帮建。组织民兵力量开展危房拆除、清理建筑垃圾等工作。筹措资金 30 万元，配发安装电视机 30 台、无线信号接收器 30 套，购买藏文书籍、光碟、哈达、茶叶、面粉、大米等物品，走访慰问重灾户。在郭吾村成立重建帮扶队伍，帮助贫困户孤寡老人 18 户，清理 76 间倒塌房屋垃圾，归类放置建筑用材 2000 多立方米。

2014 年 1 月，人力资源社会保障部、国家发展改革委、国务院国资委、解放军总政治部授予称多县人民武装部“玉树地震灾后恢复重建先进集体”称号。

称多县矛盾调解中心　称多县矛盾调解中心全体工作人员在震后重建工作中，积极主动投入矛盾调解工作之中，设立调解大厅，为需要帮助的群众搭建调解平台，2013 年受理矛盾纠纷案件 400 余起，成功调解 383 余起，其中重大草山纠纷 1 起。调解施工企业支付拖欠农牧民工工资2000余万元。

2014年1月，人力资源社会保障部、国家发展改革委、国务院国资委、解放军总政治部授予称多县矛盾调解中心“玉树地震灾后恢复重建先进集体”称号。

称多县称文镇人民政府　在灾后恢复重建过程中，称多县称文镇人民政府组织全体干部分片包点，通过召开群众大会、党员会议、上门访谈等形式，对全镇11个村的2216户7685人进行广泛深入的有关灾后重建政策的宣传教育，解决宅基地纠纷87起、补助资金分配问题102件，排查矛盾75起，消除不稳定因素6起，辖区内没有发生一起上访事件；调剂土地约156.67公顷，确保70个项目按期落地。

2014年1月，人力资源社会保障部、国家发展改革委、国务院国资委、解放军总政治部授予称多县称文镇人民政府“玉树地震灾后恢复重建先进集体”称号。

中共治多县立新乡委员会　面对灾后重建任务，中共治多县立新乡委员会组织全体党员深入牧户宣讲政策，坚持生态保护优先，开展扎实有效的工程质量监管，会同县城建部门有效解决牧户提出的问题327个。妥善处理因房屋拆迁、土地征用、安置补偿、宅基地权属等问题引发的矛盾纠纷，切实把矛盾化解在基层，解决在萌芽状态。

2014年1月，人力资源社会保障部、国家发展改革委、国务院国资委、解放军总政治部授予中共治多县立新乡委员会“玉树地震灾后恢复重建先进集体”称号。

治多县住房和城乡建设局　重建期间，治多县住房和城乡建设局结合实际，在较短的时间内完成征地拆迁及道路测绘、房屋维修加固等工作。参与制定《治多县城乡居民住房建设实施方案》。在全州灾后重建观摩会10项评比中，治多县获得9项优秀奖。

2014年1月，人力资源社会保障部、国家发展改革委、国务院国资委、解放军总政治部授予治多县住房和城乡建设局“玉树地震灾后恢复重建先进集体”称号。

杂多县灾后重建项目管理办公室　通过实施灾后重建工程，杂多县灾后重建项目管理办公室解决农村住房1479套、城镇住房735套、干部职工周转房490套、城镇廉租住房360套、公租房170套；教育、卫生、文化、体育、广电设施等各类建筑面积17.7万平方米。

2014年1月，人力资源社会保障部、国家发展改革委、国务院国资委、解放军总政治部授予杂多县灾后重建项目管理办公室“玉树地震灾后恢复重建先进集体”称号。

杂多县萨呼腾镇人民政府　在灾后恢复重建过程中，杂多县萨呼腾镇人民政府制定《萨呼腾镇灾后重建入户宣传工作意见》，逐社、逐户宣传国家关于灾后恢复重建工作政策。协调四村完成灾后重建农房集中建设点选址工作，在全镇范围内选出15个农房集中建设点。完成镇寄校、多那村小学食堂建设，集中建设农牧民住房884户，加固农房164户。

2014年1月，人力资源社会保障部、国家发展改革委、国务院国资委、解放军总政治部授予杂多县萨呼腾镇人民政府“玉树地震灾后恢复重建先进集体”称号。

中共囊谦县毛主乡委员会　在灾后恢复重建过程中，中共囊谦县毛庄乡委员会采取“包村联点”的措施，配合县派工作组挨家挨户宣传动员，讲解政策，教育引导，化解矛盾，赢得规划建设区内148户群众的理解、信任和配合，进而动员1100余名群众参与灾后重建。选出23个办事公道、责任心强的农牧民担任村民质量监督员，协助工程监理人员监督工程质量。

2014年1月，人力资源社会保障部、国家发展改革委、国务院国资委、解放军总政治部授予中共囊谦县毛庄乡委员会“玉树地震灾后恢复重建先进集体”称号。

中共曲麻莱县巴干乡委员会　在灾后恢复重建过程中，中共曲麻莱县巴干乡委员会加强对城乡居民住房建设工程督查，及时协调解决工程质量问题，完成1089户城乡居民住房建设、132户牧民安居房封顶和957户牧民安居房建设任务，实现当年开工、当年竣工的目标。

2014年1月，人力资源社会保障部、国家发展改革委、国务院国资委、解放军总政治部授予中共曲麻莱县巴干乡委员会“玉树地震灾后恢复重建先进集体”称号。

青海路桥建设股份有限公司　在灾后恢复重建过程中，青海路桥建设股份有限公司完成二级公路建设300千米、保通养护257千米、大中桥3616.48米（33座）、隧道2979.56米（3座），拆除小学2所、危房2万余平方米，救助人员20余人，完成农户住房重建3.2万平方米。投入100余万元重建玛多县敬老院。

2014年1月，人力资源社会保障部、国家发展改革委、国务院国资委、解放军总政治部授予青海路桥建设股份有限公司“玉树地震灾后恢复重建先进集体”称号。

青海西部建业有限责任公司　青海西部建业有限责任公司2010年9月进入玉树县开始援建工作。援助建成结古镇国有牧场、果青村农牧民住宅324户，建筑面积2.66万平方米。2011年，这项工程被玉树县人民政府评定为“工程质量安全”观摩点之一。

2013年4月，青海西部建业有限责任公司被中华全国总工会授予“全国工人先锋号”称号。2014年1月，人力资源社会保障部、国家发展改革委、国务院国资委、解放军总政治部授予青海西部建业有限责任公司“玉树地震灾后恢复重建先进集体”称号。

青海聚盈建筑工程有限公司　重建伊始，青海聚盈建筑工程有限公司迅速成立称多县灾区恢复重建项目部，建立项目部质量保证体系，安排技术人员积极配合当地政府进行规划，严格遵守工作纪律，认真履行工作职责。经过全体援建人员的共同努力，按期全面完成总面积为3.2万平方米的400户牧民城镇住房的施工建设，并一次性交验合格。

2014年1月，人力资源社会保障部、国家发展改革委、国务院国资委、解放军总政治部授予青海聚盈建筑工程有限公司“玉树地震灾后恢复重建先进集体”称号。

青海盈吉建筑集团有限公司 在灾后恢复重建过程中，青海盈吉建筑集团有限公司负责麻永村和赛吾村 428 套灾后安置房的援建任务。2012 年 7 月，盈吉援建项目部在省内援建企业中第一个完成首批 70 套牧民安置房建设任务。在施工中，公司注重绿色环保，把薄薄的草皮铲起养护，待完工后全部一一恢复。项目结束时，将约百万元的设备和物资无偿地送给当地牧民。

2014 年 1 月，人力资源社会保障部、国家发展改革委、国务院国资委、解放军总政治部授予青海盈吉建筑集团有限公司“玉树地震灾后恢复重建先进集体”称号。

青海省集协建筑工程有限公司 青海省集协建筑工程有限公司项目部连续 8 个月坚持在重建现场施工，到 2012 年 10 月，援建的 308 套农牧民住房工程全部提前竣工。

2014 年 1 月，人力资源社会保障部、国家发展改革委、国务院国资委、解放军总政治部授予青海省集协建筑工程有限公司“玉树地震灾后恢复重建先进集体”称号。

西宁房地产集团有限公司 在灾后恢复重建过程中，西宁房地产集团有限公司抽调各类专业技术人员，分 3 批奔赴地震灾后现场开展援建工作。承担杂多县地震灾后重建项目 10 项，援建面积约 16.17 万平方米，总投资 4.02 亿元。

2011 年，西宁房地产集团有限公司被西宁市人民政府评为“2010—2011 年玉树州杂多县地震灾后重建先进单位”。2014 年 1 月，人力资源社会保障部、国家发展改革委、国务院国资委、解放军总政治部授予西宁房地产集团有限公司“玉树地震灾后恢复重建先进集体”称号。

海南州工程建设监理站 海南州工程建设监理站负责玉树县上拉秀乡灾后重建民房和公建项目的监理工作。在灾后恢复重建过程中，注重加强工程质量管理和现场施工管理，严格按“查、验、停、报”四方面内容开展工作，定期召开施工进度专题协调会，及时督促施工单位进行整改，16 个牧民住房、公建项目全部完成竣工验收并投入使用。

2014 年 1 月，人力资源社会保障部、国家发展改革委、国务院国资委、解放军总政治部授予海南州工程建设监理站“玉树地震灾后恢复重建先进集体”称号。

玉树农村商业银行股份有限公司 地震发生后，玉树农村商业银行股份有限公司第一时间启动《青海省农村信用社联合社突发事件应急预案》，搭建帐篷临时网点营业，成为灾后第一家恢复营业的金融机构。在地震灾后恢复重建中，率先发放第一笔贷款。重建期间，发放灾后恢复重建贷款 3.2 亿元，占全州 7 家金融机构贷款份额的 45%。

2014 年 1 月，人力资源社会保障部、国家发展改革委、国务院国资委、解放军总政治部授予玉树农村商业银行股份有限公司“玉树地震灾后恢复重建先进集体”称号。

青海玉树电力公司　在灾后恢复重建过程中，青海玉树电力公司结合实际情况，编制完成玉树灾后恢复重建电力保障、供应保障重点工作、处置大面积停电事件等电力保障方案。认真开展对结古地区道路沿线旧电杆和影响重建施工的旧电力线路进行全面拆除、迁移等电力市场整顿工作，排查治理安全隐患，查处一批严重私拉乱接问题。

2014 年 1 月，人力资源社会保障部、国家发展改革委、国务院国资委、解放军总政治部授予青海玉树电力公司“玉树地震灾后恢复重建先进集体”称号。

第二节　四川省

四川省共有 5 个集体受到人力资源社会保障部、国家发展改革委、国务院国资委、解放军总政治部表彰，被授予“玉树地震灾后恢复重建先进集体”称号。

一、名单（5 个）

石渠县住房和城乡规划建设局
石渠县审计局
石渠县正科乡人民政府
成都建工集团玉树地震四川灾区石渠县灾后农房重建工程项目部
四川省第十三建筑有限公司

二、事迹

石渠县住房和城乡规划建设局　在灾后恢复重建中，石渠县住房和城乡规划建设局完成该县 1492 户农房恢复重建，对 2681 户 9785 间农村居民住房和 5.2 万平方米城镇居民住房全面进行加固维修。完成 149 间僧房的加固维修和石渠县中学和 10 所小学及县藏医院等 13 个卫生系统项目、洛须镇等 8 个乡（镇）综合文化站重建项目等公共服务设施建设项目。

2014 年 1 月，人力资源社会保障部、国家发展改革委、国务院国资委、解放军总政治部授予石渠县住房和城乡规划建设局“玉树地震灾后恢复重建先进集体”称号。

石渠县审计局　在灾后恢复重建过程中，石渠县审计局将 7 名审计干部分成 3 个组，在灾区开展物资、资金跟踪、清点，做到每一笔资金、物资都用到牧民群众手中。对 18 个民房重建点、5 个教育项目、10 个卫生项目、6 个乡镇文化站、1 个城镇居民住房加固等 42 个单项工程和重建点进行造价审计，送审工程造价 2471 万元，审定造价 1.96 亿元，审减工程造价 5154 万元。

2014 年 1 月，人力资源社会保障部、国家发展改革委、国务院国资委、解放军总政治部授予石渠县审计局“玉树地震灾后恢复重建先进集体”称号。

石渠县正科乡人民政府 在灾后恢复重建过程中，石渠县正科乡人民政府组织广大群众通过实地查看、入户走访、群众评议等形式，研究制订符合本乡实情的灾后重建规划。乡村干部深入基层，通过发放宣传材料、村务公开栏等多种形式，及时、准确地宣传有关灾后重建政策，营造良好的社会舆论氛围。完成重建房屋 132 户、维修加固 376 户，受灾人员得到妥善安置。

2014 年 1 月，人力资源社会保障部、国家发展改革委、国务院国资委、解放军总政治部授予石渠县正科乡人民政府“玉树地震灾后恢复重建先进集体”称号。

成都建工集团玉树地震四川灾区石渠县灾后农房重建工程项目部 重建伊始，成都建工集团玉树地震四川灾区石渠县灾后农房重建工程项目部调集近 2000 名建设者，千方百计为重建工程筹集资金 3600 余万元，确保重建工作如期进行。项目部援建的正科乡、奔达乡 7 个村、257 户农房、3 个村民活动中心及村镇道路，共计 2.2 万平方米的总建筑面积全部通过竣工验收。

2014 年 1 月，人力资源社会保障部、国家发展改革委、国务院国资委、解放军总政治部授予成都建工集团玉树地震四川灾区石渠县灾后农房重建工程项目部“玉树地震灾后恢复重建先进集体”称号。

四川省第十三建筑有限公司 重建期间，四川省第十三建筑有限公司组织骡马或人员两次转运钢管扣件达 25 吨、水泥 320 吨、钢材 260 余吨、砂砖 10 万多块，确保施工正常进行。建成农房 214 户、活动室 2 个，房屋施工面积 2.5 万平方米。完成水电安装、排污管道以及混凝土道路建设等工程。

2014 年 1 月，人力资源社会保障部、国家发展改革委、国务院国资委、解放军总政治部授予四川省第十三建筑有限公司“玉树地震灾后恢复重建先进集体”称号。

第三节 北京市

北京市共有 4 个集体受到人力资源社会保障部、国家发展改革委、国务院国资委、解放军总政治部表彰，被授予“玉树地震灾后恢复重建先进集体”称号。

一、名单（4个）

北京市政路桥集团玉树援建工程指挥部
北京城建集团有限责任公司青海玉树援建工程总承包部
北京建工集团有限责任公司总承包部
北京住总集团第一开发建设有限公司

二、事迹

北京市政路桥集团玉树援建工程指挥部　在灾后恢复重建中，北京市政路桥集团玉树援建工程指挥部及时选拔20余名“精兵强将”组成援建指挥部，派遣400余名员工完成地震重灾区结古镇41.8千米6条主干路和15条次干路、15座新改建桥梁及1座通道桥、1座供水厂、1座污水厂、1座垃圾处理厂的建设任务，建成200多千米的市政管线及景观绿化、照明、公交车站等附属工程，总工程量达23亿元以上。

2014年1月，人力资源社会保障部、国家发展改革委、国务院国资委、解放军总政治部授予北京市政路桥集团玉树援建工程指挥部“玉树地震灾后恢复重建先进集体”称号。

北京城建集团有限责任公司青海玉树援建工程总承包部　在灾后恢复重建过程中，北京城建集团有限责任公司青海玉树援建工程总承包部完成包括45套农户用房在内的结古镇新寨村整体重建任务和公路、供电所、水文站、饮水工程、畜牧站等基础设施建设，以及派出所、敬老院、社区服务站等公众服务设施建设、嘛呢石堆周边的旅游设施、15.5千米的市政道路建设。援建工程达12项，提升项目5项，房建工程9项，总建筑面积3.5万平方米。

2012年5月，北京城建集团有限责任公司青海玉树援建工程指挥部获“全国五一劳动奖状”。2014年1月，人力资源社会保障部、国家发展改革委、国务院国资委、解放军总政治部授予北京城建集团有限责任公司青海玉树援建工程总承包部“玉树地震灾后恢复重建先进集体”称号。

北京建工集团有限责任公司总承包部　在灾后恢复重建过程中，北京建工集团有限责任公司总承包部负责援建玉树县隆宝镇整体援建工作，涉及城乡住房、公共建筑、基础设施四大类35项工程，项目数占北京整体援建总项目数的50%。其中，城乡住房1631套，总建筑面积13.05万平方米；公共建筑29项，总建筑面积约2.4万平方米；基础设施包括道路、供水、桥梁等6项。

2014年1月，人力资源社会保障部、国家发展改革委、国务院国资委、解放军总政治部授予北京建工集团有限责任公司总承包部“玉树地震灾后恢复重建先进集体”称号。

北京住总集团第一开发建设有限公司 在灾后恢复重建中，北京住总集团第一开发建设有限公司完成玉树县哈秀乡1084套农牧民住房、哈秀中心小学等9大项整体援建任务，在玉树援建9家大军中率先实现三年任务两年完成的工作目标，得到北京市和青海省各级政府以及各族群众的高度赞扬。公建项目及农房项目具备申报北京市“长城杯”标准，哈秀小学等公建项目达到青海省“江河源杯”优质工程评审条件。

2014年1月，人力资源社会保障部、国家发展改革委、国务院国资委、解放军总政治部授予北京住总集团第一开发建设有限公司“玉树地震灾后恢复重建先进集体”称号。

第四节 辽宁省

辽宁省共有3个集体受到人力资源社会保障部、国家发展改革委、国务院国资委、解放军总政治部表彰，被授予“玉树地震灾后恢复重建先进集体”称号。

一、名单（3个）

辽宁省城乡建设规划设计院
辽宁省建筑设计研究院项目管理咨询公司
辽宁同泽工程造价咨询有限公司

二、事迹

辽宁省城乡建设规划设计院 重建期间，辽宁省城乡建设规划设计院组成援建青海玉树灾区工作小组，组织20人的团队加入援建设计队伍。在2个月的时间内，完成玉树县巴塘乡和下拉秀镇共16个村的重建规划现状调查和重建规划初步方案设计。

2011年，辽宁省城乡建设规划设计院获“辽宁省援建玉树恢复重建特殊贡献集体”称号。2014年1月，人力资源社会保障部、国家发展改革委、国务院国资委、解放军总政治部授予辽宁省城乡建设规划设计院“玉树地震灾后恢复重建先进集体”称号。

辽宁省建筑设计研究院项目管理咨询公司 在灾后恢复重建中，辽宁省建筑设计研究院项目管理咨询公司承担玉树县巴塘乡灾后重建工程的项目管理和监理任务。他们克服工程点多、面广、高原缺氧等各种困难，积极开展工作，努力把好玉树灾后重建工程质量关，圆满完成重建任务。

2013 年 4 月，中华全国总工会授予辽宁省建筑设计研究院项目管理咨询公司“全国五一劳动奖状”。2014 年 1 月，人力资源社会保障部、国家发展改革委、国务院国资委、解放军总政治部授予辽宁省建筑设计研究院项目管理咨询公司“玉树地震灾后恢复重建先进集体”称号。

辽宁同泽工程造价咨询有限公司　在灾后恢复重建中，辽宁同泽工程造价咨询有限公司完成玉树县巴塘乡包括农牧民住房、教育、医疗卫生、就业和社会保障、交通、生态恢复 6 大类项目、近百个建设工程的造价咨询工作，确保灾后恢复重建工作圆满完成。

2014 年 1 月，人力资源社会保障部、国家发展改革委、国务院国资委、解放军总政治部授予辽宁同泽工程造价咨询有限公司“玉树地震灾后恢复重建先进集体”称号。

第五节　国务院玉树地震灾后恢复重建协调小组成员单位

国务院玉树地震灾后恢复重建协调小组成员单位共有 6 个集体受到人力资源社会保障部、国家发展改革委、国务院国资委、解放军总政治部表彰，被授予“玉树地震灾后恢复重建先进集体”称号。

一、名单（6 个）

财政部驻青海省财政监察专员办事处二处
中国土地勘测规划院土地规划所
中国城市规划设计研究院玉树灾后重建现场工作组
长江勘测规划设计研究院规划设计处
青海送变电工程公司
中国文化遗产研究院文物保护工程与规划所

二、事迹

财政部驻青海省财政监察专员办事处二处　地震发生后，财政部驻青海省财政监察专员办事处二处先后派出工作组 20 批 80 人次，走访受灾群众 400 多户，召开多方监管协调会议 18 次，上报财政部工作调研报告 5 期、《抗震救灾快报》98 期，调查走访相关单位 50 余家，调查中央驻玉树州企事业单位受灾及重建情况比例达到 100%。跟踪监管灾后重建资金的使用方向与进度，保证各项工程如期开工与完工。深入玉树、曲麻莱、治多、称多、囊谦等县城及结古镇、上拉秀乡、巴干乡等重灾区了解灾情和灾后重建进展情况，为再建一个新玉树打下了坚实的基础。

2014 年 1 月，人力资源社会保障部、国家发展改革委、国务院国资委、解放军总政治部授予财政部驻青海省财政监察专员办事处二处“玉树地震灾后恢复重建先进集体”称号。

中国土地勘测规划院土地规划所 重建期间，中国土地勘测规划院土地规划所两次派出业务骨干，在进行灾情调查、了解灾后重建政策的基础上，向青海省委、省政府提出“关于玉树结古镇地震灾后重建用地政策的建议”，有效破解了玉树灾后重建的土地难题。联合青海省土地勘测规划院，组成玉树灾后重建土地利用专项规划编制组，牵头编制“一州六县”土地利用总体规划，结束玉树地区 6 个县没有土地利用总体规划的历史。

2014 年 1 月，人力资源社会保障部、国家发展改革委、国务院国资委、解放军总政治部授予中国土地勘测规划院土地规划所“玉树地震灾后恢复重建先进集体”称号。

中国城市规划设计研究院玉树灾后重建现场工作组 地震发生后，中国城市规划设计研究院先后向玉树灾区派出专业人员达 86 人次，轮流坚持蹲点 555 天。他们帮助地方快速准确安全地完成过渡安置房选址，制定安置房的建设标准等工作；先后编制完成《玉树结古镇城市总体规划（2010—2020）》《玉树结古镇总体城市设计》等；为青海省发展改革委、建设厅和玉树州相关部门介绍汶川灾后重建工作经验，帮助他们尽快制定应对灾害的对策，无偿为兄弟单位提供相关技术资料；为灾区投入设备、资金共计 200 万元。

2010 年 8 月，中国城市规划设计研究院获“全国抗震救灾英雄集体”称号。2014 年 1 月，人力资源社会保障部、国家发展改革委、国务院国资委、解放军总政治部授予中国城市规划设计研究院玉树灾后重建现场工作组“玉树地震灾后恢复重建先进集体”称号。

长江勘测规划设计研究院规划设计处 重建伊始，长江勘测规划设计研究院规划设计处专门组建灾后重建规划工作组，克服各种困难，赴灾区一线开展基础数据资料收集、现场踏勘，组织技术力量在短短 20 天内编制完成水利灾后恢复重建规划并通过专家审查。在规划实施期间，多次组织专家赴玉树指导，为规划的落实、水利项目灾后重建做了大量卓有成效的工作。

2014 年 1 月，人力资源社会保障部、国家发展改革委、国务院国资委、解放军总政治部授予长江勘测规划设计研究院规划设计处“玉树地震灾后恢复重建先进集体”称号。

青海送变电工程公司 青海送变电工程公司组织由 150 人组成的专业队伍，投入玉树、囊谦、称多三县 110 千伏联网的恢复重建中。结古 110 千伏变电站按期投运，为玉树电网跨越发展奠定了基础。建成玉树电网与青海主网 330 千伏联网工程，为夺取恢复重建最后攻坚战的胜利发挥了突出作用。

2014 年 1 月，人力资源社会保障部、国家发展改革委、国务院国资委、解放军总政治部授予青海送变电工程公司“玉树地震灾后恢复重建先进集体”称号。

中国文化遗产研究院文物保护工程与规划所　中国文化遗产研究院文物保护工程与规划所先后完成新寨嘉那嘛呢文化遗产保护工程的勘察报告与维修方案以及龙喜寺维修工程设计和施工图设计。承担格萨尔三十大将军灵塔和达那寺维修工程设计和维修任务。

2014 年 1 月，人力资源社会保障部、国家发展改革委、国务院国资委、解放军总政治部授予中国文化遗产研究院文物保护工程与规划所“玉树地震灾后恢复重建先进集体”称号。

第六节　国务院国资委管理的中央企业

国务院国资委管理的中央企业共有 16 个集体受到人力资源社会保障部、国家发展改革委、国务院国资委、解放军总政治部表彰，被授予“玉树地震灾后恢复重建先进集体”称号。

一、名单（16 个）

中国建筑第八工程局有限公司
上海中建八局装饰有限责任公司
中建安装工程有限公司上海公司
中国市政工程西北设计研究院有限公司建筑分院
中铁建工集团有限公司北京路桥公司
中铁建工集团有限公司西南分公司
中铁二局第四工程有限公司
中铁二局集团勘测设计院有限责任公司
中铁二十一局第二工程有限公司
中铁二十一局第四工程有限公司玉树灾后重建工程项目部
中铁二十一局第六工程有限公司
中铁第一勘察设计院集团有限公司城建院
中国电建集团玉树重建现场指挥部
中国电建集团玉树重建现场指挥部第一工区
中国电建集团玉树重建现场指挥部第二工区
中国电建集团中国水电顾问集团西北勘测设计研究院玉树项目设计小组

二、事迹

中国建筑第八工程局有限公司　在灾后恢复重建中，中国建筑第八工程局有限公司担负玉树县结古镇城北片区和安冲乡的恢复重建任务，先后完成玉树州红旗小学、玉树县一完小、安冲乡寄宿制小学和农牧民住房等援建项目。在农牧民住房建设中取得了“四个第一”：施工速度第一、结构封顶率第一、交付入住套数第一、交付入住时间第一，施工质量、建设速度始终走在援建央企前列。

2013 年，中国建筑第八工程局有限公司被评为全国工程建设质量管理小组优秀企业。2014 年 1 月，人力资源社会保障部、国家发展改革委、国务院国资委、解放军总政治部授予中国建筑第八工程局有限公司“玉树地震灾后恢复重建先进集体”称号。

上海中建八局装饰有限责任公司　在灾后恢复重建中，上海中建八局装饰有限责任公司从公司下属 10 个分公司抽调精兵强将充实玉树重建项目部各管理岗位，落实项目管理团队和部分施工队伍，切实在人力组织、材料组织、工期计划、规划管理等各方面和各环节上狠下功夫，在不到 4 个月的施工季节内完成约 6500 万元的施工任务，为确保灾后重建的关键节点目标得以实现做出了贡献。

2014 年 1 月，人力资源社会保障部、国家发展改革委、国务院国资委、解放军总政治部授予上海中建八局装饰有限责任公司“玉树地震灾后恢复重建先进集体”称号。

中建安装工程有限公司上海公司　中建安装工程有限公司上海公司派出 41 名技术骨干参与玉树援建，先后完成玉树州红旗小学、玉树州人民医院、玉树州行政中心、安冲乡农牧民住房供水和供电等配套设施工程，以及结古镇城镇住房供水、供电、排水等 35 项援建单体工程。

2014 年 1 月，人力资源社会保障部、国家发展改革委、国务院国资委、解放军总政治部授予中建安装工程有限公司上海公司“玉树地震灾后恢复重建先进集体”称号。

中国市政工程西北设计研究院有限公司建筑分院　在灾后恢复重建中，中国市政工程西北设计研究院有限公司建筑分院先后有 30 余名设计人员轮流在恢复重建一线开展设计，累计达 3200 余天。承担设计项目 62 项，占中建援建项目总数的 70%，建筑面积 23 万平方米。规划设计内容涵盖城乡住房、医疗教育、公共服务建筑及景观项目。特别是在康巴艺术中心西区、州妇保院、唐蕃古道等项目的设计中，精心设计建筑方案，应用新技术新材料，项目建成后获得省、州、县的良好评价。

2013 年 4 月，中国市政工程西北设计研究院有限公司获“全国五一劳动奖状”。2014 年 1 月，人力资源社会保障部、国家发展改革委、国务院国资委、解放军总政治部授予中国市政工程西北设计研究院有限公司建筑分院“玉树地震灾后恢复重建先进集体”称号。

中铁建工集团有限公司北京路桥公司　重建期间，中铁建工集团有限公司北京路桥公司先后派出援建人员137人539人次，完成扎西大同敬老院、百货批发市场等10多万平方米的房建工程和由106条道路组成的扎北市政道路网，以及高达30多米、长达近百米的护坡工程和横跨巴塘河的胜利路跨河桥等10多处工程。

2014年1月，人力资源社会保障部、国家发展改革委、国务院国资委、解放军总政治部授予中铁建工集团有限公司北京路桥公司“玉树地震灾后恢复重建先进集体”称号。

中铁建工集团有限公司西南分公司　在灾后恢复重建中，中铁建工集团有限公司西南分公司完成3个组团、2个民房定居点、5个公建、1个会议接待中心、1个干部周转房、2个锅炉房等14个项目、16.4万平方米的建设任务，成为中国中铁承担玉树重建任务最重、施工区域最广、产值最高、质量最好的项目部之一。项目部先进事迹被中央电视台、人民网、新华社、《工人日报》、《青海日报》等多家主流媒体报道30余次。

2014年1月，人力资源社会保障部、国家发展改革委、国务院国资委、解放军总政治部授予中铁建工集团有限公司西南分公司“玉树地震灾后恢复重建先进集体”称号。

中铁二局第四工程有限公司　重建期间，中铁二局第四工程有限公司排除建设工地道路基本不通和无水、无电、无通信信号的不利因素，采取每月定期统一运送物资、制订高原施工方案等措施，完成住房面积17万平方米，新修道路10.6千米，让837户群众住进新居，3000名学生有了自己的新校园。工程竣工交付使用率达到95%。

2014年1月，人力资源社会保障部、国家发展改革委、国务院国资委、解放军总政治部授予中铁二局第四工程有限公司“玉树地震灾后恢复重建先进集体”称号。

中铁二局集团勘测设计院有限责任公司　在灾后恢复重建中，中铁二局集团勘测设计院有限责任公司先后派出248人650人次，完成38个援建项目的前期工作，办理项目前期设计政府批文或批复700余份。完成勘察设计任务38项，总建筑面积50多万平方米；市政道路及景区道路设计总长22千米，项目涵盖城镇道路、市政设施、统规统建商住组团、统规自建居住小区、政府机关、医疗卫生、文化教育、金融商贸、农牧民住房等。玉树县第一民族中学项目获“2012年度全国优秀建筑工程设计奖”。

2014年1月，人力资源社会保障部、国家发展改革委、国务院国资委、解放军总政治部授予中铁二局集团勘测设计院有限责任公司“玉树地震灾后恢复重建先进集体”称号。

中铁二十一局第二工程有限公司　灾后重建期间，中铁二十一局第二工程有限公司始终坚持以“建优质工程，树铁建形象”为目标，以“高起点、高标准、严要求、细管理”为出发点和落脚点，全力开展灾后重建工作。经过4年的努力，确保了灾后重建工作的全面完成。

2014年1月，人力资源社会保障部、国家发展改革委、国务院国资委、解放军总政治部授予中铁二十一局第二工程有限公司“玉树地震灾后恢复重建先进集体”称号。

中铁二十一局第四工程有限公司玉树灾后重建工程项目部 在灾后恢复重建中，中铁二十一局第四工程有限公司玉树灾后重建工程项目部先后完成仲达乡农牧民住宅、仲达乡公建、当代组团、红卫组团城镇住宅及格萨尔广场整治和玉树州游客到访中心、藏医院等公共民用建筑、桥梁、道路工程等共 51 个项目。其中，住房 1664 套，建筑面积 21.2 万平方米；桥梁 275.76 米，道路约 98.2 千米，室外管网 198.9 千米。格萨尔广场项目获“玉树地震灾后重建文明标准化工地”称号。

2014 年 1 月，人力资源社会保障部、国家发展改革委、国务院国资委、解放军总政治部授予中铁二十一局第四工程有限公司玉树灾后重建工程项目部“玉树地震灾后恢复重建先进集体”称号。

中铁二十一局第六工程有限公司 在灾后恢复重建中，中铁二十一局第六工程有限公司组建由 600 多名援建人员参加的施工队伍。面对高寒缺氧的高原环境、艰巨繁重的援建任务，他们克服各种严峻挑战，打破常规、倒排工期、攻坚克难、组织会战，完成 30 个单体工程、28 个民房施工任务，确保灾区大多数城镇居民和全部农牧民住进新家园，确保来年春季开学时所有中小学生回到新校园，确保重要公共服务设施和基础设施项目全面开工建设，努力让玉树各族群众早日恢复正常生产生活。

2013 年 4 月，中铁二十一局第六工程有限公司被中华全国总工会授予“全国五一劳动奖状”。2014 年 1 月，人力资源社会保障部、国家发展改革委、国务院国资委、解放军总政治部授予中铁二十一局第六工程有限公司“玉树地震灾后恢复重建先进集体”称号。

中铁第一勘察设计院集团有限公司城建院 在灾后恢复重建中，中铁第一勘察设计院集团有限公司城建院设计组先后完成结古镇琼龙路住宅小区、玉树州藏医院、玉树州公安局、玉树州法院、玉树州特警支队以及康巴风情街北区的设计和对接工作。在建设占地面积 22.26 公顷、总建筑面积 27.8 万平方米的康巴风情街北区住宅小区中，他们制定精准的阶段性目标和有效的分工合作模式，按规划编制最终成果进行纵向分工，按规划内容进行横向分工，进而形成一个各单位纵向管理和各项成果横向把关的高效联动的矩阵组织结构，取得了较好的成效。

2014 年 1 月，人力资源社会保障部、国家发展改革委、国务院国资委、解放军总政治部授予中铁第一勘察设计院集团有限公司“玉树地震灾后恢复重建先进集体”称号。

中国电建集团玉树重建现场指挥部 在灾后恢复重建中，中国电建集团玉树重建现场指挥部 5000 余名施工人员先后完成玉树县城西片区居民住房、公共设施、生态修复、特色产业等 11 个项目（总建设面积达 30 万余平方米），以及称多县歇武镇 12 个援建项目、玉树县小苏莽乡 1651 套农牧民住房重建任务。特别是在小苏莽乡农牧民住房建设中创造了 4 天完成一层楼、

9 天建成一栋住宅楼的玉树速度，发挥了重建主力军作用。

2014 年 1 月，人力资源社会保障部、国家发展改革委、国务院国资委、解放军总政治部授予中国电建集团玉树重建现场指挥部“玉树地震灾后恢复重建先进集体”称号。

中国电建集团玉树重建现场指挥部第一工区　在灾后恢复重建中，中国电建集团玉树重建现场指挥部第一工区全体干部职工秉持“精心谋划、精心组织、精雕细刻、精益求精”的重建原则，先后完成三树县第三完全小学、小苏莽乡农牧民住房重建项目和下西同住宅项目等多个重建项目。特别是在下西同住宅小区建设中，组织成立党员突击队，创造了单栋 80 平方米住房从基础到封顶仅用 4 天的“玉树速度”，实现让首户居民搬入新房的美好目标。

2014 年 1 月，人力资源社会保障部、国家发展改革委、国务院国资委、解放军总政治部授予中国电建集团玉树重建现场指挥部第一工区“玉树地震灾后恢复重建先进集体”称号。

中国电建集团玉树重建现场指挥部第二工区　在灾区恢复重建中，中国电建集团玉树重建现场指挥部第二工区成立德宁格小区、第三民族中学、小苏莽小区 3 个青年突击队，先后完成结古镇德宁格统归自建小区（459 套）城镇居民住宅、扎西科组团（三）统归自建城镇居民住房（202 套）、小苏莽乡农牧民住房（239 套）的建设。特别是在第三民族中学施工点，创造了 4 天一层楼的“玉树速度”。

2014 年 1 月，人力资源社会保障部、国家发展改革委、国务院国资委、解放军总政治部授予中国电建集团玉树重建现场指挥部第二工区“玉树地震灾后恢复重建先进集体”称号。

中国电建集团中国水电顾问集团西北勘测设计研究院玉树项目设计小组　中国电建集团中国水电顾问集团西北勘测设计研究院玉树项目设计小组先后完成玉树民族寄宿制中学、玉树省级粮食储备库、玉树州物流中心等 17 个大项、43 个子项工程、30 万平方米的设计任务，涉及学校、办公、住宅、仓储等多种类型。完成县交警大队办公用房等方案设计及审查工作、州社会福利中心等项目可研及初设报告 24 项，各专业施工图图纸 120 套 2638 张。

2014 年 1 月，人力资源社会保障部、国家发展改革委、国务院国资委、解放军总政治部授予中国电建集团中国水电顾问集团西北勘测设计研究院玉树项目设计小组“玉树地震灾后恢复重建先进集体”称号。

第七节　解放军和武警部队

解放军和武警部队共有 2 个集体受到人力资源社会保障部、国家发展改革委、国务院国资委、解放军总政治部表彰，被授予“玉树地震灾后恢复重建先进集体”称号。

一、名单（2个）

解放军第68062部队13中队
武警青海省总队玉树藏族自治州支队直属大队

二、事迹

解放军第68062部队13中队 解放军第68062部队13中队在支援灾后重建运输保障任务中，出动车辆260余台次、人员530余次，安全行驶30万余千米，拉运物资1800余吨。全队先后有12人火线入党、31人荣立三等功。

2014年1月，人力资源社会保障部、国家发展改革委、国务院国资委、解放军总政治部授予解放军第68062部队13中队“玉树地震灾后恢复重建先进集体”称号。

武警青海省总队玉树藏族自治州支队直属大队 在灾后重建中，武警青海省总队玉树藏族自治州支队直属大队拆除危房518间3.2万平方米，清理废墟9万余立方米，清运垃圾6万吨，为灾后重建赢得宝贵时间。帮助商贩搬运商铺30余家，物资800余吨。搭建帐篷5000余顶，为受灾群众安全越冬提供保障。

2010年8月，武警青海省总队玉树藏族自治州支队直属大队获“全国抗震救灾英雄集体”称号。2014年1月，人力资源社会保障部、国家发展改革委、国务院国资委、解放军总政治部授予武警青海省总队玉树藏族自治州支队直属大队“玉树地震灾后恢复重建先进集体”称号。

第二章　先进个人

2014 年 1 月，人力资源社会保障部、国家发展改革委、国务院国资委、解放军总政治部对 3 年来的重建先进单位和个人进行表彰，授予才仁扎西等 150 人“玉树地震灾后恢复重建先进个人”称号，享受省部级先进工作者和劳动模范待遇。

第一节　青海省

青海省共有 92 人受到人力资源社会保障部、国家发展改革委、国务院国资委、解放军总政治部表彰，被授予“玉树地震灾后恢复重建先进个人”称号。

一、名单（92 名）

谢宏敏（女）	中共青海省委组织部干部监督处处长
王若冰	青海省发展和改革委员会固定资产投资处副处长
王亚楠	青海省经济委员会盐务管理局主任科员
范培友	青海省公安厅治安警察总队特警工作指导支队支队长
闫党生	青海省民政厅救灾救济处主任科员
李积庆	青海省财政厅经济建设处处长
贾建青	青海省环境监察总队主任科员
王有云	青海省住房和城乡建设厅城市建设处主任科员
王得元	青海省畜牧总站办公室主任

段雷江	青海省审计厅固定资产投资审计处处长
高　平	青海省统计局固定资产投资统计处处长
景鹏峰	青海省红十字会赈济救护部主任科员
杨风龙（回族）	青海省公路建设管理局项目办主任
张培海	青海省通信工程质量监督中心副主任
索昂代吉（女，藏族）	青海省无线电管理办公室玉树管理处监测站站长
姚　斌	青海日报社州地市记者管理部驻玉树记者站记者
李盛华（土族）	西宁市信访局局长
高峻龙	西宁市城乡规划设计研究院规划所所长
杨玺春	西宁市建设工程质量安全监督站助理工程师
俞　忠	海东市乐都区供销合作社联合社秘书
梁增辉	平安县三合镇人民政府副镇长
乔国林（土族）	民和县中川乡人民武装部部长
李成斌（藏族）	四川元顺建筑工程有限公司青海办事处经理
杨　鹏（藏族）	海南州建筑设计室助理工程师
洛藏尼玛（藏族）	兴海县地方志编纂委员会办公室主任
赵启龙	格尔木市住房和城乡建设局规划室主任
井发军	都兰县建设和交通局局长
郭　睿	都兰县审计局局长
杨雪莲（女）	中共玉树州纪律检查委员会监察室副主任
东治才仁（藏族）	中共玉树州委宣传部副部长兼三江源报社社长
永丁达哇（藏族）	中共玉树州委统战部统战科副科长
仁青才仁（藏族）	中共玉树州委政法委副书记
才华太（藏族）	中共玉树州委政法委维稳办副主任
昝学龙（藏族）	玉树州机构编制管理办公室主任
张兴文	玉树州机构编制管理办公室综合科科长
向晓黎	中共玉树州委党校行政科副科长
弋旺嘎（藏族）	玉树州人民政府副秘书长
尖措扎西（藏族）	玉树州人民政府教育督导室副主任
马尕桑杰（藏族）	玉树州人民政府办公室秘书科科员
李存青（藏族）	玉树州检察院政治部副主任
更嘎桑旦（藏族）	玉树州经济和商务委员会副调研员
马兴魁（回族）	玉树州民族宗教事务委员会宗教科科长
桑　丁（藏族）	玉树州交警支队玉树市直属大队大队长
尼玛战斗（藏族）	玉树州人力资源和社会保障局就业培训科科长

才　亚（女，藏族）	玉树州国土资源局办公室主任
李家峰	玉树州水利局规划建设科科长
李万业	玉树州农牧局农业科科长
罗松旦争（藏族）	玉树州审计局办公室科员
张玉梅（女）	玉树州统计局统计科主任科员
伊宝群（藏族）	玉树州工商行政管理局局长
才　旦（藏族）	玉树州林业局林业科科长
马广超	玉树市仲达乡中心寄宿制学校教师
格　扎（藏族）	玉树州红十字会常务副会长
晁增显	中共玉树市委员会副书记
普　样（女，藏族）	中共玉树市哈秀乡委员会副书记
文德扎西（藏族）	中共玉树市团结村灾后重建建设工作委员会书记
阿　才（藏族）	玉树市结古镇日澳格村党支部书记
旦珍才加（藏族）	玉树市巴塘乡上巴塘村党支部书记
才仁扎西（藏族）	玉树市人民政府副市长
更求加（藏族）	玉树市发展和改革局住房领导小组办公室主任
尼玛才仁（藏族）	玉树市城乡区域民族特色打造领导小组办公室副主任
才　文（藏族）	玉树市城市管理局局长
江尕求培（藏族）	玉树市统计局职工
索昂颜培（藏族）	玉树市国土资源局副局长
扎　样（女，藏族）	玉树市上拉秀乡人民政府副乡长
格来昂布（藏族）	玉树市卫生局科员
尼　嘎（藏族）	玉树市工商行政管理局副局长
张卫民	中共称多县委政法委办公室主任
才仁昂布（藏族）	称多县人民政府副县长
才扎西（藏族）	称多县自来水站站长
江永尼玛（藏族）	称多县东程寺民主管理委员会主任
昂文丁达（藏族）	称多县称文镇下庄村村民
杨晓伟	治多县人民政府办公室主任
才仁青梅（藏族）	治多县公安局副局长
刘胜利	中共杂多县昂赛乡委员会副书记
拉巴永措（女，藏族）	杂多县萨呼腾镇兽医站站长
才旺仁增（藏族）	囊谦县住房和城乡建设局副局长
巴桑旦周（藏族）	中共曲麻莱县委员会办公室科员
达　求（藏族）	曲麻莱县佛教协会秘书长

扎西达吉（藏族）	共青团玉树州委玉树红飘带志愿服务队队长
魏文强	中国医学科学院肿瘤医院科研处副处长（援青干部）
王志宗	中国电信股份有限公司玉树分公司网运部电信工程建设主管
朱占武（回族）	中国移动通信集团青海有限公司玉树分公司网络部经理
王兴顺	青海省电力公司玉树电网灾后重建筹建处副主任
李增焉	青海省水利水电工程有限责任公司项目经理
阿启仁（蒙古族）	青海水利水电勘测设计研究院江海监理公司副经理
蔡芝锋	青海省疾病预防控制中心主管医师
张德军	青海春辉建筑工程有限公司项目经理
张礼寿	青海一建建筑工程有限责任公司项目经理
祁佩军（白族）	青海金安建设工程有限公司项目经理
蔡宝山	青海海北紫恒建设工程有限公司项目经理
银　嘎（藏族）	玉树宾馆有限责任公司总经理

二、事迹

谢宏敏（女） 1967 年 3 月出生，河北省任丘市人，中共党员，中共青海省委组织部干部监督处处长。

重建期间，谢宏敏深入州县有关部门、11 个建委会和省内外 21 家援建企业等项目单位和施工现场，落实工作任务，摸清工作现状，完成工程管理、市政对接、房屋分配、拆帐入住以及干部在岗履职情况等百余项督查督办任务。

2014 年 1 月，人力资源社会保障部、国家发展改革委、国务院国资委、解放军总政治部授予谢宏敏“玉树地震灾后恢复重建先进个人”称号。

王若冰 1977 年 10 月出生，湖北省黄梅县人，中共党员，青海省发展和改革委员会固定资产投资处副处长。

重建期间，王若冰参与组织编制《玉树灾后重建项目锁定册》《玉树灾后重建目标责任年度分解表》《灾后重建项目设备投资比例的通知》《玉树灾后重建收费优惠政策》等指导性文件；组织爱心人士，向玉树州囊谦县白扎乡尕尔寺希望小学捐献价值 4000 多元的过冬鞋袜及学习用品。

2014 年 1 月，人力资源社会保障部、国家发展改革委、国务院国资委、解放军总政治部授予王若冰“玉树地震灾后恢复重建先进个人”称号。

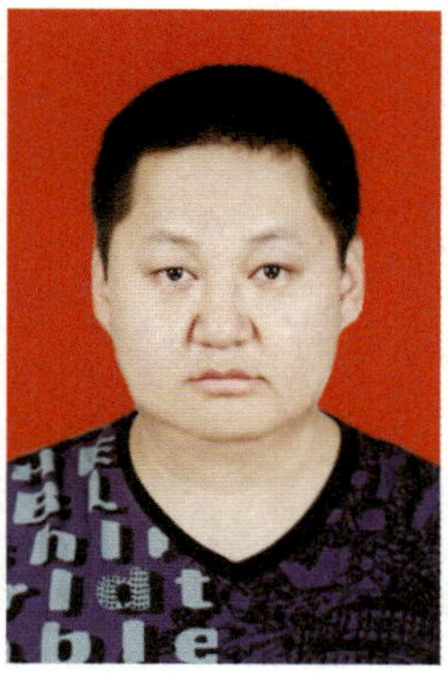

王亚楠　1981年出生，青海省循化县人，中共党员，青海省经济委员会盐务管理局主任科员。

重建期间，王亚楠协调省交通厅、玉树州政府、省公安厅等部门和地区，及时采取有效措施，确保道路畅通安全。协调省电力公司、省水利水电集团、玉树州政府，最低限度保障玉树重建电力需要。协调省通信管理局、青海移动、电信和联通所属玉树分公司，围绕“应急抢险、恢复保障、灾后重建”三项重点任务开展通信保障服务工作。

2014年1月，人力资源社会保障部、国家发展改革委、国务院国资委、解放军总政治部授予王亚楠“玉树地震灾后恢复重建先进个人”称号。

范培友　1973年11月出生，陕西省石泉县人，中共党员，青海省公安厅治安警察总队特警工作指导支队支队长。

重建期间，范培友组织全省8支公安特警队的400名特警队员，完成维护灾区社会治安、安全警卫、路面巡逻任务，配合当地公安机关积极开展道路交通整治、重要路段设卡检查、抢险救灾等，为交通畅通做了大量工作。

2014年1月，人力资源社会保障部、国家发展改革委、国务院国资委、解放军总政治部授予范培友“玉树地震灾后恢复重建先进个人”称号。

闫党生　1956年7月出生，湖南省石门县人，中共党员，青海省民政厅救灾救济处主任科员。

重建期间，闫党生承担承建项目的前期梳理，及时反馈现场施工项目进度、影响施工因素等情况。配合监理单位督促施工单位安全生产、文明生产，确保项目优质安全高效完成。

2014年1月，人力资源社会保障部、国家发展改革委、国务院国资委、解放军总政治部授予闫党生“玉树地震灾后恢复重建先进个人”称号。

李积庆　1959年12月出生，青海省海东市乐都区人，中共党员，青海省财政厅经济建设处处长。

重建期间，李积庆组织制定《玉树灾后重建资金管理办法》等一系列规章制度，多次就重建资金政策及重建工作存在的资金缺口问题向财政部进行专题汇报，争取财政部政策和资金支持。

2014年1月，人力资源社会保障部、国家发展改革委、国务院国资委、解放军总政治部授予李积庆“玉树地震灾后恢复重建先进个人”称号。

贾建青 1960年11月出生，河北省灵寿县人，中共党员，青海省环境监察总队主任科员。

重建期间，贾建青重点对玉树地区砖厂、砂石料场等地材生产企业进行定期环保专项检查，督促相关援建单位制订环保施工方案和检查考核体系，做好施工现场的扬尘防治、煤烟污染防治、水源保护和建筑垃圾安全处置等工作。

2014年1月，人力资源社会保障部、国家发展改革委、国务院国资委、解放军总政治部授予贾建青“玉树地震灾后恢复重建先进个人”称号。

王有云 1979年4月出生，青海省互助县人，中共党员，青海省住房和城乡建设厅城市建设处主任科员。

重建期间，王有云主要担负灾后重建项目计划、规划设计、方案审查、工程进度控制、竣工验收、质量监管以及协调、督办、政策细化解释等工作。他始终坚守在灾后重建第一线，积极主动地做好各项工作。

2014年1月，人力资源社会保障部、国家发展改革委、国务院国资委、解放军总政治部授予王有云“玉树地震灾后恢复重建先进个人”称号。

王得元 1963年11月出生，青海省海东市乐都区人，中共党员，青海省畜牧总站办公室主任。

重建期间，王得元在蔬菜栽培和品种引进中做了大量具体的技术指导工作。督导中建集团按期完成玉树州艺术中心、玉树州委办公楼、玉树州政府办公楼及结古镇滨河观光大道等建设工程。协调解决中建集团施工队修建结古镇滨河观光大道过程中遇到的技术问题。

2014年1月，人力资源社会保障部、国家发展改革委、国务院国资委、解放军总政治部授予王得元“玉树地震灾后恢复重建先进个人”称号。

段霄江 1964年12月出生，山西省武乡县人，中共党员，青海省审计厅固定资产投资审计处处长。

重建期间，段霄江兼任玉树灾后恢复重建联合审计组业务三组组长，承担灾后重建跟踪审计任务，平均每月近20天在重建一线工作。他在审计中注重实地查看、调查取证，加班加点测算造价，对学校、医院、市政等公建项目造价指标进行测算，为政府和主管部门控制灾后重建投资规模提供重要的参考，确保“一保一促”审计目标的实现。

2014年1月，人力资源社会保障部、国家发展改革委、国务院国资委、解放军总政治部授予段霄江“玉树地震灾后恢复重建先进个人”称号。

高平　1966 年 7 月出生，黑龙江省齐齐哈尔市人，中共党员，青海省统计局固定资产投资统计处处长。

重建期间，高平带领投资处制定《玉树地震灾后恢复重建进展情况统计工作实施方案》，按月上报国务院重建协调小组《重建进展统计专报》22 期，完成玉树地震灾害损失评估和灾区常住人口住房需求调查工作。

2014 年 1 月，人力资源社会保障部、国家发展改革委、国务院国资委、解放军总政治部授予高平“玉树地震灾后恢复重建先进个人”称号。

景鹏峰　1977 年 10 月出生，甘肃省通渭县人，中共党员，青海省红十字会赈济救护部主任科员。

重建期间，景鹏峰协调中国红十字会系统在玉树灾区投入重建项目资金 2.3 亿元，对接捐建项目 92 个。实地调研项目点的需求，将重建资料及影视图片及时公示，为捐赠者及时提供项目进展情况。

2014 年 1 月，人力资源社会保障部、国家发展改革委、国务院国资委、解放军总政治部授予景鹏峰“玉树地震灾后恢复重建先进个人”称号。

杨风龙　1966 年 6 月出生，青海省民和县人，回族，青海省公路建设管理局项目办主任。

重建期间，杨风龙组织人员多次对沿线所有桥梁和盖板涵进行排查，修筑便道，对沉陷严重路段进行养护，在有条件的路段设置 377 处临时停车港湾，铺筑沥青路面 178 千米，加固桥梁 40 座、危涵 139 道，修建沙砾路面 17 千米、钢便桥 103 米（1 座），累计投入人员 11.41 万人次、机械设备 2.58 万台班。

2014 年 1 月，人力资源社会保障部、国家发展改革委、国务院国资委、解放军总政治部授予杨风龙“玉树地震灾后恢复重建先进个人”称号。

张培海　1966 年 10 月出生，山东省烟台市牟平区人，中共党员，青海省通信工程质量监督中心副主任。

重建期间，在张培海的带领下，各项通信设施重建项目全部顺利完成，形成以国道 214、省道 308 为主线的环形网，通过通信资源共建共享、3 家电信运营公司资源互换，通信保障能力大大增强。

2010年6月，张培海被中共青海省委授予“玉树抗震救灾优秀共产党员”称号。2014年1月，人力资源社会保障部、国家发展改革委、国务院国资委、解放军总政治部授予张培海“玉树地震灾后恢复重建先进个人”称号。

索昂代吉（女） 1980年3月出生，青海省玉树州人，藏族，中共党员，青海省无线电管理办公室玉树管理处监测站站长。

重建期间，索昂代吉草拟、协助草拟文件90余份、其他文字材料21份。完成震前集资房灾后安置3项数据的统计归类，协助完成1676套集资房按5种户型落位、1050套廉租房和550套公租房按2种户型在扎西科组团落位等工作。

2014年1月，人力资源社会保障部、国家发展改革委、国务院国资委、解放军总政治部授予索昂代吉“玉树地震灾后恢复重建先进个人”称号。

姚斌 1973年5月出生，甘肃省通渭县人，青海日报社州地市记者管理部驻玉树记者站记者。

重建期间，姚斌的采访范围覆盖所有重建现场，累计行程达30多万千米，完成大电网进玉树、灾后重建十大标志性工程建设、灾后重建三年时间节点、灾后重建大会战、四大央企及北京、辽宁重建进程等系列报道，撰写各类新闻稿件近千篇，字数达30多万字。

2014年1月，人力资源社会保障部、国家发展改革委、国务院国资委、解放军总政治部授予姚斌“玉树地震灾后恢复重建先进个人”称号。

李盛华 1966年2月出生，青海省民和县人，土族，中共党员，西宁市信访局局长。

重建期间，李盛华担任援建杂多县灾后恢复重建指挥部副指挥长，主要负责西宁市各项援建工作的组织协调工作，督促完成农牧民及城镇居民住房、教育卫生、公共服务、市政基础设施、社会管理、文化体育建设等方面的58个重点援建项目。

2014年1月，人力资源社会保障部、国家发展改革委、国务院国资委、解放军总政治部授予李盛华“玉树地震灾后恢复重建先进个人”称号。

高峻龙　1976 年 7 月出生，陕西省白水县人，西宁市城乡规划设计研究院规划所所长。

重建期间，高峻龙参与《杂多县城重建总体规划》《吉乃滩新区重建详细规划》《昂赛乡重建规划》的编制和杂多县所有项目建筑单体的审查工作，为杂多县各施工单位提供规划技术咨询及服务工作。

2014 年 1 月，人力资源社会保障部、国家发展改革委、国务院国资委、解放军总政治部授予高峻龙“玉树地震灾后恢复重建先进个人”称号。

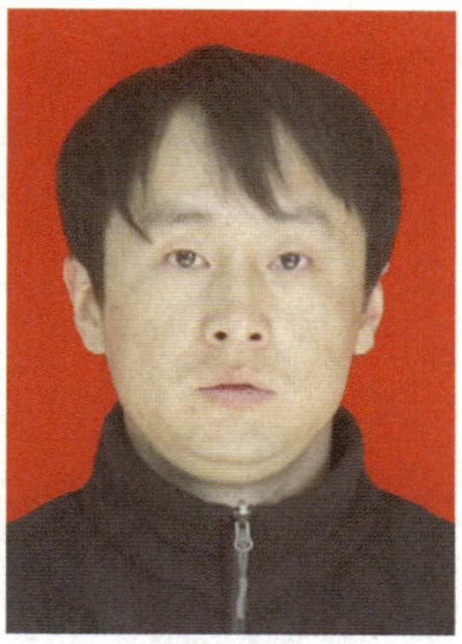

杨玺春　1984 年 5 月出生，青海省大通县人，民盟盟员，西宁市建设工程质量安全监督站助理工程师。

重建期间，杨玺春协助指挥部处置 30 余起农民工工资及工程合同纠纷问题，参与 40 余次工程质量安全专项检查，制发质量安全整改（停工）意见书 170 份，提出质量验收整改意见 50 项。

2014 年 1 月，人力资源社会保障部、国家发展改革委、国务院国资委、解放军总政治部授予杨玺春“玉树地震灾后恢复重建先进个人”称号。

俞忠　1984 年 2 月出生，青海省海东市乐都区人，中共党员，海东市乐都区供销合作社联合社秘书。

重建期间，俞忠担任乐都区援建玉树州称多县灾后恢复重建办公室秘书，长期驻守在重建一线，制定《乐都区驻称多县称文镇援建工作方案》《乐都区援建项目质量安全奖惩办法》等规章制度，报送信息 132 篇。

2014 年 1 月，人力资源社会保障部、国家发展改革委、国务院国资委、解放军总政治部授予俞忠“玉树地震灾后恢复重建先进个人”称号。

梁增辉　1966 年 9 月出生，青海省平安县人，中共党员，平安县三合镇人民政府副镇长。

重建期间，梁增辉担任平安县援建称多县称文镇办公室主任，带领平安县全体援建人员完成称文镇 158 户城乡居民住房建设和总投资 1.2 亿元的称多县干部周转房等公建项目。

2014 年 1 月，人力资源社会保障部、国家发展改革委、国务院国资委、解放军总政治部授予梁增辉“玉树地震灾后恢复重建先进个人”称号。

乔国林　1974年4月出生，青海省民和县人，土族，中共党员，民和县中川乡人民武装部部长。

重建期间，乔国林担任民和县援建办公室副主任。在他的带领下，全体援建人员完成总投资2862.2万元、建筑面积1.58万平方米的农牧民住房工程。现场召开各类工程安全质量专题会议50次，制发质量安全整改通知书35份。解决各类矛盾纠纷160起，妥善处置群体性突发事件1起，排除各类安全隐患8起。

2014年1月，人力资源社会保障部、国家发展改革委、国务院国资委、解放军总政治部授予乔国林“玉树地震灾后恢复重建先进个人”称号。

李成斌　1962年4月出生，甘肃省天祝县人，藏族，中共党员，四川元顺建筑工程有限公司青海办事处经理。

重建期间，在李成斌的带领下，该公司在9个月内完成称多县民族中学占地面积10万平方米、总投资1.4亿元的建设项目，创造了一星期一层楼的建设速度。

2014年1月，人力资源社会保障部、国家发展改革委、国务院国资委、解放军总政治部授予李成斌“玉树地震灾后恢复重建先进个人”称号。

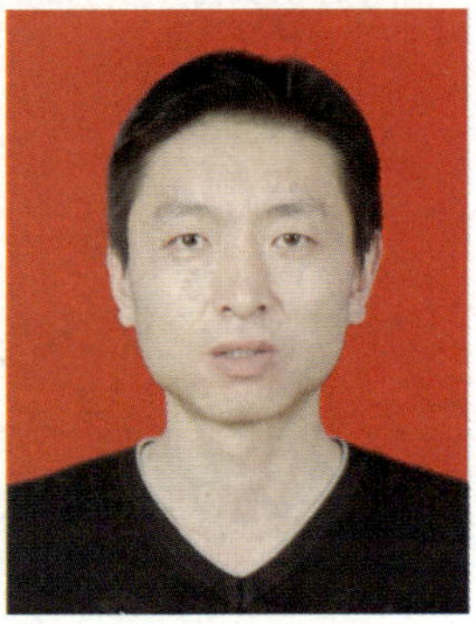

杨鹏　1982年5月出生，青海省贵德县人，藏族，中共党员，海南州建筑设计室助理工程师。

重建期间，杨鹏负责灾后恢复重建项目技术指导和各施工队的协调工作，实地检查工程进度，及时督促整改存在的问题。他克服严重的高原反应，带病坚持工作，因表现突出，在灾后恢复重建一线加入中国共产党。

2014年1月，人力资源社会保障部、国家发展改革委、国务院国资委、解放军总政治部授予杨鹏“玉树地震灾后恢复重建先进个人”称号。

洛藏尼玛　1967年9月出生，青海省湟中县人，藏族，中共党员，兴海县地方志编纂委员会办公室主任。

重建期间，洛藏尼玛担任海南州援建玉树灾区恢复重建现场指挥部临时党支部书记、综合协调组组长。他积极做好沟通衔接工作，及时了解掌握援建工作任务，明确工作重点和工作程序，做好工程进度统计管理，为现场指挥部决策提供可靠依据，并在多家媒体、报刊上宣传海南援建风采，取得了较好的社会效益。

2014年1月，人力资源社会保障部、国家发展改革委、国务院国资委、解放军总政治部授予洛藏尼玛“玉树地震灾后恢复重建先进个人”称号。

赵启龙　1976年12月出生，青海省湟中县人，中共党员，格尔木市住房和城乡建设局规划室主任。

重建期间，赵启龙与青海906工程地质勘查设计院、青海省建筑勘查设计院等单位协调联系，广泛征求治多县委、县政府和省州相关部门的意见建议，保证工程地质勘探、可行性研究报告、建设方案、编制和施工图设计等工作顺利开展。

2014年1月，人力资源社会保障部、国家发展改革委、国务院国资委、解放军总政治部授予赵启龙“玉树地震灾后恢复重建先进个人”称号。

井发军　1968年5月出生，青海省湟中县人，中共党员，都兰县建设和交通局局长。

重建期间，井发军担任海西州援建治多县指挥部副指挥长，主要负责项目设计规划、招投标工程、建筑施工、工程进度等工作。他主动邀请治多县有关部门开展工程建设监督检查，及时纠正存在的问题，强化工程质量管理。积极协调治多县有关部门，妥善解决农民工的工资拖欠问题，维护社会稳定，推进援建工程的全面完成。

2014年1月，人力资源社会保障部、国家发展改革委、国务院国资委、解放军总政治部授予井发军“玉树地震灾后恢复重建先进个人”称号。

郭睿　1970年3月出生，湖北省武汉市人，中共党员，都兰县审计局局长。

重建期间，郭睿先后起草并制定《指挥部会计出纳制度》《指挥部财务工作管理办法》《指挥部现金报销办法》《指挥部差旅费报销办法》。同时，根据《青海省灾后重建项目资金管理办法》制定《指挥部项目资金管理办法》。三年间，由他在重建资金银行票据上填写“海西州支援玉树州治多县灾后重建指挥部”这一名称达几千次，由他经手的近10亿元的资金每三天和银行对账一次从来一分不差。

2014年1月，人力资源社会保障部、国家发展改革委、国务院国资委、解放军总政治部授予郭睿“玉树地震灾后恢复重建先进个人”称号。

杨雪莲（女） 1962年12月出生，青海省互助县人，中共党员，中共玉树州纪律检查委员会监察室副主任。

重建期间，杨雪莲以大局为重，参与政策宣传、征地拆迁、拆危清墟、住房建设等工作，出色地完成加吉娘社区740户2960人的受灾群众登记、房屋登记、过冬棉帐篷等救灾物资的发放和600余万元各类补助金的发放任务。

2014年1月，人力资源社会保障部、国家发展改革委、国务院国资委、解放军总政治部授予杨雪莲“玉树地震灾后恢复重建先进个人”称号。

东治才仁 1974年12月出生，青海省湟中县人，藏族，中共党员，中共玉树州委宣传部副部长兼三江源报社社长。

重建期间，东治才仁组织开通玉树新闻网和“温暖玉树”政府微博网站，加大对外界宣传力度，使玉树新闻网成为省内外、国内外读者了解玉树重建进程的重要窗口和人们查询玉树信息的网上数据库。

2014年1月，人力资源社会保障部、国家发展改革委、国务院国资委、解放军总政治部授予东治才仁“玉树地震灾后恢复重建先进个人”称号。

永丁达哇 1980年9月出生，青海省玉树州人，藏族，中共党员，中共玉树州委统战部统战科副科长。

重建期间，永丁达哇承担全州寺院灾后恢复重建资料收集工作，从立项批复到24项施工前期手续、各类合同的收集、整理、分类，按照“一寺一档”的原则，建立了全州92座寺院的重建档案，对寺院重建资金进行核算，为寺院重建数据的统计、汇总奠定了坚实的基础。

2014年1月，人力资源社会保障部、国家发展改革委、国务院国资委、解放军总政治部授予永丁达哇“玉树地震灾后恢复重建先进个人”称号。

仁青才仁 1955年8月出生，青海省玉树州人，藏族，中共党员，中共玉树州委政法委副书记。

重建期间，仁青才仁组织制定《专项行动实施方案》，建立健全州、县、乡三级维稳和矛盾纠纷调处工作机制，完善矛盾纠纷排查调处网络建设，加强督促检查，从源头上预防和减少矛盾纠纷，有力地维护社会稳定。同时，坚持到一线调查研究，先后在多家媒体和刊物发表5篇调研报告。

2014年1月，人力资源社会保障部、国家发展改革委、国务院国资委、解放军总政治部授予仁青才仁“玉树地震灾后恢复重建先进个人”称号。

才华太　1972年8月出生，青海省尖扎县人，藏族，中共党员，中共玉树州委政法委维稳办副主任。

重建期间，才华太对“4·14”周年活动、两项政策落地、征地拆迁工作、撤帐入住、虫草采集管理、大型法会等重大事项、重大活动进行社会稳定风险评估，形成社会稳定风险评估报告16份，撰写《灾后重建时期社会稳定工作方案》《灾后重建时期突发事件应急预案》等160多份规范性文件。

2014年1月，人力资源社会保障部、国家发展改革委、国务院国资委、解放军总政治部授予才华太“玉树地震灾后恢复重建先进个人”称号。

昝学龙　1963年12月出生，青海省大通县人，藏族，中共党员，玉树州机构编制管理办公室主任。

重建期间，昝学龙针对灾后恢复重建工作中急需成立相关机构的实际，与有关部门协调沟通，并及时向省编办提出关于请求增设相关机构的建议。3年间，先后争取到本州公检法司专项编制340名、机关行政编制315名、教育卫生事业编制2877名、地震遇难人员补充招录计划59名，促进了灾后重建工作顺利开展。

2014年1月，人力资源社会保障部、国家发展改革委、国务院国资委、解放军总政治部授予昝学龙“玉树地震灾后恢复重建先进个人”称号。

张兴文　1966年11月出生，青海省平安县人，中共党员，玉树州机构编制管理办公室综合科科长。

重建期间，张兴文配合完成2300户商住房和2111套商铺的分配工作，下达商住房扩面、商铺资金3.8亿元。

2014年1月，人力资源社会保障部、国家发展改革委、国务院国资委、解放军总政治部授予张兴文“玉树地震灾后恢复重建先进个人”称号。

向晓黎 1963年6月出生，河南省南阳市人，中共党员，中共玉树州委党校行政科副科长。

重建期间，向晓黎在承担重建督查督办工作中，采取明察与暗访、全面督查与重点督查、发现问题与跟踪问效“三结合”方式，对项目进展、施工力量组织、工程施工管理等阶段性工作进行跟踪督查督办，先后召开现场对接协调会20余次，解决各类问题50多件，对施工企业反映的近100个问题全部督办销号。起草督办通知156期、督办专报10多期、特别提醒函90期。

2014年1月，人力资源社会保障部、国家发展改革委、国务院国资委、解放军总政治部授予向晓黎“玉树地震灾后恢复重建先进个人”称号。

弋旺嘎 1955年8月出生，青海省玉树州人，藏族，中共党员，玉树州人民政府副秘书长。

重建期间，弋旺嘎带领参建人员完成民宅单体建筑、公共建筑、景观景点风貌打造设计规划、审查、指导、督导等工作，协助中国科学院编纂《结古镇统规自建区景观风貌控制细则》，主持编制《结古镇统规自建区景观风貌控制实施细则》《玉树县城乡院落设计效果图》《玉树县城乡宅门院墙实施细则》和《玉树县周边村镇民宅院落实施细则及设计效果图》等。

2014年1月，人力资源社会保障部、国家发展改革委、国务院国资委、解放军总政治部授予弋旺嘎“玉树地震灾后恢复重建先进个人”称号。

尖措扎西 1972年6月出生，青海省玉树州人，藏族，玉树州人民政府教育督导室副主任。

重建期间，尖措扎西与青海省公安厅等多部门协调联系，先后安全运送转移师生6.45万人次，安排车次1420余台次。其间，没有发生一起交通事故，没有造成一名学生伤亡、丢失、遗漏等问题，确保玉树重灾区初中以上学校师生安全转移到异地复课。

2014年1月，人力资源社会保障部、国家发展改革委、国务院国资委、解放军总政治部授予尖措扎西“玉树地震灾后恢复重建先进个人”称号。

马尕桑杰　1986年5月出生，青海省玉树州人，藏族，预备党员，玉树州人民政府办公室秘书科科员。

重建期间，马尕桑杰对重建政策、州委州政府重点工作及各类重要数据、指标熟记于心，工作踏实，业务熟练，得到干部职工一致好评。

2014年1月，人力资源社会保障部、国家发展改革委、国务院国资委、解放军总政治部授予马尕桑杰“玉树地震灾后恢复重建先进个人”称号。

李存青　1972年12月出生，青海省玉树州人，藏族，中共党员，玉树州人民检察院政治部副主任。

重建期间，李存青严格遵守各项纪律，严抓交通治安等工作，使结古镇恢复重建期间的交通环境得到改善，受到领导和群众的好评。

2014年1月，人力资源社会保障部、国家发展改革委、国务院国资委、解放军总政治部授予李存青“玉树地震灾后恢复重建先进个人”称号。

更嘎桑旦　1955年6月出生，青海省玉树州人，藏族，中共党员，玉树州经济和商务委员会副调研员。

重建期间，更嘎桑旦深入结古地区的工业、金融、商贸、电信、宾馆、建筑、石油等企业，对企业注册、经营范围、职工人员、固定资产、基础设施、土地产权、资产处理、规划拆迁、登记补偿、规划安置等情况进行全面系统的调查了解，全面掌握了震前各类企业的基本情况，为玉树州产业恢复重建提供可靠依据。

2014年1月，人力资源社会保障部、国家发展改革委、国务院国资委、解放军总政治部授予更嘎桑旦“玉树地震灾后恢复重建先进个人”称号。

马兴魁　1965年5月出生，青海省玉树州人，回族，中共党员，玉树州民族宗教事务委员会宗教科科长。

重建期间，马兴魁起草各类规章制度和文件80余份、会议纪要22份、工作信息70余份。建立相关基础数据统计报告制度，确保灾后重建领导小组及其办公室各项工作的有效运转。

2014年1月，人力资源社会保障部、国家发展改革委、国务院国资委、解放军总政治部授予马兴魁“玉树地震灾后恢复重建先进个人”称号。

桑丁　1963年6月出生，青海省玉树州人，藏族，中共党员，玉树州交警支队玉树市直属大队大队长。

重建期间，在桑丁的带领下，该大队协调修建及修复各种简易桥、便道及受损道路359千米，保障援建车辆正常通行2.6万台次。保障一级警卫任务13起、二级警卫任务43起、三级以下警卫任务125起，处理重特大交通事故23起。编印发放藏汉双语交通宣传册1.6万册、宣传光盘3600余张，义务巡回宣讲89次。

2014年1月，人力资源社会保障部、国家发展改革委、国务院国资委、解放军总政治部授予桑丁“玉树地震灾后恢复重建先进个人”称号。

尼玛战斗　1974年1月出生，青海省玉树州人，藏族，中共党员，玉树州人力资源和社会保障局就业培训科科长。

重建期间，尼玛战斗协调多方恢复全州医疗保险医疗费用报销系统，完成玉树县东风村灾情统计工作，协助扎西大同北建委会开展撤帐入住工作，实现240多户群众提前撤帐入住的目标。

2014年1月，人力资源社会保障部、国家发展改革委、国务院国资委、解放军总政治部授予尼玛战斗“玉树地震灾后恢复重建先进个人”称号。

才亚（女）　1965年4月出生，青海省玉树州人，藏族，中共党员，玉树州国土资源局办公室主任。

重建期间，才亚负责查勘规划选点工作，但在途中遭遇车祸，造成脊椎局部骨折。她在尚未痊愈的情况下毅然坚持在第一线工作，受到领导和群众的好评。

2014年1月，人力资源社会保障部、国家发展改革委、国务院国资委、解放军总政治部授予才亚“玉树地震灾后恢复重建先进个人”称号。

李家峰　1964年6月出生，江苏省丰县人，中共党员，玉树州水利局规划建设科科长。

重建期间，李家峰日夜坚守在施工现场进行督导、检查、指导工作，共完成11个大项、40个小项的水利基础设施和防洪安全工程有关工作。

2014年1月，人力资源社会保障部、国家发展改革委、国务院国资委、解放军总政治部授予李家峰“玉树地震灾后恢复重建先进个人”称号。

李万业　1968 年 2 月出生，青海省海东市乐都区人，中共党员，玉树州农牧局农业科科长。

重建期间，李万业参与编写《玉树州地震灾后农村牧区建设规划》《玉树州灾后设施农牧业发展规划》，为灾后恢复重建工作奠定了基础。

2014 年 1 月，人力资源社会保障部、国家发展改革委、国务院国资委、解放军总政治部授予李万业“玉树地震灾后恢复重建先进个人”称号。

罗松旦争　1978 年 10 月出生，青海省玉树州人，藏族，中共党员，玉树州审计局办公室科员。

重建期间，罗松旦争按照审计署提出的“规范救灾、廉政救灾、阳光救灾、有序救灾”要求，根据省审计厅制订的《玉树抗震救灾资金和物资审计工作方案》，认真进行抗震救灾跟踪审计工作，出色地完成各项审计工作任务。

2014 年 1 月，人力资源社会保障部、国家发展改革委、国务院国资委、解放军总政治部授予罗松旦争“玉树地震灾后恢复重建先进个人”称号。

张玉梅（女）　1971 年 4 月出生，陕西省洋县人，中共党员，玉树州统计局统计科主任科员。

重建期间，张玉梅在现行固定资产投资统计的基础上，结合灾后重建实际，增加各部门、各对口单位上报的统计报表，并与现行国民经济行业分类进行衔接，制定《玉树灾后重建投资统计制度》《玉树州数据统计中心工作管理条例》《玉树州数据统计中心工作目标》，使报表的数据和质量得到保证。

2014 年 1 月，人力资源社会保障部、国家发展改革委、国务院国资委、解放军总政治部授予张玉梅“玉树地震灾后恢复重建先进个人”称号。

伊宝群　1969 年 2 月出生，青海省玉树州人，藏族，中共党员，玉树州工商行政管理局局长。

重建期间，伊宝群带领全州工商系统干部职工狠抓流通环节食品安全监管、稳定市场物价和建材市场监管，扎实开展案件查办工作。安排实施影响施工经营户拆迁、入新居撤帐篷、清理占道经营等各项联合执法工作，多次完成上级交办的艰巨任务。

2014 年 1 月，人力资源社会保障部、国家发展改革委、国务院国资委、解放军总政治部授予伊宝群“玉树地震灾后恢复重建先进个人”称号。

才旦 1979 年 7 月出生，青海省玉树州人，藏族，中共党员，玉树州林业局林业科科长。

重建期间，才旦参与编制《玉树地震灾后恢复重建生态修复专项规划》《玉树结古镇造林绿化项目实施方案》《玉树灾后重建 19 个乡镇村容村貌建设工程造林绿化项目实施方案》等；完成结古镇造林绿化一期工程 120 公顷，栽植各类苗木 189 万株；完成结古镇造林绿化二期工程 13.79 公顷和结古镇区裸露地块造林绿化 1.01 万公顷。

2014 年 1 月，人力资源社会保障部、国家发展改革委、国务院国资委、解放军总政治部授予才旦“玉树地震灾后恢复重建先进个人”称号。

马广超 1984 年 8 月出生，山东省泰安市人，中共党员，玉树市仲达乡中心寄宿制学校教师。

重建期间，马广超联系中国香港爱心人士，为囊谦县瓦作、麦曲小学的孩子募捐一批过冬棉衣和教具。他先后被评为 2012 年度玉树好人、山东省道德模范、山东省五四青年奖章获得者、全国百名优秀志愿者，并在 2013 年当选团中央第十七届全国代表大会代表。

2014 年 1 月，人力资源社会保障部、国家发展改革委、国务院国资委、解放军总政治部授予马广超“玉树地震灾后恢复重建先进个人”称号。

格扎 1978 年 12 月出生，青海省称多县人，藏族，中共党员，玉树州红十字会常务副会长。

重建期间，格扎组建由 400 多名医疗卫生行业职工组成的玉树州红十字会志愿者队伍，使得玉树州红十字会发展成为一支拥有 6 个红十字分会、740 余名会员的组织机构。为 280 名白内障患者实施免费复明手术，为 780 名烫伤患者进行免费检查。

2010 年 8 月，中共青海省委、青海省人民政府、青海省军区授予格扎“全省抗震救灾模范”称号。2014 年 1 月，人力资源社会保障部、国家发展改革委、国务院国资委、解放军总政治部授予格扎“玉树地震灾后恢复重建先进个人”称号。

晁增显　1965 年 4 月出生，青海省海东市乐都区人，中共党员，中共玉树市委员会副书记。

重建期间，晁增显围绕灾后重建的重点、难点、热点问题及时展开调查研究，先后制定《住房扩面及商铺资金收缴办法》《关于治理整顿结古镇区乱搭乱建及强化镇区改（扩）建、新建等住房建设管理工作方案》以及《两河景观核心四片区配套政策》等，为推动重建工作做出了应有的努力。

2014 年 1 月，人力资源社会保障部、国家发展改革委、国务院国资委、解放军总政治部授予晁增显“玉树地震灾后恢复重建先进个人”称号。

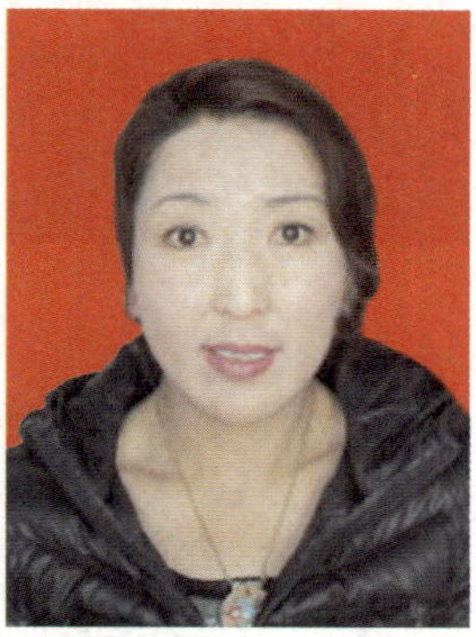

普样（女）　1975 年 10 月出生，青海省玉树州人，藏族，中共党员，中共玉树市哈秀乡委员会副书记。

重建期间，普样带领工作人员先后开展拆危清墟、征地拆迁、规划安置、住房建设、商铺建设、风貌打造、质量整改、环境整治、资金收缴等一系列工作，受到群众的好评。

2014 年 1 月，人力资源社会保障部、国家发展改革委、国务院国资委、解放军总政治部授予普样“玉树地震灾后恢复重建先进个人”称号。

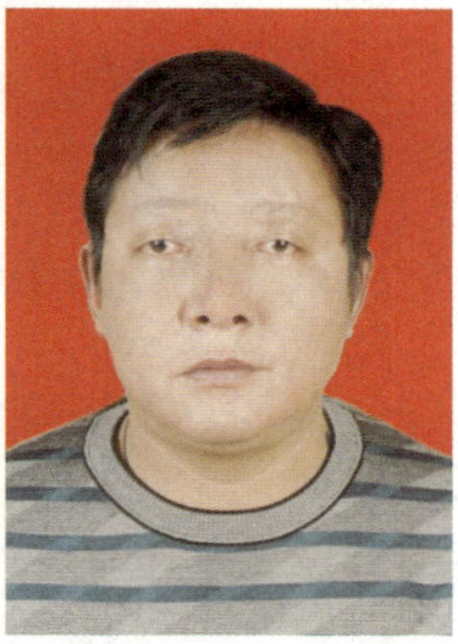

文德扎西　1966 年 1 月出生，青海省玉树州人，藏族，中共党员，中共玉树市团结村灾后重建建设工作委员会书记。

重建期间，文德扎西在灾后普查统计、征地拆迁、住房建设、市政建设、撤帐入住、环境整治、资金收缴等各项工作中做出了积极的贡献。认真做好团结村辖区群众的诉求、与央企援建单位之间存在的有关重建事项的对接工作。在时间节点内完成团结村建委会 1172 户统规自建区安居住房重建和统规统建琼龙住宅组团 1400 余户住房建设任务。

2013 年，文德扎西被中国铁建玉树地震灾后重建指挥部评为“优秀共产党员”。2014 年 1 月，人力资源社会保障部、国家发展改革委、国务院国资委、解放军总政治部授予文德扎西“玉树地震灾后恢复重建先进个人”称号。

阿才　1951 年 1 月出生，青海省玉树市人，藏族，中共党员，玉树市结古镇日澳格村党支部书记。

重建期间，阿才在院落规划工作中耐心细致地给群众讲解公摊及统一规划的有关政策，协助设计人员绘制援建户的户型图，完成本辖区有房户和空地的院落划线工作。他每天深入工地一线，认真统计工程进展情况，监督工程质量，经常和业主委员会及户主沟通，了解并协调解决房屋建设中存在的问题，为加快工程进度奠定了基础。

2014 年 1 月，人力资源社会保障部、国家发展改革委、国务院国资委、解放军总政治部授予阿才“玉树地震灾后恢复重建先进个人”称号。

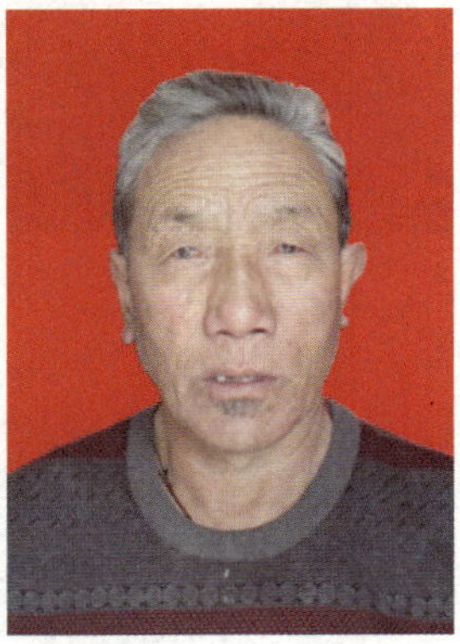

旦珍才加 1944 年 6 月出生，青海省玉树市人，藏族，中共党员，玉树市巴塘乡上巴塘村党支部书记。

重建期间，旦珍才加调查了解 270 户巴塘村重灾户情况，组织党员、村社干部义务为群众砌墙、补缝，加快了全村重建的进度，让村民提前住进安全的房屋。

2014 年 1 月，人力资源社会保障部、国家发展改革委、国务院国资委、解放军总政治部授予旦珍才加“玉树地震灾后恢复重建先进个人”称号。

才仁扎西 1970 年 6 月出生，青海省玉树州人，藏族，中共党员，玉树市人民政府副市长。

重建期间，才仁扎西果断处理果青村因草山纠纷问题引发的群体性上访事件，依法拆除三江源商贸城、中心大酒店等敏感建筑，圆满完成灾后一证多户房屋核查工作，为灾后重建节省近亿元资金，有力保障重建工作的顺利推进。

2014 年 1 月，人力资源社会保障部、国家发展改革委、国务院国资委、解放军总政治部授予才仁扎西“玉树地震灾后恢复重建先进个人”称号。

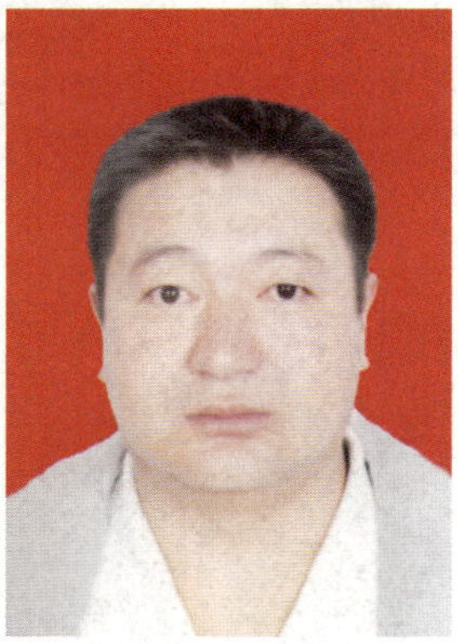

更求加 1975 年 6 月出生，青海省玉树州人，藏族，中共党员，玉树市发展和改革局住房领导小组办公室主任。

重建期间，更求加带领西杭管委会干部群众维护灾区秩序，发放救灾物资，积极开展生产生活自救，使灾后重建工作稳步推进。

2014 年 1 月，人力资源社会保障部、国家发展改革委、国务院国资委、解放军总政治部授予更求加“玉树地震灾后恢复重建先进个人”称号。

尼玛才仁　1970 年 11 月出生，青海省玉树州人，藏族，中共党员，玉树市城乡区域民族特色打造领导小组办公室副主任。

重建期间，尼玛才仁认真履行重建职责，编制和整理建筑、院墙、宅门的传统风貌设计图册。他经常深入施工现场，指导援建单位把握地域建筑特色，突出玉树人文与自然特点。

2014 年 1 月，人力资源社会保障部、国家发展改革委、国务院国资委、解放军总政治部授予尼玛才仁“玉树地震灾后恢复重建先进个人”称号。

才文　1966 年 8 月出生，青海省玉树州人，藏族，中共党员，玉树市城市管理局局长。

重建期间，才文为禅古村落实一个 710 万元的灾后重建扶贫项目，投产运营后实现年利润 450 余万元。协调解决 115 个市政事业编制，组织修订和编制 8 家市政公司管理运营方案。

2014 年 1 月，人力资源社会保障部、国家发展改革委、国务院国资委、解放军总政治部授予才文“玉树地震灾后恢复重建先进个人”称号。

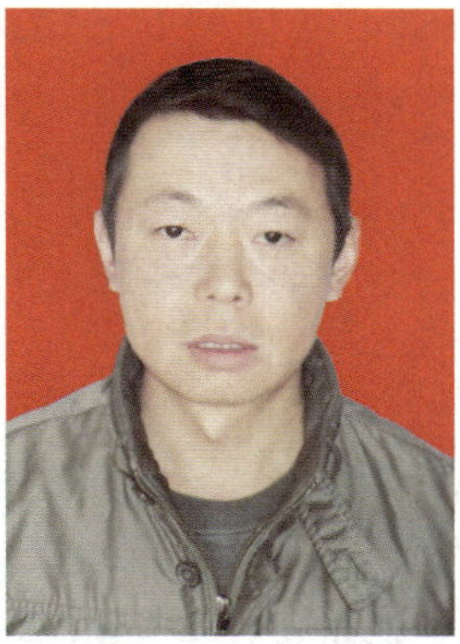

江尕求培　1931 年 5 月出生，青海省玉树州人，藏族，中共党员，玉树市统计局职工。

重建期间，江尕求培负责编制各类数据表格，第一时间制作出数据中心网页，应用计算机技术科学管理灾后重建数据信息，为重建工作提供及时准确的数据支持。

2014 年 1 月，人力资源社会保障部、国家发展改革委、国务院国资委、解放军总政治部授予江尕求培“玉树地震灾后恢复重建先进个人”称号。

索昂颜培　1976 年 2 月出生，青海省玉树州人，藏族，中共党员，玉树市国土资源局副局长。

重建期间，索昂颜培协同相关业务部门，合理设置矿权，划分禁采区，对拟划定的采沙、采石场开采范围内的资源储量进行检测，核定开采规模和开采期限。在规范审批的前提下，按照“特事特办，急事急办”的原则，适当简化采矿许可证办理程序，提高工作效率。

2014 年 1 月，人力资源社会保障部、国家发展改革委、国务院国资委、解放军总政治部授予索昂颜培“玉树地震灾后恢复重建先进个人”称号。

扎样（女） 1979年1月出生，青海省玉树州人，藏族，中共党员，玉树市上拉秀乡人民政府副乡长。

重建期间，扎样负责完成辖区内530户有房户和无房户的分类登记、313户的宅基地确权、13.8公顷征地拆迁、34户回迁户的房屋分配工作。

2014年1月，人力资源社会保障部、国家发展改革委、国务院国资委、解放军总政治部授予扎样“玉树地震灾后恢复重建先进个人”称号。

格来昂布 1983年5月出生，青海省玉树州人，藏族，中共党员，玉树市卫生局科员。

重建期间，格来昂布在结古镇征地拆迁工作中采取“以街找房、以房找户”和“以市找铺、以铺找主”的方式，深入10个片区的建委会和结古镇各街道、各居民区对震前临街商铺进行全面细致的调查补登及核实确认，妥善处理和纠正漏登、重登、多登等问题。

2014年1月，人力资源社会保障部、国家发展改革委、国务院国资委、解放军总政治部授予格来昂布“玉树地震灾后恢复重建先进个人”称号。

尼嘎 1972年5月出生，青海省玉树州人，藏族，中共党员，玉树市工商行政管理局副局长。

重建期间，尼嘎认真学习中共中央和国务院关于抗震救灾的一系列政策措施，积极宣传、引导灾区群众听党指挥，服从组织安排，较好地维护了社会和谐稳定。

2014年1月，人力资源社会保障部、国家发展改革委、国务院国资委、解放军总政治部授予尼嘎“玉树地震灾后恢复重建先进个人”称号。

张卫民 1971年12月出生，青海省西宁市人，中共党员，中共称多县委政法委办公室主任。

重建期间，张卫民与重建工人同吃同住，集思广益解决高寒地区施工中存在的问题，带领大家完成尕朵乡重建居民房屋501套，建筑面积达4万余平方米。

2014年1月，人力资源社会保障部、国家发展改革委、国务院国资委、解放军总政治部授予张卫民“玉树地震灾后恢复重建先进个人”称号。

才仁昂布　1964年6月出生，青海省玉树州人，藏族，中共党员，称多县人民政府副县长。

重建期间，才仁昂布负责农牧民住房、基础设施、公共服务设施等140个项目、总投资30亿元的重建工作。他组织人员核实灾情1.2万户，摸清重建户7750户，加固房屋1543户，评估鉴定受损房屋9293套。在市政道路攻坚阶段，他自始至终驻守施工现场，及时解决问题，有效地推进工作。

2014年1月，人力资源社会保障部、国家发展改革委、国务院国资委、解放军总政治部授予才仁昂布“玉树地震灾后恢复重建先进个人”称号。

才扎西　1963年6月出生，青海省玉树州人，藏族，中共党员，称多县自来水站站长。

才扎西在县城和称文镇供水系统重建过程中，带领水站员工夜以继日地统计受损情况，制订重建规划，配合相关单位做好供水系统规划、地勘、测绘、设计、图纸审核等工作，并在公平、公正、公开的原则下，顺利完成供水系统重建招投标工作。

2014年1月，人力资源社会保障部、国家发展改革委、国务院国资委、解放军总政治部授予才扎西“玉树地震灾后恢复重建先进个人”称号。

江永尼玛　1976年5月出生，青海省玉树州人，藏族，称多县东程寺民主管理委员会主任。

重建期间，江永尼玛主动配合统战、宗教部门开展寺院经堂和僧舍重建工作，协调取消寺院正常法会外的一切活动，让全部僧人投入灾后重建工作。狠抓重建质量和进度，受到州、县统战和宗教部门好评。

2014年1月，人力资源社会保障部、国家发展改革委、国务院国资委、解放军总政治部授予江永尼玛“玉树地震灾后恢复重建先进个人”称号。

昂文丁达　1952年5月出生，青海省玉树州人，藏族，中共党员，称多县称文镇下庄村村民。

重建期间，昂文丁达面对任务艰巨、责任重大的实际，深入群众大力宣讲政策，以明显的工作成效赢得群众的理解和支持，在拆危清墟、登记核查、面积核算、资金落实等方面认真细致，得到群众的

一致好评，为全镇重建工作顺利开展奠定了基础。

2014 年 1 月，人力资源社会保障部、国家发展改革委、国务院国资委、解放军总政治部授予昂文丁达“玉树地震灾后恢复重建先进个人”称号。

杨晓伟 1973 年 9 月出生，甘肃省通渭县人，中共党员，治多县人民政府办公室主任。

重建期间，杨晓伟充分发挥综合、协调、服务职能，针对辖区群众未享受灾后重建住房的情况，向有关领导和部门反映、争取。详细了解重建工地外来农民工讨薪无果的情况，协调相关部门给予解决。面对灾后重建项目出现的质量问题，蹲守施工现场，督促整改落实。

2014 年 1 月，人力资源社会保障部、国家发展改革委、国务院国资委、解放军总政治部授予杨晓伟“玉树地震灾后恢复重建先进个人”称号。

才仁青梅 1974 年 11 月出生，青海省玉树州人，藏族，中共党员，治多县公安局副局长。

重建期间，才仁青梅根据居民住房建设需要，与建委会领导和建设小组人员积极促进居民住房建设工作。参与中铁企业灾后重建对接工作，及时提出意见和建议，组织人员参与院落确认，确保住房建设工程有序推进。

2014 年 1 月，人力资源社会保障部、国家发展改革委、国务院国资委、解放军总政治部授予才仁青梅“玉树地震灾后恢复重建先进个人”称号。

刘胜利 1982 年 11 月出生，山东省单县人，中共党员，中共杂多县昂赛乡委员会副书记。

重建期间，刘胜利深入项目建设工地，了解项目进展中存在的困难和问题，征求施工人员和群众对项目建设的意见建议，撰写调研报告 3 篇，筹划项目协调对接会 50 余场次，组织“五支队伍”开展巡回项目质量督促检查 36 次，与项目办全体工作人员编写项目建设信息 110 期。

2014 年 1 月，人力资源社会保障部、国家发展改革委、国务院国资委、解放军总政治部授予刘胜利“玉树地震灾后恢复重建先进个人”称号。

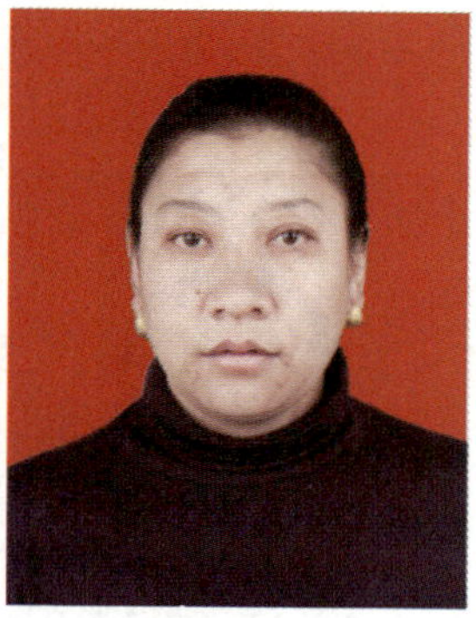

拉巴永措（女） 1972年6月出生，青海省玉树州人，藏族，中共党员，杂多县萨呼腾镇兽医站站长。

重建期间，拉巴永措带领工作人员挨家挨户普查、登记各种信息资料，与辖区回迁群众签订安置协议，开展住房面积锁定、绘制确认图等工作。同时，为自建区的市政项目对接及统建区18栋楼348套住房、13万平方米商铺分配工作提供可靠的数据，为建委会推进各项工作奠定良好的基础。

2014年1月，人力资源社会保障部、国家发展改革委、国务院国资委、解放军总政治部授予拉巴永措“玉树地震灾后恢复重建先进个人”称号。

才旺仁增 1978年3月出生，青海省玉树州人，藏族，中共党员，囊谦县住房和城乡建设局副局长。

重建期间，才旺仁增在办理涉及群众利益的事项时，始终坚持原则，对群众不理解的问题进行细致的解释和引导。在处理各类拆迁问题时深入现场，仔细取证，认真分析。在规划、拆迁和质量监督等工作中，始终坚持实事求是、密切联系群众的原则，认真细致地完成各项任务。

2014年1月，人力资源社会保障部、国家发展改革委、国务院国资委、解放军总政治部授予才旺仁增“玉树地震灾后恢复重建先进个人”称号。

巴桑旦周 1985年9月出生，青海省玉树州人，藏族，中共党员，中共曲麻莱县委员会办公室科员。

重建期间，巴桑旦周负责重建督办督查工作。他认真推行“一线工作法”，深入各建委会、各乡镇开展住房建设、征地拆迁、市政项目建设等灾后重建事宜的督查督办，及时发现和反映灾后重建工作中存在的问题，为领导决策提供依据。撰写督查专报等各类材料300余份。

2014年1月，人力资源社会保障部、国家发展改革委、国务院国资委、解放军总政治部授予巴桑旦周“玉树地震灾后恢复重建先进个人”称号。

达求 1978年8月出生，青海省玉树州人，藏族，中共党员，曲麻莱县佛教协会秘书长。

重建期间，达求较出色地完成灾后重建项目管理、资金管理、秘书、统计等多项工作。他认真严肃地对待每一项工程、每一笔拨款，始终做到工程资金程序严格、流程规范、运行安全。

2014年1月，人力资源社会保障部、国家发展改革委、国务院国资委、解放军总政治部授予达求“玉树地震灾后恢复重建先进个人”称号。

扎西达吉 1982年11月出生，青海省玉树州人，藏族，中共党员，共青团玉树州委玉树红飘带志愿服务队队长。

重建期间，扎西达吉每月组织开展环保志愿活动，并在重阳节组织志愿者慰问孤寡老人及地震中失去亲人的孤儿。

2010年，扎西达吉被共青团中央授予“优秀青年志愿者”称号。2014年1月，人力资源社会保障部、国家发展改革委、国务院国资委、解放军总政治部授予扎西达吉“玉树地震灾后恢复重建先进个人”称号。

魏文强 1971年8月出生，陕西省扶风县人，中共党员，中国医学科学院肿瘤医院科研处副处长（援青干部）。

重建期间，魏文强提出“积极创建医院文化，创新医院内部管理机制，打造专家团队和特色科室”的工作思路。编制完成符合州情、院情的震后搬迁预案和五年发展规划。

2013年，魏文强被评为“青海省首批优秀援青干部”。2014年1月，人力资源社会保障部、国家发展改革委、国务院国资委、解放军总政治部授予魏文强“玉树地震灾后恢复重建先进个人”称号。

王志宗 1978年5月出生，青海省平安县人，中共党员，中国电信股份有限公司玉树分公司网运部电信工程建设主管。

重建期间，在王志宗的带领下，中国电信玉树分公司高质量地完成结古镇全长52.5千米的五期联建通信管道工程和囊谦县、杂多县、治多县、曲麻莱县及玉树州核心机房建设工作。

2014年1月，人力资源社会保障部、国家发展改革委、国务院国资委、解放军总政治部授予王志宗“玉树地震灾后恢复重建先进个人”称号。

朱占武 1982年9月出生，青海省门源县人，回族，中国移动通信集团青海有限公司玉树分公司网络部经理。

重建期间，朱占武时刻以大局为重，积极参与通信基础恢复重建规划、工程建设等工作，完成“村村通”工程88个基站的建设任务，先后多次与当地政府和农牧民协商4个县联建管道建设、19个共建共享基站建设、临时一体化基站建设等土地征用事宜。

2014年1月，人力资源社会保障部、国家发展改革委、国务院国资委、解放军总政治部授予朱占武“玉树地震灾后恢复重建先进个人”称号。

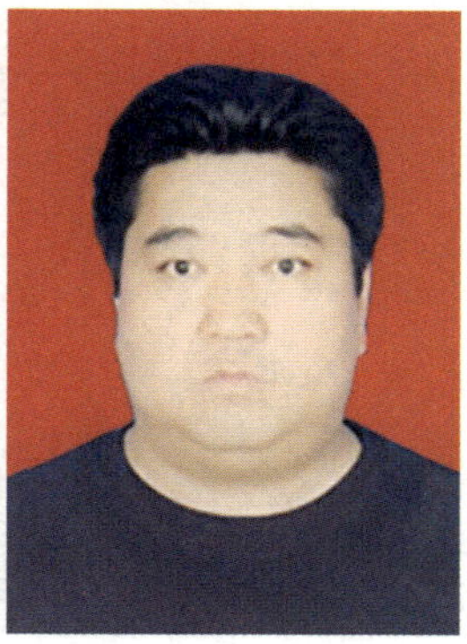

王兴顺　1972年10月出生，青海省玛沁县人，中共党员，青海省电力公司玉树电网灾后重建筹建处副主任。

重建期间，王兴顺带领电网职工优化施工组织方案，通过组织“六赛一创”劳动竞赛和“大干80天，决战八九月”“苦干60天，打赢铁塔组立攻坚战”“奋战百日，照亮玉树”三大攻坚战，全力保障工程总体进度。筹建农牧民安置点通电工程154个、通电户数1.3万户，以及5座110千伏、5座35千伏变电站、近3000千米的35千伏、110千伏输电线路等输变电工程，实现玉树、称多、囊谦3个县电网成功联网。

2014年1月，人力资源社会保障部、国家发展改革委、国务院国资委、解放军总政治部授予王兴顺“玉树地震灾后恢复重建先进个人”称号。

李增焉　1969年9月出生，青海省化隆县人，中共党员，青海省水利水电工程局有限责任公司项目经理。

重建期间，李增焉负责玉树州称多县拉布乡民居工程，建成民居166套，完成投资226万元，高质量、高标准地完成建设任务。

2014年1月，人力资源社会保障部、国家发展改革委、国务院国资委、解放军总政治部授予李增焉“玉树地震灾后恢复重建先进个人”称号。

阿启仁　1968年10月出生，青海省大通县人，蒙古族，青海水利水电勘测设计研究院江海监理公司副经理。

重建期间，阿启仁组织完成保障性供水施工以及玉树禅古新村、甘达新村、民族村、红卫村、粮油储备库等应急供水工程监理工作，确保工程质量。

2014年1月，人力资源社会保障部、国家发展改革委、国务院国资委、解放军总政治部授予阿启仁“玉树地震灾后恢复重建先进个人”称号。

蔡芝锋　1983年6月出生，云南省华坪县人，中共党员，青海省疾病预防控制中心主管医师。

重建期间，蔡芝锋始终尽职尽责，不抱怨、不叫苦、不喊累，加班加点，年处理各类公文1000份以上，筹备各类会议、领导现场调研等100次以上。

2014年1月，人力资源社会保障部、国家发展改革委、国务院国资委、解放军总政治部授予蔡芝锋“玉树地震灾后恢复重建先进个人”称号。

张德军　1970 年 10 月出生，青海省湟中县人，青海春辉建筑工程有限公司项目经理。

重建期间，张德军坚持军事化和人性化管理相结合，健全安全生产管理制度和质量保证体系，将工作责任落实到每道工序、每个工种、每个工人，严查安全隐患，杜绝事故的发生。

2014 年 1 月，人力资源社会保障部、国家发展改革委、国务院国资委、解放军总政治部授予张德军“玉树地震灾后恢复重建先进个人”称号。

张礼寿　1959 年 4 月出生，青海省西宁市人，中共党员，青海一建建筑工程有限责任公司项目经理。

重建期间，张礼寿要求班组严格按图纸设计和施工规范施工，顺利完成玉树市小苏莽乡 6 个村、27 个施工点、692 户的灾后重建施工任务，并全部通过验收。

2014 年 1 月，人力资源社会保障部、国家发展改革委、国务院国资委、解放军总政治部授予张礼寿“玉树地震灾后恢复重建先进个人”称号。

祁佩军　1978 年 10 月出生，四川省攀枝花市人，白族，中共党员，青海金安建设工程有限公司项目经理。

重建期间，祁佩军带领全体员工完成杂多县昂赛乡灾后农村住房工程和玛多县玛查理镇玛拉驿村党政军一体化建设示范村项目。

2014 年 1 月，人力资源社会保障部、国家发展改革委、国务院国资委、解放军总政治部授予祁佩军“玉树地震灾后恢复重建先进个人”称号。

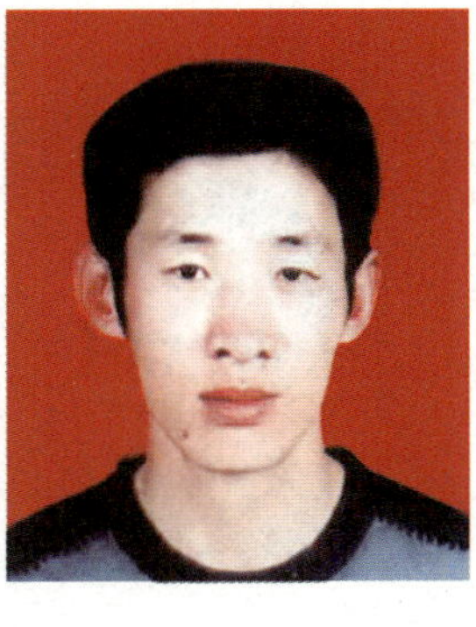

蔡宝山　1978 年 9 月出生，青海省大通县人，中共党员，青海海北紫恒建设工程有限公司项目经理。

重建期间，蔡宝山带领项目部人员 500 多人，完成农牧民住房 294 套，并全部通过工程验收。

2014 年 1 月，人力资源社会保障部、国家发展改革委、国务院国资委、解放军总政治部授予蔡宝山“玉树地震灾后恢复重建先进个人”称号。

银嘎　1972年11月出生，青海省玉树州人，藏族，中共党员，玉树宾馆有限责任公司总经理。

重建期间，银嘎配合玉树州政府做好重建期间接待任务，在玉树县结古镇投资530万余元修建玉树宾馆接待中心。为杂多、治多、玉树3个县扶贫济困、架桥修路等项目投资65.6万元。

2014年1月，人力资源社会保障部、国家发展改革委、国务院国资委、解放军总政治部授予银嘎“玉树地震灾后恢复重建先进个人”称号。

第二节　四川省

四川省共有7人受到人力资源社会保障部、国家发展改革委、国务院国资委、解放军总政治部表彰，被授予“玉树地震灾后恢复重建先进个人”称号。

一、名单（7名）

伍　强（藏族）	中共石渠县委员会书记
彭　措（藏族）	中共石渠县委农村工作领导小组办公室主任
邓光均（藏族）	石渠县教育局局长
郑守明	石渠县财政局副局长
洪　伟	石渠县交通运输局局长
柯　生（藏族）	中共石渠县洛须镇委员会书记
昂　呷（藏族）	石渠县正科乡当巴村党支部书记

二、事迹

伍强　1969年9月出生，四川省德格县人，藏族，中共党员，中共石渠县委员会书记。

重建期间，伍强带领群众完成15个重建点1432户房屋修建、2484间（群众2335间、僧房149间）受损房屋维修加固任务。投入资金536.2万元，先后建成配套村民活动中心21个，厕所、垃圾收集点43个以及压水井863眼、道路43.45千米；架设输电线路118千米、变压台区16个、入户工程1432户，建成学校13所、医疗卫生机构13所。

2014年1月，人力资源社会保障部、国家发展改革委、国务院国资委、解放军总政治部授予伍强“玉树地震灾后恢复重建先进个人”称号。

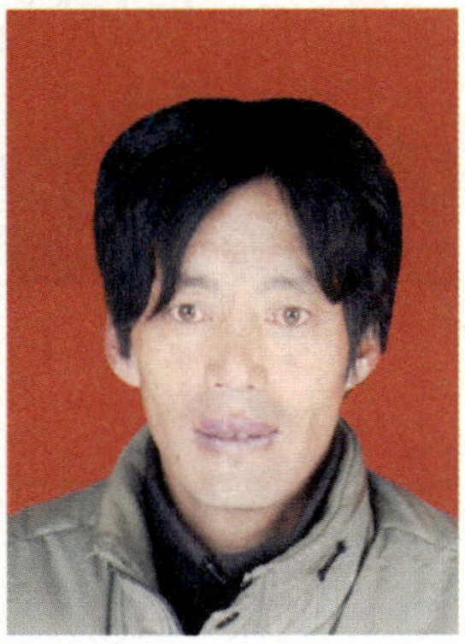

彭措　1974年6月出生，四川省丹巴县人，藏族，中共党员，中共石渠县委农村工作领导小组办公室主任。

重建期间，彭措负责建设重建点5个、709户、5.7万平方米，配套完善燃料房和围栏（院墙）709户，村民活动中心5个、2455.32平方米，厕所、垃圾收集点16处。完成压水井563眼、公用明井32眼和防洪堤2处、2300米。兴修道路23.45千米，架设输电线路88千米，安装变压台区8个、入户709户。

2014年1月，人力资源社会保障部、国家发展改革委、国务院国资委、解放军总政治部授予彭措“玉树地震灾后恢复重建先进个人”称号。

邓光均　1967年12月出生，四川省安岳县人，藏族，中共党员，石渠县教育局局长。

重建期间，邓光均始终坚守在学校的施工地点，推进度、查安全、验质量，协调处理好施工企业、民工、当地群众之间的关系，为灾后重建工程创造了良好的施工环境。他先后安排8名干部职工到重建学校蹲点，严格检查施工材料质量，掌控工程建设的过程，配合现场监理做好每一道工序的验收。严把重建资金的出口关，规范工程拨款程序，确保资金全额用于灾后恢复重建工程。

2014年1月，人力资源社会保障部、国家发展改革委、国务院国资委、解放军总政治部授予邓光均“玉树地震灾后恢复重建先进个人”称号。

郑守明　1972年11月出生，四川省泸定县人，中共党员，石渠县财政局副局长。

重建期间，郑守明同基层干部一起挨家挨户宣传重建政策，悉心解答农牧民的疑问，帮助群众充分了解国家的各项灾后重建政策，得到村民的积极响应和好评。着力解决重建资金的按期拨付问题，切实推进住房加固维修以及重建进度。

2014年1月，人力资源社会保障部、国家发展改革委、国务院国资委、解放军总政治部授予郑守明“玉树地震灾后恢复重建先进个人”称号。

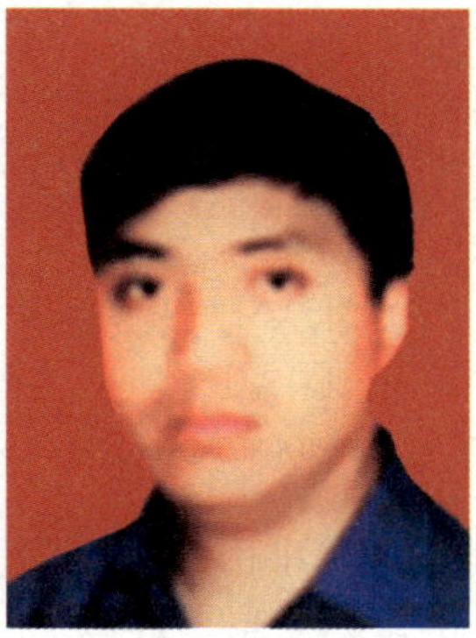

洪伟　1970年9月出生，四川省石渠县人，中共党员，石渠县交通运输局局长。

在重建过程中，洪伟带领抢险团队在短期内抢通直门达通往真达乡28千米的简易道路。由于这条简易公路又经暴雨洪水袭击和大吨位车辆日夜碾压，在距真达乡10余千米处有约50米公路路基坍塌造成道路中断，无法满足灾后重建钢筋、水泥等重建物资的运输。面对这种情况，他在最短的时间内协调机械和人员昼夜施工。通过18个日夜的全力抢修，提前12天完成抢修任务，为灾后重建工作提供有力的交通保障。

2014年1月，人力资源社会保障部、国家发展改革委、国务院国资委、解放军总政治部授予洪伟“玉树地震灾后恢复重建先进个人”称号。

柯生　1978年12月出生，四川省石渠县人，藏族，中共党员，中共石渠县洛须镇委员会书记。

重建期间，柯生走村入户，开展危房拆除动员工作，为重建工作的顺利进行奠定了良好的群众基础。组织干部群众发放帐篷180顶、棉被1386床、羽绒服200件、藏装100件、茶叶375千克、食品和饮用水31吨及其他救灾物资1655件(个),新建灾后重建房屋382幢。

2012年，柯生被中共四川省委评为“四川省优秀基层党组织书记”。2014年1月，人力资源社会保障部、国家发展改革委、国务院国资委、解放军总政治部授予柯生“玉树地震灾后恢复重建先进个人”称号。

昂呷　1959年12月出生，四川省石渠县人，藏族，中共党员，石渠县正科乡当巴村党支部书记。

在灾后重建过程中，昂呷带领全村群众开展生产自救，抢修基础设施，新建震毁房屋，圆满完成59户重建任务，受到乡党委和全村群众的一致好评。

2014年1月，人力资源社会保障部、国家发展改革委、国务院国资委、解放军总政治部授予昂呷“玉树地震灾后恢复重建先进个人”称号。

第三节　北京市

北京市共有 8 人受到人力资源社会保障部、国家发展改革委、国务院国资委、解放军总政治部表彰，被授予“玉树地震灾后恢复重建先进个人”称号。

一、名单（8 名）

赵志刚	北京市财政局国库处副调研员
王晓刚	北京市朝阳区住建委施工安全监督站干部
刘利锋	北京市延庆县井庄镇政府办公室主任
李英健	北京市城市规划设计研究院北京市城规技术服务中心干部
张卫东	北京市公路桥梁建设集团一分公司副经理
马保义	北京城建建设工程有限公司党支部书记
原　波	北京建工集团有限责任公司总承包部副经理
王　军	北京住总集团一公司总经理

二、事迹

赵志刚　1971 年 8 月出生，内蒙古自治区商都县人，中共党员，北京市财政局国库处副调研员。

重建期间，赵志刚及时拨付各类救灾周转金等灾后重建款项，最大限度地保证救灾前线的资金供给。他在既定的预算额度内，按照轻重缓急，统筹解决重点支出项目和新增项目资金需求，确保部门预算的真实性和完整性。编制年度财务决算，对各类财务账目进行清理、核实及结转，每年平均累计录入 50 余张报表，在每年参加市财政局组织的决算会审中，均一次审核合格通过。

2014 年 1 月，人力资源社会保障部、国家发展改革委、国务院国资委、解放军总政治部授予赵志刚“玉树地震灾后恢复重建先进个人”称号。

王晓刚　1982年2月出生，山东省枣庄市人，中共党员，北京市朝阳区住建委施工安全监督站干部。

王晓刚在负责隆宝镇和哈秀乡灾后重建工作中，倾力做好劳动力、建材、资金的协调保障，解决施工过程中出现的气候、环境、资源等各种问题。在原有安全质量三级管理体系的基础上，有针对性地开展防汛、消防、屋面防水等专项检查，确保114个项目全部完成初步验收，其中79个通过竣工验收。在负责结古镇市政道路及基础设施验收工作中，确定时间节点，按时竣工验收。

2014年1月，人力资源社会保障部、国家发展改革委、国务院国资委、解放军总政治部授予王晓刚“玉树地震灾后恢复重建先进个人”称号。

刘利锋　1977年10月出生，北京市延庆县人，中共党员，北京市延庆县井庄镇政府办公室主任。

重建期间，刘利锋处理各类文件2000余份，起草各类文件千余份，协调配合组织筹办各类会议500余场，协助接待领导视察慰问上百次。

2014年1月，人力资源社会保障部、国家发展改革委、国务院国资委、解放军总政治部授予刘利锋“玉树地震灾后恢复重建先进个人”称号。

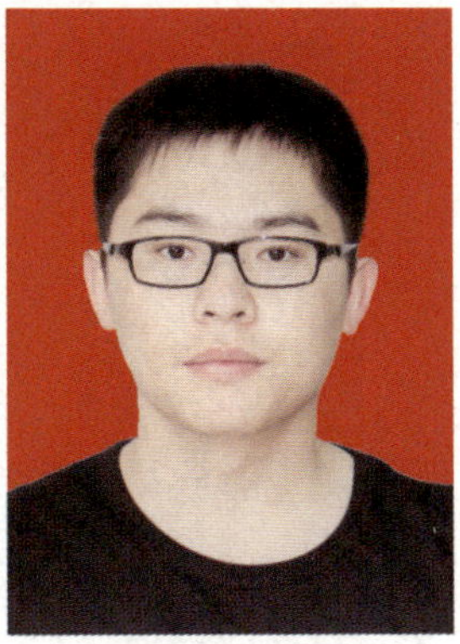

李英健　1983年5月出生，河北省南宫县人，中共党员，北京市城市规划设计研究院北京市城规技术服务中心干部。

重建期间，李英健组织北京市4家工程总承包单位、设计单位和当地政府部门就113个项目进行逐一梳理，并协调、委托6家高水平的规划设计单位，组织147名专业规划设计人员，编制完成《青海省玉树县结古镇（市）基础设施专项规划（灾后重建）道路专项规划》等7个规划，为援建项目建设提供了科学指导。

2014年1月，人力资源社会保障部、国家发展改革委、国务院国资委、解放军总政治部授予李英健“玉树地震灾后恢复重建先进个人”称号。

张卫东　1970年10月出生，北京市人，中共党员，北京市公路桥梁建设集团一分公司副经理。

重建期间，张卫东协助玉树州政府及时出台《验收工作方案》，制定《玉树援建工程质量管理办法》，每周进行一次落实情况的自查，针对质量问题和隐患提出整改建议，确保工程质量运行始终处于高标准受控状态。编制《安全生产文明施工管理办法》等，建立健全安全管理体系，实现安全生产无事故的目标。重建期间，有12项工程申报青海省“江河源杯”质量奖及北京市“长城杯”奖。供水厂、污水厂通过国家级优质工程评审。

2014年1月，人力资源社会保障部、国家发展改革委、国务院国资委、解放军总政治部授予张卫东“玉树地震灾后恢复重建先进个人”称号。

马保义 1958年3月出生，安徽省蒙城县人，中共党员，北京城建建设工程有限公司党支部书记。

重建期间，马保义组织制定和下发《关于提高青海玉树援建职工待遇的通知》。与青海省人民医院青藏救助中心联系建立援建医疗保障机构，保证每周为援建全体人员检查身体，确保援建职工身体健康。争取资金100万元搭建标准板房，为职工创造良好的工作环境，从而使工程承包部承担的12项援建任务和5项提升项目都按期保质保量完成。

2014年1月，人力资源社会保障部、国家发展改革委、国务院国资委、解放军总政治部授予马保义“玉树地震灾后恢复重建先进个人”称号。

原波 1969年5月出生，山东省烟台市人，中共党员，北京建工集团有限责任公司总承包部副经理。

重建期间，原波率领60名援建队员就援建项目的规划设计、建设标准等率先提出方案。为缓解建筑材料匮乏的状况，在灾区援建第一个砖厂，保证建筑材料的供应。坚持科学管理，重视施工技术的运用，提高机械化装备水平，严格控制施工质量，所有援建工程一次性交验合格。隆宝镇中心寄宿小学、德吉岭生态新村和隆宝镇镇区居民住房建设项目均获得北京市建筑“长城杯”奖。

2014年1月，人力资源社会保障部、国家发展改革委、国务院国资委、解放军总政治部授予原波“玉树地震灾后恢复重建先进个人”称号。

王军 1973年1月出生，北京市人，中共党员，北京住总集团一公司总经理。

在重建过程中，王军精心组织援建队伍，科学制定项目财务、合同管理、会签及施工安全质量等一系列管理制度。重视援建队伍的后勤保障，建成包括办公、食宿、会议、医疗、娱乐等在内的生活设施。坚持现场指挥，解决援建工作中遇到的重大问题，全面完成玉树县哈秀乡的重建任务。

2014年1月，人力资源社会保障部、国家发展改革委、国务院国资委、解放军总政治部授予王军“玉树地震灾后恢复重建先进个人”称号。

第四节　辽宁省

辽宁省共有 6 人受到人力资源社会保障部、国家发展改革委、国务院国资委、解放军总政治部表彰，被授予“玉树地震灾后恢复重建先进个人”称号。

一、名单（6 名）

王海涛　　辽宁省住房和城乡建设厅监察室副主任科员
杨振凯　　辽宁省建筑设计研究院院长
任韶红　　辽宁省建筑设计研究院党委书记
吕　雷　　辽宁省建筑设计研究院项目管理咨询公司技术员
吴庆宏　　辽宁省建筑设计研究院项目管理咨询公司技术员
赵　晋　　辽宁省城乡建设规划设计院技术员

二、事迹

王海涛　1978 年 2 月出生，辽宁省北票市人，中共党员，辽宁省住房和城乡建设厅监察室副主任科员。

作为辽宁省第一批奔赴玉树的援建人员之一，王海涛带领施工单位迅速建立援建基地，搭建帐篷，落实水电等基础设施。同时，及时与玉树州、玉树县和巴塘乡政府进行对接，和查勘人员一起挨家挨户开展摸底调查，行程累计 300 多千米。

2014 年 1 月，人力资源社会保障部、国家发展改革委、国务院国资委、解放军总政治部授予王海涛“玉树地震灾后恢复重建先进个人”称号。

杨振凯　1963 年 1 月出生，辽宁省庄河市人，中共党员，辽宁省建筑设计研究院院长。

在重建工作中，杨振凯主动担当，发挥专业特长，加强指导、检查、协调，圆满地完成上级交给的重建任务，确保实现辽宁省委、省政府确定的“三年任务两年基本完成”的工作目标。

2012 年 5 月，杨振凯获“全国五一劳动奖章”。2014 年 1 月，人力资源社会保障部、国家发展改革委、国务院国资委、解放军总政治部授予杨振凯“玉树地震灾后恢复重建先进个人”称号。

任韶红 1971 年 11 月出生，辽宁省辽阳市人，中共党员，辽宁省建筑设计研究院党委书记。

在重建工作中，任韶红担任辽宁省援建玉树巴塘乡前线指挥部副指挥长。接到任务后，他毫不犹豫，克服家庭困难，积极投身到玉树巴塘乡的恢复重建工作中。3 年间，始终坚持在一线工作，为援建工作做出突出贡献，得到当地政府和群众的高度评价。

2014 年 1 月，人力资源社会保障部、国家发展改革委、国务院国资委、解放军总政治部授予任韶红“玉树地震灾后恢复重建先进个人”称号。

吕雷 1987 年 6 月出生，黑龙江省海林市人，共青团员，辽宁省建筑设计研究院项目管理咨询公司技术员。

重建期间，吕雷负责灾后重建工程项目的一线监理工作，凭着高度的责任感和强烈的事业心，圆满完成青海省前线指挥部和辽宁省援建指挥部交给的监理任务，全部工程达到合格标准，且无施工安全事故，向灾区人民交上了一份满意的答卷。

2012 年 5 月，吕雷获“全国五一劳动奖章”。2014 年 1 月，人力资源社会保障部、国家发展改革委、国务院国资委、解放军总政治部授予吕雷“玉树地震灾后恢复重建先进个人”称号。

吴庆宏 1965 年 3 月出生，辽宁省沈阳市人，中共党员，辽宁省建筑设计研究院项目管理咨询公司技术员。

在援建工程项目管理中，吴庆宏根据玉树高寒缺氧、交通不便以及施工条件差等实际情况，提出各种行之有效的施工方案，从而保质、保量、按时间节点要求出色地完成援建任务。

2014 年 1 月，人力资源社会保障部、国家发展改革委、国务院国资委、解放军总政治部授予吴庆宏“玉树地震灾后恢复重建先进个人”称号。

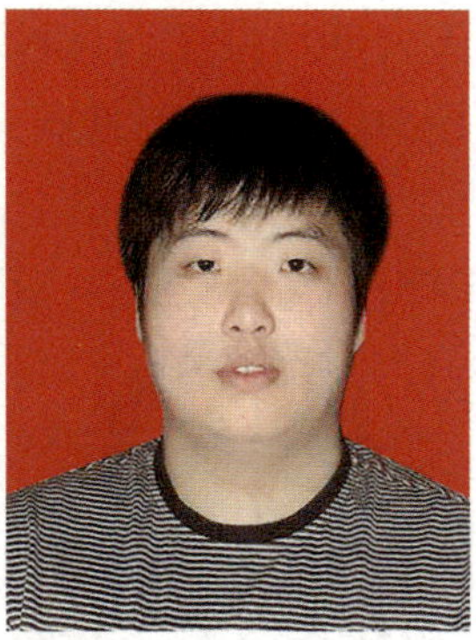

赵晋 1986年3月出生，辽宁省海城市人，共青团员，辽宁省城乡建设规划设计院技术员。

重建期间，赵晋多次与各个居民点群众沟通，征求他们的意见，解决了许多影响工程设计的问题。根据项目建设组的安排，全身心投入援建工作，多次受到省援建玉树巴塘乡指挥部的表扬与肯定。

2014年1月，人力资源社会保障部、国家发展改革委、国务院国资委、解放军总政治部授予赵晋“玉树地震灾后恢复重建先进个人”称号。

第五节 国务院玉树地震灾后恢复重建协调小组成员单位

国务院玉树地震灾后恢复重建协调小组成员单位共有4人受到人力资源社会保障部、国家发展改革委、国务院国资委、解放军总政治部表彰，被授予“玉树地震灾后恢复重建先进个人”称号。

一、名单（4名）

由 建（女）	公安部扶贫办副主任
王 仲	中国城市规划设计研究院职工
杨国峰	交通运输部公路局养护保通处处长
赵旭东	审计署投资司二处处长

二、事迹

由建（女） 1972年10月出生，河南省郑州市人，中共党员，公安部扶贫办副主任。

在灾后恢复重建工作中，由建作为公安部对口支援称多县的具体工作负责人，克服严重高原反应等各种困难，深入开展调查研究，多方协调，积极争取有关部门支持配合，全力以赴做好各项支援工作。在她的倾力推动下，共落实专项援助资金400余万元，完成受灾较为严重的珍秦镇1232户集中重建户的围墙和大门修建工作，并启动牦牛奶加工站和希望小学的援建工作，为圆满完成对口支援任务做出突出贡献。

2014 年 1 月，人力资源社会保障部、国家发展改革委、国务院国资委、解放军总政治部授予由建“玉树地震灾后恢复重建先进个人”称号。

王仲　1978 年 8 月出生，湖南省衡阳市人，中共党员，中国城市规划设计研究院职工，国家注册高级城市规划师。

王仲在玉树灾区驻场工作达 600 余天，主持和参与制定《玉树结古镇控制性详细规划》等 27 项，协调解决规划建设问题 500 余个，接待来访群众 3000 余人次，从总体规划、详细规划、项目落位、方案审查到建设实施管理，其工作几乎贯穿玉树结古镇自重建起步到全面建成的整个过程。

2013 年 4 月，王仲获“全国五一劳动奖章”。2014 年 1 月，人力资源社会保障部、国家发展改革委、国务院国资委、解放军总政治部授予王仲“玉树地震灾后恢复重建先进个人”称号。

杨国峰　1971 年 4 月出生，河北省滦南县人，中共党员，交通运输部公路局养护保通处处长。

在重建工作中，杨国峰组织地方交通运输部门抢通所有通往灾区的干线公路。组织制定《青海玉树灾后重建公路保通方案》，逐路、逐段落实公路责任单位和责任人，确保重建物资运输畅通。结合震区公路现状及灾后重建运输需求，指导开展保通工程。在灾后恢复重建的三年间未发生重大安全事故。

2014 年 1 月，人力资源社会保障部、国家发展改革委、国务院国资委、解放军总政治部授予杨国峰“玉树地震灾后恢复重建先进个人”称号。

赵旭东　1971 年 8 月出生，江苏省南京市人，中共党员，审计署投资司二处处长。

在恢复重建中，赵旭东带领兰州特派办、青海省审计厅等 7 个单位组成的玉树灾后恢复重建联合审计组，检查 300 多个重建项目，审计资金 320 亿元，占灾后重建总投资的 82%。他先后向国务院上报专题报告 10 多篇，得到中央领导的重要批示，并对《玉树灾后恢复重建总体规划》做了中期调整，确定以审计结果作为解决玉树重建资金缺口的依据。

2014 年 1 月，人力资源社会保障部、国家发展改革委、国务院国资委、解放军总政治部授予赵旭东“玉树地震灾后恢复重建先进个人”称号。

第六节 国务院国资委管理的中央企业

国务院国资委管理的中央企业共有30人受到人力资源社会保障部、国家发展改革委、国务院国资委、解放军总政治部表彰，被授予“玉树地震灾后恢复重建先进个人”称号。

一、名单（30名）

于金伟	中国建筑第八工程局有限公司工会主席
孙仕玉	中国建筑第八工程局有限公司西北公司项目总工程师
朱宝君	中国建筑第八工程局有限公司第二建设有限公司项目总工程师
薛　铁	中国建筑第八工程局有限公司青岛分公司项目总工程师
宋福华	中国建筑土木建设有限公司路桥分公司项目党支部书记
陈　彤	中建安装工程有限公司项目副经理
吴　波	中建安装工程有限公司机电安装项目经理
沈秋武	甘肃中建市政工程勘察设计研究院勘察负责人
姬虎琳	中铁建工集团有限公司经营管理部职员
张兴宁	中铁建工集团有限公司西北分公司项目经理
刘井坤	中铁工程设计院有限公司副总建筑师
卿三惠	中铁二局集团有限公司总工程师
黄　晖	中铁二局建筑有限公司玉树项目部项目经理
张　红	中铁二局集团勘测设计院有限公司副总经济师
胡明珠	中铁西北科学研究院有限公司项目经理
达文斌	中铁二十一局集团有限公司副总工程师
任宏科	中铁二十一局第四工程有限公司党委工作部部长
常军强	中铁二十一局集团有限公司成本管理部职员
卜宗举	中铁二十一局第四工程有限公司项目经理
芦志平	中铁二十一局第二工程有限公司项目副经理
乔登寿	中铁第一勘察设计院集团有限公司兰州铁道设计院副院长
张世升	中铁第一勘察设计院集团有限公司城建院建筑所所长
刘九江	中国水利水电第四工程局有限公司项目经理
王乃重	中国水利水电第四工程局有限公司四分局副经理

张智致　　中国水利水电第四工程局有限公司一分局副经理
张振宇　　中国水利水电第四工程局有限公司四分局技术主任
胡　阳　　中国水利水电第四工程局有限公司三分局副经理
刘俊国　　中国水利水电第四工程局有限公司基础分局项目技术总工
曹　奇　　中国水利水电第四工程局有限公司五分局副经理
关洪滨　　中国水利水电第四工程局有限公司七分局项目队长

二、事迹

于金伟　1965年2月出生，山东省荣成市人，中共党员，中国建筑第八工程局有限公司工会主席。

作为中建总公司玉树灾后重建指挥部副指挥长，于金伟率领全体参建员工，以“做援建先锋，为党旗添彩”为目标，通过健全的制度、完善的保障体系，确保援建工程工期、质量、安全、环保等全程受控。通过组织开展比质量、保安全、赛进度、竞文明、促环保等活动，充分调动广大援建员工的积极性、主动性和创造性，确保安冲乡农牧民住房建设、红旗小学等援建各项目标顺利实现。

2014年1月，人力资源社会保障部、国家发展改革委、国务院国资委、解放军总政治部授予于金伟“玉树地震灾后恢复重建先进个人”称号。

孙仕玉　1965年8月出生，山东省日照市人，中共党员，中国建筑第八工程局有限公司西北公司项目总工程师。

在灾后恢复重建工作中，孙仕玉和公司援建人员一起先后完成安冲乡农牧民住房、结古镇民北住宅区、玉树州红旗小学、玉树州医院等援建项目，主持完成“高原严寒地区混凝土耐久性研究”“高原地区施工与环境保护技术”“高原地区抗震施工技术研究”等6项公司级课题，解决了项目建设的一系列技术难题。他参与建设的援建项目多次获省、州、县各级质量安全检查评比第一名。玉树州人民医院项目被评为“文明示范工地”。

2014年1月，人力资源社会保障部、国家发展改革委、国务院国资委、解放军总政治部授予孙仕玉“玉树地震灾后恢复重建先进个人”称号。

朱宝君　1972 年 2 月出生，山东省济南市人，中共党员，中国建筑第八工程局有限公司第二建设有限公司项目总工程师。

重建期间，朱宝君深入灾后重建一线，坚持菜单式设计施工，加强施工前期策划、质量工期控制、安全文明施工、劳务队伍管理等一系列工作，和援建人员一起，先后完成安冲乡 1761 套农牧民住房和玉树州行政中心、机关幼儿园等项目的援建任务。州红旗小学、州行政中心获得“省级安全文明标准化样板工地”。州红旗小学、行政中心项目、州医院及州机关幼儿园均获得“工程管理奖”“工程质量奖”。

2014 年 1 月，人力资源社会保障部、国家发展改革委、国务院国资委、解放军总政治部授予朱宝君“玉树地震灾后恢复重建先进个人”称号。

薛铁　1978 年 8 月出生，河南省南阳市人，中共党员，中国建筑第八工程局有限公司青岛分公司项目总工程师。

重建期间，在援建项目设计工作中，薛铁主持规划设计的内容涵盖城乡住房、医疗教育、公共服务建筑及景观等方面的 62 项，占中建援建项目总数的 70%，建筑面积 23 万平方米。在自建区住宅项目设计中，开创性地开展“一对一”菜单式设计。特别是他主持设计的康巴艺术中心西区、玉树州妇保院、玉树唐蕃古道等公共项目获得青海省及玉树州、县的良好评价。

2014 年 1 月，人力资源社会保障部、国家发展改革委、国务院国资委、解放军总政治部授予薛铁“玉树地震灾后恢复重建先进个人”称号。

宋福华　1957 年 6 月出生，河北省衡水市人，中共党员，中国建筑土木建设有限公司路桥分公司项目党支部书记。

在援建工作中，宋福华和项目其他同事在最短的时间里建起项目部驻地。为了让员工以援建前线为家，他及时购买热水器、电视机、乒乓球台等生活文体用品，提高员工生活质量。他还决定由党支部牵头，联合工会、团支部举办各种娱乐活动，为员工集中举办集体生日，极大地调动了工人工作的积极性。注重对青年员工的培养，项目部先后有 6 名青年员工被指挥部党委吸收为中共党员。

2014 年 1 月，人力资源社会保障部、国家发展改革委、国务院国资委、解放军总政治部授予宋福华“玉树地震灾后恢复重建先进个人”称号。

陈彤　1987年12月出生，陕西省兴平县人，共青团员，中建安装工程有限公司项目副经理。

在援建工作中，陈彤带领300多名员工始终奋战在援建灾区第一线，倾心尽力加快援建任务进程。他负责的玉树县第一完全小学机电安装施工项目成为玉树第一个交付使用的工程，使玉树县民北城镇住房1200多户的99%住户具备通水通电条件，安冲乡人畜饮水工程解决5个村、11个社的人畜饮水问题。

2014年1月，人力资源社会保障部、国家发展改革委、国务院国资委、解放军总政治部授予陈彤“玉树地震灾后恢复重建先进个人”称号。

吴波　1978年6月出生，重庆市人，中建安装工程有限公司机电安装项目经理。

重建期间，吴波主要负责玉树州行政中心项目的安装工作。他组织各专业技术人员、施工班组长、工人进行技术培训，采用“图片＋文字点评”的方式进行技术交底，主持完成8万余平方米、11个单体的全部图纸，只用了内地同类同规模项目三分之一不到的时间，不仅节约了项目成本，更为工程顺利完工奠定了基础。在后续施工中，他又攻破了许多技术难题，使施工进度、质量、安全均满足各类规范要求。

2014年1月，人力资源社会保障部、国家发展改革委、国务院国资委、解放军总政治部授予吴波“玉树地震灾后恢复重建先进个人”称号。

沈秋武　1962年11月出生，陕西省岐山县人，中共党员，甘肃中建市政工程勘察设计院勘察负责人。

重建期间，沈秋武带领援建队伍先后完成安冲乡拉则、吉拉、叶吉、莱叶、布朗5个村的农牧民住房及公共建设项目的勘察工作。特别是在该乡人畜饮水工程勘察中，通过通天河畔打井寻找泉水，现场开展抽水试验以确定计算用水量，保证供水到户。他全过程、全方位参加援建任务，协调、理顺各方工作关系，尽力配合设计、施工工作，从而使援建工作创出勘察、设计、施工一体化的成功模式。

2014年1月，人力资源社会保障部、国家发展改革委、国务院国资委、解放军总政治部授予沈秋武“玉树地震灾后恢复重建先进个人”称号。

姬虎琳　1983年5月出生，陕西省榆林市人，中共党员，中铁建工集团有限公司经营管理部职员。

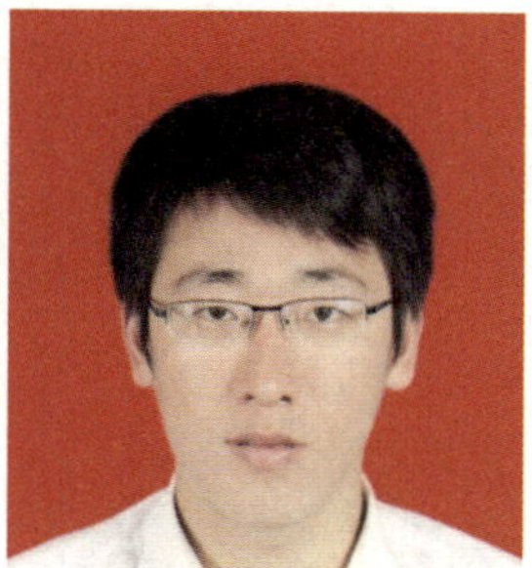

重建期间，姬虎琳负责项目报备、招投标管理、合同管理、预结算管理和经济资料管理等工作。凭借严谨细致的工作作风，从分包招标、合同签订、施工图预算、内外验工、预结算管理到成本核算，强化制度建设，出色地完成各项任务。

2014年1月，人力资源社会保障部、国家发展改革委、国务院国资委、解放军总政治部授予姬虎琳“玉树地震灾后恢复重建先进个人”称号。

张兴宁　1984年3月出生，陕西省宝鸡市人，中共党员，中铁建工集团有限公司西北分公司项目经理。

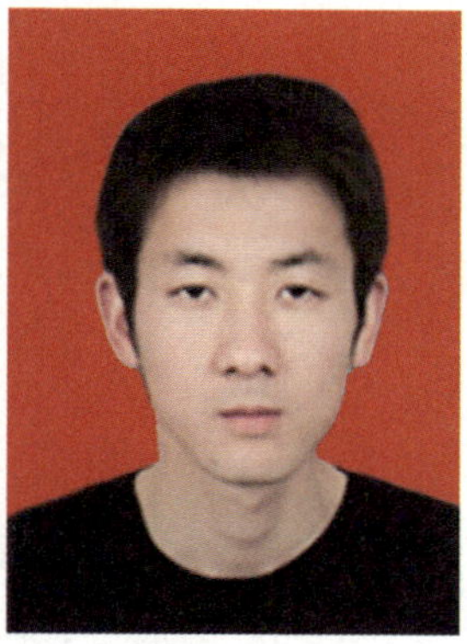

在重建中，项目部负责施工的10多万平方米的工程分布在10个不同区域。鉴此，张兴宁组织实施金字塔式的区域管理模式，层层传导责任和压力，明确奖罚措施并严格兑现，充分调动和发挥员工的主观能动性。在他的精心组织下，先后完成玉树县“920”居住组团12栋（4万平方米）的住宅楼和玉树机场市内保障基地施工任务。修建施工道路近60千米，完成下拉秀镇122套农牧民工程建设任务。他负责的项目部被青海省总工会授予“高原先锋号”称号，中华全国总工会授予项目部“全国五一劳动奖状”。

2014年1月，人力资源社会保障部、国家发展改革委、国务院国资委、解放军总政治部授予张兴宁“玉树地震灾后恢复重建先进个人”称号。

刘井坤　1973年12月出生，山东省梁山县人，民主建国会会员，中铁工程设计院有限公司副总建筑师。

重建期间，刘井坤带领现场设计部全体人员先后完成结古镇南区约90万平方米的重建任务，包括玉树县委、县政府、工商局、国税局、地税局、派出所、学校、幼儿园、医院、影剧院、图书馆、民宅等公用和民用建筑设施。玉树县第一民族中学规划方案第一个通过审查，并组织设计组进行施工图设计，确保灾后重建工作的顺利实施。

2014年1月，人力资源社会保障部、国家发展改革委、国务院国资委、解放军总政治部授予刘井坤“玉树地震灾后恢复重建先进个人”称号。

卿三惠 1956 年 2 月出生，贵州省息烽县人，中共党员，中铁二局集团有限公司总工程师。

重建期间，卿三惠调集富有高原施工经验的工程施工人员和精干高效的管理技术人员 500 余人连创 7 个第一：12 天建成办公生活驻地；玉树县第一民族中学教学楼率先开工；混凝土搅拌站作为玉树灾后重建首家拌和站投产；砂场和砖场投产；第一家实现单体工程主体封顶；完成第一民族中学教学楼主体全面封顶；西杭、胜利路二、扎南三大商住组团率先完工。

2014 年 1 月，人力资源社会保障部、国家发展改革委、国务院国资委、解放军总政治部授予卿三惠“玉树地震灾后恢复重建先进个人”称号。

黄晖 1973 年 10 月出生，四川省射洪县人，中共党员，中铁二局建筑有限公司玉树项目部项目经理。

重建期间，黄晖带领项目部全体员工先后完成扎南商住组团及扎南居民房、西杭商住组团、文成公主纪念馆、地震遗址纪念馆、农业银行、市政公司以及下拉秀镇农牧民住房等重建任务，实现施工产值 5 亿元。他所在的项目部被中华全国总工会授予“全国五一劳动奖状”。西航组团被评为“青海省标准化工地”，第一民族中学和西杭组团被集团公司评为优质工程，多项 QC 成果获得集团公司级优秀成果奖。

2014 年 1 月，人力资源社会保障部、国家发展改革委、国务院国资委、解放军总政治部授予黄晖“玉树地震灾后恢复重建先进个人”称号。

张红 1962 年 4 月出生，陕西省子长县人，中铁二局集团勘测设计院有限公司副总经济师。

重建期间，张红带领项目设计团队先后完成 20 个援建项目的前期准备工作，完成勘测设计任务 38 项，总建筑面积 50 多万平方米。完成市政道路及景区道路设计总长 22 千米，初设批复总投资约 20 亿元。他组织设计的玉树县第一民族中学项目获“2012 年度全国优秀建筑工程设计奖”，玉树县结古镇灾后重建项目工程地质勘察项目获“2013 年全国优秀工程勘察设计行业奖”。

2014 年 1 月，人力资源社会保障部、国家发展改革委、国务院国资委、解放军总政治部授予张红“玉树地震灾后恢复重建先进个人”称号。

胡明珠 1978年7月出生，甘肃省陇西县人，中铁西北科学研究院有限公司项目经理。

重建期间，胡明珠主持完成的“玉树地震遗址文物保护工程”成为玉树灾后重建的“十大标志性建筑”。特别是在设计阶段提出“钢框架与既有残损混凝土结构联合受力与变形协调”等多项技术创新成果，在施工工艺、工法革新上研制出的“新型钢柱内壁油漆滚筒刷”及“新型竖向预应力楼板加固技术”获得国家实用新型专利。

2014年1月，人力资源社会保障部、国家发展改革委、国务院国资委、解放军总政治部授予胡明珠“玉树地震灾后恢复重建先进个人”称号。

达文斌 1967年7月出生，甘肃省景泰县人，中共党员，中铁二十一局集团有限公司副总工程师。

重建期间，达文斌带领指挥部全体人员先后完成结古镇、仲达乡城镇居民住房、公共服务设施、基础设施、生态修复、特色产业和服务业、和谐家园等恢复重建项目118个，总投资30多亿元。特别是在仲达乡全长275.76米通天河大桥建设中，他带领项目部技术人员和设计人员完善设计方案和参数，提供既符合技术规范又切合现场实际的施工方案，确保了大桥顺利开工建设。

2014年1月，人力资源社会保障部、国家发展改革委、国务院国资委、解放军总政治部授予达文斌“玉树地震灾后恢复重建先进个人”称号。

任宏科 1967年6月出生，甘肃省灵台县人，中共党员，中铁二十一局第四工程有限公司党委工作部部长。

重建期间，任宏科撰写编发《应急快报》32期，组织协调新闻媒体记者撰写反映职工会战的长篇通讯3篇，全国各大媒体网站刊登稿件达155篇。他坚持每周出一期工作简报，每天在集团公司网站“玉树灾后重建”栏目发表一篇新闻稿件，成为外界了解中国铁建援建玉树重建工作的一个重要窗口。成功策划并组织玉树州民族中学交钥匙仪式的采访报道活动，被中央电视台等各大媒体报道。

2014年1月，人力资源社会保障部、国家发展改革委、国务院国资委、解放军总政治部授予任宏科“玉树地震灾后恢复重建先进个人”称号。

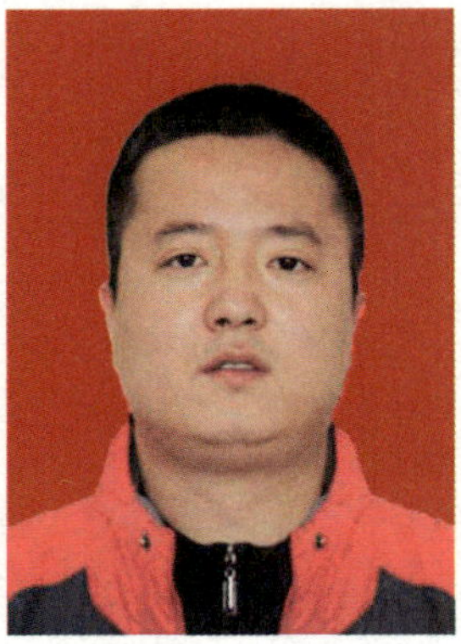

常军强 1977年5月出生，陕西省凤翔县人，中共党员，中铁二十一局集团有限公司成本管理部职员。

在援建工作中，常军强制定《工程数量及施工预算逐级审核制度》等，将施工成本按照人工费、材料费、机械费、管理费、规费等因素进行分解控制，使成本控制逐步走向规范化轨道。实行项目资金联审联签制度，依据项目进展科学计划资金使用和统筹安排，使得有限的资金发挥最大作用。建立和完善劳务合同评审制度，经过他亲自评审的复杂、疑难合同达30余份，使项目的劳务发包、劳务成本始终处于可控状态。

2014年1月，人力资源社会保障部、国家发展改革委、国务院国资委、解放军总政治部授予常军强“玉树地震灾后恢复重建先进个人”称号。

卜宗举 1968年8月出生，青海省西宁市人，中共党员，中铁二十一局第四工程有限公司项目经理。

重建期间，卜宗举对每项工程从开工准备、施工进度、质量保证、人员调度、技术支撑、后勤保障，一直到竣工交验，都进行实地查验。带领全体员工先后完成仲达乡农牧民住宅、仲达乡公建、当代组团、红卫组团城镇住宅及格萨尔广场整治和玉树州游客中心、藏医院等公共民用建筑、桥梁、道路工程等51个项目。其中，格萨尔广场项目被评为“玉树地震灾后重建文明标准化工地”。

2011年4月，卜宗举获“全国五一劳动奖章”。2014年1月，人力资源社会保障部、国家发展改革委、国务院国资委、解放军总政治部授予卜宗举“玉树地震灾后恢复重建先进个人”称号。

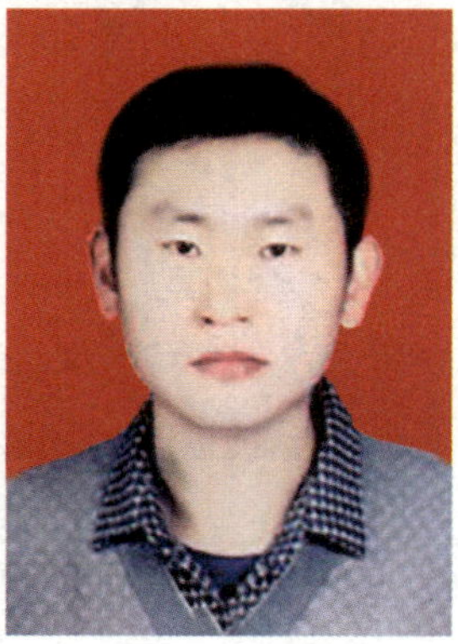

芦志平 1981年11月出生，甘肃省会宁县人，中共党员，中铁二十一局第二工程有限公司项目副经理。

在援建工作中，芦志平坚持以“建优质工程，树铁建形象”为目标，以“高起点、高标准、严要求、细管理”为出发点和落脚点。在援建工作中，事事冲在最前面，脏活重活抢着干，梳理项目、勘察地址，和地方政府相关部门协调、动员搬迁，每天工作12个小时以上。

2014年1月，人力资源社会保障部、国家发展改革委、国务院国资委、解放军总政治部授予芦志平“玉树地震灾后恢复重建先进个人”称号。

乔登寿　1964 年 2 月出生，甘肃省靖远县人，中共党员，中铁第一勘察设计院集团有限公司兰州铁道设计院副院长。

在重建工作中，乔登寿带领设计团队先后完成 696 户农牧民住房安置点、结古镇 13 个片区 4500 余户城乡居民住宅统规自建项目、琼龙小区（总建筑面积 27.7 万平方米）以及医院、学校等 10 多个项目的设计工作。特别是在仲达乡农牧民住宅安置点的规划设计中，他利用 7 天时间对 33 个村社进行实地走访，为工程顺利推进争取了极为宝贵的时间。

2014 年 1 月，人力资源社会保障部、国家发展改革委、国务院国资委、解放军总政治部授予乔登寿“玉树地震灾后恢复重建先进个人”称号。

张世升　1970 年 10 月出生，甘肃省白银市人，中共党员，中铁第一勘察设计院集团有限公司城建院建筑所所长。

重建期间，张世升担任玉树灾后重建项目总体设计负责人，并兼任院内专家组成员。他先后奔赴玉树 25 次，负责完成玉树州藏医院、琼龙路住宅小区、州法院、州公安局、州特警支队、特殊教育学校、康巴风情街北区等工程项目、建筑面积近 50 万平方米的设计任务。带领项目组创造了 20 天完成 107 栋住宅楼（27 万平方米）土建施工图的玉树纪录。

2014 年 1 月，人力资源社会保障部、国家发展改革委、国务院国资委、解放军总政治部授予张世升“玉树地震灾后恢复重建先进个人”称号。

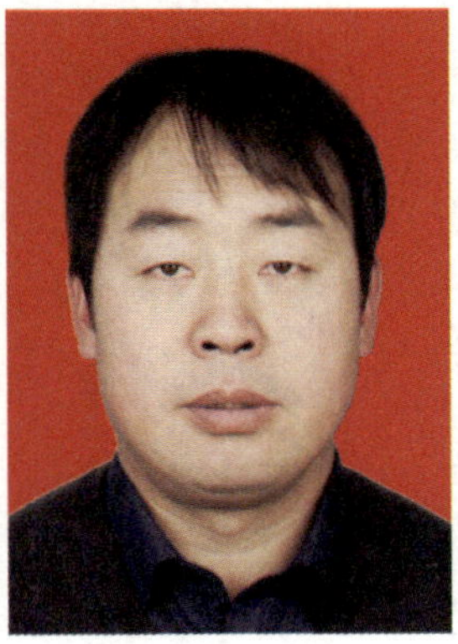

刘九江　1974 年 9 月出生，甘肃省白银市人，中共党员，中国水利水电第四工程局有限公司项目经理。

重建期间，刘九江带领全体援建人员紧紧围绕各年度重建任务目标，强化组织管理，抢抓施工进度，保证工程质量，为包括德宁格和下西同院落式城镇住宅小区共 726 户在内的 83 个项目、1000 多栋重建项目按期完成提供了有力的技术保障，为圆满完成三年重建任务打下坚实基础。

2014 年 1 月，人力资源社会保障部、国家发展改革委、国务院国资委、解放军总政治部授予刘九江“玉树地震灾后恢复重建先进个人”称号。

王乃重 1965年9月出生，河南省偃师市人，中共党员，中国水利水电第四工程局有限公司四分局副经理。

在重建工作中，王乃重带领全体援建人员解决了征地拆迁中的一系列问题，拆迁房屋约700顶（间）、线杆400多根、站房11座，移植树木1600多棵，协调解决阻工问题达200余次，为项目建设创造了良好的外部条件。通过“创建安全文明施工示范项目部活动”，做好安全生产监督与监控、环境控制，保证施工现场未发生安全事故和机械设备故障。

2014年1月，人力资源社会保障部、国家发展改革委、国务院国资委、解放军总政治部授予王乃重“玉树地震灾后恢复重建先进个人”称号。

张智致 1966年2月出生，甘肃省永靖县人，中共党员，中国水利水电第四工程局有限公司一分局副经理。

重建期间，张智致带领工区干部职工先后完成小苏莽农牧民住房建设等33个工程项目。在小苏莽农牧民住房建设中，他创造性地提出了“填空式”安装法，在钢结构安装的同时，将电气安装、调试及时跟上，地磅房、水池、石料、沙仓及场地平整等穿插进行，15天安装运行的拌和楼创造了玉树纪录。

2014年1月，人力资源社会保障部、国家发展改革委、国务院国资委、解放军总政治部授予张智致“玉树地震灾后恢复重建先进个人”称号。

张振宇 1968年8月出生，甘肃省武威市人，中共党员，中国水利水电第四工程局有限公司四分局技术主任。

重建期间，张振宇负责第二工区所有项目的施工计划、技术方案的制订，先后主持完成唐蕃古道商业街居住组团、玉树县第三民族中学、扎西科居住组团一、青海省玉树粮食储备库项目和玉树州物流中心等18个工程项目。其中，3个项目被评选为标准化文明工地，青海省玉树粮食储备库和玉树州物流中心2个项目获得质量奖和管理奖。

2014年1月，人力资源社会保障部、国家发展改革委、国务院国资委、解放军总政治部授予张振宇“玉树地震灾后恢复重建先进个人”称号。

胡阳 1966年11月出生，四川省南充市人，中共党员，中国水利水电第四工程局有限公司三分局副经理。

重建期间，胡阳带领广大干部职工先后完成总建筑面积为1万余平方米的玉树县第四完全小学、扎村托弋社区和统规统建小区，总面积为1万余平方米的玉树州第二民族高级中学以及20万平方米的城乡居民住房和公共建筑工程等13个项目。其中，扎村托弋项目获得青海省颁发的“玉树地震灾后重建文明标准化工地”奖。

2014年1月，人力资源社会保障部、国家发展改革委、国务院国资委、解放军总政治部授予胡阳“玉树地震灾后恢复重建先进个人”称号。

刘俊国 1979年6月出生，河南省长垣县人，中共党员，中国水利水电第四工程局有限公司基础分局项目技术总工。

重建期间，刘俊国带领的援建队伍先后完成称多县歇武镇城乡住房、德宁格南组团城镇居民住房、玉树州社会福利中心、玉树县消防大队基础设施、玉树州儿童新村、扎村托弋民主路北路统规自建区工程、民族寄宿制中学学生宿舍楼、玉树县滨水商业区、当代滨水休闲区、玉树县新建路社区综合服务站等12个项目，打赢了一场又一场攻坚战。

2014年1月，人力资源社会保障部、国家发展改革委、国务院国资委、解放军总政治部授予刘俊国“玉树地震灾后恢复重建先进个人”称号。

曹奇 1961年9月出生，浙江绍兴市人，中共党员，中国水利水电第四工程局有限公司五分局副经理。

重建期间，曹奇带领援建人员先后完成歇武镇农牧民住房工程、东尼格排洪渠工程、10千伏线路架设工程和“三江源”防火器材库、扎西科组团干部职工周转房、扎西科组团城镇居民住房、扎西科派出所、城西区街道办事处和卫生服务中心、唐蕃古道商住组团以及玉树州新华书店、文化站、赛马场等10多个援建工程任务。特别是他主持援建的赛马场建设项目，获青海省抗震救灾指挥部“优秀工程管理奖”。

2011年4月，曹奇获得“全国五一劳动奖章”。2014年1月，人力资源社会保障部、国家发展改革委、国务院国资委、解放军总政治部授予曹奇“玉树地震灾后恢复重建先进个人”称号。

关洪滨　1976年9月出生，青海省西宁市人，中共党员，中国水利水电第四工程局有限公司七分局项目队长。

重建期间，关洪滨主要承担扎三市政建设和农牧民住房建设任务。他带领分局全体人员始终以技术指导生产，以安全生产促进技术改进，以质量安全控制成本、增进效益，以身作则带好年轻员工，在短短3个月时间取得浇筑道路7500多米的骄人业绩。在农牧民住房重建中，他通过到牧民家中走访和现场情况摸排的形式，发现许多现实问题并通过现场办公一一进行解决，为施工的顺利进行提供了便利。

2014年1月，人力资源社会保障部、国家发展改革委、国务院国资委、解放军总政治部授予关洪滨“玉树地震灾后恢复重建先进个人”称号。

第七节　解放军和武警部队

解放军和武警部队共有3人受到人力资源社会保障部、国家发展改革委、国务院国资委、解放军总政治部表彰，被授予“玉树地震灾后恢复重建先进个人”称号。

一、名单（3名）

李小鹏　青海省军区后勤部基建营房处助理员
王洪军　兰州军区机关营区综合整治办公室工程师
曹文昊　武警交通第一总队一支队后勤处副处长

二、事迹

李小鹏　1977年10月出生，陕西省合阳县人，中共党员，青海省军区后勤部基建营房处助理员。

重建期间，李小鹏具体负责援建工程的筹划组织、工程管理等工作，先后完成包括52个单位的50个营区新建98个单体、18项附属配套工程的任务，总投资10.7亿多元。17次深入8个军分区、43个县级人武部和9个营连级单位实地调研，核实62个单位439栋37.56万平方米的老旧营房建设项目。拟制省军区部队灾后恢复重建实施方案等 10 余份；40 余次参与指导所属单位施工招标评标工作，发现 25 家投标企业的违规行为，有力促进了重建工作的健康发展。

2014 年 1 月，人力资源社会保障部、国家发展改革委、国务院国资委、解放军总政治部授予李小鹏“玉树地震灾后恢复重建先进个人”称号。

王洪军　1971 年 10 月出生，陕西省南郑县人，中共党员，兰州军区机关营区综合整治办公室工程师。

援建期间，王洪军带领指战员先后完成玉树州八一医院、玉树抗震救灾军地联合指挥中心等重大工程的建设任务。其中，玉树州八一医院投资 2.1 亿元，建设 1.8 万平方米、6 个单体，配置完善医疗净化、高压供氧等系统工程及核磁共振等大型医疗器材 2 万余件（套），被兰州军区评为“AAA 级安全文明工程”“优质工程一等奖”。

2014 年 1 月，人力资源社会保障部、国家发展改革委、国务院国资委、解放军总政治部授予王洪军“玉树地震灾后恢复重建先进个人”称号。

曹文昊　1978 年 1 月出生，甘肃省天水市人，中共党员，武警交通第一总队一支队后勤处副处长。

重建期间，曹文昊带领官兵先后完成国道 214 线共和至玉树段重建工程 B8 标段项目的通天河隧道（双向总长度达 6 千米）和巴塘河大桥 1 号大桥、2 号大桥、5 号桥的施工任务。特别是在巴塘河大桥建设中，他采用防裂缝温控技术和通风路基工艺，全程采取标准化施工和质量控制，实现标准一致的精细化管理，有力地保证了施工任务的提前完成。连续 3 年获得全线质量进度第一名，先后获得业主奖励 30 余万元。

2014 年 1 月，人力资源社会保障部、国家发展改革委、国务院国资委、解放军总政治部授予曹文昊“玉树地震灾后恢复重建先进个人”称号。

第三篇
先进党组织、优秀共产党员和党员领导干部

中共中央组织部2010年7月22日印发命名表彰决定，授予青海省玉树县结古镇党委等36个基层党组织“抗震救灾先进基层党组织”称号，授予青海省玉树县结古镇甘达村党支部书记叶青等29名共产党员“抗震救灾优秀共产党员”称号，追授四川省卫生厅应急办原副主任杨勇“抗震救灾优秀共产党员”称号。

中共青海省委2010年6月21日印发《关于表彰玉树抗震救灾先进党委（党组）、先进基层党组织、优秀共产党员、优秀党员领导干部的决定》，对在玉树抗震救灾中表现突出的20个党委（党组）、56个基层党组织、134名共产党员、20名党员领导干部予以表彰，分别授予“玉树抗震救灾先进党委（党组）”“玉树抗震救灾先进基层党组织”“玉树抗震救灾优秀共产党员”“玉树抗震救灾优秀党员领导干部”称号，并追授李德业为“玉树抗震救灾优秀共产党员”。

众志成城　抗震救灾

第一章　先进党组织

第一节　中共中央组织部表彰

2010 年 7 月 22 日，中共中央组织部通报表彰 36 个青海玉树抗震救灾先进基层党组织，分别授予“抗震救灾先进基层党组织”称号。

青海省玉树县结古镇党委

青海省囊谦县着晓乡党委

青海省玉树州建设局党支部

青海省玉树县第一民族中学党支部

青海省玉树县结古镇扎西大同村党支部

青海省海西州支援玉树地震灾区前线指挥部临时党委

青海省人民医院党委

青海省民政厅玉树抗震救灾前线指挥部临时党支部

青海省交通厅结古公路段党支部

青海电视台新闻中心党支部

青海省水利水电（集团）有限责任公司党委

中央电视台新闻中心玉树抗震救灾报道一线临时党支部

国家地震灾害紧急救援队党支部

中国疾病预防控制中心党委

青海省公安消防总队党委

玉树藏族自治州公安消防支队党委

公安边防部队赴玉树抗震救灾医疗救援队临时党委

青藏铁路公司党委

中国航空集团公司中国国际航空股份有限公司西南分公司党委

国家电网公司应急指挥中心（安监部）党支部
中国电信集团公司网络运行维护事业部党总支
中国民用航空青海安全监督管理局党委
中国农业银行青海省玉树分行党委
解放军第 22 医院野战医疗队党支部
95118 部队 51 分队党支部
93856 部队 68 分队党支部
96361 部队 45 分队党委
66150 部队 60 分队党委
68303 部队 75 分队党支部
68710 部队 72 分队党支部
解放军第 153 医院野战方舱医院临时党委
武警 8653 部队 23 分队党支部
武警交通第一总队一支队一大队三中队党支部
四川省安监局、四川煤监局应急救援信息中心党总支
甘肃省兰州市公安局特警支队党委
云南省赴青海玉树抗震救灾医疗队临时党总支

第二节　中共青海省委表彰

一、先进党委（党组）

2010 年 6 月 21 日，中共青海省委决定，对在玉树抗震救灾中表现突出的 20 个党委（党组）予以表彰，分别授予“玉树抗震救灾先进党委（党组）”称号。

中共玉树州委员会
中共玉树县委员会
中共囊谦县委员会
中共曲麻莱县委员会
中共称多县人民政府党组
中共治多县人民政府党组
中共杂多县人民政府党组
中共玉树州教育局党组
中共青海省人民政府办公厅党组

中共青海省发展和改革委员会党组
中共青海省民族宗教事务委员会党组
中共青海省公安厅委员会
中共青海省民政厅党组
中共青海省财政厅党组
中共青海省国土资源厅委员会
中共青海省住房和城乡建设厅委员会
中共青海省交通厅委员会
中共青海省卫生厅党组
中共共青团青海省委员会党组
中共中国电信股份有限公司青海分公司党组

二、先进基层党组织

2010 年 6 月 21 日，中共青海省委决定，对在玉树抗震救灾中表现突出的 56 个基层党组织予以表彰，分别授予“玉树抗震救灾先进基层党组织”称号。

玉树州公安局党委
玉树州人民医院党委
玉树县结古镇党委
玉树县隆宝镇党委
囊谦县着晓乡党委
杂多县昂赛乡党委
玉树州电力公司党委
青海电信玉树州分公司党委
治多县民政局党支部
玉树州建设局党支部
玉树县工商局党支部
玉树县第一民族中学党支部
玉树州红旗小学党支部
玉树县扎西大同村党支部
西宁市公安局特警支队党委
海东地区公安局交警支队党支部
海西州支援玉树地震灾区抗震救灾前线指挥部临时党委
海南州公安局党委
海北州赴玉树抗震救灾救援队临时党支部
果洛州公安局特警大队党支部

黄南州人民医院党委
省委机要局党支部
青海日报社出版部党支部
省公安厅交通警察总队党总支
省民政厅玉树抗震救灾前线指挥部临时党支部
省司法厅律师公证管理处党支部
省环境监测中心站党支部
省建设系统抗震救灾工程救援队前线指挥部临时党支部
省交通厅结古公路段党支部
省水利水电勘测设计研究院党委
省动物疫病预防控制中心党总支
省商务厅第五党支部
省人民医院党委
青海电视台新闻中心党支部
省监狱管理局中心医院党委
青海省康复医院党总支
省红十字会备灾救灾中心党支部
省气象台党支部
中国石油青海销售公司党委
中国移动青海公司抗震救灾一线临时党支部
中国联通青海省分公司玉树抗震救灾临时党支部
省电力公司党委
西部机场集团青海机场有限公司党委
青海省水利水电（集团）有限责任公司党委
黄河电力检修工程有限公司党委
省公安消防总队党委
省公安厅警卫局党委
西宁市公安消防支队抢险救援队临时党支部
玉树州公安消防支队玉树县中队党支部
玉树军分区独立骑兵连党支部
中国人民解放军 96361 部队 51 分队党委
中国人民解放军 62213 部队 24 分队党支部
中国人民解放军 68060 部队抗震救灾应急兵站党委
武警青海总队第四支队特勤中队党支部
武警青海总队玉树州支队警通勤务汽车中队党支部
武警 8653 部队二营六连党支部

第二章　优秀共产党员和党员领导干部

第一节　中共中央组织部表彰

2010 年 7 月 22 日，中共中央组织部通报表彰 30 名抗震救灾优秀共产党员。

抗震救灾优秀共产党员一览表

表 3–1

姓名	单位职务（职业）	事迹摘录	荣誉
叶　青	青海省玉树县结古镇甘达村党支部书记	地震袭来时，叶青将雇来放牧的姑娘一把推出了屋门。就在此时，他家的房屋轰然倒塌，他的老伴永远地停止了呼吸。他带领群众迅速开展自救，被震塌的房梁砸断了 3 根肋骨，却每天只睡两三个小时，救出 116 名村民。在叶青的感召下，所有党员始终坚守在抗震救灾第一线，确保了甘达村的抗震救灾工作有序进行	
土丁朋措	青海省玉树县上拉秀乡加吉娘移民社区党支部书记	地震发生后，面对重大灾难，他顾不上照顾遇难和受伤的家人。地震后不到 1 小时，他把村里的党员、干部以及曾担任过村干部的同志都组织起来，成立加吉娘社区抗震救灾领导小组。到 4 月 17 日上午搜救工作基本结束时，共救出包括 43 名重伤员在内的 200 多名受伤群众	
才　哇	青海省玉树县结古镇扎西大同村三社社长	4 月 14 日清晨，在一阵山摇地动中才哇蒙了，回过神来他立即冲出家门去救乡亲们。在三天三夜不眠不休的紧张救人过程中，他失去 3 位亲人，却依然奋战在救灾现场，带领乡亲们救出了 20 多人，转移安置伤员近百人。72 小时黄金救援期后，他带领几十户村民在赛马场边的一处空地上搭建临时帐篷，解决了全社群众的住宿问题	
多　旺	青海省囊谦县着晓乡玨多村村民	地震发生时，多旺所住的房屋倒塌，老伴受重伤，但他依然积极帮助比自己更需要救助的群众，先后为 20 名受灾群众提供了帮助。5 名四川籍民工在地震发生时，没有抢出一件衣服，多旺想方设法找来衣服给民工穿，并让他们居住在自家的简易帐篷中。有 5 名群众因伤势过重急需赴外治疗，多旺得到消息后，发动自己亲戚，将伤员运送到飞机场	

续表 3-1

姓名	单位职务（职业）	事迹摘录	荣誉
马宝祥	青海省湟中县大才乡前沟村村民	4月14日，马宝祥听到玉树地震的消息后，毅然放下一个300万元的工程，组成了一支农民工抗震救灾抢险队奔赴灾区。截至4月19日，马宝祥和他的抢险队先后为灾区群众发放帐篷600多顶，棉衣、棉被2000多件，方便面、饮用水20000多件。同时，马宝祥将自己的两台车无偿提供给灾区红十字会作为工作用车，并给灾区群众捐助了36000多元	
索　南	曾任青海省河南蒙古族自治县赛尔龙乡尕庆村党支部书记，现为该村村民	得知玉树发生7.1级地震的消息后，他毫不犹豫地向灾区捐献了100只羊和600元现金。他将100只羊运到赛尔龙乡政府，请政府变卖成现金作为他自愿多缴纳的党费上交到组织部门。受他的影响，赛尔龙乡尕克村牧民旦增也向灾区捐献了30只羊。索南说："我们给受灾群众尽一点微薄之力，就会让他们多一份自信。"	2005年被评为"全国劳动模范"
周有全	青海省祁连县峨堡镇党委书记	地震发生后的第一时间，他就组织动员全镇各族干部群众捐款14万余元。4月17日，他和4人一起组成海北州党员领导干部抗震救灾支援队，火速赶往玉树地震救灾一线。他担任民主村社区党支部指导员，第一时间悬挂了党支部牌子，为社区23名党员佩戴了"共产党员"胸章，帐篷上插上了鲜红的党旗，使党员重新有了家，让群众吃上了"定心丸"	
韩　进	青海欣路建设工程有限公司循化工程队队长	震后不到10分钟，他迅速组织公司80多名员工建起了震后第一支民间抗震救援队，自己担任队长。在此次抗震救灾中，以党员韩进为队长的循化工程救援队，共救出8人，挖出遇难同胞遗体174具，发现和保护现金60万余元。在四川特警队的帮助和确认下，他将所有现金归还所有者或家属，得到了当地政府及藏族同胞的广泛赞誉	
王成元	青海省玉树州公安局副局长兼州交警支队支队长	地震发生后，他五天五夜几乎没有合眼，3次晕倒在工作岗位上，拖着带病的身躯，坚守在第一线。地震发生时，王成元带领队员们迅速赶到超市开始施救，由于几个小时高强度的工作，王成元晕倒在了施救现场。当他苏醒过来后，又跑到路口疏导交通，一站就是四五个小时。几名干警把晕倒的他抬到车上休息，醒来后，他还是不顾众人劝阻，依然冲在最前线	
沈万忠	青海省玉树县委常委、组织部部长	地震发生后，沈万忠第一时间想到部机关干部的安危，立即开车逐个到部里同志家中了解情况。他组织举办"玉树4·14抗震救灾火线入党仪式"，及时对25个抗震救灾片区的工作力量进行补充，先后调整13批次303人，有效保证了抗震救灾工作的正常有序开展。沈万忠带领禅古村党支部抢险队，先后从倒塌的废墟中抢救群众55名、运送重伤员130名、轻伤员340名	
文江才	青海省玉树州交通局党组书记、局长	地震发生后，还未来得及穿上外衣的文江才跑出家门，立即投入抢险救人的行列中。在短短的一个多月时间里，在省交通厅领导和有关部门的大力支持下，他组织玉树州交通系统投入人力70662人次、机械设备8333台、应急运力货车1067辆次、客车574辆次，抢修因地震损毁的公路71条、2595千米，桥梁161座、4733.86米，抢运救灾及受伤人员13835人	
郭卓玛	青海省曲麻莱县卫生与人口计划生育局局长	郭卓玛是曲麻莱县抗震突击队医疗救护队的队长。为保持医护人员以更好的精力开展救治工作，郭卓玛有计划地安排救护队队员轮流休息，而她自己平均每天只休息两三个小时。在郭卓玛的带领下，曲麻莱县医疗队先后救治伤员351名，其中重伤员24名，将5名受伤群众从死亡线上拉了回来。接受救治的群众感激地说："那个局长真是好样的，尕真切。"	
索南兰周	青海省玉树州民政局退休干部，玉树州民政局原局长	突发的灾难摧毁了他的家，也夺去了他4位亲人的生命。他用颤抖的手简单料理了家人的后事，便拖着疲惫多病的身体投入到了抗震救灾一线。看到受灾群众缺吃少穿，他把家中从废墟里刨出的食物、衣服全部送给了群众。他让在西宁的儿子购买救灾急需物品连夜赶到灾区分发给群众，而自己和家人却连一顶帐篷都没有。这就是一位老党员的崇高情怀	

续表 3-1

姓名	单位职务（职业）	事迹摘录	荣誉
圈启章	青海省民族宗教委员会宗教一处处长	地震发生后，圈启章舍小家顾大家，积极投身到抗震救灾工作中。到达灾区后，他第一时间对受灾较重的 9 座寺院、1500 多名僧人及部分宗教界上层人士进行了看望和慰问。为稳定灾区僧人和群众人心，缓解灾区的人口、交通和医疗卫生压力，他耐心细致地向灾区僧人和少数民族群众及外省僧人宣传党和政府的抗灾部署，劝返外省僧人，为灾区稳定做出了重要贡献	
杨　伟	青海省民政厅救灾物资储备中心党支部书记、副主任	地震发生后，年近 50 岁的杨伟不顾自己身患高血压，主动请缨，要求押运救灾物资赴玉树地震灾区。第一批救灾物资的到达，有效地缓解了前线指挥部空手救援的窘境，使受灾群众及时得到了救助。安全押运救灾物资抵达玉树后，他毅然决然地放弃了返回西宁的念头，与先期到达的民政厅抗震救灾工作组成员一道全身心地投入到了抗震救灾的紧张工作中	
何俊昌	新华通讯社新闻摄影编辑部社会新闻采访室主任、记者	刚到玉树，采访和生活条件非常恶劣。9 天里，何俊昌每天只能靠生吃方便面、喝矿泉水充饥解渴。他坚持每天背着 10 多千克重的器材，在灾区徒步进行采访、拍照，平均每天只能睡三四个小时。离开玉树时，他随身携带的3000多元钱，几乎全部捐了出去。何俊昌在玉树灾区整整奋战了九天八夜，共播发《杂多县志愿者在灾区奉献青春》等图片稿 31 组 200 余张	
刘江民	青海省公安消防总队党委书记、总队长	地震发生后，刘江民带领由总队机关和 7 个支队 434 名官兵组成的第一批增援部队，长途跋涉 830 多千米火速向灾区挺进，仅用 9 个小时就到达，成为首批抵达的增援力量。他精心组织、靠前指挥，带领官兵在第一时间救出被埋压群众 44 人，疏散被困群众 4105 人，抢救物资价值 1000 多万元。他及时向总指挥部提供灾区情况，为总指挥部正确判断、科学决策提供了翔实的依据	
廖锋华	广东省公安消防总队直属特勤大队一中队三级警士长	在玉树抗震救灾战斗中，廖锋华不畏艰险，连续五天五夜战斗在救援一线，先后指挥、协同救援突击队参加玉树职业技术学校等 8 个重点地区的搜救任务。在接到现场指挥部继续向西北方向村庄搜救的命令后，他冒着余震不断的危险，连续搜救 12 小时。在民族宾馆的救援过程中，一大块砖头突然滑落，他眼疾手快一把推开了战友，自己却被砸伤	
赵纯虎	云南省公安边防总队后勤部副部长	4 月 14 日至 23 日，赵纯虎克服高寒缺氧、条件艰苦、物资缺乏、时间紧迫、任务繁重等困难，组织指挥医疗队在灾区运送重伤员 216 名，救治伤病员 1527 名，为 860 名群众煮服大锅药，向受灾群众捐赠、搭建帐篷 74 顶。在开展救援期间，赵纯虎果断决策，及时将帐篷、医疗器械、药品和后勤保障物资运往玉树灾区，为救援工作争取了宝贵时间	
刘希华	解放军第 309 医院院长、党委副书记	刘希华作为总参玉树抗震救灾医疗队总指挥，带领 57 名医护人员连续奋战 26 天，接诊救治伤病员 1250 名，为 500 余名抗震部队官兵提供医疗服务。4 月 21 日，接到玉树州政府求援电话后，他带领救治小组日夜兼程 8 个多小时，沉着指挥化解途中所遇的多次险情，及时赶赴海拔 4900 多米的仲达乡歇格村实施医疗救援，亲自救治 20 多位伤病员，被藏族群众称为生命的救护神	
樊永强	新华社解放军分社记者	在 4 月 14 日玉树发生地震到 5 月 12 日近一个月时间里，樊永强不畏艰险、屡克难关，一直奔波在救援现场。先后采写文字通稿 54 篇、图片 12 幅、内参 10 篇。为及时、准确、全面地报道解放军和武警部队的救援情况，他每天平均睡眠时间不足 4 个小时，当大批媒体记者分批轮换和撤退后，他依旧在灾区奔波采访，成为抗灾一线坚守时间最长的军事记者	
高钰琪	解放军第三军医大学高原军事医学系主任、党委副书记	地震发生后，高钰琪当即率领 9 名队员迅即赶赴玉树灾区，在第一时间全力投入抗震救灾工作中。他身先士卒，始终战斗在高原疾病防治的最前线，与专家组成员一起成功救治军地高原疾病、高原反应等患者 1324 人，重症患者 36 人，制作、发放高原病防治手册及宣传挂图 10000 册（份），为救援部队和灾区群众巡诊查体 5000 余人次	

续表 3-1

姓名	单位职务（职业）	事迹摘录	荣誉
李保弟	96361 部队部队长、党委副书记	灾情发生时，李保弟正在北京进修学习，他主动请缨参战，当日返回单位率部队连夜奔赴灾区。他带领官兵深入震中最为危险、环境最为恶劣的地区，先后确定海拔 4600 米以上、距玉树县城 40 ～ 70 千米的上拉秀乡、隆宝镇、巴塘乡、禅古寺等 10 余个重点和盲点搜救区域，研究制定切实可行的救援方案，形成“小群多路、分片展开、人机结合”的搜救模式	
吴　勇	青海省玉树军分区司令员、党委副书记	地震发生后，吴勇组织玉树军分区全体官兵组成 7 个救援分队，救出了 125 名受灾群众；启动民兵营（连）应急机制，按照应急方案展开搜救；第一时间向兰州军区、青海省军区报告地震情况，为上级党委决策提供可靠依据；第一时间向全国人民汇报地震情况和开展自救互救的感人场面；第一时间为国家、军队以及地方各级指挥机构的建立提供便利条件和各种保障	
旦　增	青海省玉树军分区副政治委员、党委常委	旦增在 8 位亲属遇难、10 多位亲属受伤、自家房屋倒塌的情况下，顾全大局，毅然带领官兵投身抗震救灾一线，深入 3 个重灾区，从倒塌的房屋中救出 7 名被埋群众，并要求远在西宁的子女即刻赶赴灾区救灾。他充分发挥作为当地民族干部具有的语言通、地形熟、情况明等特长，积极协调解决救灾物资，搞好供给保障，安置受灾群众，先后 17 次给军地抗震救灾指挥部提出合理化建议	
索玉梅	解放军第 4 医院医务处副主任护师	玉树地震使索玉梅失去 4 位亲人，她强忍巨大悲痛，全力投入救治伤病员工作。58 岁的索玉梅连续两天两夜救治伤员，3 次累倒在救治现场。她主动请缨成立灾后心理辅导站，先后对 50 多名有严重心理障碍的患者进行心理疏导，使 10 余名对生活绝望的藏族同胞重新燃起生命希望，被部队官兵和各族群众亲切地称为“草原上的白衣天使”“雪域高原的格桑花”	
张雅军	四川省甘孜军分区政治委员、党委书记	张雅军率领 330 名官兵和民兵组成的抗震救灾突击队，经过 17 个小时连续奔波，成为第一个到达玉树的师级指挥机关和外省救援力量。在最为紧张的“黄金 72 小时”，他既当指挥员，又当战斗员，和其他救护人员一起搜救生命、挖掘遗体，连续三天三夜没合过眼、没吃过热饭，因过度劳累晕倒在搜救现场。其间，他带领官兵成功救出被埋群众 7 人，救治伤员 892 人	
石华杰	武警青海省总队副参谋长兼玉树藏族自治州支队支队长、支队党委副书记	在玉树抗震救灾战斗中，石华杰带领官兵成为第一支进入灾区的救援部队，为帮助受灾群众稳定情绪，最大限度降低灾害带来的损失做出了贡献。面对余震频发的危险情况，在没有专业搜救工具的情况下，他组织全体官兵手刨肩扛，地震当天就从废墟中挖出 969 名被埋群众，救治伤员 23 人，转移遗体 91 具，临时治疗受伤群众 1202 名，安全转移群众 2986 人	
侯世科	武警总医院医务部主任、党委书记	地震发生后，侯世科不顾曾在海地救援中因过度劳累致髋关节严重拉伤、一直未愈的身体状况，主动请战。针对一些受灾群众中出现的恐惧、焦虑等各种震后心理疾患，他带领队员积极开展心理疏导工作，帮助他们稳定情绪，恢复身心健康。他坚毅顽强，身先士卒，不顾伤病，带领医疗队员爬废墟、清瓦砾、救伤员，导致身体更加虚弱，先后 3 次晕倒在救援一线	
杨　勇	生前系四川省卫生厅应急办副主任	5 月 14 日，为保证四川省赴玉树地震灾区医疗卫生救援队的顺利换防交接，杨勇第二次赶往玉树。在检查指导医疗卫生防疫点灾后防疫工作、协调队伍交接换防后，杨勇离开玉树前往四川省地震灾区。当车辆行至四川省德格县马尼干戈乡时，不慎驶离左侧路面，掉入深 30 余米的左侧路沿下。杨勇在提醒同行人员注意安全时，错失了保护自己的宝贵时间，不幸遇难	追授“抗震救灾优秀共产党员”称号

第二节　中共青海省委表彰

一、优秀共产党员

2010 年 6 月 21 日，中共青海省委决定，对在玉树抗震救灾中表现突出的 134 名共产党员予以表彰，分别授予“玉树抗震救灾优秀共产党员”称号，并追授李德业为“玉树抗震救灾优秀共产党员”。

玉树抗震救灾优秀共产党员一览表

表 3-2

姓名	单位	职务（职业）	备注
李德业	青海省正平公路桥梁工程集团有限公司	工人	追授为“玉树抗震救灾优秀共产党员”
洛　阳（藏族）	玉树州民政局	局长	
文江才（藏族）	玉树州交通局	局长	
普布才仁（藏族）	玉树州人民政府应急办	副主任	
吉国海	玉树州人民检察院	副检察长	
索南才仁（藏族）	玉树州人民法院	副院长	
张琨明	玉树州卫生局	副局长	
尕玛才仁（藏族）	共青团玉树州委	副书记	
诺　桑（藏族）	玉树州委统战部	副调研员	
索南兰周（藏族）	玉树州民政局	退休干部（原局长）	
尼玛扎西（藏族）	玉树州政协	干部	
陈　松（藏族）	玉树州委政法委	干部	
索朗涌霈（藏族）	玉树州发展改革委	干部	
王成元	玉树州公安局	副局长兼州交警支队支队长	
宋仁德	玉树州畜牧兽医工作站	站长	
尕松尼玛（藏族）	玉树州电视台新闻部	记者	
才仁达哇（藏族）	玉树县委组织部	副部长	
昂公扎西（藏族）	玉树县委统战部	副部长兼民宗局局长	
周建林	玉树县人民检察院	检察长	
才　多（藏族）	玉树县扶贫开发办公室	主任	
成林求培（藏族）	玉树县上拉秀乡	党委书记	

续表 3-2

姓名	单位	职务（职业）	备注
叶　青（藏族）	玉树县结古镇甘达村	党支部书记	
格来达杰（藏族）	玉树县结古镇东风村	党支部书记	
土丁朋措（藏族）	玉树县上拉秀乡加吉娘移民社区	党支部书记	
才　哇（藏族）	玉树县结古镇扎西大同村三社	社长	
文德诺布（藏族）	称多县公安局刑警大队	副大队长	
扎西旺加（藏族）	囊谦县委办公室	主任	
多　旺（藏族）	囊谦县着晓乡班多村	村民	
俄要才仁（藏族）	囊谦县人民医院	院长	
尕子达杰（藏族）	杂多县昂赛乡	乡长	
日　沙（藏族）	杂多县扎青乡	副乡长	
白延海（藏族）	治多县卫生局	副局长兼县人民医院院长	
索南扎西（藏族）	曲麻莱县政府办公室	主任	
郭卓玛（女，藏族）	曲麻莱县卫生与人口计划生育局	局长	
党成忠	中国电信股份有限公司玉树分公司网络中心	主任	
冀国栋	玉树结古公路段	段长	
马宝祥（回族）	湟中县大才乡前沟村	村民	
闫立平	西宁市泰欣出租车公司	出租车司机	
祁永清（回族）	西宁市第二人民医院	副院长	
韩　进（撒拉族）	青海欣路建设工程有限公司循化工程队	队长	
韩玉科	乐都县供销联社	主任兼乐都县兴农农产品产销协会会长	
贾福祥	民和县总堡乡	党委书记	
匡　懋	格尔木藏格钾肥有限公司一厂办公室	主任	
田库有	都兰县夏日哈镇	党委书记	
李坤业	天峻县政府办公室	副主任	
陈有文（藏族）	海南州畜牧兽医站	站长	
马志明（回族）	贵德县水务局	党总支书记、局长	
东　雷（藏族）	同德县人民医院	院长	
宋海林	海北州交警支队	政委	
马志俊（回族）	海北州健康教育所	所长、主任医师	
周有全（藏族）	祁连县峨堡镇	党委书记	
班玛闹吾（藏族）	共青团果洛州委	副书记	
吴　敏（女）	达日县人民医院	医师	
张海平	黄南州公安交通警察支队	副支队长	
王占华（回族）	尖扎县康杨镇西麻拉村	党支部书记	
索　南（蒙古族）	河南县赛尔龙乡尕庆村	村民	
杨占泉	省人大办公厅后勤服务中心	工人	
张生禄	省政府办公厅秘书三处	主任科员	

续表 3-2

姓名	单位	职务（职业）	备注
李艳萍（女）	省纪律检查委员会党风廉政建设室	主任科员	
罗德拉（藏族）	省委统战部民族宗教处	处长	
宋积晟	省经委（国资委）中小企业发展局	主任科员	
庞　青（女）	省教育厅职业与成人教育处	处长	
刘　伟	省科技成果管理办公室	副主任	
圈启章（藏族）	省民族宗教委员会宗教一处	处长	
李贤荣	省公安厅科技信息处信息中心	科员	
杨　伟	省民政厅救灾储备中心	党支部书记、副主任	
刘红星	省国土资源厅地质环境处	处长	
胡永科（藏族）	青海日报社西海农民报	主编	
陈丽娜(女，撒拉族)	青海教育杂志社、中国教育报驻青海记者站	记者	
才秀加（藏族）	省公路局玉树公路总段养护管理科	科长	
田明有	省收费公路管理处	副处长	
张生福	省水利厅建设管理与科技处	处长	
蔡金山（土族）	省动物疫病预防控制中心	副主任	
拉　环（藏族）	省农牧厅畜牧业处	副处长	
吴世政	省第五人民医院	院长	
索　江（藏族）	省卫生监督所	职工	
梁春英（女）	省人口计生委计划生育科学技术指导中心功能检验科	科长	
王旭斌	省汽车更新办公室	主任	
关红太	青海省外事办公室	主任科员	
桑德旦周（藏族）	玉树州地税局	党组书记、局长	
陈建海	青海人民广播电台经济频率	副总监	
李建军	省统计局记者站	负责人	
申寿昌	省扶贫开发教育中心	副主任	
乔正善（土族）	省粮食局	副局长	
巴旭东（藏族）	共青团省委权益部	主任科员	
李晓峰	省妇联发展部	副主任科员	
康　桑（藏族）	玉树州国税局纪检组	组长	
周文利	青海大气探测技术保障中心	助理工程师	
沙成宁	省地震局监测中心测震台网室	主任	
杨　宏	青海检验检疫局卫生与动植物检验检疫处	处长	
张培海	省通信管理局网络管理处	副调研员	
李正乾	省邮政工会	副主席	
李启顺	中国电信青海公司综合维护事业部电信传输局	局长	
郑爱军	中国移动青海公司	党组书记、总经理	
战　平	联合网通青海省公司运行维护部	职工	

续表 3-2

姓名	单位	职务（职业）	备注
温端稿	省招商引资促进会	党委书记	
李卫东	青海省登山协会	副秘书长、高原户外救援队队长	
巩　盛	青海省特种设备检验所	检验师	
祁太元	省电力公司	总工程师	
李卫国	青海机场公司玉树分公司	党委副书记、副总经理	
唐增科	省水利水电（集团）有限责任公司	党委书记、董事长	
刘明芳	青藏铁路公司辅业资产管理中心路兴公司西宁装卸车间	主任	
汪文生	中国水电四局有限公司第一分局	副局长	
王存儒	青海煤业集团矿山救护队	指导员	
张永厚	青海路桥建设机械有限公司	项目经理	
张东风	省公安厅警卫局	局长	
董存胜	省公安消防总队	副总队长	
王学比	省公安消防总队后勤部	副部长	
雷幸志	省公安消防总队政治部纪检保卫处	处长	
冉向民	省公安消防总队司令部战训处	处长	
康自福（藏族）	玉树州公安消防支队	支队长	
郑　林	消防总队防火监督部宣传处	参谋	
巴才洛（藏族）	格尔木市公安消防支队特勤中队	中队长助理	
谢　鹏	青海省军区玉树军分区政治部	副营职干事	
乔明雷	青海省军区陆军预备役步兵旅通信营	营长	
贾郎拉太（藏族）	解放军 68710 部队 57 分队	政治教导员	
王育龙	解放军 68710 部队 72 分队八班	班长	
贾贵身	解放军 96361 部队 43 分队	分队长	
王　威	解放军 96351 部队司令部警卫防化营	营长	
杨延焕（东乡族）	解放军第 536 医院外二科	主治医师	
李福洋	解放军第 536 医院门诊部	副主任	
谢治国	解放军 62270 部队 13 分队二分队	队长	
杨国民	解放军第 22 医院政治处	副主任	
杜　波	解放军 68062 部队 71 分队	分队长	
李　军	解放军第 4 医院医务处	副主任	
郝修海	解放军 93987 部队	副部队长	
安大钧	武警青海总队第一支队	支队长	
赵　华	武警青海总队第一支队三大队	大队长	
屈明刚	武警青海总队第四支队	支队长	
胡　罡	武警西宁市支队政治部	宣传干事	
王拴旺	武警海南州支队卫生队	医师	
贺永瑞（裕固族）	武警玉树州支队直属大队	副大队长	

续表 3-2

姓名	单位	职务（职业）	备注
孔　新	武警 8653 部队	部队长	
张祥龙	武警水电二总队五支队司令部	正连职参谋	
于晓东	武警交通一总队一支队	副参谋长	

二、优秀党员领导干部

2010 年 6 月 21 日，中共青海省委决定，对在玉树抗震救灾中表现突出的 20 名党员领导干部予以表彰，分别授予“玉树抗震救灾优秀党员领导干部”称号。

玉树抗震救灾优秀党员领导干部一览表

表 3-3

姓名	单位	职务
昂　格（藏族）	玉树州人大常委会	主任
王玉虎（藏族）	玉树州委	副书记、州长
丁显成（藏族）	玉树州政协	主席
文国栋	玉树州委	副书记
王　勇	玉树州委	常委、常务副州长
王秀琴（女，藏族）	玉树州人民政府	副州长
童光毅	玉树州人民政府	副州长
普布多杰（藏族）	玉树州委	副秘书长、办公室主任
尕　桑（藏族）	曲麻莱县委	副书记、县长
朱战民	玉树县委	副书记
沈万忠	玉树县委	常委、组织部部长
杨汝坤	省委	副秘书长
葛文平	省委组织部	副部长
夏学平	省委宣传部	副部长
王予波	省教育厅	党组书记、厅长
杨伯让	省交通厅	党委书记、厅长
于丛乐	省水利厅	党组书记、厅长
曹　宏	省农牧厅	党委书记、厅长
孙　林	省民政厅	党组成员、副厅长
肖玉海	省财政厅	党组成员、副厅长

后　记

《玉树大地震救灾重建志（卷六）集体·人物》（以下简称“《集体·人物》”）由青海省人力资源和社会保障厅牵头组织编纂。根据省政府关于《玉树大地震救灾重建志》编纂工作要求，及时成立了编纂委员会，加强对编纂工作的领导。编委会主任由省委组织部副部长、省人力资源社会保障厅党组书记冯锐强担任，省委宣传部常务副部长王向明为编委会副主任，省军区副参谋长昂旺索南、武警青海总队政治部副主任鲁建臣、玉树州人民政府副州长王勇、青海日报社社长刘力群、省广电局局长金河清、省公务员局副局长刘宁博为编委会成员。编委会办公室设在省人力资源社会保障厅，办公室主任由刘宁博兼任。2015年3月，因人员变动，编委会主任由省委组织部副部长、省人力资源社会保障厅党组书记、厅长杨颐担任，增补省人力资源社会保障厅副厅长、省公务员局局长苏全仁为编委会副主任。编纂工作全面启动后，先后发出了《关于帮助征集玉树大地震志〈集体·人物〉分卷英雄模范事迹资料的函》和《关于帮助征集军队武警部队先进集体和先进个人资料的函》，部署开展基础资料收集和编目大纲编写工作。同时，明确编委会办公室成员工作职责，并进行相应业务培训。

2015年9月，经过多方的努力，完成资料征集、编辑资料长编和初稿撰写工作，组织人员对初稿进行初审；12月，修订后的初稿提交编委会成员进行复审。2016年4月，根据编委会成员的意见修改后形成了初审稿；12月，报全志编纂委员会（以下简称“全志委”）组织评审。2020年10月，以列表名录的形式增加了中共中央组织部、中共青海省委等省部级表彰的先进集体和先进个人。

为确保编纂质量，全体编纂人员始终本着对历史、对人民负责的态度，以高度的历史责任感和使命感，认真甄别和提炼资料，用直观、翔实的文字记录先进集体和人物的事迹，挖掘他们在抗震救灾、灾后重建工作中展现出来的伟大的抗震救灾精神和崇高品质。作为承编牵头单位的省人力资源社会保障厅领导高度重视志书编纂工作，要求编纂工作严把政治关，确保基础资料的真实性、完整性和权威性，提高志书质量，并如期完成任务。全志委对《集体·人物》

的编纂给予了充分的关心和指导，把握志书总体框架，指明修志方向；全志委办公室领导多次指导《集体·人物》编纂工作，并提出具体工作要求；全志委办公室副巡视员李泰年全程跟踪指导，倾力修改完善。编委会成员单位联系省委各部委、省直机关各单位、省军区、武警青海总队、省灾后重建指挥部以及国家有关部委、有关省市相关单位等共93家单位，花费了大量的时间和精力，收集编写了丰富翔实的基础资料，为志书全面、真实反映玉树大地震救灾重建期间英雄模范集体和个人的英勇事迹打下了坚实的基础。特别是英雄模范个人照片的搜集，先后得到国家公务员局、解放军总政治部和省公安厅政治部的鼎力支持和帮助。省公务员局考核培训处承担编委会日常工作，负责资料加工整理、组织协调工作。李建平承担编写初稿的工作。刘宁博、王育宏、毛江明、张经课、李燕、金跃虎、苏娟、魏海龙、杨秉、李滨、高彦收等承担初稿的初审、复审及修订。在此，谨向所有为编纂工作做出贡献的单位和个人表示诚挚的敬意和衷心的感谢！

《集体·人物》是一卷以记述人物为主要内容的志书，因编纂工作涉及地区、部门、行业、人员众多，资料驳杂，来源广泛，加之编纂人员水平所限，错误、问题在所难免，不妥之处恳请批评指正。

《玉树大地震救灾重建志（卷六）集体·人物》编纂委员会

2020年11月